Droysen, Jo

Friedrich I. Koenig von Preussen

Droysen, Johann Gustav

Friedrich I. Koenig von Preussen

Inktank publishing, 2018

www.inktank-publishing.com

ISBN/EAN: 9783747793237

Friedrich I.

König von Preußen.

Von

Joh. Gust. Droysen.

Leipzig,
Verlag von Veit und Comp.
1867.

Inhalt.

Kurfürst Friedrich III.

Das „verlorne Land" Brandenburg zu retten, „es wieder in ein redlich Wesen zu bringen" war einst Burggraf Friedrich von Nürnberg zum Fürstenthum der Marken berufen worden. Auf dem Concil zu Constanz, wo mit der Reformation der Kirche zugleich des Reiches Besserung unternommen wurde, empfing er die Lehen des Erzamtes, das ihm, dem Vorkämpfer der Reichsreform, in dem „innersten Rath des Reiches" eine Stelle gab.

So begründet, dem Reich dienend und des Reiches Marken schützend, wuchs das Haus Brandenburg in fortschreitendem Gedeihen, bis es dem raschen und mächtigeren Emporsteigen des Hauses Oestreich gegenüber mehr und mehr zurückblieb, bald auch von denen überholt, die in dem erwachten Kampf der Bekenntnisse kühner oder heftiger gegen die spanisch-deutsche Macht des Kaiserhauses rangen. Endlich als der große Kampf der Entscheidung entbrannte, als gegen die drohende östreichische „Universalmonarchie" der schon sinkenden deutschen Libertät die Kronen Frankreich und Schweden zu Hülfe eilten, lag Brandenburg, bald von kaiserlichen, bald von schwedischen Kriegsvölkern niedergetreten, völlig zu Boden.

Da entstand ihm ein zweiter Gründer. Er begann sein Werk noch in Mitten jenes Krieges, der dreißig furchtbare Jahre hindurch alles deutsche Land heimsuchte, als sollte es für immer ver-

1*

loren sein, in Mitten jener Revolution, die das Wesen des deutschen Reiches bis auf den Grund zerstörte.

Ihr Abschluß war ein Friede, der Deutschland unter die Garantie von Frankreich und Schweden stellte und den gelösten Gliedern des Reiches überließ, auf Grund der ihnen garantirten Souveränetät eine neue Verfassung des deutschen Gemeinwesens zu vereinbaren. Eine Vereinbarung, zu der es nie gekommen ist, so lange der Name des Reiches gewährt hat.

Für die Erhaltung der „Freiheit," der reichsständischen wie landständischen, hatte die Nation ihre politische Einheit opfern müssen. Blieb es noch möglich Deutschland zu retten, es wieder in ein redlich Wesen zu bringen, so gab es dazu nur Einen Weg, einen weiten, mühevollen, an Gefahren, Prüfungen, Undank überreichen.

Es ist der, den der Große Kurfürst einschlug. Er unternahm nicht herzustellen, was vernichtet, zu erneuen, was ab und todt war. Was er schuf, war ein neuer Anfang.

Daß er die zahlreichen Territorien, deren Landesherr er war, im Regiment zusammenfaßte, daß er diese Sprengstücke deutschen Landes und Volkes zu Einem Staat umformte und in der Einheit die Kraft und den Werth jedes einzelnen um die Wucht des Ganzen steigerte, daß er in einer Reihe denkwürdiger Kriege, in entscheidenden politischen Actionen über die deutschen Grenzen hinaus die Macht des neuen Staates bewährte, das begründete dessen Bedeutung für Deutschland und in Europa.

Es waren die lebensvollen Motive der modernen Zeit, die der Große Kurfürst ergriff und verwirklichte. In den großen Gedanken der Toleranz und der evangelischen Freiheit, in dem Niederzwingen des ständischen Wesens und Unwesens, in den festen Formen militärischer Organisation, geordneter Finanzen, fürsorgender Verwaltung, gewann sein Staat, allen andern deutschen Landen, namentlich denen des Kaisers voraus, seine Stelle in der kühn fortschreitenden Bewegung des europäischen Lebens. Und dieser Staat umfaßte ein Areal norddeutscher Gebiete dreimal größer, als das damalige Kursachsen, fünfmal größer, als die gesammten Lande des welfischen Hauses, ein Areal, wie das heutige Baiern, Würtemberg, Baden zusammengenommen. In vier Gruppen, jenseits der Weichsel, zwischen Elbe und Oder, an der Weser, am Niederrhein zerstreut, stand er zu gleicher Zeit in unmittelbarer Berührung mit den „Barbaren des Ostens", mit der nordischen Welt, mit den westeuropäischen Verwickelungen.

Aus diesen Gegebenheiten hatte sich das politische System dieses Staates geformt und in sichrer Uebung ausgeprägt. In einer Reihe bedeutsamer Momente zeichnete es sich.

Als nach dem kühnsten Anlauf zur Beherrschung Deutschlands und Europas die erlahmende Kraft des Hauses Oestreich nur noch nach dem Frieden rang und ihn annahm, wie Frankreich und Schweden ihn dictirten, hatte sich der junge Staat zu sammeln und aufzurichten begonnen. In ihm zuerst hatte sich nach den glorreichen Kämpfen, die der Friede von Oliva schloß, der deutsche Name aus dem Zustand der Erniedrigung, der mit jenem Frieden für immer auf die Nation gelegt schien, wieder emporgerichtet. Den einen Garanten jenes Friedens, die Krone Schweden, warf dann die Schlacht von Fehrbellin und was ihr folgte, völlig nieder, und Brandenburg trat für die baltische Politik in die Stelle ein, die sie verloren hatte. Dem andern Garanten, der Krone Frankreich und ihrer furchtbar schwellenden Uebermacht, hatte der Kurfürst nicht aufgehört das Widerspiel zu halten; er hatte 1658 trotz ihrer die Kaiserwahl Leopolds I. durchgesetzt, er hatte 1669 ihre polnischen Pläne gesprengt, er hatte ihr den Rheinbund aus den Händen gewunden; er war 1672 der erste, der sich ihrem furchtbaren Stoß auf Holland entgegenwarf, 1679 der letzte, der vor ihr vom Kampfplatz wich. Seine energische und gewandte

Politik hielt seit 1683, während der Kaiser wider Frankreichs Bundesgenossen, den Sultan, kämpfte, Ludwig XIV. zurück, den östreichischen und deutschen Heeren, die Ungarn befreiten, so den Rücken deckend. Auf die Dragonaden Ludwigs XIV., auf das entsetzliche Edict, mit dem der große König hunderttausende seiner Unterthanen ihres Glaubens willen in's Elend trieb, antwortete er mit dem Potsdamer Edict, entschlossen, den Kampf für die „Staaten- und Gewissensfreiheit" aufzunehmen.

Die Mittel dazu und die Zuversicht, an der Seite Hollands und des Oraniers den großen Kampf zu bestehen, fand er in den Ergebnissen, die seine rastlosen Bemühungen um den inneren Ausbau seines Staates gebracht hatten,[1]) und in der Anspannung aller Kraft, an die er seine Lande gewöhnt hatte. Schon war es ihm möglich geworden, seine „Generalkriegscasse" ganz mit regelmäßigen Einkünften auszustatten; ihre vorletzte Jahresrechnung vom 31 Dec. 1686 schloß mit fast 1,100,000 Rthlr. Er hatte bereits, die Festungscompagnien mit 2700 M. ungerechnet, 36 Bataillone Fußvolk, 40 Escadrons Reuter;[2]) dazu eine musterhafte Artillerie, reichgefüllte Zeughäuser; seine africanische Compagnie konnte ihm zwölf Fregatten und einige kleinere Kriegsfahrzeuge stellen, die, so lange Frieden war, zwischen Emden und seinen Forts auf der Goldküste Friedrichsburg, Dorothea u. s. w. fuhren.

Im Laufe des Jahres 1687 hatte er sein Heer zu verstärken begonnen, den Marschall von Schonberg in seinen Dienst berufen. Er hatte mit dem Kaiser jenen Allianzvertrag von 1686 geschlossen,

1) Die merkwürdigen Aufzeichnungen eines kursächsischen Beamten über die Projecte, die den Kurfürsten noch im letzten Jahr seiner Regierung beschäftigten, „Vorschläge zur Verbesserung des Brandenburgischen Staates" (im Dresd. Arch. aus Fürst Egon v. Fürstenbergs Nachlaß) hoffe ich demnächst zu veröffentlichen.

2) Die Angabe Friedrichs des Großen (Oeuv. I p. 182) sind richtig für den Anfang 1687, nicht für die Zeit, die da angegeben ist (à la mort du Grand Electeur).

in dem er seine Ansprüche auf Jägerndorf, auf Liegnitz, Brieg und Wohlau für das kleine Schwiebuß dahingab, um, so hoffte er, die Politik des kaiserlichen und des brandenburgischen Hauses für immer auszugleichen und zu einigen. Er war beflissen, den Hader zwischen Dänemark und dem Hause Gottorp, zwischen dem Dresdner Hofe und den jüngeren Linien des kursächsischen Hauses beizulegen, beflissen zugleich, das Mißtrauen der katholischen Stände gegen die evangelischen, der Fürsten gegen die Kurfürsten zu beseitigen, möglichst alle Interessen im Reich für den nahenden Moment der Entscheidung zu einigen.

Sie sollte, so war sein Plan, mit einem kühnen Angriff beginnen; es galt England aus der Hand des papistischen Jacob II. und aus der Verbindung mit Frankreich zu reißen. Der Prinz von Oranien sollte diesen Angriff führen, die Macht Brandenburgs und der sich Brandenburg anschließenden evangelischen Fürsten ihm den Rücken decken. Das war der Zweck jener Rüstungen. Schon wandten sich die Häupter des protestantischen Englands an den Prinzen, von dem sie Rettung hofften, an den Kurfürsten, der allein dem Prinzen möglich machen konnte, sie zu bringen.

So schwoll die große Krisis von 1688 heran; sie war dem Ausbruch nahe, als der Kurfürst starb.

Der Regierungswechsel in diesem Moment war von mehr als gewöhnlicher Bedeutung. Es hing Großes daran, ob der Sohn den Gedanken des Vaters weiter führen, ob er Willens und im Stande sein werde, dessen Stellung zum Kaiser und im Reich aufrecht zu erhalten.

Es wäre nicht wohlgethan, wenn man das Wesen des Reiches, wie es damals war, nach den reichsrechtlichen Doctrinen, die im Schwange waren, nach den endlosen Controversen der „Reichspublicisten" über die Reichsgerichte, Kreisordnungen, Reichsversammlungen u. s. w. sich vorstellen wollte. Officiell bewegte man sich in diesen Formeln; die wirklichen Zustände lebten sich weit und weiter von ihnen hinweg.

Weder die neue Reichsverfassung, deren Vereinbarung der westphälische Friede vorbehalten hatte, wurde zu Stande gebracht, noch gelang es, auf Grund der Autonomie, die er garantirte, eine neue Ordnung des deutschen Gemeinwesens, eine Föderation der Stände zu schaffen, wie Brandenburg wiederholt versuchte.

Nach dem furchtbaren Kriege der dreißig Jahre, wo Alles verödet, zertreten, todtmatt da lag, hatte jeder vorerst nur zu denken, wie er für die nächste Nothdurft sorgen, sein Haus wieder bauen, seinen verwilderten Acker wieder bestellen könne. Kaum über das erste Elend war man hinweg, als der Krieg der siebziger Jahre hereinbrach und die französischen Heere bis zur Weser und nach Schwaben hinein, die schwedischen in Norddeutschland heerten. Ein elender Frieden schloß diesen Krieg.

Die Niederlagen, die man gegen Frankreich erlitten, dann nach dem Frieden die Schmach der Reunionen, die man hinnehmen müssen, die neuen Bedrohungen unter dem Titel der pfälzischen Ansprüche, die Frankreich erhob, mußten auch den Blindesten überzeugen, daß es so nicht weiter gehen könne. In Aller Munde war, daß man eilen müsse, sich in Verfassung zu setzen, daß man auch die größten Opfer nicht scheuen dürfe, um militärisch stark genug zu sein, sich zu vertheidigen, wenn der Reichsfeind von Neuem hereinbreche.

Es wurde eine Reichskriegsverfassung zu Papier gebracht,[1]) nach der der patriotische Deutsche die Beruhigung haben konnte,

1) Es ist der „mit reifer Ueberlegung im Jahr 1681 ausgefundene und angenommene Repartitionsfuß," wie er im Reichsgutachten vom 17. Nov. 1702 genannt wird; er enthielt die Repartition für die Kreise und überließ diesen die Subrepartition.

daß im gegebenen Falle sofort 40,000 M., und wenn es nöthig, 80,000, ja 120,000 M. am Rhein stehen würden. Nur daß niemand nachsah, ob die vortrefflichen Anordnungen auch ausgeführt wurden. Und vorerst waren in Regensburg die Beschwerden über zu hohen Ansatz in der Matrikel und die Reclamationen der einzelnen Fürsten und Stände gegen Forderungen, bei denen sie nicht existiren könnten, an der Tagesordnung; in den einzelnen Territorien traten die Landstände mit der ganzen Zähigkeit ihrer Libertät gegen Maaßnahmen auf, die mehr von ihnen forderten, als sie zu leisten Lust hatten, und in Formen forderten, die ihr Bewillungsrecht illusorisch machten.

Schon im letzten Kriege war es in Uebung gekommen, daß die kleineren Fürsten und Stände — was auch nützten ihre zwanzig, dreißig, hundert Soldaten Reichscontignent — nicht mehr unmittelbar, sondern in der Form von „Quartieren" mit Geldzahlungen ihre Pflicht zur Reichsdefension leisteten; Zahlungen, auf die der Kaiser dann theils sich selbst, theils die „armirten Reichsstände" anwies. Die zahlenden sanken damit so zu sagen zu passiven Gliedern des Reiches hinab. Auch unter denen, die ihrer Größe nach sich nicht so auf das Verkommen hätten legen sollen, waren viele, namentlich geistliche, die es so bequemer fanden.

Desto kühner schritten andere vorwärts, auf Wegen, die weder in der alten Richtung des Reichswesens lagen, noch in der neuen, die der westphälische Friede noch offen gehalten hatte. Es war der alte Ehrgeiz dynastischen Emporkommens, der sich nun der souveränen Attribute, die in dem Titel der Fürstlichkeit zu liegen schienen, zu bemächtigen eilte; als gebe der Name Souveränetät, was nur die Wirkung realer Macht ist. Zunächst begann das Ringen um die Beseitigung der kurfürstlichen Präeminenz, um die Gleichstellung aller Fürstlichkeit; dann folgte das Wettrennen um neue Kurhüte; bald streckte man sich nach noch höheren Zielen. Hatte nicht das Haus Holstein den dänischen, das Haus Zweibrücken den schwedischen Thron errungen? dem einen und anderen unserer Fürsten gelang es, eine Königskrone zu gewinnen;[1]) sie wuchsen damit aus dem Reich hinaus, wie sich das Haus Oestreich schon längst mit jeder neuen Königskrone, die es draußen gewonnen, mehr hinausgelebt hatte.

Das officielle Band, das die Fürsten und Stände im Reich umschloß, wurde um so loser, die Reichsformen um so verworrener und unwahrer. Und das zerbröckelte Volk in diesem schemenhaften Reich deutscher Nation gewöhnte sich, in der Fiction, trotz alle dem hoch über sich ein Recht, einen Schutz, eine vaterländische Macht zu haben, die Ohnmacht, Phrase, Anarchie nicht mehr zu empfinden, unter der es politisch verfaulte; es gaffte die Dinge an, die an ihm selber geschahen, und träumte weiter von Kaiser und Reich, als seien nur die Wirklichkeiten verkehrt; es lernte die Staatlosigkeit für Freiheit und die staatliche Zucht für Knechtschaft halten. Tief und tiefer in politische Stumpfheit versinkend und desto lenksamer für die Demagogie katholischer Priester und lutherischer Zionswächter, ein Spielball für das kirchliche Partheitreiben, verlor es von der adelnden Leidenschaft der Größe, von dem Pflichtgefühl nationaler Arbeit, Einheit und Macht den letzten Rest; nur noch eine träge, zähe, schlammige Masse, wimmelnd von dem kleinen Leben engster und niedrigster Interessen, das in solcher Fäulniß wucherte, bis da und dort eine mächtige und rücksichtslose Hand gewaltsam durchgriff.

Unter den geistlichen Fürstenthümern war jetzt — nach den

---

1) Eine lehrreiche Flugschrift von 1716 Lettre d'un gentilhomme Italien à un ministre d'état d'un prince d'Allemagne s. l. et a. (im schwedischen Interesse): Les princes deviennent électeurs et les électeurs rois; Auguste ouvre la carrière du despotisme en Pologne, George songe déjà, comme il l'imitera dans l'Angleterre sur le même canevas u. s. w.

wüsten Anläufen des münsterschen Bernhard von Galen, den diplomatischen des Mainzer Johann Philipp von Schönborn — wenigstens noch eins in den Bahnen der großen Politik, in den verwegensten. Kurfürst Maximilian Heinrich, bairischen Stammes, hatte Cöln, Lüttich, Münster, Hildesheim, Gebiete von einem Areal, das nächst dem von Oestreich und Brandenburg das größte im Reich war, und innerhalb dessen die wichtigsten Festungen an der Maas und am Niederrhein lagen. Freilich da überall beschränkte ihn das Recht seiner Domcapitel und seiner Landstände; im Entferntesten nicht konnte er über die Mittel dieser Lande verfügen; um so mehr gab er sich der französischen Politik hin, die ihm Ersatz mit vollen Händen bot. Von Franz und Wilhelm von Fürstenberg berathen, hatte Kurcöln politisch und militärisch seit 1672 eine nur zu bedeutende Rolle gespielt. Der fromme Herr war nun alt. Der Einfluß Frankreichs bestimmte das Domcapitel zu Cöln, ihm Wilhelm von Fürstenberg, den Bischof von Straßburg, zum Coadjutor zu wählen; dem thätigsten Partisan Frankreichs schien damit die Nachfolge, auch die in den drei anderen Prälaturen, so gut wie gewiß.

Nicht militärisch von gleicher Bedeutung war der alte Philipp Wilhelm von Pfalz-Neuburg, derselbe, der einst um die polnische Krone so eifrig geworben. Aber mit Jülich und Berg und seinem Donauland hatte er, als 1685 die pfälzische Kurlinie erlosch, deren Würde und deren Lande am Neckar und jenseits des Rheins vereinigt. Er warf sich mit Eifer auf die Verfolgung der Evangelischen in seinem neuen Lande, suchte und fand in seinen Verdiensten um die Propaganda eine nur zu große Bedeutung für die Geschicke Deutschlands. Und seine Tochter war des Kaisers Gemahlin, die Mutter der beiden Knaben, auf denen die Hoffnung des Hauses Oestreich ruhte; er hatte am Wiener Hofe, seit sein getreuer Rath Strattmann Hofcanzler geworden war, um so größeren Einfluß. Demnächst vermählte er andere seiner Töchter an den König von Spanien, den König von Portugal, den Herzog von Parma; von seinen neun Söhnen stiegen fünf auf den Wegen des geistlichen Fürstenthums rasch empor. Mit seinem Eintritt ins Kurcollegium war da die Zahl der katholischen Stimmen auf sechs gestiegen, die der evangelischen auf zwei gesunken; nur um so heftiger wurde die Opposition der evangelischen Fürsten gegen die Präeminenz der Kurfürsten.

Kurbaiern hatte die Jahre daher ein politisches Stillleben geführt; jetzt, seit der junge Kurfürst Max Emanuel in den Türkenkriegen den Ruhm eines Feldherrn und die Hand einer kaiserlichen Prinzessin gewonnen, war der Münchner Hof großer Pläne voll. Diese kaiserliche Prinzessin war von den Kindern, die dem Kaiser Leopold seine erste Gemahlin geboren, die einzige überlebende; auf sie vererbten die Rechte ihrer Mutter, der Schwester Karls II. von Spanien, des letzten vom spanischen Mannsstamm. Kaiser Leopold hatte seine Tochter dem Kurfürsten mit der Bedingung vermählt, daß er auf die spanische Succession zu Gunsten der kaiserlichen Söhne aus späterer Ehe verzichtete; ihr waren dafür aus der dereinstigen Erbschaft Karls II. die spanischen Niederlande zugesagt. Mit diesem burgundischen Gebiet, wo einst Kaiser Maximilian I. den Hebel zur Erhebung der östreichischen Macht angesetzt, schien sich endlich auch dem Hause Baiern die Bahn der Größe zu erschließen.

Seit lange war die Pracht des Dresdner Hofes, die sächsische Bildung und „Opulenz“, der Leipziger Meßverkehr, die für die lutherische Welt immer noch leitende Universität Wittenberg in der Welt bekannt. Seit Johann Georg III. Kurfürst geworden (1680), begann sich auch in Dresden die politische Action zu regen. Man erkannte, wie tief durch das unglückliche Testament von 1652, das drei jüngere Brüder mit Theilen des Kurlandes ausgestattet hatte, das albertinische Haus geschwächt sei; man versuchte das Recht der Kurlinie gegen sie schärfer anzuziehen, den seit lange verlornen Einfluß auf die ernestinischen Vettern herzustellen; man eilte durch militärische Leistungen sich wieder Ansehn zu schaffen; in Ungarn, im Dienst Venedigs kämpften kursächsische Regimenter mit Ruhm. In diesem emporstrebenden Zuge wuchs das jüngere Geschlecht, wuchsen des Kurfürsten Söhne heran, der leidenschaftliche Johann Georg IV., der demnächst den Kurhut, der glänzende Friedrich August, der nach ihm mit dem Kurhut die Krone von Polen tragen sollte.

Allmählig erwachte auch Hessen-Cassel aus langem Schlaf, bald um mit hastigem Ehrgeiz erst nach den holländischen Händeln, dann nach der schwedischen Krone zu greifen. Auch Würtemberg, auch Gotha reckte sich, um zu der Höhe der armirten Stände hinaufzuwachsen. Selbst die Markgrafen in Franken begannen Truppen zu verdingen und, vom Kurhause sich abkehrend, eigene Wege zu suchen.

Die merkwürdigsten Veränderungen traten in den niedersächsischen Gebieten hervor. Das Welfenland, seit Jahrhunderten durch Theilungen und freundvetterliche Rivalitäten ohnmächtig, begann sich zu sammeln, sich in sich zu ordnen, mit Energie und Kühnheit auf die Schaffung einer norddeutschen Macht hinzuarbeiten, die — denn dieser Gedanke war sofort maaßgebend — sich zwischen die brandenburgischen Territorien im Westen und Osten einschieben und sie auseinander drängen sollte. Seit dem Kriege der siebziger Jahre war diese Rivalität gegen Brandenburg im raschen Fortschreiten. Während Herzog Georg Wilhelm von Zelle aus seinem Kreisdirectorialamt — neben ihm sollten Bremen und Magdeburg alterniren — Competenzen ganz neuer Art, eine Art Führerschaft über die kleineren Stände des Kreises in Uebung zu bringen verstand, spann sein Bruder Ernst August von Hannover die Fäden mannigfachster politischer Verbindungen mit geschickter Hand; namentlich mit Frankreich verstand er sich zu verhalten; die bedeutenden Subsidien, die er von dort erhielt, machten es ihm möglich, weit über seine Mittel hinaus Kriegsvolk zu halten, das dann in Ungarn, in Morea, wo eben Anlaß war, mit Ruhm kämpfte. Schon war ein Weiteres eingeleitet. Herzog Georg Wilhelm hatte aus seiner Ehe mit dem Fräulein d'Olbreuse nur eine Tochter; deren Vermählung mit dem Erbprinzen von Hannover sicherte diesem dereinst auch die Erbschaft des Oheims, wenn es gelang, die alten Theilungs- und Erbordnungen des Hauses zu beseitigen. Daß Ernst August ein Primogeniturstatut errichtete, entzündete freilich den heftigsten Widerspruch seiner jüngeren Söhne, sowie der älteren Linie des Hauses, der Herzoge von Braunschweig, Wolfenbüttel, Bevern; aber selbst das bitterste Zerwürfniß in der eignen Familie schien ihm kein zu theurer Preis für die Größe des Welfenhauses. Wenn die Höfe von Berlin und Dresden dieser Neuerung nicht eben ihren Beifall schenkten, so schienen sie zu einer anderen, die er einleitete, im eignen Interesse die Hand bieten zu müssen. Es gab jetzt nur noch zwei evangelische Kurstimmen, und in dem Kampf gegen die kurfürstliche Präeminenz hatte das Haus Lüneburg bisher den Reigen geführt. Die Schaffung einer neuen Kurwürde für Hannover konnte zugleich die drei mächtigsten norddeutschen Fürsten zu gemeinsamer Politik einigen. Inzwischen fuhren Hannover und Zelle fort, auch schon über den Bereich des niedersächsischen Kreises hinaus sich einzumischen; in den thüringischen Reichsstädten Nordhausen und Mühlhausen, die unter kursächsischem Schutzrecht standen, hatten sie immer noch ihre Garnisonen; die Grafschaften jenseits der Weser, Schaumburg, Lippe u. s. w., zogen sie in ihren militärischen Schutz; sie boten der Fürstin von Ostfriesland in ihrem Hader mit ihren Ständen die hülfreiche Hand, übernahmen die Vormundschaft ihres Sohnes, thaten, was sie irgend konnten, Brandenburg nicht in Emden und Greetsyl festen Fuß fassen, nicht zur ostfriesischen Anwartschaft gelangen zu lassen. So lange der Große Kurfürst lebte, gingen sie behutsam, dissimulirend ihre klugen Wege; aber der Nachfolger war Ernst Augusts Schwiegersohn, und seiner glaubte man gewiß zu sein.

Während so im Reich Bildungen völlig neuer Art einsetzten, Bildungen, die trotz aller officiellen Reichsdoctrinen und Reichsordnungen nach dem Maaß realer Kraft sich entwickelten, begann auch die östreichische Politik, die der Frieden von 1648 tief unter ihre wirkliche Bedeutung hinabgedrückt hatte, sich wieder emporzurichten. Mit dem „Mirakel" von 1683, mit der Eroberung Ungarns, schon auch mit der Aussicht auf die unermeßliche Erbschaft der spanischen Krone erhob sie sich zu der ganzen Höhe ihres altbegründeten Selbstgefühls, zu dem vollen Anspruch kaiserlicher Machtbefugniß.

Sie begann die reichsoberhauptliche Autorität in einer Weise geltend zu machen, die nach dem westphälischen Frieden und nach der Wahlcapitulation von 1658 nicht mehr hätte möglich sein sollen; und die Verfassungslosigkeit des Reiches gab ihr die Möglichkeit, mit dem Nachdruck der deutschen und außerdeutschen Macht des Hauses Oestreich immer neue Competenzen in Anspruch zu nehmen und zur Geltung zu bringen. Es hätte zum Heil Deutschlands sein können, wenn sie in gleichem Maaß die reichsoberhauptliche Pflicht zu erfüllen versucht, wenn sie, an Macht und Befugniß allen Territorien voraus, sich an die Spitze der nationalen Interessen gestellt, wenn sie einer lebensvollen Reform des Reichs Bahn zu brechen, sie auf die gesunden Momente des nationalen Lebens zu gründen verstanden hätte. Sie überließ es dem Brandenburger, die großen Principien der Toleranz, der staatlichen Organisation, des fürsorgenden Regiments zu erfassen; sie ließ es geschehen, daß der hohe Adel des Reichs die gewonnene Souveränetät in neuen Leistungen rechtfertigte. Sie wurde, je mehr einzelne Fürsten im Reich erstarkten und leisteten, nur desto eifersüchtiger auf ihr Wachsen, nur desto eifriger und hastiger, mit der kaiserlichen Autorität ihnen in den Weg zu treten, mit Gnaden und Ungnaden sie kirre zu machen, mit den kaiserlichen Reservatrechten, dem kaiserlichen Amt, als oberster Richter und Haupt des Reichskriegswesens weiter zu greifen, mit den verworrenen Ordnungen und Befugnissen des Reichswesens überall einzudringen und zu wuchern. Kaum daß die langsame Behutsamkeit des alternden Kaisers Leopold noch mäßigte und zurückhielt; die begonnene Bewegung trieb sich selbst weiter. Man gewöhnte sich in Wien, die deutschen Dinge nur als Material für die Größe des Hauses Oestreich anzusehen. Mochten die Kurfürsten, Fürsten und Stände Libertät, Reichs- und Kreistage, Landeshoheit und Souveränetät haben, so viel sie wollten; wenn sie so eifersüchtig darauf waren, selbst für ihre Lande und Leute zu sorgen, so ließ das kaiserliche Regiment sie, wie jeden anderen Landherrn in Böhmen oder Schlesien auf seiner Herrschaft, gewähren; es brauchte sich um so weniger dafür in Mühe und Kosten zu setzen, daß da unten regiert werde. Genug, wenn sie ihre Quartiere und Römermonate zahlten, ihre Contingente nach Ungarn, nach Italien, an den Rhein zu des Kaisers Verfügung stellten, vor Allem sich nicht unterstanden, anders als in dem Kielwasser der östreichischen Politik zu fahren oder gar sich an den kaiserlichen Reservatrechten zu vergreifen. Die Kleinen folgten schon von selbst; und die Wenigen, die auf eigenen Füßen standen, in den Schranken gebührender Parition zu halten war nicht so schwer, wenn man ihre tausend Familienzwiste und Nachbarhändel zu nähren, mit Römermonaten und Commissariaten den Zügel anzuziehen, sie die kaiserliche Ungnade fürchten zu lassen verstand, vor Allem, wenn man dafür sorgte daß der Reichshofrath mit seinem unfindbaren Rechtsverfahren sie kurz hielt und die Majorität des Reichstages östreichisch blieb.

Nur Einer, der Brandenburger, war mächtiger geworden, als es der Wiener Politik genehm war. Man hatte es nicht hindern können, man hatte zeitweise von seiner Macht Vortheil zu ziehen verstanden. Man sah diese brandenburgische Macht nur für „ein zeitliches Werk“ an, das den Tod des alten energischen Herren nicht lange überdauern werde. Man hatte mit dem Schwiebusser Revers und dem Testament, dessen Execution dem Kaiser anvertraut war, genug in der Hand, um dieß neuemporgekommene Haus kirre zu machen und im Nothfalle zu schädigen.

So die Lage der deutschen Verhältnisse, als Friedrich III. begann. Große Aufgaben, schwere Prüfungen der Willenskraft und Einsicht erwarteten ihn. War er dazu angethan, sie zu bestehen?

Erste Schritte.

Nur zu bekannt war, daß er, bis auf die jüngste Zeit, gegen den Vater in Opposition gestanden. Man erwartete am Hofe große Veränderungen, Acte der Ungnade, ein völlig anderes Regiment. Vor Jahr und Tag war das Gerücht verbreitet gewesen, er wolle, wenn er Kurfürst werde, einen der hannövrischen Staatsmänner an die Spitze seiner Regierung berufen. Dann hatte General von Schöning, der für einen Freund Frankreichs galt, seine Gunst gehabt. Jetzt schien Marschall von Schonberg mehr bei ihm zu vermögen. Immer am meisten hatte er sich zu seinem Oheim von Anhalt gehalten, der freilich in dem Maaße, als er beim Kaiser in Gunst stieg, am Berliner Hofe seltener erschien. In seinem persönlichen Dienst war seit langen Jahren Eberhard von Danckelmann, erst als sein Erzieher, dann als sein vortragender

Rath und Führer seiner Geschäfte; er war an ihn gewöhnt, er hatte ihm mehr als einen großen Dienst zu danken; auf des Prinzen von Oranien Wunsch war mit ihm zugleich Danckelmann in das Geheimniß der englischen Expedition gezogen worden; kein anderer von den Geheimenräthen. Um so räthselhafter war ihnen, woher in den letzten Monaten das bessere Verständniß zwischen Vater und Sohn.

Begreiflich daß sie und Alle auf die ersten Acte der neuen Regierung gespannt waren.

Eine Woche nach dem Sterbetage, am 17. Mai, hielt Friedrich III. die erste Sitzung des Geheimenrathes, das Testament des Vaters öffnen und verlesen zu lassen. Es war im Wesentlichen desselben Inhaltes, wie das von 1681, das ihm damals mitgetheilt worden war; es wiederholte, daß die Einheit des Staates und die Souveränetät des Nachfolgers bewahrt bleiben, den jüngern Brüdern Minden, Ravensberg, Halberstadt, Lauenburg-Bütow als Dotation zugewiesen werden solle; aber jene Souveränetät des Familienhauptes stellte es in noch bestimmterer Competenz, diese Dotationen in noch enger beschränktem Recht hin, als das frühere Testament; nur die regelmäßigen „Auf- und Einkünfte" dieser Fürstenthümer waren den jüngeren Söhnen zugewiesen, ohne Militärhoheit und Bündnißrecht, ohne Regierungsrechte, ohne selbstständige Reichs- und Kreisstandschaft. Außerdem für die Kurfürstin Wittwe reiche Dotationen. [1])

Nach der Verlesung beauftragte der Kurfürst jeden der Geheimenräthe, ein schriftliches Gutachten abzugeben, ob das Testament mit den Hausgesetzen vereinbar und für ihn rechtsverbindlich sei.

---

1) Das Testament habe ich eingehender in einer academischen Abhandlung besprochen. Ueber das von Orlich (I. p. 357) angeführte fideicommissum reciprocum zwischen Vater und Sohn, das nicht zum Abschluß gekommen ist, haben die diesseitigen Acten nichts Näheres ergeben.

Also er stellte die letztwillige Verfügung des Vaters in Frage. Er cassirte sie nicht sofort durch einen Act derselben souveränen Machtvollkommenheit, kraft deren der Vater so hatte verfügen wollen. Er vorbehielt sich, nach dem Gutachten seiner Räthe zu entscheiden, obschon die Schlußklausel den Kaiser aufforderte: „die Execution des Testamentes zu übernehmen, über demselben in allen dessen Clauseln und Punkten mit gehörigem Nachdruck zu halten, und dem zuwider von Niemanden nichts vornehmen zu lassen.“

Es war auf Danckelmanns Rath, daß so verfahren wurde; er hatte den jungen Kurfürsten bewogen, „das Unrecht, so ihm als Kurprinzen widerfahren, zu vergessen.“ Die Frage an den Geheimenrath sprach es aus, daß nur nach dem Recht und dem Staatsinteresse entschieden werden sollte; von den Brüdern, von, der Kurfürstin Wittwe — „in Consideration des großen Antheils so dieselbe an der Grandeur und Wohlfahrt des kurfürstlichen Hauses habe“ schrieb er ihr demnächst bei anderem Anlaß — durfte erwartet werden, daß sie sich solcher Entscheidung gern fügen würden.

Der nächste bedeutsame Schritt war die Ernennung Danckelmanns zum wirklichen Geheimenrath (30 Mai). Der Kurfürst hatte mehr gewollt; nach seinem Wunsch hätte Danckelmann sofort „als ältester Geheimerath eintreten und die erste Stelle im Collegium einnehmen,“ es hätten diejenigen Minister, „die ihn selbst während seines kronprinzlichen Standes beleidigt,“ entlassen, namentlich die drei, „welche bisher alle wichtigen Staatsgeschäfte in Händen gehabt,“ Fuchs, Meinders und der Oberhofmarschall Joachim von Grumbkow, vom Hofe entfernt werden sollen. Der Kurfürst hatte sich überzeugen lassen, daß es würdiger und im Interesse des Staates sei, die Geschäfte in ihrem bisherigen Gang

2*

zu lassen.[1]) Seinem Wunsche, wenigstens thatsächlich die Präsidialgeschäfte, wie sie bis 1683 in Schwerins Hand gelegen, namentlich die Vertheilung der eingelaufenen Sachen und die Contrasignatur aller vom Kurfürsten vollzogenen Schriftstücke zu übernehmen,[2]) mußte sich Danckelmann fügen.

Es folgten andere Aenderungen am Hofe, Aenderungen im Ceremoniel, in den Livréen der Dienerschaft, u. s. w.; „er wisse," sagte der junge Herr, „daß es noch Vielen sauer ankäme, mit der Zeit würde sich Alles geben." Er war ungemein beschäftigt: „S. Kf. D. haben wenig Zeit übrig, die sie nicht in den Geschäften employiren."

In den höfischen Kreisen brachte namentlich die Ernennung Danckelmanns nicht geringe Aufregung hervor. Einer aus denselben, Graf Christoph von Dohna, erzählt, wie er gleich vielen andern, die früher in der Gnade des Hofes gewesen, zur Seite geschoben sei, Entlassung gefürchtet habe, wie er, vor Sorge blaß und krank, der jungen Kurfürstin Mitleid erregt, wie sie ihm versprochen habe, seine Ernennung zum Kammerherrn zu erwirken; sie habe sich bei Danckelmann für ihn verwendet, mit den Worten: sie richte eine erste Bitte an ihn, er habe den Einfluß bei ihrem Gemahl, die Erfüllung zu bewirken; nicht ohne Verwirrung habe Danckelmann versprochen, das Seine zu thun; drauf habe sie ihren Wunsch ausgesprochen, hinzugefügt: an dem Erfolg werde sie sehen, ob man sich auf sein Wort verlassen könne. Wenn selbst die Kurfürstin — ihr war Danckelmann schon als Gegner der hannövrischen Primogenitur zuwider — solche Umwege suchte, so werden andere, die nicht solche Fürsprache fanden, wie Dohna, trübe genug in ihre höfische Zukunft geschaut haben. Denen vom hei-

---

1) „Daß alles auf dem vorigen Fuß quoad formam regiminis bleibe." Aus Danckelmanns Proceßacten „Verantwortung auf 290 Fragen," Januar 1702.

2) „Da bisher viele sich widersprechende Rescripte ergangen sind, zu denen sich denn niemand bekennen will."

mischen Adel, die, wie Schöning, schon in den vornehmen Refugiés am Hofe und im Heere Aergerniß vollauf hatten, bot die Erhebung des ehemaligen „Informators“ noch eine Sorge mehr. Der Vater desselben war Landrichter im Fürstenthum Lingen, oranischer Vasall gewesen; erst ihn, dann nach einander seine sieben Söhne hatte der Große Kurfürst in seinen Dienst gezogen, den einen als Gesandten nach Wien geschickt, einen zweiten zum Präsidenten des Kammergerichts in Berlin gemacht, einen dritten mit der Erziehung des Markgrafen Ludwig betraut und dann an die Regierung in Halberstadt versetzt, einem vierten das Directorium der Marine übergeben, u. s. w. [1]); und wenn nun der eine dieser Brüder, ausgesprochen oder nicht, der dirigirende Minister wurde und das Ohr des Kurfürsten hatte, so konnte man voraussehen, wie bald alle höchsten Stellen im Staat mit „Danckelmännern“ besetzt sein würden.

Und wie hätte „das Collegium der Geheimenräthe,“ wie sie sich gern nannten, so schonend die Form des Vorzuges war, der dem jüngsternannten zu Theil wurde, nicht die Köpfe schütteln sollen. Meinte der Kurfürst, seinen „Mentor“ an der Seite das Regiment zu führen? und daß kurfürstliche Rescripte erst durch Contrasignatur gültig werden sollten, war eben auch nicht brandenburgisch. Freilich, des neuen Ministers Freunde rühmten, daß er dreizehn Jahre lang unter des hochbewährten Oberpräsidenten Schwerin Direction gestanden, dessen Vertrauen genossen, mit ihm täglich von Staatssachen gehandelt habe; man sagte auch, Schwerin habe auf die Frage, wer einst sein Nachfolger werden könne, zwei Namen genannt, und der eine von diesen sei Danckelmann gewesen. Aber mochte er noch so viel mit Schwerin über

---

1) Nicolaus Bartholomäus war der Gesandte in Wien, Sylvester Jacob Präsident des Kammergerichts, Daniel Ludwig Rath in Halberstadt, Johannes Director der Marine, Wilhelm Heinrich Kanzler in Minden, Thomas Ernst Rath in Minden und nach des Vaters Tod Landrichter in Lingen.

Staatssachen sich unterhalten, mochte er die Jahre daher die kleinen Geschäfte des Kurprinzen besorgt, seine Casse geführt und ihm Vortrag gehalten haben, den großen Staatsgeschäften hatte er bisher fern gestanden; er konnte weder ihren Zusammenhang, noch die hergebrachte Art ihrer Führung, am wenigsten die Frictionen eines so vielgegliederten Staatswesens, so complicirter, auswärtiger Verhältnisse kennen, Schwierigkeiten, über die man doch nicht mit allgemeinen Ansichten und aufgeklärten Doctrinen hinwegkomme, selbst dann nicht, wenn man sich des Umganges und des Rathes eines Staatsgelehrten von europäischer Celebrität, wie Herr von Pufendorf war, erfreute.

Es war nicht blos Vorsicht und Berechnung, wenn Danckelmann die höhere Stellung, die ihm angeboten war, die erste im Staat, ausschlug. Er war ohne Selbstsucht, von hohem Sinn, von ernster Gemessenheit; selten oder nie, heißt es, habe man ihn lachen sehen; sein Aeußeres bezeichnet es, daß man ihn, als er im Herbst 1690 an des Kurfürsten Seite in Brüssel eintritt, für den commandirenden General gehalten hat;[1]) von ihm und seinen Brüdern sagt die Inschrift einer Denkmünze: „sich und ihr Alles haben sie dem Kurfürsten geweiht."[2]) Seit zwanzig und mehr Jahren war er an diesem Hofe, im kurfürstlichen Hause; er hatte das Emporsteigen dieses Staates mit durchlebt; er hatte das mächtige Walten dessen, der ihn wie aus dem Nichts geschaffen, in der Nähe gesehen. Den Staat in dieser Bahn zu halten, dem jun-

1) Aus dem längeren Gedicht „Eberhard von Danckelmann" 1694, das Herr von Besser, nach seiner Aussage in dem Danckelmannschen Proceß (9/19 Jan. 1700), auf Anlaß Leipziger Freunde, namentlich „des berühmten Polyhistor Carpzow" verfaßt und „auf ausdrücklichen Befehl" Friedrichs III., obschon Danckelman „deprecirt" habe, in Leipzig durch Carpzows Vermittelung drucken lassen.

2) Bei Günther, Leben Friedrichs I. „Pleiadi fratrum, qui Principi Opt. Max. Friderico III. Elect. Brand. se suaque omnia prisca solduriorum lege devoverunt."

gen Herrn zu helfen, daß er ihn in diesem Geist weiter führe, das schien ihm die gemeinsame Aufgabe derer, die in des glorreichen Fürsten Rath und Heer ihre Schule gemacht hatten. Wie weit immer die Meinders, Grumbkow, Schöning, die Fuchs, Barfuß, Anhalt auseinandergehen, wie sehr alte Rivalitäten und neue Verbitterungen sie trennen mochten, jetzt mußten sie zusammenstehen, um die große Lücke zu füllen, die jeder von ihnen sah und empfand. Durfte er darauf rechnen, daß sie, die der Geschäfte Kundigen, sich in dem Interesse des Staates zusammenfinden und zusammenwirken würden, so kannte er, wie kein anderer, den jungen Kurfürsten, seine Schwächen und Tugenden; das Gefühl für die Größe seines Hauses in ihm zu wecken und wach zu halten, war die Jahre daher sein Bemühen und der Stützpunct des Einflusses gewesen, den er auf ihn übte; und mehr als einmal hatte er ihn, wenn er durch kleinliche, äußerliche, unlautere Motive sich hatte beirren lassen, an diesem Gedanken sich wieder aufrichten sehen. Die ernsten Erlebnisse seit jener Flucht im Herbst 1687, die ergreifenden Vorgänge der letzten Wochen waren wohl dazu angethan, den jungen Herrn lebhafter denn je empfinden zu lassen, daß das, was der Vater vollbracht, einen großen Anspruch an ihn stelle, daß der Name Brandenburg unter ihm nicht sinken dürfe.

Daß Friedrich III. mit der Ernennung Danckelmanns begann, schien ein Bekenntniß, in welchem Geist er das Regiment zu führen gedenke. Die Erinnerung an den Großen Kurfürsten, an seine Thaten, an seine Tendenzen wurde gleichsam der Grundton der neuen Regierung; und Danckelmann verstand es, sie in immer neuen Wendungen voranzustellen. In solchem Geist war es, daß Samuel von Pufendorf, dem die geheimsten Acten des Archivs eröffnet wurden, sein großes Werk, „Die Thaten des Großen Kurfürsten“ schrieb, als gelte es in der Geschichte desselben diesem Staat das Bild seiner selbst zu geben; und nicht ohne Bedeutung ist es, wenn

Danckelmann in späteren Jahren, als Friedrich III. längst Anderen seine Gunst zugewandt, ihm Glück wünscht, daß er in dem großen Geschichtswerk Pufendorfs und in dem Meisterwerk Schlüters, den Vater verherrlichend, sich selber geehrt habe.

Nur daß Friedrich III. selbst nicht so ganz in der Bewunderung des Vaters aufging. Er fand nicht Alles, was in dessen Namen gethan war, tadellos. Er wünschte, nicht den gleichen Vorwurf der Unzuverlässigkeit in Allianzen, der wechselnden Politik zu verdienen; es schien ihm möglich, auch ohne solche Härte, wie sie gegen die Stände in Cleve uud in Ostpreußen, ohne Gewaltacte, wie sie gegen Wylich und Kalkstein geübt waren, auch ohne so harten Steuerdruck, wie die Jahre daher auf dem Lande gelegen, zu regieren. Er hoffe, sagte er, als er die Erlassung aller Lehnsfehler verfügt hatte, das werde ein nicht geringes Zeichen sein, wie sehr er vor aller Unbilligkeit einen Abscheu habe.[1]) Es traf seinen Sinn, wenn man sich von ihm eine „liebreiche Regierung" versprach, wenn man in ihm den Salomon, der dem David folge, sah.[2]) Ihn schmerzte, daß man dem Hause Lüneburg so oft so hart entgegengestanden. Er hatte immer die Entfremdung vom Kaiserhause beklagt, und sah in jener Allianz von 1686, zu deren Abschluß er das Beste gethan zu haben glaubte, einen Segen für sein Haus und für das Reich.

Es war bald nach dem Regierungsantritt, daß Baron Fridag ihn Namens des Kaisers an die Erfüllung des Reverses erinnerte; der Kurfürst, antwortete: er werde halten, was er versprochen

---

1) Bericht des kursächsischen Gesandten Graf Sinzendorf, zu dem er jene Worte sagte. d. d. 11 Juni 1688.

2) Bezeichnend dafür sind die ersten Huldigungsacte. Der Minister von Fuchs sagt zu den märkschen Ständen: es ist zwar ein königliches, aber hartes Wort: oderint, dum metuant; J. Kf. D. erwählen Ihro ein ganz anderes: amabo, dum pareant u. s. w. Er deutet den Namen Friedrich: Friedenreich.

habe. Weder Danckelmann, noch sonst einer der Räthe erfuhr von diesen Mahnungen, diesen Verpflichtungen.

Demnächst, als es sich um die Erneuerung der alten Verträge mit den verschiedenen Staaten handelte, kam Herr von Grote im Namen Hannovers mit Ansprüchen bezeichnender Art: man hoffe „die unglückliche ostfriesische Sache“ werde nun ins Gleiche kommen, da das kaiserliche Conservatorium, das der verstorbene Kurfürst neben dem Bischof von Münster erhalten, mit Beider Tod erloschen sei; die Herzoge von Celle und Hannover, als Vormünder des jungen Fürsten, seien der Hoffnung und verpflichtet, die Sache zu einem guten Ende zu führen, und erwarteten, daß Brandenburg von dem Lande den Druck fremder Kriegsvölker nehmen und den rechtmäßigen Fürsten an seiner Regierung nicht länger hindern werde, der dem Kurfürsten gewiß nichts versagen werde, was in seinem Lande für die brandenburgischen Interessen, namentlich zur Förderung und Sicherheit der Commercien diensam sein könne; der Kurfürst würde solches gewiß lieber und mit mehr Sicherheit von dem rechtmäßigen Landesherrn, als von einigen renitirenden Ständen genießen. Von Gegenleistungen des Hauses Braunschweig war keine Rede, wohl aber brachte Grote bei weiterem Verhandeln noch Anderes in Antrag: es werde zur Erhaltung eines unanstößigen, guten Vernehmens vortheilhaft sein, wenn die Grafschaften Lippe und Schaumburg von brandenburgischen Durchmärschen nicht belästigt, und wenn die an mehreren Punkten streitigen Grenzen, so bei Gartau an der Elbe, regulirt würden. Endlich bitte und erwarte man, daß sich der Kurfürst der Förderung der hannövrischen Primogenitur annehme. [1]) Mochten die Minister, die mit Grote verhandelten, von dieser Art freundnach-

1) Die erste Conferenz ist 9. Juni. Mit Grote verhandeln Fuchs, Meinders, Danckelmann. Die Conferenzen ziehen sich bis in den Herbst hinein.

barlicher Gesinnung überrascht, mochten sie erstaunt sein, daß Hannover seinerseits nur mit Vorbehalt seiner französischen Allianz abschließen zu können erklärte [1]) — daß der Kurfürst demnächst den Anspruch auf Gartau aufzugeben und die kleine Besatzung dort zurückzuziehen befahl, zeigte, daß man in Hannover „seine hohen genereusen und aequitablen Sentimente“ richtig zu berechnen verstanden hatte.

In den militärischen Kreisen zeigten Vorgänge ärgerlicher Art, daß man nicht mehr die Zügel in der alten festen Hand fühlte. General von Schöning und nach seinem Vorgang und Rath andre Inhaber von Regimentern vergaben wieder, wie es vor Zeiten in Uebung gewesen war, erledigte Compagnien, ohne die Genehmigung des Kurfürsten einzuholen. Daß der Marschall von Schonberg diesen darauf aufmerksam machte, [2]) gab Schönings Erbitterung gegen ihn neuen Stachel; er ging so weit, die Garden, die unter seines Neffen Befehl standen, zu veranlassen, daß sie dem Marschall, wenn er bei ihren Posten vorüberkam, nicht mehr salutirten. Die Folge war, daß die Grand-Mousquetaires, die unter Schonberg standen, dasselbe thaten, als Schöning mit den Garden vorübermarschirte. Der Scandal war so groß wie möglich; der Kurfürst gab den Mousquetaires Recht und ernannte Schöning zum Feldmarschall-Lieutenant.

---

1) „Daß man an hannöverscher Seite sich durch die Allianz mit Frankreich die Hände dergestalt bindet, daß man sich nicht einmal befugt oder bemächtigt findet, eine Allianz auf einige Jahre zu prorogiren.“ Aus einem Gutachten von Fuchs. Sept.

2) Schonberg an den Kurfürsten. Dondalek (Irland) 5. Nov. 1689. . . . comme il (Schöning) à cherché à susciter tous les colonels contre moy sur ce que j'avais fait voir à V. A. E. que c'estoit Luy manquer de respect de donner toutes les compagnies absolument dans leurs Regiments sans auparavant nommer la personne à V. A. E. et Luy en demander la permission. Das Weitere berichtet Dohna (Obristlieutenant der Grand-Mousquetaires) Mém. p. 72.

In derselben Zeit beschäftigte den Hof ein Ereigniß sehr sonderbarer Art. Schon in den letzten Monaten des alten Herrn hatte man davon geflüstert, daß um die Markgräfin Wittwe, Luise Radzivil, geworben werde, daß der König von Polen die Hand der reichen Erbin für seinen Sohn, Prinz Jacob, wünsche, daß auch Pfalzgraf Karl, der Sohn des Kurfürsten in Heidelberg, der Bruder der Kaiserin, sich bemühe, daß ihn der Fürst von Anhalt unterstütze. Auf Befragen des Kurfürsten stellte die junge Wittwe die Wahrheit der Gerüchte in Abrede; erst als Prinz Jacob heimlich nach Berlin gekommen, von dem französischen Gesandten Gravelle aufgenommen, durch dessen Secretär im Schloß bei nächtlicher Weile das Weitere eingeleitet war, erfuhr der Kurfürst davon. Es schien nichts übrig zu sein, als einer Sache, die bereits so weit gekommen, ihren Gang zu lassen; er genehmigte die Verlobung, es folgte der Austausch der Ringe, die Ausfertigung des Eheversprechens; zum September versprach die Fürstin auf ihre Besitzungen nach Lithauen zu kommen, dort die Ehepacten zu vollziehen, die Vermählung zu feiern. [1]) Kaum war der Prinz frohen Herzens abgereist, so erschien Pfalzgraf Karl bei Hofe; es war in den Tagen, wo Alles voll Jubel über die Geburt eines Kurprinzen (15 Aug.) war; die Herzogin von Hannover war zur Wochenpflege der Tochter in Berlin, sie unterstützte des Pfalzgrafen Werbungen. Der Kurfürst machte den polnischen Gesandten aufmerksam, daß er sich vorsehen möge. Am 21. Morgens erfuhr man, daß die Markgräfin mit dem Pfalzgrafen unter dem Vorwand einer Promenade das Schloß verlassen habe, in das Haus des Grafen Sternberg, der zur kaiserlichen Gesandschaft gehörte, eingetreten sei; dort habe ein katholischer Priester bereits ihrer gewartet, bei verschlossenen Thüren sei ihre Ehe eingesegnet, in derselben Nacht vollzogen.

---

1) Das Eheversprechen d. d. Berlin 15/25 Juli 1688 bei Orlich I. p. 577.

Der Kurfürst war auf das höchste erzürnt; er ließ dem jungen Paar verkündigen, daß sie sofort abzureisen hätten; er ließ Graf Sternberg, den Baron Fridag zur Rede stellen: ob auf Befehl des Kaisers so geschehen sei. Jener entschuldigte sich: er habe nichts vorher gewußt, habe, im Begriff auszugehen, die jungen Herrschaften auf der Treppe getroffen, mit ihnen umkehren müssen, dann sei die Trauung vollzogen, den Priester habe er gleich abreisen heißen. Fridags Antwort war: von der Verlobung mit Prinz Jacob sei ihm nichts bekannt gewesen, die Markgräfin habe über ihre Hand zu verfügen; da kein reformirter Geistlicher die Trauung habe verrichten wollen, sei Graf Sternbergs Caplan darum ersucht worden; nach seinem Dafürhalten sei nichts Unerlaubtes geschehen, nichts, was ihm des Kurfürsten Ungnade zuziehen könne. Gegen den Warschauer Hof, der auf so unerhörte Weise beleidigt war, sprach der Kurfürst sein lebhaftes Bedauern aus. Ob daran gedacht worden, in Wien über Baron Fridag Beschwerde zu führen, seine Abberufung zu fordern, ist nicht mehr ersichtlich; man begnügte sich, durch Nicolaus Danckelmann, den Gesandten in Wien, das Geschehene mittheilen und erklären zu lassen: der Kurfürst hoffe, daß es nicht auf des Kaisers Befehl geschehen sei; er besorge ernste Verwickelungen mit Polen und rechne dann auf des Kaisers Beistand. Der Kaiser darauf: er habe von dem polnischen Verlöbniß nichts gewußt, und er bitte, seine Minister in Berlin, die in gutem Glauben gehandelt, zu entschuldigen; in jedem Fall werde er des Kurfürsten Interessen, wie seine eigenen vertreten; doch sei von Polen her wohl nichts zu fürchten, da die Republik jene Ehe nicht gewünscht habe; auch habe er und der Kurfürst viele Freunde in Polen.

Wie bald hatte die junge Fürstin zu bereuen, was sie gethan. Das Versprechen, sie in ihrem Glauben nicht zu stören, war schnell vergessen; als sie ihr erstes Kind erwartete, forderte man es für die römische Kirche; umsonst wehrte sie sich: „ich habe drei Tage lang mit meinem Eheherrn nicht gesprochen, es hat nichts geholfen." Der Pfalzgraf Kurfürst erklärte: es möge kommen, was da wolle, und wenn der Papst selbst reformirt werde, so wolle er doch nicht, daß sein Enkel in der Ketzerei erzogen werde. „Man schmeichle ihr," sagte sie, „mit der Hoffnung Königin von Polen zu werden, wenn sie abjurire, während man doch ihre Schwägerin, die Pfalzgräfin an Prinz Jacob vermählen und ihm die Krone Polen zuwenden wolle; sie wisse kein Mittel mehr, den Verfolgungen zu entgehn." [1]) Allmählig erlahmte ihr Widerstand.

Die Befreiung Englands.

Der französische Gesandte im Haag schreibt seinem Hofe in Beziehung auf den Regierungswechsel in Brandenburg: „der Prinz von Oranien hoffe, daß es ihm jetzt leichter sein werde, eine protestantische Liga zu bilden, als bei Lebzeiten des verstorbenen Kurfürsten, der das Haupt dieser Liga habe sein wollen und das Haus Lüneburg von derselben ausgeschlossen haben würde."

Der junge Kurfürst hatte in den ersten Tagen seiner Regierung den Prinzen ersucht, mit der üblichen Condolenz jemanden nach Berlin zu senden, mit dem er in vollem Vertrauen sprechen könne. Der Prinz hatte bereits General Bentink für diese Sendung bestimmt, ihm namentlich den Auftrag gegeben, dem Kurfürsten von dem Stand der Expedition zu sagen und ihn um einige Regimenter zu bitten, die mit nach England gehen sollten; er sollte zugleich den Kurfürsten ersuchen, des Prinzen Bemühungen um ähnliche Beihülfe bei befreundeten evangelischen Fürsten zu unterstützen. Bentink fand in Berlin die herzlichste Aufnahme; der Kurfürst sprach seine freudige Bereitwilligkeit zu helfen, seinen

1) Aus den Berichten von Nic. v. Danckelmann. Regensburg, 10/20 Oct. 14/24 Oct. 1689.

Eifer für das große Unternehmen, seine herzliche Hingebung für den Prinzen aus. Er stellte ihm 4000 M. zur Verfügung; für den Fall, daß Frankreich etwas unternehmen werde, wurde ein Defensivproject besprochen; man rechnete für den Mittelrhein zunächst auf den Landgrafen von Cassel, während der Niederrhein von Brandenburg gedeckt werden sollte.

Im Lauf des Juli kam der Landgraf nach Berlin; auch bei ihm hatte Oranien um Ueberlassung von Truppen gebeten; vom Kurfürsten erfuhr er das Geheimniß ihrer Bestimmung.[1]) Persönlich verabredeten und vollzogen beide Fürsten eine Erbdefensivallianz: „so viele herrliche importirende Stücke seien dem Reich durch die Reunionen entrissen; der ganze Rheinstrom stehe in Gefahr; es gelte, Coblenz, Cöln, die vereinigten Niederlande zu schützen und die evangelische Religion zu retten, die auf Anstiften auswärtiger Mächte, namentlich Frankreichs und Englands, in Gefahr sei; mit allen Kräften, mit Daransetzung Guts und Bluts sei dem entgegenzutreten; zu dem Ende wolle man sich bemühen, alle evangelischen Fürsten heranzuziehen, den Hader zwischen Reformirten und Lutheranern möglichst beizulegen.[2]) Der Landgraf übernahm die ihm in dem Defensivproject zugedachte Vertheidigung des Mittelrheins; zwei brandenburgische Regimenter sollten, da er nicht stark genug zu sein meinte, zu ihm stoßen.

Auch Johann Georg III. von Sachsen that in Berlin entgegenkommende Schritte. Er war jüngst im Haag gewesen und vom Prinzen mit einem Vertrauen, das ihn überraschte und erfreute, empfangen worden. Jetzt sandte er seinen vertrautesten Rath, General Grafen Flemming, nach Berlin, den Wunsch „einer nähe-

---

1) d'Avaux négotiations, III. p. 94. Die Nachrichten, die er über die geheimen Verhandlungen Oraniens giebt, werden durch die diesseitigen Acten auf höchst überraschende Weise bestätigt.

2) Aus der Einleitung der Erbdefensivallianz, d. d. Cöln a. S. 27. Juli 1688.

ren Zusammensetzung zur Erhaltung der Ruhe im Reich" auszusprechen.[1]) Eben diese wünschte Friedrich III.: wenn er demnächst zur Huldigung nach Halle gehe, könne man ohne Aufsehn eine Zusammenkunft auf einem der benachbarten kursächsischen Schlösser halten; er setzte hinzu: das Wichtigste werde sein, das Haus Braunschweig mit in das Verständniß zu ziehen, und, damit „die bisherige sanglante Aemulation" ein Ende nehme, demselben die Kurwürde zu verschaffen. Drei Wochen später sprachen sich beide Kurfürsten in Annaberg, erneuten die alten Verträge, verabredeten Weiteres.

Ob es mit dem Hause Braunschweig gelingen werde, war mehr als zweifelhaft; Hannover wenigstens hatte im vorigen Herbst mit Frankreich eine Allianz geschlossen, die vielleicht doch mehr enthielt, als in Berlin mitgetheilt war. Und noch war ein Hader in vollem Gang, bei dem Celle und Hannover sich nur zu sehr betheiligten, der zwischen Dänemark und dem Herzog von Gottorp. Dänemark weigerte dem Herzog die Rückgabe seines Landes, die Souveränetät in Schleswig, die der Friede von 1679 hergestellt hatte; desto schroffer forderte die Krone Schweden die Restitution des Fürsten: es sei eine Ehrensache für sie, daß dem treuen Allirten sein Recht werde. Umsonst hatte Brandenburg mit Andern zu vermitteln versucht, Dänemark verließ sich auf Frankreich.

Es war die höchste Gefahr, daß sich hier im evangelischen Norden ein Kampf erneute, dem die alte Rivalität zwischen Schweden und Dänemark, die welfische Politik, die Einwirkung Frankreichs unberechenbare Folgen geben konnte. Friedrich III. eilte,

---

1) Die erste Eröffnung geschah durch Graf Zinzendorf, (Bericht d. d. Berlin, 11. Juni). Das Weitere aus Flemmings Bericht, 30 Juli, der hinzufügt, der staatische Gesandte in Berlin Hop habe Ordre, schleunigst zu Kurfürst Johann Georg zu reisen und um Audienz zu bitten. Die Zusammenkunft in Annaberg und der Abschluß des Vertrages ist 24. Aug. 1688.

seine Vermittelungsversuche zu erneuen; die Betheiligten verstanden sich dazu, Ende Juli in Altona zu neuen Conferenzen zusammenzukommen.

Schon galt es, einer noch dringenderen Gefahr vorzubeugen. Kurfürst Maximilian Heinrich von Cöln, Bischof von Lüttich, Münster, Hildesheim, starb Anfang Juli. Es handelte sich darum, ob jene geistlichen Fürstenthümer und damit die wichtigsten Festen an Maas und Rhein mit der Wahl seines Coadjutors Fürstenberg so gut wie in Frankreichs Hand fallen sollten. Die Wahlen in diesen Capiteln wurden das Vorspiel des großen Kampfes, der bevorstand.

Brandenburg arbeitete in Münster und Hildesheim, Oranien in Lüttich. Mitte Juli wurde in den drei Kapiteln gewählt; trotz aller Anstrengungen Frankreichs erlag Fürstenberg auch in Lüttich. Und in Cöln trat ihm als Rival der noch nicht volljährige Joseph Clemens, des Kurfürsten von Baiern Bruder, entgegen. Da dieser schon Bischof von Regensburg und Freisingen, wie Fürstenberg von Straßburg war, so hatte das Capitel nicht mit einfacher Stimmenmehrheit zu wählen, sondern mit zwei Drittel der Stimmen zu postuliren. Fürstenberg glaubte sich fast aller Stimmen gewiß; das Erbieten des französischen Hofes, Truppen ins Erzstift zu schicken, um seine Wahl zu sichern, lehnte er ab. Aber die Nachricht, daß der Kaiser, daß selbst der Papst entschieden gegen ihn sei, machte einige von denen, auf die er rechnete, schwanken; in der Wahl am 19. Juli fielen auf ihn dreizehn von vierundzwanzig Stimmen, die andern auf den Baiernherzog. Trotzdem nahm Fürstenberg das Erzbisthum in Besitz, die Beamteten in Eid und Pflicht; und Ludwig XIV. erkannte ihn als rechtmäßig gewählten Kurfürsten von Cöln an und verkündete, daß er ihn als solchen manuteniren werde.

Hier war der Anfang eines schweren Conflicts; er war in

voller Schärfe da, als der Papst nach seinem Recht der Entscheidung bei zweifelhafter Wahl Joseph Clemens bestätigte, den Bestätigten Kaiser und Reich anerkannte, Ludwig XIV. darauf den päpstlichen Nuncius aus Paris verwies und an ein allgemeines Concil appellirte.

Es war für die große englische Frage von unermeßlicher Bedeutung, daß in dem Augenblick, wo sie zur Entscheidung stand, die römische Welt sich in so schroffer Weise spaltete. Man glaubte zu wissen, daß zwischen Ludwig XIV. und Jacob II. ein förmliches Bündniß geschlossen sei, erst England, dann die Niederlande zu unterwerfen und zu katholisiren, daß beide den Kaiser zum Beitritt aufgefordert, daß Ludwig XVI. ihm den Elsaß, die Rheinstädte, das erbliche Kaiserthum angetragen, daß der Kaiser Alles von der Hand gewiesen, sich jede weiteren Anträge der Art verbeten habe. [1])

In England schritt Jacob II. dreist und scharf vorwärts. Seine Maaßregeln gegen die Bischöfe der Hochkirche, die sich nicht fügen wollten, ihre Abführung in den Tower, ihre Freisprechung durch die Geschwornen, die Geburt eines Prinzen von Wales, die nun gewisse papistische Succession hatte die Stimmungen auf das Aeußerste gespannt. Am 30. Juni unterzeichneten sieben Lords jenes Schreiben an den Prinzen von Oranien, in dem sie ihn auffordern hinüberzukommen, um Englands politische und kirchliche Freiheit zu retten; noch in diesem Jahr müsse es geschehn, wenn es Erfolg haben solle. Sie fürchteten, daß Jacob II. jetzt ein Parlament zusammenbringen könne, „so allerdings in seiner Devotion wäre."

Der Prinz war in Mitten seiner Rüstungen. Er fand bei den Mitgliedern der Staaten, auch denen, die ihm sonst immer

1) Fuchs Bericht, Hamburg, 27. Juli, nach den Mittheilungen von Bentink, der es als ein secretum secretorum bezeichnete.

entgegen waren, jede Art von Unterstützung, damit, — denn das hielt man für den Zweck seines Unternehmens — Jacob II. gezwungen werde, sein kirchliches und politisches System zu ändern. Aber möglich wurde das Wagniß erst, wenn die norddeutschen Fürsten hinzutraten, wenn sie es übernahmen, den Gegenstoß, den man von Frankreich erwarten mußte, zu pariren. [1]) Und nur Brandenburg war in der Kriegsbereitschaft, sofort eintreten zu können, nur Brandenburgs entschlossenes Eintreten machte den Zutritt Anderer möglich.

Man scheint in Berlin, ganz dem Interesse der großen Sache hingegeben, wenig Gewicht darauf gelegt zu haben, daß vom Haag aus zugleich besondere Verhandlungen in Dresden, Cassel, an den welfischen Höfen gepflogen wurden. Ende Juli kam Bentink zum zweiten Mal, die Einzelverträge abzuschließen; zuerst war er in Cassel, dann ging er nach Hannover, nach Celle; Friedrich III. wurde ersucht, einen seiner Minister wie zufällig mit ihm zusammentreffen zu lassen.

Fuchs, der zu den Conferenzen nach Altona abzureisen im Begriff stand, erhielt den Auftrag, heimlich, auf Umwegen, unter fremdem Namen, nach Celle zu gehen, wo er Bentink treffen werde. Mit der äußersten Vorsicht, ganz in der Frühe sprachen sie sich. Bentink theilte mit, daß mit dem Landgrafen bereits abgeschlossen sei; Kursachsen habe guten Willen, aber die Unschlüssigkeit und die „philosophischen Speculationen" des Ministers Gersdorf hinderten noch den Abschluß; Hannover sei an Frankreich geknüpft und versage sich; von Celle hoffe er den Beitritt, sobald Brandenburg ge-

1) Die Vollmacht des Prinzen für den Gen. Wilhelm Bentink, Haag 21/11. Juli, für die Sendung nach Cassel, Hannover, Celle: da die Staaten bei diesen Conjuncturen ihre Miliz verstärken wollen, und das nicht bequemer geschehen kann, dan door het overnemen van eenighe militie synde in dienst van eenige Fursten of Prinzen u. s. w.

schlossen habe. Bentink bat, daß der Kurfürst die schon zugesagten 4000 Mann auf 6000 erhöhen möge; freilich Werbegeld und Anrittsgeld in der Höhe, wie man dem Landgrafen für seine 3000 Mann habe zugestehen müssen, werde man Brandenburg nicht zahlen können; aber man wolle soviel zahlen, wie man dem Herzog von Celle geboten habe. Fuchs erklärte, über diesen Punkt nicht instruirt zu sein: er wisse, daß S. Kf. D. aus Liebe für des Prinzen Hoheit, zu allem Möglichen gern bereit sein, auch nicht einen Groschen Vortheil begehren werde. [1]) Wie von sich aus, hatte er die Frage der oranischen Erbschaft in Anregung zu bringen: zwar bestimme das Testament des Prinzen Friedrich Heinrich, des beiderseitigen Großvaters, daß nach dem Aussterben seiner männlichen Descendenz die ganze Erbschaft des Hauses auf seine älteste Tochter, des Kurfürsten Mutter, übergehen solle; aber seine Bestimmung reiche nur bis auf den dritten Erben, und das sei der Kurfürst; auf seinen Kurprinzen würde sie nicht ohne Weiteres gelten; es könnten leicht Andere, namentlich die jüngeren noch lebenden Schwestern seiner Mutter, die Fürstin von Nassau-Friesland und die von Anhalt, [2]) Ansprüche erheben. Bentink versicherte: der Prinz hasse beide und habe ihm noch unmittelbar vor seiner Abreise gesagt, daß er ein Testament errichten werde, bevor er nach England gehe, „ganz auf den Fuß des großväterlichen" zu Gunsten Brandenburgs.

Da Bentink in Hannover nichts erreicht hatte, schien es um so wichtiger, Celle zu einem Entschluß zu bewegen. Auf seinen

1) „Die in Celle aufgerichteten Conditionen" vom 5. Aug. (sie werden durch Couriere nach Berlin gesandt) bezeichnen die 4800 Mann Fußvolk und 1200 Reuter, die Brandenburg stellen wird, als overgaande in den dienst van den Staat. Der Kurfürst erhielt dann, wie Hessen, für den Reuter 40 Rthlr., für den Mann Fußvolk 12 Rthlr. zugestanden.

2) Aus dem (von Ranke, Zeitschr. für preuß Gesch. Jan. 1866 nicht mitgetheilten) zweiten Bericht von Fuchs d. d. Hamburg, 27. Juli 1688.

Wunsch begleitete ihn Fuchs zu einer Besprechung mit dem celli-schen Minister Bernstorff. Sie fanden ihn in der besten Gesinnung, sie erfuhren von ihm, daß sein Herr die französische Allianz Hannovers durchaus mißbillige, daß er die große Gefahr würdige, die dem protestantischen Wesen schon durch die Cölner Wahl drohe; wenn die Religion in England geworfen sei, werde auch Holland fallen, es werde für Deutschland nur noch „die Wohlthat des Polyphem" gelten; man müsse vor Allem Cöln und Coblenz gegen Frankreich, aber zugleich Hamburg und Lübeck gegen Dänemark sicher stellen. Es wurde verabredet, daß der Herzog einen Vertrauten nach Berlin schicken solle, mit dem Kurfürsten und dem Landgrafen sich zu verständigen.

Wohl hatte Oranien Grund, seinen Dank für die Hochherzigkeit [1]) auszusprechen, mit der der Kurfürst seinen Wünschen entgegengekommen; er wünschte „als eine Zugabe zu seiner Dankverpflichtung," daß die brandenburgischen Truppen gleich nach dem Rhein marschirten.

Friedrich III. hatte bereits einige tausend Mann in seinen westlichen Landen; andere Regimenter setzten sich in Marsch, die Truppen im Clevischen auf 12,000 Mann zu bringen; Marschall Schonberg ging nach Wesel, das Commando zu übernehmen, Friedrich III. nach Minden, wohin in der ersten Septemberwoche Oranien kam. Dort wurden die weiteren Maaßregeln verabredet.

Die nächste und wichtigste betraf die Stadt Cöln. Bisher war in Berlin mit dem französischen Gesandten über die Erneuerung der Verträge mit Frankreich her und hin unterhandelt; Ludwig XIV. hatte als Bedingung derselben die Anerkennung der Wahl Fürstenbergs, wenigstens Brandenburgs Neutralität in dem schon drohenden Conflict gefordert, hatte die Zahlung der seit

1) De la généreuse manière, des Prinzen Schreiben vom 13 Aug. 1688.

einigen Jahren fälligen Subsidien an diese Bedingung geknüpft. Schon wurden französische Truppen, die angeblich in Fürstenbergs Dienst übertraten, in die Festungen des Erzstiftes, namentlich nach Bonn, Rheinberg, Kaiserswerth, ins Herzogthum Westphalen gelegt. In der Stadt Cöln waren Viele französisch gesinnt, und der französische Resident in der Reichsstadt forderte, daß sie kein fremdes Kriegsvolk aufnehme, sonst werde auch französisches einrücken. Es lag Alles daran, diesen wichtigsten Punkt am Niederrhein zu sichern; es konnte geschehen, wenn der westphälische Kreis einverstanden war, Kreisvölker in die Stadt zu legen. Die Zustimmung von Kurpfalz für Jülich-Berg erhielt man; der andere Mitdirector Münster scheute sich, einen Schritt zu genehmigen, den Frankreich als Kriegsfall ansehn könne. Trotzdem erhielt Marschall Schonberg die Weisung vorzugehn. Am 13. September rückte er in Cöln ein.

Durch Cöln in der linken Flanke gedeckt, konnte man die weiteren Bewegungen folgen lassen. Bei Wesel blieben gegen 5000 Mann; die für Holland bestimmten Bataillone marschirten weiter nach Arnheim, Grave und Nymwegen, während aus dem staatischen Lager bei Nymwegen die für die englische Expedition bestimmten Truppen nach der Zuyder See abmarschirten, dort nach dem Texel eingeschifft wurden. Den Marschall Schonberg überließ Friedrich III. dem Prinzen, der ihm die Führung der Landungstruppen anzuvertrauen wünschte.

Sichtlich zögerte Oranien. Nicht bloß weil die cellischen, sächsischen, hessischen Truppen, etwa 12,000 Mann, noch erst kommen sollten. Am 8. September hatte Ludwig XIV. durch seinen Gesandten im Haag erklären lassen, daß er die große Seerüstung des Prinzen mit Verwunderung sehe, daß sie offenkundig gegen England gerichtet sei, daß er die erste feindliche Action gegen den König, seinen Verbündeten, als Friedensbruch ansehn werde. Eine

Drohung, die wohl dazu angethan war, an die Schrecken von 1672 zu mahnen und den Muth zu lähmen.

Da trat eine Wendung ein, auf die niemand hatte rechnen können.

Mit äußerster Unruhe sah Ludwig XIV. die Erfolge Oestreichs in Ungarn, die unberechenbare Machtsteigerung, die dem Kaiser diese ruhmreichen Feldzüge, diese Eroberungen brachten. Schon belagerten kaiserliche und Reichsvölker Belgrad, den Schlüssel der unteren Donau. Sollte man warten bis der Kaiser that, was man der Welt so oft als seine Absicht vorgespiegelt hatte, mit den Türken Frieden schloß und die ganze Wucht seiner erprobten Armeen auf Frankreich warf? Man durfte voraussetzen, daß die deutschen Fürsten selbst begreifen würden, was ihnen die so über alles Maaß schwellende Macht des Hauses Oestreich bedeute. Man hatte noch Fäden genug in der Hand, man bot in München ein Abkommen wegen des Erzbisthums Cöln an, man ließ dort von der nächsten Kaiserwahl, und daß Frankreich sie dem jungen Kurfürsten zuzuwenden wünsche, sprechen; man hatte Hannover ziemlich, Dänemark ganz in der Hand; auf Kurmainz glaubte man rechnen zu können; man ließ in Berlin auf die drohende Stimmung am Warschauer Hofe aufmerksam machen. Mochte Oranien seine Expedition versuchen, König Jacob II. war mehr als stark genug, ein Abentheuer der Art abzuweisen; ja es war wünschenswerth, daß die staatische Kriegsmacht sich in das englische Unternehmen vertiefte, damit Frankreich desto sicherer gegen Oestreich vorgehen könne. Den Türken mußte geholfen werden, ehe sie völlig erlagen; es galt durch einen energischen Stoß auf das Reich einen Theil der Streitkräfte, die sie erdrückten, abzuziehen, den Stoß dahin zu richten, wo er für Oestreich am empfindlichsten war. Freilich Frankreich krankte schwer an den Wunden, die ihm das Edict von 1685 geschlagen; ein neuer Krieg hätte die erschöpfte Kraft des Reiches völlig verzehrt. Aber mehr als ein

Vorgang im Reich, in Italien, selbst in Holland, am empfindlichsten die Cölner Wahl zeigte dem stolzen Könige, daß er nicht mehr gefürchtet werde, wie sonst, daß Frankreichs Ansehn zu sinken beginne. Freilich der militärischen Ueberlegenheit fühlte man sich nicht mehr völlig gewiß; unter den Refugiés waren Tausende der besten Officiere Frankreichs, war der Marschall Schonberg. Der König schwankte.

Noch Anfangs September schien es nicht zu den Waffen kommen zu sollen. Die Besetzung Cölns, so drohend der französische Hof gegen dieselbe gesprochen, erklärte er, als sie geschehen war, nicht als Kriegsfall angesehn zu haben. Von Neuem, unter lockenderen Bedingungen, bot er in Berlin die Neutralität an; er hoffte in München — des Dauphin Gemahlin war die Schwester des Kurfürsten — schließlich doch den östreichischen Einfluß überholen zu können. Da kam am 20. September an die Dauphine ein Courier ihres Bruders, der den Fall Belgrads meldete; zwei Tage drauf erhielt der Dauphin Befehl, zur Armee nach dem Elsaß zu gehn; am 24. September unterzeichnete der König das Kriegsmanifest.

Ein Actenstück seltsamer Art: der König habe Befehl gegeben, Kaiserslautern und Philippsburg zu nehmen; er erbiete sich, den zwanzigjährigen Waffenstillstand mit dem Reich als definitiven Frieden gelten zu lassen, wenn der Kurfürst von der Pfalz aufhöre, die kurpfälzischen Ansprüche der Herzogin von Orleans zu mißachten; Kurpfalz habe die Cölner Wahl auf den einen der beiden einzigen Prinzen des kurbairischen Hauses zu lenken gesucht, damit, wenn der andere, der noch kinderlose Kurfürst, der sein Leben in den Türkenkriegen daran wage, gefallen sei, das bairische Haus aussterbe und Baiern, wie schon Kurpfalz, an Pfalz Neuburg falle. In Wien ließ Ludwig XIV. seinen Anmarsch auf Philippsburg melden mit der Erklärung: er hoffe, daß der Kaiser darin nicht einen Friedensbruch sehen, sondern die gemachten Vorschläge annehmen werde.

Als am 3. October die französische „Declaration" in Regensburg übergeben wurde, war bereits, gleich beim ersten Anlauf, Kaiserslautern gefallen, es war Speier, Worms, Alzei genommen, Philippsburg ergab sich am 17. October, Franz Lothar von Mainz ein Schönborn, hatte Mainz in mehr als zweideutiger Weise den Franzosen geräumt; auch Höchst, auch Aschaffenburg übergab er; man fürchtete das gleiche Schicksal für Erfurt. Während Marschall Boufflers weiter auf Coblenz vorging, nahm der Dauphin Manheim, Heidelberg; bis tief nach Schwaben und Franken hinein trieben französische Partheien Contributionen ein, auf französische Mordbrenner fahndete man bei Nürnberg, bei Straubingen; selbst der Breslauer Rath, so weit reichte der Schrecken, erließ Edicte, wie man gegen sie zu verfahren, woran sie zu erkennen habe.

Fast nicht geringer war die Furcht und Aufregung in Holland. Wie wenn Ludwig XIV. sich mit rascher Wendung auf die Staaten warf? „Alles ist in höchster Krisis," ließen die Hochmögenden an Friedrich III. sagen, „der Staat habe nächst Gott sein höchstes Vertrauen einzig und allein auf ihn gerichtet; man sei ihm ewig verbunden für seinen patriotischen Eifer, den er überall und besonders für die Conservation der Staaten bezeuge." [1])

Nur der Prinz war heiterer, denn je; [2]) die Kriegsflamme, die Ludwig XIV. im Reich entzündet hatte, deckte jetzt die staa-

1) Fuchs Bericht aus dem Haag 16/26. Oct. 1688: im Auftrage der Hochmögenden sagt ihm van Heeferen jene Worte.

2) Oranien an Friedrich III. 5. Oct. 1688: J'espère qu'Elle ne trouvera pas mauvais que je Luy dise, qu'il est absolument nécessaire qu'Elle fasse avancer incessament toutes les trouppes vers le Rhin . . . V. A. E. trouvera qu'il n' y a point d'autre moyen pour la scureté de ses propreestats; je crois qu'en peu de jours nous nous embarquerons. Und am 16. Oct.: der Kurfürst möge persönlich nach Minden gehn estant si près de tous ses voisins puisque c'est certainement V. A. E., qui doit donner le mouvement à tous.

tischen Grenzen. Er zögerte nicht länger. Am 14. October war Alles fertig; aber Herbststürme hinderten noch vierzehn Tage lang die Abfahrt.

Der Angriff Frankreichs hatte sich auf einen der Fürsten, auf diejenigen Reichskreise gewandt, die 1686 mit dem Kaiser das Augsburger Bündniß geschlossen hatten, eben zum Schutz des Reichs gegen Frankreich, mit der Verpflichtung, stets einige vierzig tausend Mann kriegsbereit zu haben, von denen 16,000 der Kaiser stellen wollte. Freilich tapfer genug war des Kaisers Antwort auf Ludwigs XIV. Kriegsmanifest: er habe sofort seine Völker von dem Boden des Reichs zurückzurufen und für allen verursachten Schaden Satisfaction zu geben.[1]) Aber den großen Worten Nachdruck zu geben, hatte man in Wien weder die Mittel, noch den Willen; die kaiserlichen und oberdeutschen Truppen standen in Ungarn bis über Belgrad hinab, Unersetzliches konnte verloren sein, ehe auch nur ein Bataillon von dort herauf kam; kaum daß den Truppen aus Schwaben, Baiern, Franken der Rückmarsch gestattet wurde. Was das Reich gegen Frankreich verlor, gewann Oestreich doppelt und dreifach an den Türken. „Der Türke ist zum Frieden völlig bereit," wird aus Wien geschrieben, „aber man gedenkt hier die Conquesten bis Constantinopel zu poussiren." Man rechnete auf Brandenburg „und die andern dort armirten Puissanzen." Der Kaiser sagte: „er hoffe, der Kurfürst werde, wie er sich mit der Besetzung Cölns unsterblichen Ruhm erworben, so sich weiter der Defension des geliebten Vaterlandes annehmen."

Mit dem Einbruch Frankreichs in Süddeutschland war die ganze Lage der Dinge verändert. Mit raschem Entschluß trat Brandenburg voran: man werde mit ganzer Kraft „für das Reich,

---

1) So Nic. von Danckelmanns Bericht, Wien 18/28. Oct. Es ist die responsio ad manifestum Gallicum, als deren Verfasser nicht ohne Wahrscheinlichkeit Leibnitz bezeichnet wird.

für die edle deutsche und zugleich für die Staats- und Gewissensfreiheit" eintreten. Neue Regimenter aus den Marken und Pommern waren gleich auf die Nachricht von der französischen Invasion aufgebrochen. Schmettau wurde nach Dresden, Fuchs nach Celle, Hannover, dem Haag gesandt, zu gemeinsamen Schritten aufzufordern; des Kurfürsten Willen sei ein Corps von 12—15,000 Mann am Niederrhein zu bilden, gemeinsam mit den staatischen Truppen Aufstellung zwischen Rhein und Maas zu nehmen, so Cöln und Coblenz zu decken; er halte für nothwendig, daß ein zweites Corps an der Elbe zum Schutz von Hamburg und Lübeck gegen den erwarteten dänischen Angriff gebildet werde; er sei bereit, 3000 Mann dazu zu stellen, und wünsche, daß die lüneburgischen und schwedisch-bremischen Truppen sich mit diesen vereinten; Kursachsen, Hessen, Hannover möchten sich zu einem dritten Corps bei Wetzlar vereinen, um Frankfurt und den Main zu decken.

Mit dem lebhaftesten Dank wurden diese Eröffnungen vernommen: der Degen allein könne noch Sicherheit schaffen, sagte Celle; aber es genüge, wenn 1500 Mann Brandenburger an der Elbe blieben, er und Schweden würden das Uebrige thun. Und Hannover: er werde, was in seinem Vermögen sei, für das Reich einsetzen, wenn er es auch jetzt noch secretiren müsse, damit die Franzosen keine Gegenparthei machten; seine 6000 Mann seien marschbereit und würden marschiren, wenn die brandenburgischen und sächsischen Truppen weiter vor seien. Kursachsen glaubte gut dafür sagen zu können, daß die Ernestiner mit ihm aufbrechen würden; aber es sei nothwendig, daß wenigstens einige brandenburgische Regimenter mit auf Frankfurt marschirten. Der Landgraf hatte bereits ein Bataillon dorthin geworfen, bat dringend um Nachschub von Hannover, da sonst Kurtrier Coblenz aufgeben werde. Diese und ähnliche Differenzen zu beseitigen, wurde eine

Zusammenkunft der Fürsten in Magdeburg verabredet. [1]) Sie erfolgte in kürzester Frist; in zwei Tagen war, Dank der Bereitwilligkeit Brandenburgs, die Uebereinkunft fertig und unterzeichnet. Man gab dem Kaiser Kunde davon; man forderte ihn auf, eine ähnliche Verbindung oberdeutscher Fürsten zu veranlassen, um gegen Straßburg zu operiren.

In denselben Tagen war Fuchs im Haag. Der Prinz stand im Begriff, in See zu gehn; in den lebhaftesten Ausdrücken sprach er seine Dankbarkeit gegen den Kurfürsten aus, namentlich daß Hannover gewonnen sei, „auch diesen Succeß danke die gemeine Sache dem Kurfürsten;" er habe bereits angeordnet, daß ein staatisches Corps von 15,000 Mann zwischen Ruhrort und Wesel campire; mehr könne der Staat dorthin nicht legen, da 10,000 Mann in Mastricht bleiben und Brabant beobachten, 5000 Mann Flandern decken müßten; es wäre sehr zu wünschen, daß noch einige brandenburgische Regimenter dem Staat überlassen würden. Fuchs erwiederte: schon jetzt seien des Kurfürsten Regimenter nur zu zerstreut; er habe deren „um Kursachsen und die braunschweigischen Herren nicht vor den Kopf zu stoßen," für das Corps an der Elbe und für das nach dem Main bestimmte abgeben müssen; er sprach beim Abschiede die Hoffnung aus, daß England sofort, wenn des Prinzen Unternehmen gelinge, den Krieg gegen Frankreich erklären werde.

Am 11. November ging der Prinz in See; fünf Tage später landete er in England.

Ludwig XIV. hatte das, was er mit seinem Einbruch in die

---

1) Fuchs an den Kurfürsten, Hannover, 4/14. Oct. 1688: „man müsse hierzu allerseits einen esprit d'union et de famille bringen und alles Privatinteresse bei Seite setzen, auch das Secretiren sei nöthig; vor Allem aber sei an Eile gelegen." Die Zusammenkunft in Magdeburg begann 10/20. Oct. Der kursächsische Minister schließt sein eiligst geschriebenes Protocoll der Besprechung mit dem Ausruf: Deo sit gloria.

deutschen Lande gewollt, nicht erreicht; die Türken erhielten den ersehnten Frieden nicht. Nicht einmal Baiern hatte er zu sich herüberzuziehen, es nicht einmal zur Neutralität zu bestimmen vermocht. Und wenn er für den Augenblick so gut wie Herr der vier rheinischen Kurfürstenthümer war, wenn seine Partheien brennend und plündernd die vorderen Kreise durchzogen, so gab die Erbitterung und Verzweiflung der Heimgesuchten dem Widerstande, zu dem Brandenburg Norddeutschland vereint hatte, desto größere Wucht, desto gewissere Wirkung. Die Dänen, auf deren Vorgehn Ludwig XIV. gerechnet hatte, zögerten, um den Erfolg der englischen Expedition abzuwarten; seine Bemühungen, Polen in Bewegung zu bringen, blieben erfolglos. Er versuchte ein neues Schreckmittel, er erklärte den Staaten den Krieg (24. November); sie erschraken nicht mehr, da die Erfolge der Magdeburger Verbündeten sie schon so gut wie sicher stellten.

Bereits waren hessische Truppen in Coblenz eingerückt; vergebens belagerte, bombardirte Marschall Humières die Stadt; Anfangs November brannte er sein Lager ab und eilte rheinaufwärts; denn das sächsische Corps [1]) hatte den Main erreicht, hatte die französische Besatzung aus Aschaffenburg geworfen, die Hessen von Coblenz her nahmen Höchst; am 14. November zog der Kurfürst von Sachsen in Frankfurt ein. Die Mainlinie war gesichert. [2])

In derselben Zeit war Friedrich III. nach Wesel gegangen. Eine Doppelbrücke bei Wesel verband sein Corps mit dem staa-

---

1) Das Corps am Mittelrhein bestand aus 22,000 Mann; ganz richtig sagt Theat. Eur. XIII. 432, daß zwei brandenburgische Regimenter bei demselben gewesen seien, es waren zwei Bataillone Leibgarde zu Fuß und das Leibregiment zu Pferde.

2) Der linke Flügel des Corps, Sachsen und Brandenburger, lag von Aschaffenburg bis Rothenburg am Tauber, der rechte, die hannövrischen und hessischen Truppen von Hanau bis Engers (unter Ehrenbreitenstein). Receß über die Winterquartiere d. d. Frankfurt 17/27. Nov. 1688.

tischen, das auf der linken Rheinseite vorgehn sollte. Hier oder an Mastricht vorüber durchzubrechen, war dem Feinde nicht mehr möglich. Freilich hatte er alle Festen im Cölnischen in seiner Gewalt, auch Arensberg, Dorsten, Recklinghausen in Westphalen; seine Brandbriefe flogen durch Cleve und Mark, selbst in die Festung Wesel warf er seine Contributionszettel. Aber zugleich machte der französische Gesandte Gravel dem Kurfürsten immer neue Erbietungen, aus Paris meldete Spanheim deren noch günstigere. Wenn nicht mit Frankreich, so doch mit dem Erzstift Cöln wurde über ein Abkommen verhandelt, das alle gegenseitige Brandstiftung und Contribution abstellen sollte, ähnlich wie Oranien für seine Grafschaft Meurs, Kurpfalz für Jülich geschlossen hatte. Aber einem partiellen Abkommen der Art mit Brandenburg trat Gravel entgegen, forderte, daß Brandenburg sich zu völliger Neutralität verpflichte, legte den Entwurf einer Declaration vor, der die hochmüthige Zumuthung in hochmüthigster Form aussprach. Der Kurfürst ließ ihm bemerklich machen, „daß er sich des Hofes zu enthalten habe," befahl Spanheim, Paris zu verlassen. Das hatte man in Paris nicht erwartet; man ließ jene Declaration fallen, versprach die Garantie der dereinstigen oranischen Succession, die Erbstatthalterwürde. Der Kurfürst lehnte Alles ab, sandte dem Prinzen Abschrift der Berichte Spanheims. Nur die Feindseligkeiten zu eröffnen zögerte er noch.

Natürlich, daß das holländische Publicum in diesem Verhandeln Brandenburgs sofort Verrath witterte, daß die Katholischen in Süddeutschland von dieser Liga der Evangelischen, die am Main Halt machte, alles Aergste voraussetzte, daß auch in Münster, Paderborn, Hildesheim die Gerüchte von drohenden Säcularisationen in Aller Munde waren, daß man in Wien sich den Schein gab, das Alles zu glauben.

Freilich die Fürsten des Magdeburger Bundes machten Halt

an der Mainlinie; der fränkische Kreis weigerte ihnen Quartiere: diese müßten für die Kaiserlichen bleiben. [1]) Freilich Brandenburg zögerte, die Franzosen aus den cölnischen Festungen in Westphalen und am Rhein zu treiben; die staatischen Truppen versagten es, über Nymwegen südwärts vorzugehn. Immerhin mit Recht, so lange die Dinge in England noch nicht entschieden waren; aber im December war Jacob II. flüchtig, Wilhelm III. in London, England frei. Friedrich III. glaubte — es standen seine clevisch-märkischen Lande auf dem Spiel — mit der Offensive warten zu müssen, bis auch der Oberrhein gedeckt war, [2]) auch Holland in Action trat; jetzt durfte er erwarten, daß auch England den Krieg erklären, daß Oranien mit der ganzen Wucht der englisch-holländischen Land- und Seemacht zum Angriff schreiten werde.

Und weiter: der Kaiser hatte jene tapfere Antwort an Frankreich erlassen; es mußte auffallen, daß er mit der Kriegserklärung zögerte, daß er sich begnügte, in Regensburg das Verfahren einzuleiten, welches zur Kriegserklärung des Reichs führen sollte. Wie dringend Brandenburg und die Magdeburger Verbündeten zur Eile mahnten und das Mißtrauen der Katholischen, die Säcularisationsfurcht der Prälaten, die Einflüsterungen Frankreichs bekämpften, es gab in Regensburg Erwägungen her und hin, es währte bis zum Februar, ehe das Reichsgutachten zu Stande kam.

---

1) Der kursächsische Minister Bose an Gersdorf, Nürnberg 22. Oct. 1688: „Niemand ist uns mehr zuwider gewesen, als Nürnberg und Bamberg, die katholischen Stände haben prävalirt und nichts ohne des kaiserlichen Gesandten Zurathen gethan, welcher dann wehrt, was er kann, damit der Kreis für die kaiserlichen Truppen offen bleibt.“

2) In den „Zeitungen,“ die vom Hofe für die brandenburgischen Gesandten geschrieben wurden, heißt es im Febr. 1689: „Auch haben selbige (Brandenburger in Westphalen und am Rhein) bis dato mit merklichen Operationen den Anfang nicht machen wollen, weil der Mittel- und Oberrhein noch nicht genugsam bedeckt und daselbst keine Armeen gewesen, also die ganze Macht S. Kf. D. allein leicht auf den Hals fallen können.“

Freilich schien Oestreich den Krieg von Reichs wegen zu wünschen, ja es versprach 30,000 Mann „dem Reich zu Hülfe.“ Aber warum erwartete es die Entscheidung in Regensburg? warum eilte es nicht wenigstens Franken zu decken?

Im October, als Fuchs nach dem Haag reiste, hatte ihm der hessische Kanzler von Görz im tiefsten Vertrauen mitgetheilt: er sei in Wien gewesen, mit dem geheimen Auftrag Oraniens, dem Kaiser ein neues und enges Bündniß mit Holland anzutragen; anfangs sei man ihm sehr kühl begegnet: man könne nicht mit Ruhe zusehn, daß der Prinz die katholische Kirche in England über den Haufen werfen wolle; dann habe die Invasion der Franzosen den Kaiser stutzen gemacht; aber der Ausschlag sei von einer Seite gekommen, von der man es am wenigsten vermuthen können; der Papst habe geschrieben, daß er Jacobs II. Actionen und Desseins gar nicht gut heiße, daß ihn nicht der Eifer für die Kirche, sondern Frankreich treibe, Frankreich, das ganz Europa, also auch England niederwerfen wolle; darauf habe der Kaiser jeden Scrupel aufgegeben, von der Sache der Kirche nicht weiter gesprochen, sofort zwei seiner Minister beauftragt, mit ihm in Conferenz zu treten; der Vertrag sei im Entwurf fertig.

Es währte Monate, bevor diese Verhandlungen zum Abschluß kamen; Oestreich war nicht der Meinung, bei der furchtbaren Heimsuchung deutscher Lande vor Allem nur erst mit Hand anlegen zu müssen; es stellte für das Bündniß, das Oranien suchte, Forderungen voran, die mit der vorliegenden Kriegsfrage nicht eben in Zusammenhang standen, Forderungen, wie sich bald zeigen sollte, sehr weit greifender Bedeutung.

Seit dem October hatte Brandenburg Kenntniß davon, daß verhandelt werde; weder vom Kaiser, noch von Oranien wurde es in das Geheimniß gezogen. Begreiflich, daß es um so mehr mit der Offensive zögerte. Man war mit dem Vertrauen, daß das brandenburgische und oranische Interesse zusammenfalle, vorgegangen; eben jetzt traten Ereignisse ein, die die brandenburgische Politik erinnern konnten, daß sie in den baltischen Kreisen ihre besondere Aufgabe habe.

Die gottorpische Frage.

Seit dem Sommer wurde in Altona über die gottorpische Sache verhandelt; lange vergebens, da Dänemark, auf Frankreich sich stützend, Hamburg und Lübeck zu reuniren hoffte. Und unvergessen war des Großen Kurfürsten Wort: einen Angriff der Dänen auf Hamburg werde er ansehn, als wenn sie Berlin angriffen.

Der Wechsel in England veränderte die dänischen Pläne. König Christian V. wandte sich nach Berlin mit der Bitte: „ihm die Correspondenz mit Oranien und der guten Parthei herzustellen;" er wünsche nichts mehr, als den gottorpischen Hader zum Schluß gebracht zu sehn; er wolle nichts, als was zur Sicherung Dänemarks nothwendig sei; er sei erbötig, den Herzog reichlich zu entschädigen. Er bot die Grafschaften Oldenburg und Delmenhorst; das schien ungenügend. Es wurde ein Project entworfen, das dem Herzog ein Theil seiner schleswig-holsteinischen Besitzungen sicherte. Weder dieß, noch gar die bisherige Souveränetät im gottorpischen Schleswig glaubte Dänemark zugestehn zu können.

Dieser Erklärung setzte Karl XI. von Schweden die seinige entgegen: er werde nicht zugeben, daß der Herzog auch nur einen Fuß breit Landes verliere; er werde nöthigen Falls mit den Waffen in der Hand Dänemark zwingen, dem Herzog gerecht zu werden. Der Streit wuchs weit über das Maaß des streitigen Gegenstandes hinaus. Für Schweden galt es, die Bedeutung im Norden wieder zu gewinnen, die es seit der Schlacht von Fehrbellin verloren hatte; für Dänemark, trotz des Friedens von 1679 zu erzwingen was es damals an Brandenburgs Seite kämpfend gewonnen hatte.

Nicht minder bedenklich war, was in Polen geschah. Der König, so wurde gemeldet, habe sieben Regimenter nach Ermeland commandirt; es sei unter des französischen Gesandten Einfluß Alles zu einer Conföderation der Armee eingeleitet, und von der Pforte Frieden unter sehr günstigen Bedingungen angeboten. Auf den Landtagen, die dem ausgeschriebenen Reichstage vorausgingen, wurde immer wieder die Frage der Radziwilschen Güter und „die Berliner Geschichte" vorgebracht; da und dort wurde gesagt: das Lehen Preußen sei erledigt, man müsse auf dem Reichstag über dasselbe Verfügung treffen.

Zugleich erfuhr man auf verläßliche Weise, Ludwig XIV. sei in voller Vorbereitung, sich auf die Staaten zu werfen, um „auf alle ersinnliche Weise" an ihnen Rache zu nehmen.[1]) Natürlich, daß der Stoß — denn die spanischen Niederlande waren durch den Vertrag von 1687 gedeckt — durch das Clevische geführt werden mußte. Aber durfte Friedrich III. die Gefahr seiner östlichen Provinzen länger versäumen? Er beschloß nach Berlin, dann weiter nach Preußen zu gehn, wo ihm noch nicht gehuldigt war; er meldete dem Prinzen seine Absicht, zugleich mit der dringenden Bitte, Schonberg und einen Theil der mitgenommenen Truppen zurückzusenden.

Der Prinz entgegnete in sehr starken Ausdrücken, daß er mit der beabsichtigten Reise nicht einverstanden sei;[2]) Schonberg zurückzusenden sei unmöglich, da sich in Schottland und mehr noch

1) Friedrich III. an den Marschall Schonberg, Haag 3. Jan. 1689.

2) Wilhelm III. an Friedrich III., St. James, 1/11. Jan. 1689: . . . „que c'est avec une extrême surprise que j'apprends . . . qu'Elle a l'intention de faire présentement un voyage en Prusse; assurément ce ne sont pas de ses fidèles serviteurs, qui peuvent Luy le conseiller en cette conjoncture; certainement tout est perdu, si Elle y va."

in Irland ein sehr bedenklicher Widerstand zeige. Und die Regenten in Holland — der Kurfürst nahm den Rückweg über den Haag — sparten keine Ehre und Ostentation, ihn erkennen zu lassen, wie eng sie sich ihm verbunden fühlten;[1]) sie stellten ihm auf das Beweglichste vor, wie er jetzt, wo Alles in höchster Gefahr stehe, sich nicht aus diesen Quartieren entfernen dürfe; sie bekannten, daß sie mit ihren Rüstungen noch weit zurück seien. Er ließ sich bewegen, wenigstens nicht weiter als bis Berlin zu gehen, um im Nothfall schnell wieder zur Stelle sein zu können.

Er ging über Hannover nach Berlin. Auch andere Dinge forderten seine Anwesenheit. Die Gutachten über das väterliche Testament waren eingegangen; es ist nicht ersichtlich, ob es förmlich cassirt worden ist. Jedenfalls mußte man, um Weiterungen mit dem Kaiserhofe zu vermeiden, mit den Betheiligten ein Abkommen zu gewinnen suchen, vor Allen mit der Kurfürstin Wittwe. Die Verhandlungen begannen Anfang März; die Art, wie sich die Fürstin bei denselben verhielt, konnte diejenigen, welche von ihr Alles Schlimmste gefürchtet hatten, beschämen; bereits am 4. April kam der Vertrag mit ihr zu Stande; mit leichterem Herzen konnte man an die Verhandlung mit ihren Söhnen gehn.

Nach Warschau war Graf Alexander Dohna gesandt. Er fand den Reichstag in vollem Gang; tumultuarisch, wie irgend ein früherer, schien er Alles eher, als die geforderte Erneuerung der Bromberger Verträge zu wollen. Aber die alten Verbindungen, die Brandenburg unter den Großen hatte, reichliche Zahlungen, mit denen man neue Freunde gewann, bewirkten wenigstens so viel, daß man vor einer plötzlichen Gefahr von dorther sicher sein konnte.

---

1) In den sehr lehrreichen Lettres sur les matières du temps. Amsterdam, 1684, II. année p. 31: „Vous aurez appris . . . avec quelles marques de joye et d'une parfaite correspondance Elles ont été reçues et régalées.“

Bedenklicher ließen sich die Dinge in den Herzogthümern an. Sie brachten die brandenburgische Politik in eine höchst peinliche Alternative. Bis auf die jüngste Zeit hatte sich Dänemark zu Frankreich gehalten; und Karl XI., wegen der Art, wie ihm die Wohlthat des Friedens von 1679 aufgezwungen war, auf Frankreich erbittert, hatte sich der Liga der Evangelischen angeschlossen, hatte den Staaten 6000 Mann zugesagt, andere 6000 Mann im Bremischen gesammelt; das Haus Braunschweig war bereit, mit Schweden auf Dänemark loszuschlagen. So wenig Brandenburg geschehen lassen konnte, daß beide Herzogthümer in den Vollbesitz Dänemarks kamen, noch weniger schien es zugeben zu dürfen, daß Schweden hier mit den Waffen in der Hand und in Gemeinschaft mit dem Hause Braunschweig seinen Willen durchsetzte. Man versuchte, weiter unterhandelnd, wenigstens die Sache in der Hand zu behalten; nur daß schon die Kaiserlichen, noch heftiger die beiden Seemächte Dänemark drängten, noch mehr nachzugeben. Bereits im April setzte der Kaiser einen Termin, innerhalb dessen Dänemark nachgegeben haben müsse, oder er werde sich an der Vermittelung nicht weiter betheiligen; und der schwedische Gesandte machte kein Hehl daraus, daß er die Vollmacht in der Tasche habe, wenn am 1. Juni der Herzog nicht völlig restituirt sei, abzureisen, und der Armee und Flotte seines Königs das Weitere zu überlassen.

So dicht am Bruch waren die Dinge hier, als bereits am Niederrhein der Krieg in vollem Gang war. Die Art, wie das Haus Lüneburg sie benutzte, machte sie für Brandenburg doppelt gefährlich.

Friedrich III. hatte sich bei seiner Rückreise aus Holland einige Tage in Hannover aufgehalten. Er hatte sein Versprechen erneut, Alles zu thun, um dem welfischen Hause die Kurwürde zu gewinnen; er hatte mit dem Herzog, seinem Schwiegervater, einen Ver-

4*

trag über die Vertheilung der Quartiere besprochen, nach welchem das welfische Haus monatliche Erhebungen zu 19,100 Rthlr., Brandenburg zu 18,900 Rthlr. erhalten, Einiges auch an Hessen überwiesen werden sollte. Lippe, Schaumburg, Corvey waren für Hannover, Ostfriesland und Meklenburg für Brandenburg bestimmt. [1])

Die Ratificationen von Brandenburg, Celle, Wolfenbüttel, erfolgten gleich drauf; Hannover zögerte trotz wiederholter Mahnung, kam endlich 24. März mit allerlei Bedenken: wegen Ostfriesland habe man gleich einen Vorbehalt gemacht, auch sei Schweden mit dem ganzen Receß unzufrieden. Brandenburg stellte das eine, wie andere in Abrede: entweder müsse unbedingt ratificirt oder die brandenburgische Ratification zurückgegeben werden. Es kam hinzu, daß auch in Wien die ohne Kaiser und Reich gemachte Quartiervertheilung Anstoß gab; man weigerte die kaiserliche Genehmigung; aber man versprach, dem Kurfürsten anderweit Quartiere im Reich anzuweisen, reichlich genug, um auch die 100,000 Rthlr. zu decken, die der Kaiser ihm kraft der Allianz von 1686 jährlich zahlen müsse. Unter den angewiesenen Quartieren sollte auch Ostfriesland, Lübeck, Meklenburg-Güstrow, die Grafschaften Lippe und Schaumburg sein.

Schon gab es einen neuen Grund, jenen Receß für gebrochen zu erklären. Unter dem Vorwand, wegen alter Quartierschulden, die noch nicht berichtigt seien, sich sicher stellen zu müssen, hatte Mitte März Georg Wilhelm von Celle Boitzenburg besetzt, [2]) sofort die Befestigung des Ortes begonnen (März), trotz aller Re-

---

1) Receß d. d. Hannover, 20/30. Jan. 1689: Sie hätten für billig erachtet, „von den Nebenständen, denen durch diese Operationen ihre Freiheit erhalten wird, ohne daß sie sonst etwas darzu thun, einen friedlichen und moderaten Beitrag zu beziehen."

2) Krf. Rescript an Schmettau in London, 10/20. Dec. 1689: „Aus keiner andern Ursache, als den Herzog von Güstrow zu mortificiren und zu strafen, daß

clamationen des Herzogs von Güstrow, trotz aller Erbietungen der Landstände. Daß Celle zugleich der Stadt Lübeck antrug, eine Besatzung von ihm anzunehmen, ließ keinen Zweifel, daß es für den erwarteten schwedisch-dänischen Krieg Position nehmen wollte. Nur um so mehr forderte Brandenburg die Rückgabe der Ratification, da der Vertrag vollständig zerrissen sei; brandenburgische Truppen nahmen Quartier in Schaumburg und Lippe. Hannover gab das Schriftstück nicht heraus; am 18. Mai überreichte der hannövrische Gesandte ein angeblich schon am 2. Mai verfaßtes Schreiben, in dem erklärt war, daß in dem Boitzenburger Vorgang unmöglich ein Bruch des Recesses gesehen werden könne, da es dem Kurfürsten gleich sein könne, ob ein meklenburgischer oder lüneburgischer Zöllner den Elbzoll dort erhebe, daß man dem Kurfürsten die Ratification des bona fide geschlossenen Vertrages nicht zurückgeben könne. Das Nächste war, daß hannövrische Truppen die Grafschaften Schaumburg und Lippe besetzten; und die Brandenburger erhielten Befehl zu weichen.

Mag mehr der Wunsch der Kurfürstin und die Rücksicht auf deren Vater oder die Würdigung der großen politischen Interessen, für die alle Wohlgesinnten einig sein müßten, veranlaßt haben, über solche kleine Differenzen hinwegzusehen, — die Bundesgenossen, die kleineren wie die größeren, gewöhnten sich nur zu bald daran, Brandenburgs „Indulgenz, Sanftmuth und Nachgebenheit zu Erhaltung guter Verständniß und Einigkeit“ ohne Weiteres vorauszusetzen und zu fordern.

Freilich erwies König Wilhelm III. dem brandenburgischen Gesandten die Ehre, ihn zuerst nach seiner Krönung zu empfangen; die Königin, die englischen Minister sprachen es offen aus, daß

---

er mit unserm Vater einen Tractat gemacht, und andre Kreisstände abzuschrecken, sich an Brandenburg zu halten.“

Brandenburg an der Befreiung Englands den größten Antheil habe.[1]) Eben so pries man in Holland das hochherzige Verhalten des Kurfürsten, um so mehr, da man weitere Dienste von ihm wünschte. Es mußte sich zeigen, ob man im Haag und in London ebenso bereit sein werde, auf seine Wünsche und Interessen einzugehn.

Die Anliegen, die er hatte, darzulegen, sandte er seinen Geheimen Rath von Schmettau an Wilhelm III. Vor Allem sollte er beantragen, daß England endlich den Krieg gegen Frankreich erkläre; überall im Reich spüre man französische Umtriebe, wie denn z. B. Münster als Grund seines Zögerns angebe, England werde nicht brechen; es werde das Beste sein, wenn der König ein Corps herübersende, die Niederlande zu decken, zugleich eine Landung auf französischem Gebiet mache und so dem Feind an's Herz greife. Zugleich sollte Schmettau von Neuem dringend um die Rücksendung Schonbergs bitten; er sollte des Königs Theilnahme für die Ausgleichung der gottorpischen Differenz in Anspruch nehmen, da Dänemark zur guten Parthei überzutreten geneigt sei. Noch hatte Brandenburg mit England gar keinen Vertrag, mit den Staaten nur den alten Defensivvertrag von 1685 und das Abkommen über 6000 Mann; Schmettau erhielt den Auftrag, eine Tripelallianz zwischen den drei reformirten Mächten vorzuschlagen. Endlich sollte er „mit gebührender Bescheidenheit" darlegen, wie schwere Kosten Brandenburg von diesem Kriege habe, wie dringend es einige Erleichterung brauche, die das englische Parlament gewiß gern gewähren werde. Gelegentlich hatte er zu erwähnen, daß der Kurfürst hoffe, es werde die Verbindung der Statthalterschaft mit der englischen Krone keine Schwierigkeit finden; wenn es aber der Fall sein sollte, so erwarte er, man werde

---

1) Der Staatssecretair Graf Shrewsbury sagt: „Nous reconnaissons fort bien, qu'après le Roy c'est S. A. E. de Brandebourg, qui nous a sauvé." Bericht Schmettaus vom 17/27. Mai 1689.

nicht den eifrigen Bemühungen des Prinzen von Nassau-Friesland Folge geben, der des Königs Gegner, in der Hand schlechter Rathgeber, den übrigen Provinzen zuwider sei. „Unser Gedanke," sagt des Kurfürsten Instruction, „geht dahin, daß, weil unsre geliebte Gemahlin wieder guter Hoffnung ist, falls uns ein Sohn geboren wird, dieser als oranischer Successor gelte; während seiner Minderjährigkeit kann einer unserer jüngeren Brüder als Administrator eintreten." Er fügt hinzu, daß das Haus Braunschweig einer solchen Anordnung gerne zustimmen würde. [1])

Man sieht, Vorschäge zur Güte, unmaaßgebliche Wünsche, keine Forderung peremtorischer Art, kein Vorbehalt im Fall des Versagens. Schon als Schmettau in Amsterdam mit dem Fürsten Waldeck, dem Commandirenden der staatischen Feldtruppen, sprach, bekam er sonderbare Dinge zu hören: der Fürst freue sich, daß Friedrich III. „bei seinen genereusen Resolutionen beharre;" das Zusammenhalten des Reichs rette vor französischer Sklaverei; eine Tripelallianz, zumal wenn die Religion dabei genannt werde, könne nur schaden; die drei reformirten Mächte bedürften deren auch nicht, sie seien von selbst schon eins und einig; auch warne er, schon jetzt von Satisfactionen und Erwerbungen zu sprechen, die sich von selbst finden würden; und gar von Subsidien möge man sich doch hüten zu sprechen; man wisse ja aus dem vorigen Kriege, wie viel Unheil daraus entstanden sei; es thue ja jeder, auch der Kurfürst, was er thue, zu seiner eignen Conservation; der Kurfürst thue besser, nicht so zu sprechen, als wenn er nur um Englands oder Hollands Willen agire.

Seltsam, daß man auf Schmettaus Bericht von dieser Unterhaltung nicht stutzig wurde, nicht wenigstens sich reservirter zu halten

---

1) Instruction d. d. 19/29. Febr. 1689, als allgemeiner Zweck der Sendung wird angegeben: „Damit er sowohl auf unsre, als des Staates, mit welchem wir unauflöslich verknüpft wären, Sicherheit und Bestes vigiliren möchte."

nöthig fand. Man beilte sich vielmehr, so wohlgemeinten Rath zu benutzen, setzte den Vorschlag einer Tripelallianz vorerst zur Seite, gab dem Antrage wegen der Statthalterschaft eine möglichst stumpfe Fassung, änderte noch dieß und das an Schmettaus Instruction. [1])

Gleich die ersten Besprechungen in London zeigten dem Gesandten, daß an die Rücksendung Schonbergs nicht mehr gedacht werde, daß höchstens ein paar Bataillone zurückgeschickt werden würden, da ein Theil Schottlands unter Waffen stand, ganz Irland sich für den katholischen König erhob, Jacob II. selbst mit französischen Truppen landete. An Subsidien war gar nicht zu denken: „der König selbst ist unzufrieden, daß das Parlament mit seinen Bewilligungen so karg ist." Die Anknüpfung mit Dänemark wies der König von der Hand, „so lange nicht der Herzog von Gottorp restituirt sei;" er sprach den Verdacht aus, daß Dänemark nur zu täuschen versuche: es lasse sich durch Frankreich animiren, ein Spiel anzufangen, in dem es schließlich die Zeche werde bezahlen müssen.[2]) Umsonst erinnerte Schmettau, daß es Zeit sei, wenigstens einen Vertrag zwischen England und Brandenburg zu schließen; Bentink, nun Lord Portland, erwiederte: erst müsse die Allianz zwischen Holland und England geschlossen sein, der dann Brandenburg beitreten könne.

Natürlich, daß man in Wien noch viel weniger nöthig fand mit Brandenburg besondere Verträge zu schließen. [3]) Man erkannte mit Dank an, daß der Kurfürst zuerst und mehr als irgend

1) Kurf. Rescript an Schmettau, 24. April 1689.

2) dont à toute apparence elle payerait les balles, Schmettaus Bericht 30. April/10. Mai 1689.

3) Es liegt ein Entwurf zur Erneuerung der mit dem verstorbenen Kurfürsten seit 1686 geschlossenen Verträge, so wie zu einem Vertrage über die rückständigen spanischen Subsidien seit 1674, die der Kaiser übernehmen solle, im Archiv; aber es ist bei den Entwürfen geblieben.

ein anderer Reichsstand seine reichspatriotische Schuldigkeit gethan. Nicht minder befriedigt war man, daß die brandenburgischen Gesandten in Regensburg so lebhaft auf die Erklärung des Reichskrieges, auf die Untersagung jeder Particularverhandlung mit Frankreich, auf ein Handelsverbot gegen Frankreich drängten; um so mehr nahm man als unzweifelhaft an, auch des Weiteren über die brandenburgische Kriegsmacht im Interesse des Reichs verfügen zu können. Auf die Allianz von 1686 zurückzugehen, war der östreichischen Politik sehr genehm, da jetzt nicht der Kaiser, sondern das Reich angegriffen war. Wenn ja die brandenburgischen Minister den Versuch machen sollten, ihren Herrn in der zu unabhängigen Art seines Vaters verfahren zu lassen, so hatte man das Geheimniß jenes Reverses, und man wußte sehr wohl, daß der Kurfürst dasselbe um jeden Preis vor seinen Ministern und vor der Welt verborgen zu halten wünschte.

So die diplomatische Lage Brandenburgs beim Beginn des Feldzugs von 1689. War sie nicht eben günstig, immerhin; mit einer Heeresmacht, wie man sie hatte — außer den Bataillonen am Main und den 6000 Mann in staatischen Diensten traten demnächst 26,000 Mann Brandenburger am Niederrhein in Action — konnte man sicher sein, einige diplomatische Mißstände auszugleichen.

Der Krieg von 1689.

Unter den zahlreichen Schriften, die den großen Entscheidungen von 1688 vorausgingen, führt eine den Titel: „Europa Sklave, wenn England nicht seine Ketten bricht."

Ein fremder Fürst, an der Spitze fremden Kriegsvolks, brach die Ketten Englands; daß die französische Kriegsmacht sich auf Oberdeutschland stürzte, weiter heerend die vorderen Kreise überfluthete, ermöglichte jene Vorgänge jenseits des Canals, welche die Engländer ihre glorreiche Revolution nennen.

Den Oranier hatte das bereite Entgegenkommen Brandenburgs und anderer norddeutschen Fürsten in den Stand gesetzt, jene Expedition zu rüsten; den französischen Heeren hatten dieselben Fürsten, im Magdeburger Bunde geeint, am Main Halt geboten.

Vergebens versuchte Ludwig XIV. die alten Künste seiner Politik. Er hatte die Dänen mit großen Hoffnungen gelockt, und sie suchten das Bündniß seiner Gegner. Er hatte den Staaten die Kriegserklärung hingeschleudert, und sie erschraken nicht. Seine Agenten im Reich und überall waren thätiger, als je zuvor, um das Fortschreiten dieser Coalition zu hemmen, deren Emporschwellen alle Berechnung übertraf. Nicht einmal die Polen aufzustacheln gelang mehr. Selbst die Krone Spanien, so erschöpft sie war, wies die Neutralität zurück, die ihr unter den lockendsten Bedingungen angeboten ward; auch ihr erklärte Frankreich den Krieg. Ludwig XIV. hatte unter den christlichen Fürsten keinen Bundesgenossen als den entthronten Jacob II., der auf die Empörung Irlands rechnete, und jenen Misgewählten von Cöln, den der heilige Stuhl verworfen. Daß der Stolz des Königs selbst davor nicht zurückwich, daß er wider den Papst an ein allgemeines Concil appellirte, erschien der katholischen Welt als der Abfall Frankreichs von ihrer Gemeinschaft, als der Anfang eines neuen Schisma. Nur die Ungläubigen blieben dem allerchristlichsten Könige zur Waffengemeinschaft; die Christenheit entsetzte sich, als der Kaiser auf offenem Reichstage erklären ließ, Frankreich habe eine Offensivallianz mit den Türken geschlossen, sich verpflichtet, nicht anders als in Gemeinschaft mit ihnen Frieden zu schließen.[1]) Es wurde gesagt und geglaubt, daß demnächst die Lilienflagge, mit der der Korsaren

1) Erklärung des Markgrafen Hermann von Baden, 4. März 1689, bei Londorp XIV., p. 246.

Nordafrikas vereint, in See erscheinen werde, gegen die holländisch-englische Flotte zu kämpfen.[1])

Es war gewiß ein vollkommen richtiger Gedanke Wilhelms III. – derselbe, den 1686 der Große Kurfürst vorangestellt hatte —, daß für diesen Kampf gegen Frankreich alle Staaten ohne Unterschied des Bekenntnisses zusammenstehn, daß sie endlich einmal die „Staatenfreiheit" für immer sicher stellen müßten. Namentlich Oestreich schien eine Verbindung, wie sie sich jetzt bot, mit Freuden begrüßen, sie selbst mit Opfern erkaufen zu müssen, nachdem es in so vielen Kriegen erfahren, daß es nicht allein, daß es nur mit dem Reich oder mit Holland verbunden, der Uebermacht Frankreichs gewachsen sei; es schien das eifrige Bemühen der Seemächte, den Frieden mit der Pforte, den diese nach so schweren Verlusten suchte, zu vermitteln, annehmen zu müssen, um sich dann mit ganzer Kraft gegen Frankreich wenden zu können.

Es ist denkwürdig, daß nicht Oestreich, sondern Wilhelm III. diese Verbindung suchte und mit Zugeständnissen erkaufte, mit Zugeständnissen zum Theil auf Kosten derer, die ihm den Zug nach England möglich gemacht hatten, zum Theil gegen Anrechte derer, die nicht ohne Selbstverleugnung Frankreich den Rücken gewandt hatten.

Mit diesen Unterhandlungen in Wien war seit dem Herbst 1688 der Pensionar von Amsterdam Hop betraut; sein officieller Auftrag, den Türkenfrieden zu vermitteln, verhüllte sie. Die Schwierigkeiten schienen unüberwindlich; endlich bestimmte das Drängen des spanischen Hofes den Kaiser, ein wenig einzulenken.[2]) Er forderte Sicherung der spanischen Succession für seinen zweiten,

---

1) Daher das Anagramm auf Ludovicus decimus quartus: Ludovicus quid es? sum Turca.

2) Nach H. Hop's Journal seiner Verhandlung in Wien, im Appendix zu den Papieren des Lord Lexington, p. 341: Der Kaiser declared his good disposition to nearer allyance and confoderacy with the States. Die Zeitung

Sicherung und Beschleunigung der römischen Königswahl für seinen älteren Sohn,[1]) jene, obschon der Kurprinz von Baiern das nähere Erbrecht auf Spanien hatte, diese, obschon das ehrwürdigste aller Reichsgesetze jede Einwirkung auf die kürenden Fürsten in den bindendsten Formen ausschloß. Erst nach Annahme dieser Artikel genehmigte der Kaiser den Allianzvertrag; er stellte fest, daß der Krieg gegen Frankreich mit aller Kraft geführt, der Friede nur auf den Fuß des westphälischen und pyrenäischen Friedens geschlossen werden, auch nach geschlossenem Frieden die Vertragsmächte in ewiger Defensiv-Allianz gegen Frankreich bleiben sollten.[2]) Diesem Vertrage beizutreten, sollte von Seiten des Kaisers Spanien, von Seiten Hollands England aufgefordert werden; in Betreff der anderen beiderseitigen Verbündeten brauchte man den Ausdruck: „man wolle sie zulassen, wenn sie es wünschten.“ Aber mitgetheilt wurde ihnen die Acte nicht.

Mit diesem Bündniß gewann Wilhelm III. — es war recht eigentlich sein persönliches Werk — die kaiserliche Anerkennung seiner „Usurpation“, wie man sie in Wien nannte, die Sicherheit, daß der Kaiser und die Krone Spanien der katholischen und legitimen Sache Jacobs II. den Rücken wandten. Er bot dem Hause Oestreich dafür die Hand zu einer Machtsteigerung, die alle Aussicht hatte, demnächst die europäische Gefahr des fran-

für die brand. Gesandten berichtet aus dem Haag, 9/19. Febr., daß Hop den Antrag bei den H. M. gemacht habe, auf einige Zeit nach Hause zu kommen, „da indeß bei den Unterhandlungen mit den Türken nichts versäumt werde,“ weil Alles erst mit Venedig und Polen communicirt und concertirt werden müsse.

1) Foederatos omnia studia et officia collaturos, ut . . . quanto citius eligatur.

2) Hop's Journal 25. Feb. 1689. Vollzogen wurde der Vertrag 12. Mai, die Beitrittserklärung Englands ist vom 9. Sept. 1689 (nicht 20. Dec., wie in Londorp XIV. p. 314 steht). Die beiden Separatartikel über die Kaiserwahl und die spanische Succession sind 1691, als Brandenburg der großen Allianz beitrat, dem Kurfürsten nicht mitgetheilt worden.

zösischen Uebergewichts durch die des ungleich größeren östreichischen zu überbieten.

Oder hoffte er, daß der Kaiser nun den Frieden mit den Türken schließen und sich mit ganzer Kraft gegen Frankreich wenden werde?

Sobald man in Wien des Abschlusses der „großen Allianz" gewiß war, begann die Friedenshandlung mit den Türken zu stocken. Umsonst erklärte der türkische Gesandte, auch Bosnien, Serbien, Waradein sei der Sultan bereit abzutreten; man forderte die Auslieferung Tökelys, anderes Schimpfliche; auch müsse man erst die Zustimmung der Bundesgenossen des heiligen Krieges, Polens und Venedigs, einholen. Kein Zweifel, daß der kaiserliche Hof den Frieden nicht wollte.[1])

Und zugleich vollzog der Kaiser die Genehmigung des Reichsgutachtens vom 14. Februar, „den von Frankreich abgedrungenen Krieg für einen Reichskrieg zu erklären."

Man ergriff diesen Anlaß, um einen neuen Act kaiserlicher Autorität zu vollziehen. Zum Zweck möglichst zusammenwirkender Kriegführung hatten Brandenburg, Sachsen, Hannover, Cassel, Bremen-Schweden in Wien Vorschläge für den bevorstehenden Feldzug gemacht. In einer Conferenz der kaiserlichen Minister mit diesen Gesandten erklärte der Hofcanzler, also ein östreichischer Beamteter: daß Kais. Majestät den gemachten Vorschlägen conform der allergnädigsten Meinung sei, die Stationen und Operationen folgender Gestalt einzurichten. Als ob der Kaiser auch über die Truppen zu verfügen habe, die Brandenburg und Andere weit über ihre Reichscontingente hinaus ins Feld gestellt. Er bestimmte, die Armee am Oberrhein, 21,000 Mann, sollte Kurbaiern, „unter

---

1) Zeitung für die brand. Gesandten 9/19. März: „Die kaiserlichen postulata werden, je länger, je höher gespannt . . . und mit Herrn Hop nicht mit aller Confidenz, die er wünscht, umgegangen.

Zuziehung des kaiserlichen G. F. Z. Caprera", commandiren, der Herzog von Lothringen die Armee am Mittelrhein, 40,000 Mann, Kaiserliche, Hessen, Lüneburger u. s. w. führen, das kursächsische Corps von 10,000 Mann unter Johann Georg III. mit ihm im Einvernehmen operiren; der Kaiser werde diesen Corps die Parole von Wien aus auf eine zulängliche Zeit schicken; endlich vom Niederrhein sollte Kurbrandenburg mit seinen und den münsterschen Truppen vorgehen, wobei sie hoffentlich die bereiteste Unterstützung der staatischen Armee wie auch der spanischen in Brabant und Flandern finden würden. Es wurde ausdrücklich bemerkt, daß Kais. Majestät sich hauptsächlich versehen wolle, daß über alle Bewegungen von den drei Stationen, der Abrede gemäß, ihm als dem Oberhaupt die Oberdirection, doch mit Communication und Einholung des Gutachtens der Alliirten gelassen werden würde.[1])

Also wirklich ein Reichskrieg unter einheitlicher militärischer Führung des Kaisers.

Nur freilich nicht des Kaisers im Felde, sondern von der Hofburg in Wien aus. Und die Armee im oberen Deutschland, die Kaiserlichen für den Mittelrhein waren noch nicht vorhanden; nur einige Tausend Mann Baiern standen am oberen Neckar, und in Franken begann man Kreistruppen zu werben.

So behielten die Franzosen Wochen, Monate Zeit, jene Greuel der Zerstörung auszuführen, die ihr Kriegsplan forderte. Damals war es, wo Hunderte von Städten und Flecken niedergebrannt, wo die schöne Pfalz verwüstet, wo die Kaisergräber zu Speier, der Wormser Dom, das Schloß zu Heidelberg zerstört wurden. Mit so weiten Einöden zu beiden Seiten des Oberrheins deckte die französische Armee, sich auf den Mittelrhein und die Mosel

1) Nach dem von dem fränkischen Kreisgesandten v. Schottenberg geschriebenen Conferenzprotokoll d. d. Wien, 15. April 1689.

concentrirend, ihre rechte Flanke. Wohl hatten „etliche tausend Sachsen" vom Main her versucht, Heidelberg zu retten, aber sie fanden die Wege „so verfallen und ruinirt", daß sie umkehren mußten; wohl waren „etliche tausend Baiern" eine Stunde von Heidelberg gesehen worden, aber sie wagten sich nicht weiter und gingen zurück. Er währte bis in den Juni hinein, ehe der Kurfürst von Baiern wieder den Neckar hinab ging, bis in den Juli, ehe Lothringen sein Corps, sechs kaiserliche Regimenter darunter, mit Kursachsen und Kurbaiern vereinigte.

Anders am Niederrhein. Schon im Januar begann dort die Action, als sich der Feind weiter im Bergischen ausdehnen, Haus Landsberg besetzen wollte; er wurde zurückgeworfen (25. Januar). Rasch mehrte sich die Menge der Franzosen in und um Bonn, man schätzte sie auf 20,000 Mann; es schien nothwendig, auf alle Fälle die Verbindung zwischen Lippstadt und Wesel zu sichern. Im Februar wurden Recklinghausen, Dorsten genommen,[1]) dann Werle, Arnsberg; Mitte März war das Herzogthum Westphalen vom Feind gesäubert.

Am 10. März ging Schöning bei Wesel über den Rhein, sich mit den dort cantonirenden brandenburgischen Bataillonen unter Barfuß und fünf staatischen Regimentern unter Aylva zu vereinen. Sofort ging es südwärts; am 11. März wurde bei Linn eine Transportcolonne überfallen, zersprengt, zwei Fahnen erobert; am 12. folgte das glänzende Gefecht bei Uerdingen. General Sourdis, der hier und in Westphalen so lange den übermüthigen Herrn gespielt, eilte „in höchster Confusion" rheinaufwärts, zog seine Besatzungen aus Neuß und Zons auf der linken,

1) Das Datum ist nicht mehr mit Sicherheit zu constatiren. Die Zeitung für die brand. Gesandten berichtet die Thatsache in einem Schreiben aus Berlin 16/26. Feb., also ist die Einnahme vor 10/20. Feb.

aus Siegburg auf der rechten Rheinseite zurück; unterhalb Bonn blieb nur Kaiserswerth und Rheinberg von Franzosen besetzt.[1])

Aus dem Haag kam die Weisung, die staatischen Regimenter bis auf eins nach Nymwegen zurückzuziehen, damit sie zur Verstärkung der Armee, die Fürst Waldeck in Brabant formiren sollte, abgehen könnten; denn die 14,000 Mann Engländer, die Wilhelm III. versprochen, waren noch nicht angekommen. Auf den Wunsch der Staaten war ein Vertrag mit Spanien geschlossen, nach dem Brandenburg 800 Mann oder nach Bedarf mehr zur Besetzung der Festung Geldern detachiren sollte.[2]) Die Cernirung von Rheinberg und Kaiserswerth verminderte den verwendbaren Theil des Corps noch mehr, und die Regimenter aus Pommern und den Marken waren noch auf dem Marsche. Die Bewegungen hier am Niederrhein stockten einige Wochen.

Inzwischen erfolgte die Kriegserklärung des Reichs. Sofort erließ Friedrich III. ein energisches Edict,[3]) daß auch er, wie alle getreuen Stände des Reichs, sich und seinen Staat kraft habender souveräner Macht zu schützen, die Waffen gegen Frankreich ergriffen habe. Es folgte die Kriegserklärung Spaniens (3. Mai), Englands (17. Mai); nur daß die Spanier so gut wie gar nicht gerüstet waren, England erst einige Schiffe in See hatte, die Staaten erst Ende Mai ihre 24 Schiffe fertig zu haben hofften.

---

1) Die von Schöning (Leben des F. M. v. Schöning p. 161) „im Original" mitgetheilte Relation ist eine Ueberarbeitung des Druckes „Umbständliche Relation" u. s. w., welcher die Begebenheiten vom Rheinübergang (9. März) an berichtet, und dessen Grundlage der vortreffliche Bericht Schönings, d. d. Ordingen 4/14. März 1689 ist.

2) Der Vertrag ist formell abgeschlossen Haag, 20. März 1689, aber schon ein kurf. Rescript d. d. Cöln a. S., 27. Feb. befiehlt Schöning „nach dem im Haag gemachten Vertrag" die Besetzung Gelderns.

3) Edict, betreffend den gegenwärtigen Krieg gegen Frankreich, d. d. Cöln a. S., 3/13. April 1689.

Wie anders der stolze Gegner. Er war „mit seiner Seemacht geschwinder“ gewesen, als die beiden Seemächte; vierzig schwere Schiffe stark lag seine Flotte der Insel Wight gegenüber. Er hatte Ban und Arrièreban aufgeboten, die Küsten vor der gedrohten Landung zu schützen; er ergriff an den Pyrenäen die Offensive; seine Hauptmacht stand von Philippsburg bis an die Sambre, Mainz und Bonn als Hauptfestungen in der Front; und die Marschfertigkeit der französischen Truppen machte unberechenbar, wohin der erste Stoß gerichtet sein werde.[1])

Am meisten gefährdet schienen die spanischen Niederlande, wo kaum 8000 Mann zur Verfügung standen; dringend forderte Waldeck Verstärkungen. Man unterhandelte um ein schwedisches Corps für spanischen Sold; aber Schweden drohte auch die 6000 Mann, die es den Staaten überlassen, abzurufen, wenn nicht endlich der Herzog von Gottorp vollständig restituirt werde; geschah es nicht, so war zu besorgen, daß auch die Braunschweiger heimgerufen würden. Auf das Aeußerste drängten Wilhelm III. und die Staaten, der Krone Schweden ihren Willen zu thun. Man empfand in Berlin, was das bedeute; aber im Interesse der guten Sache entschloß man sich, ein Uebriges zu thun. Ein eigenhändiges Schreiben des Kurfürsten, das Fuchs überbrachte, zeigte dem Dänenkönig, daß ihm nichts übrig bleibe, als zu weichen.[2])

---

1) Die französische Aufstellung: in erster Linie Philippsburg, Mainz, Bonn, mit starken Besatzungen, in der Rheinpfalz Marschall Duras, zwischen Mons und Charleroy Marschall Humières mit kleinen Corps, zwischen Beiden Boufflers an der Maas bei Mézières, Marquis de Bussy an der Mosel in Lothringen.

2) Vertrag vom 20/30. Mai. Das Nähere hat Pufendorf II. §§ 41—43. Ueber die Bedeutung des Abschlusses für Brandenburg sagt ein kurf. Rescript für die Gesandtschaft in Regensburg 6/16. Januar 1690, (daß Schweden bei der Verwirrung in Norddeutschland nur gewinnen könne), „wie solches in der

Friedrich III. hatte so geschrieben auf die Meldung, daß der Kampf am Niederrhein in vollem Gange sei. Er eilte selbst dorthin.[1])

Als er ankam (22. Juni), hatte bereits Rheinberg nach kurzem Bombardement capitulirt (16. Mai), Kaiserswerth war eingeschlossen; er befahl das Bombardement, am 26. Juni capitulirte die Festung.

Noch war Bonn übrig, mit 8000 Mann Besatzung, unter dem energischen General Asfeld, mit mächtigen Werken, durch die Bueler Schanze zugleich das rechte Rheinufer beherrschend. Bonn zu nehmen schien schwierig, aber von größter Wichtigkeit. Auch Wilhelm III. und Lothringen sprachen sich für das Unternehmen aus: ein ernstes Bombardement werde die Festung zur Uebergabe zwingen. Schöning empfahl, mit der Erstürmung der Bueler Schanze zu beginnen, von dort die Stadt zu beschießen. Hartnäckig, wie seine Art war, bestand er darauf.

In höchst blutigem Kampf (4. Juli) nahm General Barfuß die Schanze. Tags darauf wurde das Feuer eröffnet. Aber die erwartete Wirkung erfolgte nicht.

Man mußte sich entschließen, die Festung auch auf der linken Rheinseite zu umschließen. Am 23. Juli waren die Positionen dort genommen, die schwere Artillerie herangeschafft. Am 25. begann das Bombardement, wurde vier Tage ununterbrochen, nach brandenburgischer Art auch mit glühenden Kugeln, fortgesetzt. Die Stadt brannte an vielen Punkten. Die Franzosen hatten

---

holsteinschen Sache sich gezeigt, wodurch des Königs im vorigen Krieg hingefallene Autorität auf dem deutschen Boden retablirt worden ist."

1) Der Kurfürst war mit seiner Gemahlin 30. und 31. Mai in Halle; er reiste direct über Lippstadt nach Wesel, wo er am 14. Juni ankam, am 17. Besprechung mit Waldeck hatte. Die Kurfürstin war über Hannover gegangen, dort einige Tage geblieben.

kein Interesse, den deutschen Bürgern weiteren Jammer zu ersparen; ihr Flehen um Capitulation war vergebens.

Sollte man zu einer förmlichen Belagerung schreiten und mit der langsamen Erdarbeit der Parallelen vielleicht Wichtigeres versäumen? sollte man sich begnügen, Bonn nur einzuschließen, um über den größeren Theil der Armee anders verfügen zu können? Es liegen noch die zahlreichen Gutachten der Generale vor; fast alle empfehlen die Belagerung. Friedrich III. hätte ein kühneres, durchschlagendes Unternehmen lieber gesehen; er wünschte sich möglichst bald dem Fürsten von Waldeck zu nähern und mit ihm vereint über die Maas nach der Champagne vorzudringen; er wünschte, daß ebenso Lothringen mit einem Theil der 60,000 Mann, die er vor Mainz hatte, über die Saar und Mosel vorgehe.[1]) Aber Kurmainz und Kurcöln forderten, daß vor Allem zuerst ihre Territorien befreit würden; Münster erklärte, zu einer bloßen Blokade von Bonn seine Truppen nicht hergeben zu wollen; vor Mainz glaubte man kaum Truppen genug zu haben, durchaus nichts detachiren zu können.[2]) So blieb nichts übrig als die Belagerung von Bonn, wenn auch die 30,000 Mann, die man hatte, kaum dazu hinreichend schienen; man hoffte auf die Truppen von Celle und Hannover; die Bitte, die man dahin richtete, blieb ohne Erfolg.

Persönlich recognoscirte Friedrich III. die Umgegend der Festung. Durch ein Versäumniß Schönings war das zu seiner

---

1) Nach der Gazette de Londres 1689 No. 2369, Brief aus Cöln, 17. Juli, hatte die lothringische Armee 28,000 Mann Kaiserliche und Kreisvölker, 10,000 Sachsen, 8000 Lüneburger, 6000 Hessen, 14,000 Baiern und schwäbische Kreisvölker; es werden noch 8000 Kaiserliche unter Caprera erwartet. Die Zahlen sind wohl zu hoch.

2) Die militärische Lage erläutert ein kurf. Rsc. an Schmettau in London d. d. 19/29. Aug. 1689. Wilhelm III. hatte den Marsch an die Maas, die bloße Blockirung Bonns gewünscht.

Bedeckung bestimmte Detachement nicht zur Stelle; von Danckelmann und einigen Andern begleitet, umritt er die Werke, mehr als einmal mit lebhaftem Feuer von dorther begrüßt; einem raschen Ausfall hätte er kaum entkommen können.[1]) Dann rückten die Truppen in die von ihm bezeichnete Aufstellung ein. Mitte August begann die förmliche Belagerung. Wenige Tage darauf wurde gemeldet, daß Marschall Boufflers mit 10,000 Mann anrücke. Schon hatte er die Feste Kochem an der Mosel, wo 1500 Mann Kaiserliche und Triersche lagen, genommen; die nächste Feste, Mayen, räumte der Commandant, nach Andernach zurückgehend. Am 22. stand Boufflers vier Meilen von Bonn; daß die Belagerten von seinem Anrücken wußten, zeigte der überaus heftige Ausfall, den sie folgenden Abends machten; erst nach dem dritten vergeblichen Anlauf gingen sie hinter die Wälle zurück.

Gegen Boufflers war gleich nach dem Bericht von Kochem Schöning mit 10,000 Mann aufgebrochen, um ihn hinter die Mosel zurückzuwerfen; nur seine Vorhut bekam noch die rasch Weichenden zu Gesicht. Am 9. September trat Schöning den Rückmarsch an.

In denselben Tagen war Waldeck von Humières hinter die Maas zurückgeworfen; der Courier, der diese Nachricht brachte, meldete zugleich, daß Humières einen Theil seiner Truppen nach Mainz marschiren lasse. Auch vor Mainz hatte man diese Nachricht; man bat den Kurfürsten dringend um Zuzug;[2]) obschon

1) Der Haager Merc. hist. et pol. Aug. 1689 p. 885: „Il y a des gens qui prétendent que c'était imprudence à l'Electeur de Brandebourg, de se hasarder comme il fait . . . il est bien plus glorieux pour un Prince de s'exposer un peu, que de se trop menager."

2) Kurf. Rsc. an Ric v. Danckelmann in Regensburg 29. Juli/8. Aug. 1689: „Nachdem das Haus Lüneburg dazu einige Bataillone zu senden schlechte Lust bezeugt, wir auch von dem Fürsten von Waldeck nach den spanischen Niederlanden uns mit unserer Armee zu begeben, von Kurbaiern, Kursachsen und Lothringen jetzt abermals durch drei Expresse mit unserer Armee nach Mainz

Schöning noch nicht zurück war, ließ er sofort Barfuß mit 6000 Mann aufbrechen; auf dem dritten Marsch, an der Lahn, kam diesem Botschaft, daß Mainz nach höchst heftigem Kampf am 8. September sich ergeben habe. Barfuß marschirte nach Bonn zurück.

Seine Rückkehr, als er ins Vorzimmer des Kurfürsten trat, sich zu melden, gab dem F. M. L. Schöning Anlaß zu einem Auftritte höchst beleidigender, höchst unwürdiger Art; Schöning hob den Stock, Barfuß zog den Degen. Der Kurfürst enthob sofort beide des Commandos, befahl dem Geheimenrath die Untersuchung. Sie endete nach Monaten mit der Verabschiedung Schönings.

Die Belagerungsarbeiten waren, so viel irgend möglich, gefördert, die Parallelen nahten sich der Festung; von den bei Mainz frei gewordenen Truppen trafen bei 14,000 Mann ein, am 29. Sept. waren die Batterien in allen Attacken fertig. Es begann das Feuer, die Wälle zu rasiren; zehn Tage wurde es fortgesetzt; unter dem Feuer wurden auf drei Seiten zugleich die Approchen vorgeschoben; am 9. Oct. war man hart an der Contrescarpe.[1]) Nach gehaltenem Kriegsrath beschloß der Kurfürst den Sturm für den nächsten Tag. Um fünf Uhr Nachmittags ließ er die drei Signalschüsse lösen; das Stürmen begann; auf das Heftigste wurde gekämpft; ehe es völlig dunkel war, hatte man die äußeren Werke, den Rand des Hauptgrabens. Während der Nacht wurde gearbeitet, da Deckung zu schaffen, sich einzugraben, Alles zum zweiten Sturm vorzubereiten. Morgens 7 Uhr hörte

---

zu kommen und selbige Belagerung fortsetzen zu helfen inständigst ersucht worden, so" u. s. w.

1) Natürlich nicht „auf 4 Schritte von der Contrescarpe", wie Schöning das Diarium vom 23. Sept./3. Oct. sagen läßt; es steht in der Handschrift 45 Schritt.

man in der Festung Chamade schlagen; zwei Offiziere kamen als Parlamentäre, brachten die Accordpunkte mit, auf die General Asfeld die Festung räumen wolle. Der Kurfürst wies sie zurück: er wolle gestatten, daß die Besatzung mit Stäben in der Hand abziehe. Der tapfere General mußte sich überzeugen, daß die Festung nicht mehr zu retten sei; umsonst suchte er unterhandelnd noch Zeit zu gewinnen; endlich wurde ihm eine bestimmte Stunde Frist gesetzt; er unterzeichnete.

Am 15. Oct. zog die Besatzung, nur noch 1500 Mann, General Asfeld schwer verwundet in einer Sänfte vorauf, aus der Festung. Auch den Belagerern hatte namentlich der letzte Kampf viel gekostet; die lange Liste der Gefallenen und Verwundeten führt eine unverhältnißmäßig große Zahl von Offizieren, so wie von den deutschen und französischen Grand-Mousquetairen auf.[1])

Die Armeen in den spanischen Niederlanden hatten bereits Winterquartiere bezogen. Waldecks linker Flügel reichte bis an die Maas bei Namur. Der Kurfürst wollte seinen rechten Flügel im Lüttichschen an die Maas anlehnen, von da durch das Jülichsche bis an den Rhein den Cordon fortsetzen, während die Kaiserlichen den Rhein südwärts vom Main zu decken abzogen. Aber Kurpfalz fand durchaus ungehörig, daß andere als seine Truppen die jülich-bergischen Quartiere genössen; und der Kaiser entschied zu seinen Gunsten. Die Hälfte der brandenburgischen Truppen marschirten vom Rhein hinweg, bis nach der Mark und Pommern.

Freilich nicht bloß der Winterquartiere wegen. Es gab noch andere, empfindlichere Aergernisse.

---

1) Die ganze Belagerung von Bonn ist vortrefflich in Hennert's Beiträgen zur brandenburgischen Kriegsgeschichte 1790 dargestellt. Einzelne Kleinigkeiten sind nach den Acten zugefügt und berichtigt.

Die Kaiserwahl und der Revers.

Celle hatte sich Boitzenburgs bemächtigt, Hannover, „zu nicht geringer Vilipendenz des Kaisers“ die Quartiere in Schaumburg Corvey, Lippe genommen; der wegen Gottorp geschlossene Vertrag gab weitere Irrungen. Um so bedenklicher erschien es, daß die braunschweigischen Herrn und Schweden 4000 Mann ins Gottorpische schickten zum Festungsbau, „da der Herzog doch eine Festung haben müsse;“ nicht minder bedenklich, daß die hannövrischen Truppen, die für die Niederlande bestimmt waren, auszurücken zögerten. [1]) Trotz dem fuhr Friedrich III. fort, sich „in söhnlicher Affection“ für die Errichtung der hannövrischen Kur zu verwenden. [2])

Dann im September starb der letzte Herzog von Lauenburg ascanischen Stammes; das Haus Anhalt glaubte das nächste Anrecht zu haben; nach alten kaiserlichen Exspectanzen erhob auch Kursachsen, auch das ernestinische Haus Ansprüche; andere hatte Mecklenburg. Allen andern voraus ließ Celle Truppen von Boitzenburg aus nach Ratzeburg marschiren, sich des Schlosses bemächtigen, sofort die Befestigung der Stadt beginnen. Es geschehe, hieß es zuerst, um die Ruhe im niedersächsischen Kreise zu sichern; bald sprach man von „competirenden Rechten“ des Hauses

---

1) Bericht des Drosten von Buch, Sparenberg 19/29. August. Erst am 13/23 August brachen sie in der Richtung von Duisburg auf, wurden dann contremandirt, nach Mainz zu gehen, so dringend sie Friedrich III. für Bonn gewünscht hatte.

2) Der Reichsvicekanzler sagte zu Nic. von Danckelmann: „Der Kurfürst thut für Hannover mehr als ein Bruder dem andern thun möchte, aber ihr werdet für solche Güte schlechten Dank bekommen.“ Drauf das kurf. Ric. an beide Danckelmann in Augsburg, 28. Aug./6. Sept: „Wir und unser Haus würden keinen anderen Lohn zu erwarten haben, als daß das Haus Lüneburg die bisher so eifrig gesuchte Pacification mit uns sich zu mehrerem noch ferneren Nachtheil bedienen und durch Unterdrückung der benachbarten katholischen geistlichen Stände sich dergestalt weiter verstärken werde, damit es uns endlich gar über dem Kopf wüchse und je mehr und mehr allenthalben um sich greifen und den Meister spielen möge.“

Braunschweig: das Land habe einst Heinrich dem Löwen als Allod gehört, sei ihm unrechtmäßiger Weise von Kaiser Friedrich I. entrissen; außerdem habe man Erbverbrüderung mit dem ausgestorbenen Hause errichtet. Und gleichzeitig nahm die Krone Schweden das zu Lauenburg gehörige Land Hadeln, „als ein altes Pertinenz des Erzstiftes Bremen" in Anspruch.

In der That Vorgänge bedenklichster Art. „Wenn solche Ansprüche," ließ Friedrich III. dem Kaiser sagen (23. November), „wie das braunschweigische Haus vorbringt, gelten sollen, so ist niemand hinfort des Seinigen gewiß." Er fügt hinzu: „es ist uns bekannt, daß von dem fürstlichen Hause, besonders von Hannover, eine sehr genaue Correspondenz mit den französischen Ministern unterhalten wird, daß es Frankreich durch allerlei Erbietungen zu Thätlichkeiten animirt, ja in Warschau eine Heirath zwischen dem Prinzen Jacob und der Prinzessin von Wolfenbüttel proponiren läßt." Und ähnlich zur Mittheilung an Wilhelm III.: „das Haus Lüneburg will uns vom Elbhandel ausschließen, sich bis an die Thore von Lübeck und an die Ostsee ausdehnen und das absolutum dominum im niedersächsischen Kreise auch gar mit Heranziehung der Prätensionen Heinrich des Löwen gleich dem Könige von Frankreich mit seinen Reunionen spielen; in Summa," so schließt das Schreiben, „wohin wir sehen oder gehen, finden wir das Haus Lüneburg uns im Wege liegen, und kreuzen sie uns am kaiserlichen Hofe und überall."

Freilich auch am kaiserlichen Hofe. Die Staatsmänner von Hannover wußten nur zu gut, wie man sich in Wien zu Brandenburg verhielt, und verstanden ins Tempo zu stoßen.

Als Friedrich III. eben ins Lager von Bonn gerückt war, empfing er ein Schreiben von Kurmainz vom 14. Juli: „der Kaiser wünsche, daß man zur Wahl eines römischen Königs schreite;" wenige Tage drauf die kurmainzische Aufforderung, sich Ende August in Augsburg zu einem Collegialtag einzufinden. Das war äußerst auffallend, vom Kaiserhofe war ihm kein Wort darüber gesagt; „es hätte uns einiges Nachdenken verursachen können," ließ er an Nicolas von Danckelmann nach Wien schreiben, „wenn wir uns nicht aus vielen andern Ursachen Kais. Majestät Zuneigung und Confidenz völlig versichert halten könnten." Das nächste Schreiben Danckelmanns aus Wien, (29. Juli) zeigte, daß der kaiserliche Hof bereits nach Augsburg aufgebrochen sei, daß man sich wundere, vom Kurfürsten noch keine Meldung seiner Abreise nach Augsburg zu haben, da er doch in dieser Campagne „nichts hauptsächliches" mehr unternehmen werde, daß Kursachsen geantwortet habe, er werde sich einstellen, wenn Kais. Majestät gut finde, daß er „mit dem Staube der Campagne" komme.

Bald erfuhr man, daß der kaiserliche Hof sich mit den andern Kurfürsten vorher verständigt habe, daß Kurmainz — „er hatte viel wieder gut zu machen" — zu Allem gern die Hand geboten habe. Auf die Vorhaltung, daß ein Collegialtag ohne Zustimmung aller Kurfürsten nicht berufen, nichts, was nicht im Ausschreiben stehe, vorgenommen werden könne, antwortete Mainz: der kaiserliche Gesandte Graf Oettingen habe ihn versichert, daß Baron Fridag schon das Nöthige mitgetheilt haben werde; und da alle anderen Kurfürsten bereits einig seien, habe man zur Verhütung verfänglicher Einmischung nicht den Zweck des Tages angeben wollen. [1])

Mehr und mehr mußte man inne werden, daß von Seiten des Kaiserhofes, des Kurerzkanzlers, der Mitkurfürsten ein arges Spiel mit Brandenburg getrieben werde. Wäre bereits der Feind völlig besiegt gewesen, so konnten sie sich so vielleicht des Dankes quitt machen wollen, den sie Brandenburg schuldeten; aber noch war wenig gethan und auf Brandenburgs Mitwirkung gar sehr

1) Aus dem Gutachten der Geheimenräthe, 30. Juli (9. Aug.). Das Schreiben von Kurmainz ist d. d. Erfurt, 8. August.

zu zählen. Oder glaubte man Brandenburg in dem Maaße für die gute Sache gebunden, in dem Maaße beflissen und willig, das Verständniß unter den Verbündeten zu erhalten, daß man ihm getrost jede Insolenz bieten könne? Dann war nicht abzusehen, warum solche Insolenzen bei Anlässen und in Formen geübt wurden, die keinerlei practischen Gewinn brachten. Danckelmann, Fuchs, Ilgen im Hauptquartiere, Spanheim, Meinders, Rhetz, alle Geheimräthe in Berlin mochten vergebens nach Erklärung suchen.

Friedrich III. wußte sie. Er hatte das beschämende Geheimniß, das für sein Verhältniß zum Kaiserhofe den Schlüssel gab, vor seinen Räthen, selbst vor Danckelmann streng bewahrt. Immer wieder hatte Fridag an Schwiebus gemahnt, im Mai mit dem Beifügen: der Kaiser wünsche die Sache vor Beginn des Feldzugs in Richtigkeit gebracht zu sehen. Auf des Kurfürsten Wunsch hatten Fridag und Anhalt berathen, „wie dasjenige, was bisher secretirt worden, ferner ein Secret bleiben und doch effectuirt werden könne." [1]) Welche Wege sie gefunden, ist nicht bekannt. Fridag ging mit dem Kurfürsten nach dem Rhein; er war der Mann dazu, mit dem Geheimniß zu wuchern.

An dem Stückchen Land mag dem Wiener Hofe nicht so Großes gelegen haben. Aber daß der Kurfürst es ehrenhalber und in Rücksicht auf das Gedächtniß seines Vaters nicht herausgeben konnte, daß er, wenn er es unterließ, Veröffentlichungen fürchten mußte, die ihn bloßstellten, daß mit der Ausführung des Testaments, zu dessen Hüter und Vollstrecker der Kaiser bestimmt war, gedroht werden konnte, das gab dem Wiener Hofe die Möglichkeit, sich gegen den Kurfürsten Vieles zu erlauben und ihn in einer Weise zu behandeln, die der Welt zeigen konnte, daß die

1) So das undatirte Concept der Antwort Anhalts auf das kaiserliche Handschreiben vom 5. Mai 1689, mitgetheilt in der Abhandlung über das Testament des Großen Kurfürsten, Beilage No. 5.

glorreiche Rolle Brandenburgs unter Friedrich Wilhelm eine Seifenblase gewesen sei.

Ende Juli brachte ein Courier aus Wien an Fridag den ausdrücklichen Befehl, von Neuem zu drängen. Da entschloß sich der Kurfürst endlich, seinem vertrautesten Minister von seiner Verlegenheit Kenntniß zu geben; er sagte ihm, daß er den Revers ausgestellt habe. Wie wird Danckelmann erstaunt, bestürzt gewesen sein. Freilich entschuldigte der Kurfürst jenen unglücklichen Schritt damit, daß sonst das Bündniß von 1686 nicht zu Stande gekommen wäre; auch habe der Fürst von Anhalt den Schritt, den er damals gethan, nicht bloß gebilligt, sondern gefördert; ausdrücklich sei gefordert worden, daß er niemandem sonst, auch dem vertrautesten seiner Diener nichts davon sage u. s. w. Im ersten Augenblick lehnte Danckelmann es ab, diese unglückliche Sache in die Hand zu nehmen; aber was sollte dann daraus werden?[1]) sie hatte schon Schaden genug angerichtet; sie weiter wuchern zu lassen, wäre gegen den Kurfürsten und den Staat unverantwortlich gewesen.

Er forderte, „da er des Handels ganz unwissend sei," eine Darlegung des Sachverhaltes von Seiten der Fordernden.

Der Kurfürst selbst übernahm es, Fridag dazu aufzufordern. Und dieser gewandte Diplomat schrieb eine „Information," in der erzählt war, wie es keine Hülfe als diesen Revers gegeben habe, um den alten Kurfürsten aus den Klauen der französischen Parthei zu reißen, wie diese Parthei ihn veranlaßt habe, Schwiebus, das der Kaiser seinem böhmischen Kroneide nach gar nicht habe fort-

1) „qui n' y veut pas concourrir et à ce que je remarque en chef, parce qu'il n' y a pas concourru auparavant, ny en sceu quelque chose." Fridag an Anhalt 8. Aug. In Fridags Schreiben an Danckelmann, Cöln, 1/11. Aug. 1689 sieht man, daß Danckelmann am 9. August mit ihm von der Sache gesprochen, daß er gesagt habe: qu'il l'envisa jadis comme une chose mysterieuse qu'on luy avait caché u. s. w.

geben können, zu fordern, damit die Allianz nicht zu Stande käme u. s. w. Er sandte den Aufsatz auch an den Fürsten von Anhalt als den Mitbetheiligten; „Ew. Hoheit ist," sagt er in dem Begleitschreiben, „darin in keiner Weise berührt oder eingemischt, denn ich kann sehr gut die ganze Sache auf mich nehmen;" der Kurfürst sei einverstanden, daß angegeben werde, „er habe sich von sich selbst zur Rückgabe des Kreises und selbst umsonst erboten."[1]) Also der Kurfürst hatte mit Fridag verabredet, wie man die Sache in der Information für Danckelmann darstellen wolle.

Natürlich drang Danckelmann drauf, daß Fuchs, der den Vertrag von 1686 verhandelt hatte, in das Geheimniß gezogen und über die Sache gehört werde. Fuchs enthüllte das Lügengewebe des Herrn Fridag in einer Beantwortungsschrift „so klar und deutlich," läßt der Kurfürst demnächst schreiben, „daß es uns nicht wenig schmerzt, daß man uns dergestalt hinters Licht geführt hat." Er hoffte noch die Sache in der Stille abzuthun; er erließ an Anhalt „ein hartes Schreiben, so wie es nur immer gesetzt werden konnte," er ließ Fuchs dem Baron Fridag die Darlegung mittheilen,[2]) mit ihm sprechen; aber Fridag blieb kühl „und bestand auf den veranlaßten Unfug."

Die Vorgänge wegen des Augsburger Tages erschienen nun freilich in einem anderen Licht. Der Kurfürst hatte Anfangs sich begnügen wollen, gegen die Formalien des Collegialtages formelle Einwendungen zu machen, Verschiebung des Tages bis in den

---

1) „Que S. A. E. mesme de son propre chef, — car Elle en convient avec moy — s'est offert à la restitution du cercle et même gratis."

2) Antwortschreiben Anhalts d. d. 17/27. Sept., wo es u. a. heißt: S. K. D. wissen am allerbesten, was für einen großen coup d'état sie gethan haben und dessen Nachruhm die Posterität und späte Nachwelt immer erzählen wird, da E. K. D. ohne jemandes Zuthun aus purer lauterer Generosität und Liebe die alte teutsche Freiheit zu erhalten, sich des besorgenden französischen Jochs entschlagen u. s. w.

November, Vorberathung der kurfürstlichen Gesandten über die Angemessenheit der Versammlung zu fordern, im Uebrigen „zu dissimuliren, um nicht den Dank, den man bei so wichtigem Werk haben kann, zu mindern.“[1]) Er hatte zu dieser Berathung seinen Geheimen Rath und Kammergerichtspräsidenten Sylvester von Danckelmann nach Regensburg eilen, er hatte dort sagen lassen, daß er in Person zum Collegialtage zu kommen gedenke; er hatte sein goldnes und silbernes Service mit den Beamteten der Silberkammer dorthin abgehen lassen. Aber nun kamen zu jener kühlen Ablehnung Fridags Berichte von Nicolaus Danckelmann aus Augsburg — denn schon war der kaiserliche Hof und die andern Kurfürsten dort — die auch die letzten Zweifel lösten. Der Hofkanzler Graf Strattmann hatte zu Danckelmann gesagt: durch die Allianz von 1686, — eben diejenige, welche der Kurfürst mit dem Revers erkauft haben sollte — sei er gebunden, zur Wahl auf Begehren Kais. Majestät seine Stimme zu geben, an welchem Ort und auf welche Zeit es verlangt werde; es gelte, Frankreichs Umtrieben zu begegnen, Frankreich die Hoffnung zu benehmen, daß je dem Dauphin die römische Krone aufs Haupt gesetzt werden könne. Ueber die Forderung, den Wahltag zu verschieben, lachte er: da könne ja Kais. Maj. zum Winter nicht wieder in Wien sein; nicht minder ungehörig schien ihm, noch erst wegen der Capitulation mit den andern Ständen verhandeln zu wollen: „man lasse es bei den alten bewenden, die seien gut und bündig.“

Friedrich III. war nichts weniger als aus hartem Metall; der zähen und suffisanten Art Fridags gegenüber, die ihm immer wieder imponirte, mag es schwer genug gehalten haben, ihn zu Entschlüssen zu bringen, wie die unwürdige Situation sie forderte. Es gelang, ihn zu überzeugen, daß man die Reversgeschichte nicht mehr

---

1) Kf. Rsc. an Danckelmann in Regensburg, 7/17. Aug. Kurf. Schreiben an die einzelnen Kurfürsten, 10/20. Aug.

im Stillen abmachen könne, daß man sie mit aller Schärfe in Augsburg vorbringen, daß man sie dem Geheimenrath in Berlin mittheilen müsse, damit er aus den Acten die nöthigen Instructionen entwerfe. So wurde an den Statthalter — eben jenen Johann Georg von Anhalt — und den Geheimenrath das Rescript vom 19. September verfaßt, in dem die Sachlage dargelegt, hinzugefügt wurde: „wir sind gänzlich entschlossen, den ausgestellten Schein in keinem Wege zu halten, es koste, was es wolle, sondern denselben zurückzufordern." Es wurde an den Präsidenten Danckelmann geschrieben (29. September), gegen die kaiserlichen Minister zu äußern: er glaube nicht, daß der Kurfürst nach Augsburg kommen und sich zu etwas herauslassen werde, bevor er in dem Hauptpunkt, der Schwiebusser Sache, Satisfaction bekommen; er werde verfahren, wie 1653 sein Vater in der pommerschen Sache gegen Schweden.[1])

Eben jetzt kam zu allen andern Zerwürfnissen mit dem Hause Lüneburg der Lauenburger Handel.

Der Antrag wegen der neunten Kur für Hannover war von Nic. von Danckelmann schon vorbereitet; jetzt erfuhr er von Platen, daß man katholischer Seits und namentlich in Rom damit sehr unzufrieden sei, daß man an die Errichtung einer zehnten katholischen Kurwürde, und zwar für Salzburg, gedacht habe; man könne, meinte Platen, lieber dem Hause Oestreich, wenn eins der Kurhäuser aussterbe — noch gab es in Baiern keinen Erben — eine Kurstimme zuwenden; er wolle demnächst dem Kaiser ein Memorial in dieser Sache überreichen; „woraus zu schließen, daß die Sache schon weiter gekommen sein muß, als mir der von Platen offenbaren will." [2])

---

1) Instruction für E. S. Danckelmann, Lager vor Bonn, 19/29. Sept. 1689.
2) E. S. v. Danckelmanns Bericht, Augsburg, 23. Sept./3. Oct. 1689.

Natürlich erhielten die beiden Danckelmann in Augsburg sofort nach den Vorgängen in Lauenburg Befehl, die Frage der neunten Kur liegen zu lassen; aber es war nur eine Kränkung mehr, daß den brandenburgischen Truppen das Quartier in Jülich und im Cölnischen versagt, daß ihnen überhaupt nur Quartiere, „die kaum für 1000 Mann hinreichten, kaum 100,000 Thaler werth seien“, angewiesen wurden, während das Haus Braunschweig das kaum 6000 Mann hergegeben, „Quartiere von einer Million erhielt“,[1]) ein Zeichen kaiserlicher Gunst, das eben so sehr, wie die kaiserliche Nachsicht in Betreff der lauenburgischen Vergewaltigung, den Verdacht eines weiteren Einverständnisses bestätigte.

Jeder neue Bericht aus Augsburg zeigte, daß der kaiserliche Hof ohne alle Rücksicht weiter ging, daß er sich von den andern Kurfürsten keinerlei Schwierigkeit mehr versah, daß sie geflissentlich selbst im Ceremoniel, beim Gehn und Kommen, bei der Tafel, bei der Messe mit der ganzen Strenge altspanischer Hofweise behandelt wurden. Die kaiserlichen Minister sprachen, als verstehe es sich von selbst, daß der Brandenburger sich einfinde, zu der „Formalität der Wahl“ des jungen Königs von Ungarn mitzuwirken; was das Schwiebusser Land betreffe, so habe der Kaiser nach dem Revers das Recht, dasselbe ohne Weiteres wieder in Besitz zu nehmen, und dieses Rechtes werde er sich bedienen, wenn der Kurfürst die wohlgemeinte Rücksicht, die ihm eine freiwillige Rückgabe habe gestatten wollen, verschmähe.

Stand das Alles wirklich in dem Revers? Der Kurfürst hatte keine Abschrift desselben, er wußte nicht mehr genau, was er unterschrieben; die kaiserlichen Minister verweigerten es, eine Abschrift zu geben: sie hätten den Revers gar nicht, er werde wohl

---

1) Aus dem kurf. Rsc. für Schmettau in London, Cöln a. S., 10/20. December 1689.

in Fridags Händen sein. Welche Lage! Sollte man zu jener Drohung schweigen, einer Bedrohung, „wie man sie kaum gegen einen Reichsgrafen hätte thun mögen";[1]) sollte man es darauf ankommen lassen, daß die Kaiserlichen in Schwiebus einrückten? sollte man sich mit den Mitteln widersetzen, „die jedem von Gott und Natur zur Vertheidigung des Seinigen erlaubt", und dann den ganzen Verlauf der Sache der Welt bekannt machen? Freilich einen Verlauf, der auf den, welcher den Revers ausgestellt, doch auch ein sonderbares Licht warf. Oder sollte man die Stimme zur Wahl verweigern, wenn nicht der Revers zurückgestellt war? Allem Anschein nach würde man auch ohne Brandenburg gewählt haben, allem Anschein nach unter dem Beifall der Verbündeten und zum großen Vergnügen Derer, die so eifrig waren, Brandenburg zu überholen.

Diese Dinge waren im vollen Gang, als Bonn gestürmt wurde; sie mochten dem Kurfürsten wohl die Freude des schönen Erfolges vergällen. Zwei Tage darauf, am 17. October, ging er nach Cleve. Noch hatte er im Sinn, nach Augsburg zu gehen; der Tag zur Abreise war angesetzt (25. October). Dann gab er es auf: er werde geradesweges nach Berlin gehen, ließ er den Gesandtschaften in Augsburg melden, da die Lauenburger Händel sich sehr bedenklich anließen, in Polen die französischen Umtriebe, wie aufgefangene Briefe zeigten, das Aeußerste fürchten ließen, namentlich aber, weil man seine getreuen Dienste so wenig achte, wie die Quartiere lehrten; „wir wollen vor Gott und aller Welt wegen alles Unglücks, das daraus entsteht, entschuldigt sein, wenn man uns aber überall mit Undank lohnt, so müssen wir auf unserer eigenen Huth sein."

---

1) Aus dem kurf. Rsc. an die augsburgische Gesandtschaft, 12/22. November 1689.

Das Schreiben ist, wie die meisten diplomatischen in dieser Zeit, von Fuchs concipirt, gewiß nach vorgängiger Verständigung mit Danckelmann, der den Vortrag beim Kurfürsten hatte. Fuchs hatte anfangs in Sachen der Wahl, schmiegsam und evasiv, wie seine Art war, zu „dissimuliren", des Kaisers Gunst zu „menagiren" gerathen; jetzt schien er noch erregter, noch schrofferen Maßregeln geneigt, als Danckelmann; es konnte in diplomatischen Kreisen das Gerücht entstehen, daß Fuchs für eine Annäherung an Frankreich thätig sei. Nimmer hätte Danckelmann dazu die Hand geboten; aber auch er drang in den Kurfürsten, den Revers, der durch sich selbst ungültig sei, zu annulliren, und so oft er durch seines Herren „harte und ungnädige Expressionen" zurückgewiesen wurde,[1]) beharrte er dabei, wie bei der Forderung, gegen Hannover vollen Ernst zu zeigen, nicht länger sich von den Herren dort „zum Gespött machen zu lassen."

In Betreff Hannovers gab es in der nächsten Nähe des Kurfürsten nur zu mächtige Einflüsse anderer Art; und wenn der Kurfürst ihnen nicht nachgab, folgten Mißstimmungen und Entfremdungen, die ihn niederdrückten. Selbst in diesen Tagen schrofffster Spannung unterließ die Kurfürstin nicht, auf der Rückreise nach Berlin sich von ihrem Gemahl zu trennen und auf einige Zeit nach Hannover zu gehen.

Wenigstens Wilhelms III. durfte man sicher zu sein glauben; man durfte erwarten, daß er mit dem ganzen Gewicht seines Einflusses gegen so viele frivole Unbilden und Zurücksetzungen eintreten werde. Ja, das Parlament, die Hochmögenden hatten oft genug ausgesprochen wie hoch verpflichtet sie sich Branden-

1) So Danckelmanns Aussage in seinem Proceß 1698. Friedrich III. bemerkte bei dieser Stelle des Protokolls: „Das ist in so weit wahr, weil ich einmal meine Parole engagirt." Bei einer späteren Verantwortung sagt Danckelmann: „er habe tausend und tausend Chagrins" darüber gehabt.

burg fühlten; Friedrich III. hatte dem Könige Beweise von Freundschaft und Hingebung gegeben, die wohl eines Gegendienstes werth waren.

Freilich ein Antrag auf Subsidien, wie ihn der Kurfürst erwartet hatte, war an das Parlament nicht gebracht worden; man dürfe dem Könige damit nicht kommen, hatte Portland gesagt, um ihn nicht einer abschlägigen Antwort auszusetzen. Und doch hatte das Parlament die großen Summen, welche Holland als Auslagen für die Expedition forderte, ohne Prüfung bewilligt und übersandt.

England und Holland hatten bereits ihre Allianz geschlossen (22. August), einen Tractat, wie sie ihn nannten „zur Vernichtung aller französischen Commercien;" und für diesen Zweck, nach dem Seerecht, das sie unter sich verabredet hatten, verfuhren sie auch gegen die Schiffe der Verbündeten, als sollten mit den französischen Commercien auch die von Schweden, Dänemark, den hansischen Städten u. s. w. ruinirt werden; auch brandenburgische Schiffe wurden aufgebracht, namentlich gegen die afrikanische Handelscompagnie von Seiten Hollands so rücksichtslos wie möglich verfahren.

Nach dem Abschluß jenes Vertrages vom 22. August ließ der Kurfürst die Allianz der drei reformirten Mächte von Neuem in Anregung bringen. Ihm wurde geantwortet: erst müsse zwischen England und Brandenburg geschlossen werden. Es währte bis zum December, ehe auch nur eine erste Conferenz dazu anberaumt wurde.[1]) Und wenn man wenigstens in den wachsenden Diffe-

1) Kurf. Rsc. an Schmettau, 10/20. Oct.: „Wenn man uns so negligirt, und uns bei den schweren Lasten, die wir S. M. und dem publico zum Besten uns so willig aufgebürdet, fast alles appuy versagt, und weniger considerirt, als die englische Nation selbst vor uns bezeigt, so müssen wir es geschehen lassen; es ist aber auch gewiß, daß wir entweder unsere Truppen werden ver-

renzen mit Hannover und Celle Wilhelms III. Unterstützung erwartete, so fand er die einen geringfügig, die andern zweifelhafter Natur. Selbst die auffälligen Beziehungen Hannovers zu Frankreich schienen in London, wie im Haag nur zu bewirken, daß man desto rücksichtsvoller und entgegenkommender gegen das Haus Braunschweig wurde, indem man Brandenburgs ein für alle Mal gewiß zu sein meinte.

Der beginnende Rückmarsch von fast der Hälfte der brandenburgischen Armee machte allerdings Eindruck, nur nicht den gewünschten. Sofort waren in London und im Haag Gerüchte im Umlauf, daß Brandenburg im Begriff stehe, die Parthei zu wechseln; der staatische Resident Hamm sollte es aus Berlin gemeldet, er sollte namentlich Fuchs als denjenigen bezeichnet haben, der Verständigung mit Frankreich empfehle. Es schien nothwendig, diese Gerüchte bestimmt in Abrede zu stellen, den Residenten zu vernehmen, „ob ihm über solche Ausstreuungen Nachricht beiwohne.“ Nicht bloß, daß er sich dabei in den heftigsten Ausdrücken erging;[1]) es kam zum Vorschein, daß die verkleinernden Berichte von der Eroberung Bonns, die in den holländischen Zeitungen erschienen waren, von ihm an den Rathspensionär eingesandt seien; er erklärte, daß er die Nachricht von dem Partheiwechsel des Kurfürsten nach London und dem Haag gesandt habe, wie er ja solche Dinge nicht verschweigen dürfe; er zog ein Schreiben Portlands

---

laufen lassen oder einen ansehnlichen Theil derselben reduciren müssen . . . Daß man von dem Fürstl. Hause Braunschweig so honorable opinion hat, müssen wir dahin gestellt sein lassen und können leicht erachten, aus welch' einem Canal solches herrührt . . . Das Meiste, so wir hierbei beklagen, besteht darin, daß wenn S. M. gedachtem Hause in dergleichen ungerechter Sache applaudirt, dasselbe noch immer mehr sich erheben und endlich gar insupportabel werden wird.“

[1]) „Das Doliren, Protestiren, Emportiren und Lärmen war ohne Maaß und liefen oft harte Worte und bedrohliche Expressionen mit unter.“ So in der Nachschrift zum Protokoll der Verhandlung mit Hamm 6/16. Dec. 1689. Grumbkow, E. Danckelmann, Meinders führten sie mit ihm.

6*

aus der Tasche, in dem es hieß: der König sei von seiner Treue und seinem Eifer überzeugt und werde ihn gegen Alles, was ihm in Berlin begegnen könne, schützen, „woraus genugsam abzusehn, wie seine Relationen müssen eingerichtet sein“.[1])

Das lebhafte Bedauern, das Wilhelm III. über den Rückmarsch der brandenburgischen Truppen und des Kurfürsten Heimreise aussprach, veranlaßten diesen endlich, ihm „das heimlichste und importanteste Motiv“ durch Schmettau mittheilen zu lassen. Das Schreiben an Schmettau (20. December) legte die ganze Reversgeschichte dar: wie dieser Revers „unter speciösem Vorwand“ beim Kurfürsten erschlichen sei, wie man gedroht habe, mit Gewalt Schwiebus zu nehmen, ob der Kurfürst unter solchen Umständen nach Augsburg gehen könne, wo man überdieß den Kurfürsten in einer Weise begegne, die er nicht würde ertragen können. Daran schloß sich eine nochmalige Darlegung der Differenzen mit dem braunschweigschen Hause, wie es dem Kurfürsten „allen ersinnlichen Tort“ anthue, wie es „schimpfliche Briefe“ ausgehn lasse; „man wird in London begreifen, daß solche attentata und voies de fait nicht weiter zu dulden.“

Umsonst. Der König empfahl, den Handel wegen Lauenburgs irgendwie beizulegen oder wenigstens zu vertagen, mit Hannover sich zu verständigen u. s. w.; der Kurfürst, der so hochherzig für die gute Sache eingetreten sei, meinte Portland, werde sie um solcher Kleinigkeiten willen nicht gefährden wollen.

Daß man sich in Berlin in großer Verlegenheit fühlte, zeigten die täglichen Sitzungen des Geheimenrathes.[2]) Sollte man noch

---

1) Aus dem kurf. Rsc an Schmettau, 2. Dec. 1689, mit dem Bemerken, „man scheine Schmettau entgelten zu lassen, was dem Hamm geschehen.“

2) Aus der Zeitung für die brand. Gesandten, 16/26. Nov.: „Im Uebrigen ist täglich Geheimrath, auch nach des Feldmarschalls Derfflinger Ankunft dann und wann geheimer Kriegsrath gehalten worden.“

weiter gehn, als man schon gegangen war? sollte man um der großen Sache willen, für die man mit eingetreten war, noch ein Opfer mehr bringen?

Zwei Momente waren es, welche die allgemeine Lage bestimmten und den Entschluß Brandenburgs bestimmen zu müssen schienen.

Die in Wilhelm III. vereinte Macht der Staaten und Englands leistete bei Weitem nicht, was man hätte erwarten dürfen. Nicht bloß, daß sich in Holland, namentlich in Amsterdam die alte Opposition gegen den Oranier von Neuem regte, jetzt mit dem Vorwand, daß er sein Amt als Statthalter versäume, daß er in dem Pomp und der Autorität des Königthums verlerne, Mitbürger einer Republik zu sein; überall in Holland erwachte die alte nationale Eifersucht gegen England, und die Sorge, daß das befreite England der gefährlichste Rival des holländischen Handels werden könne. In England schien das Interesse für den großen Kampf an den deutschen und niederländischen Grenzen höchst gering; desto heftiger entbrannte in und außer dem Parlament der Kampf der alten Partheien, „mit solcher Animosität, wie fast nie zuvor, jede des Willens, zu triumphiren, ohne der andern Platz zu gönnen.“ Nur mit Mühe war Schottland einigermaßen beruhigt worden; in Irland gelang es nicht, gegen Jacob II. und seine irisch-französische Armee aufzukommen. In der nächsten Umgebung des Hofes, unter den Lords und Bischöfen fanden Agenten Jacobs II. Anhang; es wurden Conspirationen der gefährlichsten Art entdeckt, und diejenigen, die nicht mit dem entthronten Könige conspirirten, schienen nur beflissen, dem, der England befreit, immer mehr Rechte des Königthums aus der Hand zu reißen. Die Masse des Volkes zeigte Eifersucht, Erbitterung gegen die Fremden, die mit dem Könige gekommen seien und die besten Stellen an sich brächten; gegen den König selbst wurde die Stimmung „kalt und höhmisch." Es wurde gesagt und geglaubt (Januar 1690), daß er sich nach Holland zurückzuziehen und England seinem Schicksal zu überlassen Willens sei.

Freilich Holland und England hatten ein gleiches Interesse gegen Frankreich, dem sie zur See nur noch vereint gewachsen waren; sie hatten jenen Vertrag geschlossen, dessen Gedanke war, die Marine, den Handel Frankreichs und gelegentlich die Kauffahrtei der übrigen Handelsplätze zu ruiniren, mochten einstweilen Kaiser und Reich nebst Spanien die Last des Landkrieges tragen.

In diesem Kriege — und das ist das zweite Moment — hatte ohne Weiteres der Kaiser die oberste Führung der gesammten Kriegsmacht des Reichs an sich genommen, ja in den militärischen Conferenzen im Haag, die zur Gesammtleitung des Krieges niedergesetzt wurden (Anfang 1690), den Vorsitz prätendirt. Während des Sommers 1689 hatten die Kaiserlichen unter Markgraf Ludwig von Baden Serbien, Bosnien erobert, bis an den Fuß des Balkan ihre Vorposten vorgeschoben; das Land bis zur Donaumündung schien der gewisse Preis des nächsten Feldzugs. Dem Kaiser war ein nicht minder großer diplomatischer Sieg gelungen; der Herzog von Savoyen war gewonnen; er rüstete sich, im nächsten Frühling seine Waffen gegen Frankreich zu kehren. Das ganze Netz des französischen Einflusses auf Italien, das Cardinal Richelieu zu spinnen begonnen hatte, war damit zerrissen.

Und nun, wo man in Wien wieder das volle Selbstgefühl der Macht haben durfte und hatte, zeigte sich, von welcher Bedeutung der kaiserliche Name, das reichsoberhauptliche Amt sein konnte, wenn man es ausnutzen wollte. In dem Kriege gegen Frankreich hatte der Kaiser Alles in Allem halb so viel Truppen gestellt, wie Brandenburg; den Brandenburgern wies der Kaiser für 300,000 Thaler, seinen Truppen für 4½ Millionen Quartiere an. In den Kriegsberichten wurden die deutschen Truppen insgemein Kaiserliche genannt und, was sie leisteten, auf Oestreichs Rechnung geschrieben. Auf dem Reichstag und in Augsburg konnte man sehen, wie sich Oestreich den Kurfürsten und Fürsten gegenüber fühlte. Ein Verfahren, wie das jetzt zur Wahl eingeleitete, war bisher im Reich noch nicht erhört gewesen; die Kaiserlichen thaten, als wenn die Wahl eine bloße Formalität sei; kaum, daß sie von der Capitulation zu sprechen erlaubten: man könne sie nach der Wahl und Krönung vornehmen. Geflissentlich verletzte man die Präeminenz der Kurfürsten; man gab in der Etikette den Gesandtschaften von Holland und Venedig den Vorrang vor den kurfürstlichen, man gewährte Savoyen den Titel Königliche Hoheit. Und wenn sofort, als man Hannovers Begehrlichkeit nach einem Kurhut zu begünstigen schien, Bamberg, Salzburg, Würzburg, Hessen-Cassel, Pfalz-Sulzbach richtauf waren, auch nach dem neunten Kurhut zu greifen, so hatte man einen Köder mehr, Stimmen im Fürstenrath zu gewinnen. Daß es in des Kaisers Machtvollkommenheit liege, so gut wie Reichsgrafen und Reichsfürsten, auch neue Kurfürsten zu creiren, schien sich von selbst zu verstehen; nicht minder, daß er für Friede, Recht und Ordnung im Reich zu wachen und nöthigenfalls durch Commissare einzugreifen, daß er die zahlreichen Lücken in der Reichsverfassung durch angemessene Maßnahmen unschädlich zu machen habe.

Bei dieser reißend schnell wachsenden Ueberlegenheit Oestreichs — und die Fürsten und Kurfürsten im Reich, namentlich Mainz, Baiern und Cöln, Kurpfalz wetteiferten, sie zu steigern — mußte es dem Berliner Hofe sehr bedenklich scheinen, eine Opposition weiter zu führen, zu der er weder die Unterstützung Wilhelms III. hatte, noch die von Schweden und dem lüneburgischen Hause haben wollte. Merkwürdig, in welchen Punkten man wich, in welchen festhielt.

Daß der Kurfürst nicht in Person nach Augsburg kommen

wolle, war den Kaiserlichen äußerst ungelegen; sie hatten durchaus alle Kurfürsten zur Stelle haben wollen, hatten geradehin gesagt, daß man mit stellvertretenden Ministern die Wahlsache nicht verhandeln wolle. Sie versuchten Versprechungen, Drohungen, Friedrich III. umzustimmen, um so mehr, da Kursachsen seinem Beispiel folgen zu wollen schien; sie thaten, als ob es ein Affront für den Kaiser sei, wenn dem persönlich von ihm geäußerten Wunsch nicht Folge geleistet werde. Die einzige Bedingung, unter der Friedrich III. gekommen wäre, die Rückgabe des Reverses, war man entschlossen, nicht zu gewähren; man gab zu, daß der Revers nicht eben ganz in der Ordnung zu Stande gekommen sein möchte, aber, sagte Graf Kinsky, der böhmische Kanzler, „unter Fürsten und Herren sehe man nicht auf juristische oder gerichtliche Subtilitäten.“ In diesem Punkt blieb Brandenburg hartnäckig. So gab der Kaiserhof weitere Bemühungen auf, entschloß sich, die Proposition zur Wahl verlesen zu lassen, trotz der Abwesenheit der beiden evangelischen Kurfürsten (Mitte November).

Die Weisungen, die hierauf von Berlin aus den beiden Danckelmann in Augsburg gesandt wurden, zeigen, wie man auf den einen Punkt, den des Reverses, den ganzen Widerstand concentrirte: selbst in Betreff Lauenburgs ließ man halbe Maßregeln zu, selbst in Betreff der neunten Kur näherte man sich wieder den Wünschen Hannovers; in Betreff der Wahl ließ man geschehen, was man nicht mehr hindern konnte; man sah den Fall eingetreten, wo man sich nur noch durch Nachgiebigkeit „ein meritum machen könne.“ Die Gesandtschaft, hieß es, solle alles anwenden, damit die Capitulation vor der Wahl gemacht werde, aber unter der Hand; und wenn es nicht anders gehe, hätten sie sich zu fügen, „damit wir nicht allein den Haß und die Misgunst des Widerspruchs, ohne etwas damit zu fruchten, auf uns laden.“ Sie sollten die besonderen Wünsche und Ansprüche Brandenburgs möglichst fördern,[1]) aber wenn sie sähen, daß nichts zu erreichen, sollten sie die Wahl nicht weiter hemmen.

Das Einzelne dieser und der anderen Verhandlungen, die der Wahl vorausgingen, darf hier übergangen werden. Am. 24. Januar 1690 wurde Erzherzog Joseph, König von Ungarn, nun ein zwölfjähriger Knabe, einstimmig gewählt.

Für die brandenburgische Politik war die Frage des Reverses zu einem Ehrenpunkt geworden. Man hatte jede Entschädigung abgelehnt; man erklärte es für nicht der Wahrheit gemäß, wenn Fridag berichtet hatte, der Kurfürst sei geneigt, Gimbron und Neustatt in Westphalen als Aequivalent zu nehmen. Man beharrte dabei, daß der erschlichene Revers rechtsungültig sei. Es mußte sich zeigen, ob der Kaiser den Schwiebusser Kreis mit Gewalt „reuniren" werde.

Der Krieg von 1690.

In kurzer Frist, trotz bedeutender Leistungen im Feld, bei einer Politik, der niemand Zweideutigkeit oder Mangel an Hingebung für die gemeinsame Sache vorwerfen konnte, war die Be-

---

1) Diese „Particularsachen" Brandenburgs, die meist auf spätere Verhandlungen verschoben wurden, waren: 1. der Besitz der von dem Hause Lüneburg occupirten Abtei Loccum, 2. die Expectanz von Ostfriesland für die vom Reich zugestandene Entschädigung von 4 Millionen für den schwedischen Einfall 1674, 3. das privilegium de non appellando für Pommern, Minden, Cleve, Magdeburg, Halberstadt, 4. Meßgerechtigkeit für Magdeburg, 5. Oeffnung Böhmens für das hallische Salz, 6. Zahlung einer von Kaiser Rudolph II. der Stadt Magdeburg ausgestellten Obligation von 20,000 Gulden nebst Zinsen, 7. noch ein anderes, älteres Capital, das Oestreich dem Markgrafen Georg für den Verkauf von Ratibor und Oppeln auf Besitzungen im Thal der Etsch hypothesirt hatte, 8. endlich die Zahlung der aus dem Vertrage von 1686 rückständigen 300,000 Thaler.

deutung Brandenburgs tief und unter das Maaß seiner realen Macht gesunken.

Gesunken oder hinabgedrückt. Daß die kaiserliche Politik den mächtigsten unter den Kurfürsten niederzuhalten wünschte, war um so natürlicher, als sich ihr in dem unermeßlichen Wachsen der östreichischen Macht die Mittel und die Zuversicht mehrten, das Reich in Wahrheit zu beherrschen. Kaum einer von den Kurfürsten und Fürsten wagte mehr, sich ihr zu versagen; und wenn das Haus Lüneburg, namentlich der Hof zu Hannover, oft eigenwillig, oft verwegen genug noch seines eigenen Weges ging, so war der welfische Ehrgeiz immer in erster Reihe gegen Brandenburg gerichtet, und dafür konnte man ihm schon ein wenig die Zügel schießen lassen. Die alte pfalz-neuburgische Parthei am Hofe, die in dem Maaß wieder einflußreicher wurde, als die Reichspolitik in Wien größeren Aufschwung gewann, hörte nicht auf, die innigste Verbindung mit Schweden zu empfehlen, Verständnisse zwischen Schweden und Polen zu vermitteln; schon war die Vermählung des Prinzen Jacob Sobiesky mit der jüngsten Schwester der Kaiserin eingeleitet, eine Masche mehr in dem Netz, das Brandenburg umgarnte.

Auffallender war, daß auch England, auch die Staaten das Ihre thaten, Brandenburg zur Seite zu schieben. Die englischen Minister, die holländischen Staatsmänner und Patrioten sahen in dem Kurfürsten den künftigen Ansprecher der oranischen Erbschaft, die ihnen um keinen Preis in „monarchicale" Hände fallen zu dürfen schien. Und die englischen Minister hinderten, so viel sie konnten, den Abschluß der Allianz,[1]) die der Kurfürst um so

1) So das ausdrückliche Zeugniß des spanischen Ministers in Wien, der seine Freude äußerte, daß sie endlich geschlossen und ratificirt sei, „daß die Jalousie der englischen Minister sie nicht habe umstoßen können". Nic. Barth. v. Danckelmann's Bericht, 19. Nov. 1690.

lebhafter wünschte, je übler sein Verhältniß zum Kaiser wurde; sie hinderten ihn, denke ich, aus keinem andern Grunde, als weil sie fürchteten, Subsidien bewilligen zu müssen, während das Parlament kaum das bewilligte, was zur Erhaltung der englischen Miliz nöthig war; vier ganze Monate hindurch, bis in den Mai 1690, stockten die Zahlungen für das englische Heer. [1])

Freilich im Haag, wie in London mußte man des Weiteren auf den guten Willen des Kurfürsten rechnen; man bedurfte seiner Truppen, man mußte Einiges thun, die Vorwände zu beseitigen, unter denen er sie versagen konnte, ihn zu begütigen; daher die Bemühungen Wilhelms III., die Lauenburger Sache einstweilen in eine Lage zu bringen, welche dem Conflict vorbeugte, in der Weise, daß keine weiteren Befestigungen dort angelegt werden, nicht mehr als 1000 Mann cellische Truppen dort in Quartier bleiben sollten; daher ferner die Einleitung zu dem gewünschten Allianztractat, wenigstens zu der Erneuerung der englisch-brandenburgischen Allianz von 1662.

Auch in Wien setzte man ohne Weiteres voraus, daß die brandenburgische Armee wieder in voller Stärke am Niederrhein zur Disposition stehen werde. Man bestimmte, daß die deutschen Armeen zwei Corps bilden sollten, das eine unter Kurbaiern, das durch die Schweiz nach der Freigrafschaft einbrechen, das andere, die Corps am Mittel- und Niederrhein, das unter Lothringen zwischen Mosel und Maas vorgehen sollte. Man war wenig zufrieden damit, daß Friedrich III. wieder nach dem Rhein gehen, selbst seine Truppen commandiren wolle. In anderer Weise disponirten die Conferenzen im Haag — der brandenburgische Bevollmächtigte war noch nicht angelangt — über die verschiedenen

1) Von Diest Bericht 6/16. Mai: „Die Animosität zwischen Episcopalen und Presbyterianern ist fast noch vehementer in diesem Parlament, als in dem früheren; man hofft, daß wieder Gelder für die Miliz bewilligt werden, womit bei vier Monaten angestanden war."

Truppenmassen; man rechnete, daß Spanien 25,000 Mann ins Feld stellen werde (etwa zur Hälfte Hannoveraner), an ihre linke Flanke sollte sich das englisch-holländische Heer 48,000 Mann anschließen; zwischen Maas und Mosel sollte der Herzog von Lothringen 60,000 Mann commandiren, [1]) endlich 30,000 Mann kaiserliche, fränkische, schwäbische, kursächsische Truppen unter dem Kurfürsten von Baiern am Oberrhein operiren. Mehr als 180,000 Mann stark, ungerechnet Savoyen, dessen Kriegserklärung jeden Tag zu erwarten stand, hoffte man in diesem Feldzug entscheidende Schläge gegen Frankreich zu führen, zumal da zugleich Wilhelm III. in Person 30,000 Mann nach Irland führte, dort ein Ende zu machen, und die vereinigte staatisch-englische Flotte das Meer beherrschte und Landungen in Frankreich drohte.

Weder der eine, noch andere Beschluß konnte für Brandenburg, das man nicht um seine Meinung gefragt, verbindlich sein. Der Kurfürst beschloß am Niederrhein zur Deckung seiner Lande wieder 26,000 Mann aufzustellen und das Weitere abzuwarten. Einstweilen ging er selbst nach Preußen, die Huldigung dort zu empfangen und die Verhältnisse mit Polen zu ordnen.

Er sandte an Schmettaus Stelle, der zu den Conferenzen im Haag bestimmt war, Thomas von Danckelmann nach London mit Weisungen, welche mit dem Wunsch fernerer Waffengemeinschaft die Bedingung aussprachen, unter der sie statt haben könne: er habe Danckelmann als einen Diener des Hauses Oranien gewählt, um die Schwierigkeiten des Ceremoniels zu umgehen, und weil ihm der König, sein Herr, desto mehr Vertrauen schenken werde; die Forderung der Subsidien müsse man wiederholen, doch wenn

1) Man rechnete 16,000 Mann Kaiserliche, 6000 Schweden, je 4000 Hessen, Lüneburger, Lüttlicher, Münsteraner, Pfalz-Neuburger; 42,000 Mann „außer dem was Brandenburg stellt.“ Bericht vom 3. April; derselbe Bericht sagt, von den 180,000 Mann werde wohl einiges abzuziehen sein, „wie denn die Kaiserlichen die 30,000 Mann versprechen, kaum 20,000 aufbringen werden.“

der König noch nicht im Stande sei zu zahlen, so wolle man sich gern noch weiter und auf das Aeußerste anstrengen. Endlich: der König habe ausdrücklich durch Portland die feste Versicherung gegeben lassen und sie persönlich gegen den Kurfürsten wiederholt, in Betreff der oranischen Erbschaft Fürsorge zu treffen, daß nichts geschehen solle, was den brandenburgischen Rechten präjudicire; er habe Hoffnung gemacht, daß durch sein Testament diese Rechte erneut und befestigt werden sollten. Danckelmann erhielt nicht gerade den Auftrag, die Frage des Testaments vorauszustellen, wohl aber den, zu sehen, daß nichts präjudicirt werde. 1)

Schärfer war die Stellung, die man gegen Wien nahm. Wenn die kaiserlichen Minister versuchten, die lauenburgische, ostfriesische, die Quartier-, die Subsidienfrage durch einander zu wirren, um schließlich Schwiebus zu gewinnen, wenn sie die Frage über das Commando am Niederrhein, über das Verhältniß der brandenburgischen Armee zum Herzog von Lothringen im Unklaren ließen, in der Hoffnung, daß der Kurfürst, sobald die Action beginne, der „Reputation seiner Truppen wegen" schon werde nachgeben müssen, so trat ihnen brandenburgischer Seits eine Kälte des Ablehnens entgegen, die sie doch nicht erwartet hatten. Der Versuch, durch herablassende, anerkennende, begütigende Aeußerungen, selbst des Kaisers, zum Ziel zu gelangen, mißglückte. Dann versuchten es die Kaiserlichen mit einem Angebot; sie läugneten nicht, daß man nach dem Tractat von 1686 Subsidien bis zum Betrage von 200,000 Rthlr. schuldig sei; aber bei den ungeheuren Kosten des Doppelkrieges, den der Kaiser zu führen habe, sei die Zahlung unmöglich; jedoch wenn Schwiebus herausgegeben werde, wolle man diese Summe, sowie die im Revers ausbedungenen 140,000 Rthlr. sofort bezahlen. Zugleich begann man die Daumschrauben „von Reichs-

1) Instruction Kreuzberg 10/20. April 1690.

wegen" anzuziehen. Man lobte den hannövrischen Vorschlag einer Reichskriegscasse, in die jeder Stand im Reich 200 Römermonate zahlen und aus der dann jeder, der Truppen stelle, nach deren Betrag ausgezahlt erhalten solle; man meinte die Sache könne, ohne sie erst nach Regensburg zu bringen, in Wien in kurzen Tagen abgemacht werden. Als in Regensburg beim Eintritt eines neuen Mainzer Bevollmächtigten dessen Legitimation von dem kaiserlichen Commissar vollzogen und darüber Protest erhoben wurde, erklärte der Reichsvicekanzler Graf Königseck: in diesem Punkte werde der Kaiser nicht nachgeben, auch kein Temperament zulassen; Kais. Majestät sei nicht der Intention, Alles, wie wohl früher geschehen, zu dulden, noch anzuhören, wie vormals, daß ein brandenburgischer Gesandter in Regensburg sage: es sei, so lange er dort anwesend, was doch seit ziemlich lange, nie vorgekommen, daß kaiserlicher Seits einer Sache widersprochen worden, man sei gewohnt, daß die Meinung der Kurfürsten obsiege. Graf Königseck fügte hinzu: Kais. Majestät finde es überhaupt unnöthig, den Reichstag zu continuiren, da in Regensburg doch wenig ins Werk gerichtet werde.[1]) Eine Wendung, die den Gedanken der östreichischen Politik bezeichnete; mit der Auflösung des Reichstages hätte sie nur noch die einzelnen Stände und ihre Localverbindungen in den Kreisen sich gegenüber gehabt.

Für die andere Frage, die des Befehls am Niederrhein, schien der plötzliche Tod des Herzogs von Lothringen (Ende April) einen Ausweg zu bieten. Die Conferenz im Haag sprach sofort den Wunsch aus, daß Friedrich III. statt seiner eintrete; König Wilhelm

---

[1]) Von dieser merkwürdigen Unterhaltung berichtet Nic. von Danckelmann, 19/29. Juni 1690; er fügt hinzu: „Wenn nicht dieser Discours seine Bedeutung hätte, würde ich dessen hier keine Meldung thun. Was mit einer Dissolution des Reichstages, der sonsten in dergleichen Conjuncturen der Zeit höchstens zu verhüten zu sein scheint, intendirt werde, könnte die Zeit mit Mehrerem an den Tag geben, wenn des kaiserlichen Hofes Absicht zum Effect gelangen soll."

billigte und empfahl den Vorschlag. Aber man fand in Wien nicht schicklich, kaiserliche Regimenter anders als unter einem kaiserlichen General agiren zu lassen; auch, meinte man, sei es nicht nöthig, am Niederrhein ein so großes Corps aufzustellen; man befahl den hessischen Truppen dort, nach dem Oberrhein zu gehen, da der Dauphin mit voller Kraft auf Straßburg vorrücke. Umsonst protestirte die Haager Conferenz gegen so willkührliche Veränderungen;[1]) man fuhr in Wien fort, nach Belieben zu verfügen; man bot dem Kurfürsten von Sachsen an, ein besonderes Corps von kaiserlichen und kursächsischen Truppen am Mittelrhein zu commandiren mit Zuziehung des kaiserlichen Generals Dünnewald; man ließ vom oberrheinischen Corps 10,000 Mann nach Italien marschiren zum Herzog von Savoyen. Was half es, daß die Conferenz im Haag zu Protocoll erklärte, Kais. Majestät sei zu ersuchen, daß künftig so willkührliche Maaßnahmen unterblieben (5. Juni); vorerst war der Schaden da. Nirgends war die Aufstellung der alliirten Armeen fertig, während bereits die Hauptmacht des Feindes unter dem tüchtigsten der französischen Feldherren, dem Herzog von Luxemburg, im vollem Anmarsch auf Brabant war.

Vom Haag, von Brüssel aus drang man in den Kurfürsten, an den Rhein zu kommen, um mit dem ihm bestimmten Corps in Action zu treten. Er eilte Mitte Mai aus Preußen zurück, er erwartete in Berlin von Tag zu Tag Nachricht aus Wien, „wie es mit dem Commando am Unterrhein gehalten werden solle.“ Der Juni verstrich, ohne daß eine Erklärung eintraf.[2]) Er reiste

---

1) Diest's Bericht vom 20/20. Mai . . . „und ist protocollirt worden, daß man auch die hessischen, schwedischen und lüneburgischen Truppen bei S. Kf. D. Befehl sein lassen müsse.“

2) Kurf. Rsc. an Nic. von Danckelmann, Cöln, 31. Mai: „Wir wissen nicht, woran wir sind, können uns auch, bevor diese Sache in Richtigkeit, nicht von hinnen begeben, noch unsre gloire und reputation auf ein Ungewisses hazardiren; es befremdet uns auch nicht wenig, daß man die Truppen, so nach dem

am 2. Juli von Berlin ab, ohne Aufenthalt nach Wesel; die brandenburgischen Truppen waren bereits seiner Weisung gemäß nach Achen concentrirt, einzelne Commandos nach der Maas zu in Bewegung, die Verbindung mit Waldeck herzustellen; aber das hessische Corps war rheinauf abmarschirt, das münstersche meldete, daß es eben erst von der Ems aufbreche.

Schon war die Entscheidung gefallen. Waldeck war bei Fleurs vollständig geschlagen (1. Juli), die Reste seines aufgelösten Heeres flüchteten nordwärts nach Brüssel. [1])

Nie waren die Niederlande in größerer Gefahr; nur Brandenburg konnte retten. [2]) Noch ehe des Statthalters Gastanaga Hilfrufe und Erbietungen an den Kurfürsten kamen, eilten seine Truppen über die Maas bei Viset nach Tongern; es ergingen Befehle nach den Marken und Pommern, mehr Truppen nachrücken zu lassen; er selbst folgte der Armee, war am 20. Juli in Grez bei Löwen, zwei Märsche von Brüssel; die schlimmste Gefahr war beseitigt.

Bis Waveren vorrückend, vereinten sich am 2. August die Brandenburger mit Waldeck; wenige Tage später war auch das spanisch-holländische Corps aus Flandern heran. Der Kurfürst und seine Generale forderten, daß man sofort weiter vorgehen, mit so überlegner Macht „entweder den Feind zu einer Schlacht zwingen oder eine importirende Festung nehmen solle; es sei un-

---

haagischen Concert zwischen Maas und Rhein destinirt waren, anderswo employiren will.“ 8/18. Juni: „Es ist noch nicht das allergeringste an uns gebracht.“

1) Unter den zahlreichen Berichten über diese Schlacht, die sich in den diesseitigen Acten vorfinden, ist der von Heinrich von Goltz an den Markgrafen Brüssel, 4. Juli 1690 — er führte wohl Markgraf Philipps Regiment, das unter den an Holland überlassenen 6000 Mann war — besonders lehrreich; er läßt genau erkennen, wie die schlechte Führung der Reuter die Niederlage verschuldet hat.

2) Vertrag von Erkelenz, 17 Juli 1690. Spanien zahlte 30,000 Rthl. baar und 10,000 Rthl. in Brod, zunächst auf einen Monat.

verzeihlich, mit einer so großen Armee noch länger unthätig vor den Thoren von Brüssel zu liegen, man dürfe die Blame, als meide man den Feind, nicht noch mehr vergrößern.[1]) Das Schwanken Waldecks, die Sorge, daß der Feind sich rechts vorüber auf Flandern werfen könne, die schlimmen Zeitungen von allen Seiten her lähmten alle Bewegungen.

Freilich in Irland war Jacobs II. Macht am Boynefluß auf's Haupt geschlagen; aber Marschall Schonberg war gefallen, und noch blieb schwere Arbeit genug, wenn man der Reste der irischen Armee, ihrer Festungen, namentlich Limmeriks Meister werden wollte. Und zwei Tage vorher war die englisch-holländische Flotte bei Beache Head geschlagen, die französische beherrschte den Canal; in London erwartete man nicht anders, als daß sie einen Theil der siegreichen Armee Luxemburg's aufnehmen und dann, wie einst de Ruyter, in die Themse segeln werde. In Italien war gleich die erste Action der Verbündeten unglücklich genug abgelaufen; der Tag von Staffarda (18. August) machte Catinat zum Herrn der oberen Po-Ebene. Und zwischen Rhein und Maas brach plötzlich Boufflers vor; die jülichschen, lüttichschen, münsterschen Truppen, die mit vier brandenburgischen Bataillonen das Land dort schützen sollten, erklärten, sich nicht von den Festungen entfernen zu dürfen; das ganze Gebiet bis über Aachen nordwärts wurde vom Feind überschwemmt, geplündert, verheert, Dörfer und Städte niedergebrannt. Erst als Brandenburger und Holländer von jenseits der Maas herbeieilten, wichen die Feinde.

1) So ein denkwürdiges Memorial, Hauptquartier Hall, 18/28. Aug. 1690. Der Kurfürst schreibt an König Wilhelm, Hall, 4/14. Aug., er sei über die Maas gegangen, „afin de faire avortir toutes les entreprises de l'ennemy et d'asseurer les Pays-bas fort ébranlés après le mauvais succés de la bataille de Fleurus," da der Feind in starker Stellung stehe; „il n'y a pas moyen de le forcer sans basarder beaucoup;" er habe deshalb vorgeschlagen, „d'assiéger Dinant, tant pour rompre la communication sur Luxembourg, comme aussi pour asseurer le pays qui est entre Rhin, Meuse et Sambre" u. s. w.

Gastanaga so gut, wie Waldeck begriffen vollkommen, daß sie außer Stande seien, neues und größeres Unglück in den Niederlanden zu verhüten, wenn nicht Brandenburg vor den Riß trat. Der Kurfürst machte weniger Schwierigkeiten, als die Herren im Haag erwartet hatten; er verpflichtete sich, 20,000 Mann links vom Rhein zu halten, die in Gemeinschaft mit den Truppen Spaniens, Hollands und Englands und nach den mit Stimmenmehrheit von den Commandirenden festgestellten Dispositionen agiren sollten; er forderte als Gegenleistung nichts, als Uebernahme eines Theils der Kosten Seitens der drei Mächte.[1]) In einem zweiten Vertrage gab er den Spaniern 6000 Mann zur Besetzung einiger Festungen unter ähnlichen Bedingungen, wie früher den Staaten.[2])

In Wien hatte man in dem ersten Schrecken über die Niederlage von Fleurus die bittersten Vorwürfe über den Kurfürsten erhoben, dessen Zögern an Allem Schuld sei. Dann kam die schlimmere Nachricht von Staffarda; man sah voraus, daß Mailand dem Feinde nicht widerstehen werde, daß alle Hoffnung auf Italien dahin sei. Wie wohl that es da, daß der Brandenburger meldete, er sende seinen Bruder Markgraf Albrecht nach Italien, um das Commando über einige evangelische Bataillone dort zu übernehmen; das würde, meinte man in Wien, auf die Waldenser, auf die Evangelischen in Frankreich die beste Wirkung haben, „weil sonst dergleichen Haupt in jenen Gegenden nirgend gegen-

---

1) Vertrag von Efferengen, 9. Sept. 1690. Von den monatlich 100,000 Gld. (40,000 Thlr.) zahlte Spanien die Hälfte, die andere Hälfte Holland und England zu gleichen Theilen; sie bewilligten das Geld „in Betracht der Nachtheile, die der Kurfürst beim Unterhalt seiner Truppen außer Landes, bei den höheren Preisen in diesen Quartieren und dem Verlust bei Zahlungen in deutscher Münze hat."

2) Subsidienvertrag wegen Postirung brandenburgischer Truppen in Ath, Mons, Oudenarde, Namur und Nivelles; Brüssel, 30. Oct. 1690. Der Statthalter zahlt dafür monatlich 36,137 holl. Gld. (14,400 Thlr.).

wärtig." Man lobte des Kurfürsten wirksames Vorgehen für die Niederlande; man forderte ihn auf, nun auch mit der Schwiebusser Sache ein Ende zu machen; man wiederholte die früheren Geld-erbietungen.

„Wir werden niemals darauf eingehen, komme auch, was da wolle", lautete des Kurfürsten Antwort aus dem Lager von Brabant. Er hätte vielleicht in den Verträgen mit Spanien und den Seemächten, die eben jetzt verhandelt wurden, die Schwiebusser Sache zur Vorbedingung machen können; er begnügte sich mit der diplomatischen Unterstützung, die der spanische Statthalter versprach. Auf dessen Anlaß griff nun der energische Burgomaneros, der so großen Einfluß am kaiserlichen Hofe hatte, in die Verhandlungen ein; er forderte, daß man endlich sich entschließe, dem Kurfürsten mehr als bisher gerecht zu werden, dessen Hülfe allein die Niederlande, „das köstlichste Kleinod des Hauses Oestreich," gerettet habe und weiter sichern könne;[1]) er tadelte auf das Aeußerste, daß man den Kurfürsten mit dem Revers so hinhalte, ja daß man die Zahlung der längst fälligen Subsidien von der Rückgabe von Schwiebus abhängig machen wolle; er nannte in einer Unterredung mit dem brandenburgischen Gesandten diejenigen unter den kaiserlichen Ministern, welche in dieser Sache die besseren Entschlüsse hinderten, denen Baron Fridag zu gut brandenburgisch sei; es gebe im Rath des Kaisers Personen, „denen nichts daran liege, daß sich Deutschland zu Grunde richte, wenn man nur eine Hütte mehr in Ungarn gewinne."[2])

---

1) Nic. v. Danckelmanns Bericht vom 8/18. Sept. 1690. Burgomaneros habe gesagt: „Je trouve en effet, qu'on fait très mal, de dégouster un prince sur lequel l'Empereur et le Roi d'Espagne ont fait plus de fondement que sur tout le reste."

2) „Il y en a qui ne se souciroient pas, si toute l'Allemagne se perde, pourvu qu'on prenne une bicoque en Hongrie".

7*

Und schon meldeten die Nachrichten aus Ungarn nicht mehr Gewinn, sondern Verlust. Ende September erfuhr man, daß Nissa capitulirt habe, daß 4000 Mann der besten Truppen beim Ausmarsch aus der Festung überfallen und niedergemetzelt seien; bald darauf, daß Belgrad in Gefahr sei; man hoffte noch, daß die 6000 Mann in der Festung sich halten würden, bis Ersatz käme; aber am 8. October hatte sie sich ergeben. Es war ein Schlag furchtbarster Art; die östreichische Macht schien plötzlich von ihrer stolzen Höhe hinabgestürzt, man zitterte für Ofen, für Mähren und Schlesien.

Schon drohte der großen Coalition eine weitere Gefahr, Schweden hatte bisher für die gute Sache mehr mit Worten, als mit der That geleistet; es hatte weder die versprochenen zwölf Schiffe zu der alliirten Flotte stoßen lassen,[1]) noch so viel Truppen, als man gerechnet, an den Rhein gesandt; aber an den Haager Conferenzen, an allen geheimsten Berathungen derselben hatte es Theil genommen. Dann — in der Mitte Octobers — hatte der schwedische Gesandte Audienz bei den Hochmögenden begehrt und, Allen zum höchsten Erstaunen, seines Königs Mediation angeboten; vierzehn Tage darauf wurde derselbe Antrag in Wien wiederholt.[2]) Also Schweden war unter der Hand mit Frankreich verständigt;

---

1) Schweden hatte von Anfang an sich dem staatisch-englischen Vertrag zur Vernichtung aller Commercien Frankreichs widersetzt, weil derselbe Schweden ruinire: „Zweibrücken könne ihr König alle Tage wiederbekommen;" man beklagte sich in Stockholm „über die harte und wunderliche Conduite Englands und Hollands und daß man Schweden de haut en bas behandle." Kurf. Rsc. an Danckelmann in London, Hauptquartier Brain la leur, 9. Aug./30. Juli 1690.

2) Kurf. Rsc. an Danckelmann in Wien, Cleve, 22. Oct./1. Nov. 1690. Danckelmann's Bericht, Wien, 16. Nov. 1690: „Und es liegt am Tage, daß Schweden mit anderer Reichsstände Beistand seine Intentionen dahin gerichtet, einen Frieden zu extorquiren." Er hat aus Gen. Dünnewald's Munde erfahren, wie die Unterhandlungen des schwedischen Gen. Mellin mit dem Kurfürsten von Sachsen während der Campagne geführt worden sind.

daß Hannover und Celle mitgehen würden, war nur zu gewiß; schon riefen sie unter nichtigem Vorwand ihre Truppen aus Brabant zurück; es sei Zeit, hieß es, daß sich „eine dritte Parthei" bilde, den Frieden herzustellen.

Unter dem ungeheuren Eindruck der Niederlage in Ungarn fand in Wien der Gedanke, mit Frankreich Frieden zu schließen, Eingang; der Hofcanzler und die neuburgische Parthei waren äußerst thätig dafür, auch darum, weil man so am ersten schwedische Hülfsvölker für Ungarn zu gewinnen hoffte. Andre, namentlich der Reichsvicecanzler, widersprachen, empfahlen andre Wege, die Armee in Ungarn zu erneuern und zu verdoppeln: daß man in den Erblanden den zwölften Mann ausheben, daß man die Reichsfürsten, welche Truppen hielten, auffordern solle, von jeder Compagnie zehn oder zwölf Mann abzugeben, die dann östreichisch formirt und unter kaiserlichen Officieren nach Ungarn geschickt werden sollten. Der spanische Gesandte setzte seinen ganzen Einfluß daran, daß das verführerische Erbieten Schwedens nicht angenommen werde. Der brandenburgische unterstützte ihn; er hatte Auftrag, zu erklären, der Kurfürst sei erstaunt, daß man in Wien auch nur an den Frieden mit Frankreich denken könne; Frankreich werde damit in der Lage sein, das Reich und die Niederlande über Nacht, wenn es ihm beliebte, zu überfallen; Schweden wiederhole mit seinem Erbieten nur das Spiel von 1674; schon seien 6000 Mann, die in Pommern landen würden, zum angeblichen Durchmarsch durch die Marken angekündigt, und andre 6000 Mann, die Schweden in staatischem Dienst gehabt, wären auf dem Rückmarsch; unter dem Vorwand, Hülfe in Ungarn zu leisten, werde es seine Macht in Norddeutschland sammeln und dann alles Schlimmste zu fürchten sein; es sei hohe Zeit, „eine gute Contrebatterie" aufzurichten; man werde Dänemark mit einigen Zugeständnissen gewinnen können.

Der Kaiser sprach in sehr huldreichen Ausdrücken seine Befriedigung über diese „vertraulichen Communicationen" aus: er begreife, daß dem Kurfürsten bei der sehr exponirten Lage seiner Länder daran liegen müsse, die Intentionen Schwedens abgewehrt zu sehen. Brandenburg mußte ja dankbar sein, wenn der Kaiser, wie er zu thun Hoffnung machte, „in Schweden auf das Kräftigste abrathen ließ;" natürlich, wenn sich Brandenburg zu entsprechender Gegenleistung verpflichtete.

Wilhelm III. hatte dem Kurfürsten geschrieben, daß er im November nach Holland kommen werde und ihn zu sehen hoffe. Der Kurfürst war Ende October über Brüssel, wo ihm ein glänzender Empfang den Dank der Stadt und des Landes aussprach, nach Antwerpen und weiter nach Cleve gegangen, Wilhelms Ankunft zu erwarten; da sie wochenlang nicht erfolgte, schrieb er seinem Gesandten nach London, er werde nach Hannover abreisen, um seine Gemahlin und seinen Sohn zu sehn; sollte man ungleiche Gedanken über diese Reise schöpfen, so sei bemerklich zu machen, daß er vier Wochen in Cleve gewartet habe und daß er in drei Tagen wieder da sein könne; vielleicht werde er nach Berlin gehn. Des Königs Antwort war: er wolle hoffen, daß der Kurfürst seine Reise nicht über Hannover und Berlin ausdehnen werde, da die Rückreise nach dem Haag ihn leicht fatiguiren und gar unpaß machen könne, während seine Anwesenheit in den spanischen Niederlanden so nöthig sei; die Armee dort müsse verstärkt werden; englische Truppen dorthin abzugeben, sei unmöglich; der Kurfürst habe um so mehr Anlaß, noch mehr Truppen hinzuschicken, da er wegen derer, die er schon dort habe, mehr als Andre bei der Conservation der Niederlande interessirt sei; denn sollte das brandenburgische Corps dort vom Feind überfallen und ruinirt werden, so würde der Kurfürst mit seinen übrigen Truppen „eine schlechte Figur" machen; wenn er, der König, wie es aller Alliirten Wunsch sei, in der nächsten Campagne das Commando dort übernehmen sollte, so würde er außer Stande dazu sein, wenn vorher eine der Festungen, wie Mons oder Namur, in des Feindes Hand gefallen sei.

Argumentationen sonderbarer Art; als wenn der Kurfürst weil er so viel gethan, den Schaden zu mindern, den Waldeck und Gastanaga über die Niederlande kommen lassen, verpflichtet sei, noch mehr zu thun. Allerdings hatte sich der Kurfürst im Vertrage vom 7. September verpflichtet, 20,000 Mann auf der linken Rheinseite unter Waffen zu haben, aber die Gegenleistung war nichts weniger als erfüllt; weder Gastanaga konnte seine monatlich 20,000 Thaler aufbringen, noch England seine 10,000 Thaler, und Holland erklärte, die Zahlung der andern 10,000 Thaler nur in der Weise übernommen zu haben, daß sie aus französischen Contributionen, nicht aus den Kassen des Staates gemacht würden. Waldeck, dem der Kurfürst im December versprochen hatte, im Nothfall 6000 Mann über die Maas zu Hülfe zu schicken, und dem er sie bei gegebenem Anlaß geschickt hatte, forderte nicht bloß, daß diese Truppen bei ihm blieben, sondern noch 4000 Mann mehr.[1])

Der Kurfürst ließ Wilhelm III. erwiedern: allerdings würden seine Truppen eine schlechte Figur machen, ja den Alliirten zu keinem Nutzen mehr gereichen können, wenn diese fortführen, die ganze Last ihrer Erhaltung ihm allein aufzubürden; er habe beim Abschluß des Vertrages vom 7. September ausdrücklich erinnert, daß seine vornehmste und erste Verpflichtung sei, des Reiches Grenzen zu schützen, und daß er sich weiter nicht, als es die Conservation des Vaterlandes gestatte, in das niederländische Wesen einlassen könne.

1) Das ist der in Mastricht aufgerichtete Receß (15. Dec.). Das Weitere aus dem kurf. Rsc. an Schmettau, 16/26. Jan. 1691.

Er war bereits dem Kaiserhofe näher getreten. Die Nachricht, daß der kaiserliche Gesandte in Stockholm eifrig um schwedische Hülfe gegen die Türken unterhandle, und daß die französische Parthei unter den schwedischen Großen dafür thätig sei, bestimmten ihn, dem kaiserlichen Hofe zu gewähren, was er forderte. Der Kurfürst verpflichtete sich, 6000 Mann unter General Barfuß zunächst auf sechs Monate nach Ungarn zu schicken; die Gegenleistung Oestreichs war nicht etwa die Exspectanz auf Ostfriesland oder die Rückgabe des Reverses, sondern die terminweise Zahlung von 150,000 Rthl. für diese Truppen und Zahlung eines Theils der aus dem Vertrage von 1686 fälligen Subsidien.[1])

Die kaiserlichen Minister sprachen mit dem größten Lobe von des Kurfürsten „genereusen Proceduren" und daß der Kaiser sie nicht genugsam vergelten könne. Aber die Unterhandlungen mit Schweden wurden fortgesetzt, die mit Dänemark nicht begonnen. Und auf eine Erinnerung an die Schwiebusser Sache antwortete Fridag: das Geld für die Abtretung liege bereit.[2])

Nach jener Antwort an Wilhelm III. hätte man glauben sollen, daß der Kurfürst entgegenkommende Schritte erwarten, nicht seiner Seits thun werde. War er in Sorge um die Haltung Schwedens und Hannovers, oder wünschte er aus Rücksicht auf die ora-

---

1) Vertrag vom 24. Dec. 1690. Der Kurfürst stellt 700 Reuter, 4700 M. Fußvolk, 400 Dragoner. Der Kaiser zahlt bei der Auswechselung der Ratificationen 30,000 Rthl., beim Aufbruch 20,000, beim Kriegsanfang in Ungarn 30,000, in Mitte der Campagne 20,000, am Ende derselben 60,000; außerdem aus den fälligen Subsidien 200,000 Rthl. Der Kurfürst versieht sich „von der Generosität des Kaisers," daß den Truppen Winterquartiere in Ungarn, gleich den Kaiserlichen, angewiesen werden; die Theilnahme des Corps an einer zweiten Campagne wird vorbehalten.

2) Conferenz mit Fridag, 8/18. Jan. (Meinders, E. v. Danckelmann, Fuchs) Fridag beruft sich auf die vom Kurfürsten ihm gegebene Erklärung, die Sache auf diese Weise abmachen zu wollen, während die brand. Minister versichern, der Kurfürst habe gegen sie das Contrarium geäußert und den Revers für nichtig erklärt.

nische Succession einem ernsteren Mißverständniß vorzubeugen, er ging, ehe Wilhelm III. aus London abgereist war, nach Cleve; er ließ ihm sagen, daß er ihm im Haag aufwarten werde.

Endlich Ende Januar traf Wilhelm III. nach mehr als zweijähriger Abwesenheit im Haag ein. Mit unermeßlichem Jubel wurde er empfangen; Alles wetteiferte, ihn als den Helden des Jahrhunderts, den Vorkämpfer der Freiheit und den Hort des Evangeliums zu feiern. Die holländischen Zeitungen versäumten nicht, die lange Liste von Fürsten, Gesandten, Generalen, die herbeieilten, mitzutheilen. [1])

Einer der ersten, die sich einfanden, war Friedrich III. Ob ihm das Ceremoniel, das der König ihm gegenüber beobachtete, so verletzend erschien, wie das Gerücht sagte, muß dahingestellt bleiben; Thatsache ist, daß der König seinen höheren Rang auch im eigenen Hause geltend machte, sich zuerst zur Tafel setzte, dann erst den Kurfürsten, dann die andere Gesellschaft Platz nehmen ließ u. s. w.; Thatsache nicht minder, daß der Kurfürst trotzdem bis in den März hinein blieb.

Gewiß, das Interesse der gemeinsamen Sache forderte, daß endlich mehr als bisher geleistet würde. Die Mitwirkung Oestreichs am Rhein war mit dem üblen Gang der Dinge in Ungarn noch dürftiger geworden, und in Italien ging der Krieg trotz der hingesandten Hülfe übel genug; die spanischen Niederlande und den Niederrhein konnte man seit der Niederlage von Fleurus nur

1) Holländische und englische Historiker stellen diesen Congreß im Haag so dar, als habe Wilhelm III. die ersterbende Coalition erst wieder geeint und belebt. Das ist übertrieben, des Königs diplomatische Kunst überwand nicht einmal die kleinen Schwierigkeiten, die Hessen, Kurcöln, Münster u. a. machten. Münster weigerte sich, seine Truppen marschiren zu lassen: „il a témoigné toute sorte de dégoust et de mécontentement envers le bon parti, du quel il se plaint de n'être pas traité avec tous les égards qu'il faudrait." Schreiben Friedrichs III. an Wilhelm, Minden 11/21. März 1691.

eben decken. Man bedurfte endlich großer Erfolge; von dem Sieger der Boyneschlacht erwartete man sie.

Er kannte die Tüchtigkeit der brandenburgischen Truppen; er rechnete auf sie. Mit Bereitwilligkeit kam ihm der Kurfürst entgegen; er versprach seine in Brabant stehenden Truppen auf 15,700 Mann zu vermehren, die 10,000 Mann, die schon zwischen Maas und Rhein standen, dort zu lassen, um mit den hessischen und münsterschen vereint das Vorbrechen des Feindes von der Mosel her zu hindern. Auch für Italien mußte etwas geschehen; der Kurfürst ließ einige Bataillone nach Savoyen marschiren, „vor der Hand auf seine Kosten;" er schreibt nach Wien: „solches fordert das gemeine Beste, und wir haben, obwohl fast an allen Enden, wo Krieg geführt wird, unsere Truppen vertheilt sind, den Herzog nicht gar hülfslos lassen wollen." [1]) Er konnte mittheilen, daß auch Dänemark erbötig sei, sich gegen Frankreich zu erklären und 12,000 Mann ins Feld zu stellen gegen 500,000 Rthl. Subsidien; er empfahl, diese nicht unbilligen Anträge anzunehmen, möglichst bald, bevor man in Kopenhagen auf andere Beschlüsse komme.

Ein weiteres Ergebniß der Besprechungen im Haag war, daß der Kurfürst, formell von Seiten des Kaisers dazu eingeladen, „der großen Allianz" vom 12. Mai 1689 beitrat: „pure et simpliciter, um auch anderen ein Exempel gleicher Facilität zu geben;" [2]) er meinte vor Allen das Haus Braunschweig.

Indem diese Allianz ihre Theilnehmer verpflichtete, nicht von ihr zurückzutreten, noch einseitig mit dem Feinde über Waffenstillstand oder Frieden zu verhandeln, indem sie sie ferner verpflichtete, nicht eher die Waffen niederzulegen, als bis der westphälische und

---

1) Kurf. Rsc. an Nic. von Danckelmann nach Wien, d. d. Minden, 12/23. März 1691.

2) Kurf. Rsc. an Schmettau im Haag, d. d. Deventer, 7/17. März 1691.

pyrenäische Friede in allen Punkten hergestellt seien, und auch nach dem Frieden in ewigem Defensivbündniß gegen Frankreich zu bleiben, so hatte sich die brandenburgische Politik damit auch formell an die der Seemächte und des Kaisers gebunden.

Dafür verpflichteten sich, „damit der Kurfürst nicht genöthigt werde, zur eignen Erhaltung seine Truppen zurückzurufen," die beiden Seemächte, jeden Angriff auf die kurfürstlichen Lande in und außer dem Reich als gegen sie selbst gerichtet anzusehn und abzuwehren. [1]) Und König Wilhelm verpflichtete sich noch in einer besonderen Acte, die Verständigung mit Dänemark zu fördern und den unter den jetzigen Umständen besonders gefährlichen Transport schwedischer Truppen zu hindern. [2]) In Betreff der oranischen Succession ließ er gelegentlich Aeußerungen fallen, die jeden weiteren Zweifel auszuschließen schienen.

Der Kurfürst verließ den Haag mit dem Gefühl voller Befriedigung, nicht ohne die Hoffnung, bei so erfreulichem Fortgang der guten Sache nun auch den Hof von Hannover für dieselbe zu gewinnen und so die Spannungen zu beseitigen, welche die so nah und innig befreundeten Familien politisch trennten.

Eine gelegentliche Notiz [3]) läßt erkennen, daß die Räthe, die den Kurfürsten begleiteten, namentlich Danckelmann, die Dinge doch nicht in so rosigem Licht sahen.

---

1) Vertrag d. d. 23. März 1691, Art. 3, verpflichtete den Kurfürsten, „6000 Mann nach Ungarn zu senden, um dort einen raisonnablen Frieden herbeiführen zu helfen", als ob dieß nicht nach dem Vertrage mit Oestreich vom 24. Dec. 1690 zu geschehn habe.

2) d. d. Haag, 12/23. März 1691: „wenn schon in dem Vertrage selbst nicht davon die Rede sein soll."

3) Protocoll des Geh. Raths, Minden, 12/22. März 1691 (praes. Ser., Eb. v. Danckelmann, Graf Dönhof, Requetenmeister von Danckelmann). Eb. von Danckelmann bemerkt: daß aus allen Umständen scheine, daß Hannover wohl schwerlich in dieser Campagne für die gute Parthei mit Hand anlegen werde u. s. w.

In der großen Crisis von 1688 hatte die brandenburgische Politik damit begonnen, selbstständig von ihren Gesichtspuncten aus für die Expedition Wilhelms III., zum Schutz Hollands, gegen den französischen Einbruch ins Reich einzutreten; sie hatte alle Kraft auf die Rettung der großen Interessen gewandt, die durch Ludwig XIV. so schwer bedroht schienen; sie scheute auch ferner den größten Aufwand eigner Mittel nicht, um überall, wo gegen Frankreich gekämpft wurde, auf dem Kampfplatz zu erscheinen.

Aber mit dem Eintritt in die große Allianz hatte Friedrich III. eine Reihe neuer Verpflichtungen übernommen, die zum Theil sehr weit reichender Art waren, Verpflichtungen solchen Mächten gegenüber, die in diesem großen Kampf doch noch sehr andere Zwecke verfolgten, als die allgemeinen, welche das große Bündniß zur Schau trug.

Mehr als einmal hatte der Große Kurfürst in ähnlicher Lage den Ausdruck gebraucht: „er wolle kein bloßes Accessorium sein." Jetzt wurde, was Brandenburg bisher geleistet, nicht weiter in Rechnung gestellt, und was es fortan leistete, selbst die Hülfesendung nach Ungarn, über die ein besonderer Vertrag zwischen dem Kaiser und dem Kurfürsten errichtet war, galt dafür, auf Grund der großen Allianz geleistet zu werden.

Brandenburg hatte sich die Hände gebunden, ohne für seine besonderen Interessen irgend ein Zugeständniß, für seine Ansprüche irgend eine Sicherung erhalten zu haben. Seine militärische Kraft wurde in immer entlegneren Verwendungen unter fremder Leitung zerstreut, während der Schutz der eigenen Grenzen, die von Schweden und dessen deutschen Freunden gefährdet erschienen, der Obhut der vollauf beschäftigten Seemächte überlassen blieben. [1])

1) Aus den Protocollen des Geh. Raths, 16/26. Mai 1691 ergiebt sich, daß die Kriegscasse außer ihren regelmäßigen Einnahmen (Contribution u. s. w.) noch monatlich 80,000 Rthl. für die Armee aufwenden muß; in Gegenwart des Kur-

Die getreuen Alliirten aber sprachen nur noch von brandenburgischen „Auxiliartruppen.“ In Holland war die Meinung, den Krieg führe eigentlich das holländische und nebenbei einiges englische Geld;[1]) und von dem spanischen Gouverneur in Brüssel, der die Zahlungen seit dem Sommer 1690 schuldete und jetzt mehr Bataillone für weniger Geld wünschte, mußte man sich sagen lassen: „nicht um Spaniens Willen habe der Kurfürst nach der Schlacht von Fleurus seine Truppen gesandt; er habe vielleicht nicht gewußt, wo er mit ihnen hin solle.“ [2])

Eberhard von Danckelmann.

Nicht der äußern Richtung nach, aber in ihrem Wesen war die brandenburgische Politik verändert.

Am wenigsten Danckelmann wird dafür verantwortlich zu machen sein. Sein Einfluß hatte sehr bestimmte Grenzen, seine Stellung wurde mit jedem Tage schwieriger.

Wohl war er dem gütigen Herren unentbehrlich; keiner verstand, wie er, ihm die Geschäfte zurecht zu legen, die großen Gesichtspunkte zu fassen, die des brandenburgischen Namens würdig schienen. Aber bei allem Vertrauen zu seiner Einsicht, Treue, Thatkraft unterließ der Kurfürst doch nicht, auch andere zu hören,

---

fürsten wird erörtert, wie diese Summen zu beschaffen; in Vorschlag kommt eine Kopfsteuer, eine Anleihe beim F. M. Derfflinger, dem man nöthigenfalls das Amt Lebus verpfänden könne u. s. w.

1) Wagenaar XVI. p. 143 (ed. 1757): Groot-Britanje en de Vereenigde Gewesten moesten een good getal deezer troepen betaalen u. s. w. Wagenaar citirt Tindal (cont. of Rapin 1753) II. p. 125). Der ganze Satz steht so bereits in Staatkundige historie van Holland LXXVII p. 77. (1697) und ist wahrscheinlich aus dem Hollandse Mercurius entnommen, dem die staatkundige historie in der Regel wörtlich folgt. Leider ist mir dieser Theil des Mercurius (1691) nicht zur Hand. Wagenaars viel citirtes Werk ist für diesen Zeitraum ziemlich durchgehend ohne selbstständigen Werth.

2) Th. Ernst v. Danckelmanns Bericht, Enghien, 14/24. Sept. 1691.

den und jenen seiner Cavaliere, die um so unbefangener zu urtheilen schienen, je ferner sie den Geschäften standen, den Oheim von Anhalt, der immer ein gutes Wort für Oestreich hatte, wenn Danckelmann gar zu schroff schien, den Baron Fribag, trotz der unangenehmen Reversgeschichte oder auch, damit er sie abthun helfe, die verehrten Schwiegereltern in Hannover, trotz der Aergernisse, welche ihm die dortige Politik fort und fort bereitete; und in der anmuthigen und geistvollen Kurfürstin, die sich nur so weit um Politik kümmerte, als es das Interesse Hannovers anging, hatten sie eine nur zu wirksame Hülfe. Wenn dann Danckelmann wenigstens der übrigen Minister, der alten Geschäftsmänner gewiß hätte sein können. Aber nicht bloß, daß die Fuchs, Meinders, Schwerin weit entfernt waren, seine Ansichten zu theilen und sein Verhalten richtig zu finden; voll Eifersucht auf den Bevorzugten, in dessen Hand jede Beförderung, jede sachliche Entscheidung zu liegen schien, der die Augen überall hatte und jeden Mißbrauch des Amtes wehrte, der, selbst völlig unbestechlich, die kleinen „Ergötzlichkeiten," die sonst wohl die höheren Stellen eingebracht hatten, versiegen machte, begann man zu machiniren und gegen den „großen Danckelmann" und seine Brüder Parthei zu machen, wie denn einer aus diesen Kreisen schon 1690 sich rühmt, dergleichen Zusammenkünfte vermittelt zu haben.[1]) Dinge, die weiter zu ververfolgen außer dem Bereich unserer Aufgabe liegt; aber sie erklären, warum selbst ein bedeutender Charakter, ein weitblickender Geist sich begnügen mochte, größeren Schaden zu meiden, das Wesentliche festzuhalten.

---

1) Dohna, Mém. p. 126: „Comme je ne m'étois mélé en aucune façon dans le ministère et par consequent moins suspect, j'étois plus propre qu'un autre à ménager certaines entrevues fort frequentées alors entre plusieurs autres personnes distinguées, qui supportaient très-impatiement le joug impérieux de ce ministre."

Die Bedingung dazu war, daß er des Kurfürsten gewiß blieb, daß er, um es zu können, auf seine Art einging, ihm auch in seinen Neigungen, seinen Liebhabereien folgte. Sie waren nicht unedler Natur; es lag in ihnen nichts von der wüsten Frivolität, von der Despotenlaune, von der Nimrodlust roher Gewalt, die an so vielen deutschen Höfen für das Privilegium des fürstlichen Standes galten. Weder von großen Leidenschaften, noch von starkem und selbstgewissem Willen, ohne den Vorzug, in irgend einer Richtung seines hohen Berufes durch eigene, wenn auch einseitige Arbeit sachkundig zu sein, suchte Friedrich III. seine bedeutende Stellung, die er lebhaft empfand, wenn nicht auszufüllen, doch zu repräsentiren. Darauf wandte er seinen Ernst und seine im Kleinen sorgfältige Emsigkeit; da fand er Gelegenheit, den Umfang seiner vielseitigen Bildung und seinen feinen Sinn für das ästhetisch Angemessene und Bedeutende wirken zu lassen. Er liebte die Pracht; glänzend Hof zu halten, seine Residenz mit großartigen Bauten zu schmücken, da, wo er jagte, wo er ländlich leben wollte, Schlösser zu bauen, jedes so ausgestattet, daß er in jedem Augenblick dort wohnen und von silbernem Service speisen konnte, Gemälde, Statuen, kostbare Gefäße, Seltenheiten aller Art in seinen Gemächern zu haben, das schien ihm fürstlich; fürstlich auch, daß Alles um ihn her, wie unter der milden Sonne seiner Huld, in fröhlichem Gedeihen erschien, alles Neue und Bedeutende eine Stätte fand, Handel und Gewerbe, Kunst und Wissenschaft ihn segneten.

Auch darum war ihm Danckelmann werth, weil er in allen diesen Richtungen ihm zur Hand war; und Danckelmann kam ihnen entgegen, weil auch sie das förderten, worin er die Aufgabe eines heilvollen Regimentes sah. Es begannen jene großen Bauten, die noch heute der Schmuck der Residenz sind; sie gaben den Bauhandwerken einen mächtigen Aufschwung und den Adel künstlerischer

Einwirkung. Auch die Großen des Hofes begannen in stattlichen Neubauten zu wetteifern; neben der alten Doppelstadt Berlin-Cöln, die schon in des großen Kurfürsten Zeit um eine dritte Stadt, den Friedrichswerder, erweitert war, erwuchs die Dorotheen- und die Friedrichsstadt. Der Bedarf des prunkenden Hofes gab die Möglichkeit, eine Reihe neuer Industrien ins Leben zu rufen und mannigfache Fabriken anzulegen und zu beschäftigen, Spiegelfabriken, Gold- und Silberspinnereien, Seidenwebereien u. s. w.; und die industrielle Erfahrung der Refugiés fand die ausgedehnteste Gelegenheit, der neuen Heimath nützlich zu werden. Das scharfe Edict gegen die Einfuhr französischer Fabrikate (22. Februar 1689) gab den neuen Thätigkeiten einen Schutz gegen diejenige Industrie, gegen die sonst zu concurriren schwer gewesen wäre; und ähnliche Verbote von Reichs wegen öffneten den brandenburgischen Fabriken einen weiteren Markt, nicht bloß denen in Galanteriewaaren (Handschuhe, Federmuffen, Kastorhüte u. s. w.), sondern auch der Tuch-, Leder- und Eisenindustrie;[1]) auch in den Provinzen, in den kleinen Städten erwachte ein reges industrielles Leben, und die unter Danckelmanns Leitung vortreffliche Postverwaltung gab demselben durch zahlreiche neue Course ein rascheres Ineinandergreifen. Mit besonderer Gunst wurde die africanische Compagnie gepflegt, und die kurfürstlichen Kriegs-

---

1) Einiges darüber in Ancillon, Histoire de l'établissement des Français refugiés und Marpergers Geographische, historische und mercatorische Beschreibung des preußischen Staates, Berlin, 1710. In einer Schrift über Wartenberg (Büsching, Magazin XX., p. 219) wird 1714 geschrieben: „Der Herr v. Danckelmann hat besser verstanden, was Manufacturen sein und wie dieselben in ein Land zu introduciren und zu maintenircn, wie davon noch alle Städte, ja fast alle Dörfer in dem Land ein unwidersprechliches Zeugniß darstellen." Sehr anziehend sind die Aufzeichnungen von Toland, der 1701 und 1702 durch einen großen Theil Norddeutschlands gereist war, über den blühenden Zustand, die gepflegten Straßen, die reinlichen Dörfer, die gewerbreichen Städte der preußischen Lande, im Verhältniß namentlich zu Westphalen

schiffe, wenn sie auch bisweilen zur Deckung der Nordsee gegen den Reichsfeind verwandt wurden,[1]) dienten wesentlich dem transoceanischen Handel, der der Barbaresken und Buccanier wegen nicht anders als mit armirten oder convoyirten Schiffen geführt werden konnte. Schon wurden zu den africanischen Besitzungen auch americanische erworben, vom Herzog von Curland die Insel Tabago, in Westindien ter Toelen, Plantagen auf der dänischen Insel St. Thomas; es wurde Elfenbein, Gold, edle Harze von dort, Rohzucker und „nikotianisches Kraut" von hier eingeführt; in einzelnen Provinzen kam der Tabacksbau in Aufnahme. Die eingeführten Metalle wurden in dem Saiger= und Schmelzwerk bei Neustadt an der Dosse bearbeitet; es wurden die Steinkohlenwerke bei Wettin erschlossen, mit der Anwendung der dort gewonnenen Kohlen die Salinen von Halle und im Magdeburgischen außerordentlich erweitert, der Bereich ihres Absatzes durch Verträge mit mehreren Nachbarstaaten ausgedehnt u. s. w.

Nicht minder war es Danckelmanns Hand, welche die Municifenz des Kurfürsten zu bedeutenden Gründungen für Kunst und Wissenschaft leitete. Der Zusammenfluß namhafter Künstler in Berlin machte es möglich, hier eine Akademie der Künste nach dem Muster der Pariser zu gründen. Es kam die schon vom großen Kurfürsten geplante Gründung der Universität Halle zur Ausführung, einer wesentlich lutherischen Universität, damit man nicht ferner nöthig habe, die Tausende von Candida=

---

1) Oder auch: gegen die hamburgischen Schiffe, die allen Avocatorien und Handelsverboten zum Trotz nach wie vor nach Frankreich fuhren, wurden 1691 drei brandenburgische Schiffe vor die Elbmündung gelegt, der Friedrich Wilhelm mit 50 Kanonen und 250 Mann, der Kurprinz mit 30 Kanonen und 150 Mann, der Vogel Greif mit 20 Kanonen und 50 Mann. Der Archivar Zacharias Zwanzig, der in seinen Incrementa dom. Brand. von diesen Dingen spricht (handschriftlich im Archiv), erörtert, wie angemessen es wäre, wenn Brandenburg das Amt eines Reichsadmirals erhielte.

ten für das Predigtamt, die man brauchte, von den starr orthodoxen Facultäten in Wittenberg, Leipzig, Jena vorbereiten zu lassen. Daß es Christian Thomasius war, der in Halle zuerst sein Auditorium eröffnete, der als Freigeist aus Kursachsen ausgewiesene Lehrer des Naturrechts,[1] daß August Hermann Francke unter den ersten berufenen Docenten war, der seines Predigtamtes im Erfurtischen entsetzte, der fromme Gründer des Waisenhauses, daß Veit von Seckendorf, der die Geschichte Luthers in so gründlicher Darstellung gegen den Jesuiten Maimburg vertheidigt hatte, der erste Kanzler der Universität wurde, gab der neuen Gründung sofort ihren Charakter. Und schon war auch Philipp Spener nach Berlin berufen und Mitglied des Consistoriums, an dessen Namen sich eine der denkwürdigsten Wendungen in der Entwickelung der lutherischen Kirche knüpft, jene, die der starren Orthodoxie gegenüber als das wahrhaft Lutherische bezeichnete: das Evangelium zu leben. Mit Recht ist hervorgehoben worden, welche Fülle geistigen Lebens die aus Frankreich Geflüchteten, so viele Gelehrte von europäischer Bedeutung unter ihnen, ihrer neuen Heimath zuführten, wie die Lenfant, Beausobre, Lacroze, Vignoles von Berlin aus den Kampf gegen den jesuitischen Geist, der sie aus Frankreich getrieben, fortsetzten, wie diese in Berlin angesiedelten Flüchtlinge mit den Schriftstellern der anglicanischen Kirche, den Gelehrten der holländischen Universitäten, in dem gleichen Kampf für die Ideen des Protestantismus gleichsam eine Coalition bildeten, wie die Staaten, denen sie angehörten. Und während der Hof zu Hannover unter dem Einfluß des großen

---

1) Gegen die vom dänischen Hofe beschlossene Verbrennung einer Schrift des Thomasius, die der bekannte Theolog Masius veranlaßt, wird im Geheimen Rath 16. April 1691 beschlossen, vom dänischen Hofe Genugthuung zu fordern, widrigenfalls man des Masius Schrift gleichfalls vom Henker verbrennen lassen werde.

Leibniz sich ganz der irenischen Richtung, dem Streben nach Ausgleichung und Versöhnung mit der römischen Kirche, hingab, trat in Berlin selbst das Interesse für die Einigung zwischen den evangelischen Bekenntnissen zurück gegen den Kampf mit den Jesuiten, wenn auch an dem Hofe der geistvollen Kurfürstin dann und wann ein von Hannover her ihr empfohlener Jesuit freundliche Aufnahme fand. Es war keineswegs bloß die französische Literatur und Forschung, die in Berlin ihre Stätte hatte; es genügt zu sagen, daß Ezechiel von Spanheim und Samuel von Pufendorf diesem Hofe angehörten, Spanheim als Mitglied des Geheimenrathes und Chef des von Danckelmann gegründeten Medicinalcollegiums,[1]) Pufendorf mit dem Auftrag, wie er des großen Kurfürsten Leben schrieb, in derselben Weise, mit derselben Benutzung aller, auch der geheimsten Berichte und Verhandlungen die Geschichte Friedrichs III. darzustellen, ein Auftrag, eine Befugniß, die mehr als alles Andere den hohen und freien Geist zeigte, in dem Danckelmann seine Stellung und die Führung des Staates betrachtete; mochte die ganze Welt durch den Mund des großen Geschichtschreibers erfahren, was da gethan und gewollt werde, es war nichts, was man zu verheimlichen, nichts, dessen man sich zu schämen gehabt hätte.[2])

---

1) Wenn Macaulay, in seiner opulenten Weise zu schildern, Ezechiel Spanheim, whose knowledge in Roman medals was unrivalled, zum Empfang Wilhelm's III. im Haag Jan. 1691 Inschriften und Embleme erfinden läßt, so verwechselt er ihn mit seinem Bruder Friedrich, dem berühmten Theologen in Leyden.

2) Daß Danckelmann diesen Auftrag gegeben oder veranlaßt, ist zwar nicht überliefert, versteht sich aber von selbst, da Pufendorf nur durch Danckelmann die Kenntniß der laufenden Geschäfte und die geheimen Papiere erhalten konnte. Hier, wie immer, trat Danckelmanns persönliche Einwirkung geflissentlich zurück, und alle Ehre bleibt seinem Herrn. In dem Creditiv an den König von Schweden, das Pufendorf mitnimmt (d. d. 11/21. April 1694) heißt es: „Pufendorf hat sich von Anfang meiner Regierung bei mir aufgehalten und ist von meinen Actionibus dergestalt informirt, daß er Ew. Kg. M. die rechte idée davon und

8*

Noch ein Drittes muß hier erwähnt werden. Wie vielen Fürsten jener Zeit, galt dem Kurfürsten Hof halten für regieren; von der Verwaltung des Staates, von den wirthschaftlichen Bedingungen und den finanziellen Wirkungen seines Hofhaltens hatte er kein Verständniß. Und die aus der Zeit des großen Kurfürsten hergebrachten Formen und Normen waren keineswegs der Art, daß sie einfach fortgesetzt werden konnten; eine Menge von Verwaltungszweigen und Cassen, wie er sie je nach dem Bedürfniß begründet hatte, bestanden und operirten neben einander, und daß er sie so zu sagen persönlich überschaute und dirigirte, war statt der Centralstelle gewesen. Danckelmann hatte die Leitung des Finanzwesens abgelehnt, weil es „seines Talentes und Thuns nicht sei;" aber es war das dringendste Bedürfniß, Ordnung und feste Regel in diese Dinge zu bringen. Von Danckelmann ist mit der Einrichtung der Hofkammer (1689) der Grund zu der Organisation gelegt, auf der dann Friedrich Wilhelm I. weiter gebaut hat. Der Grundgedanke derselben war Trennung des Hofstaats von den beiden großen Ressorts der Staatseinnahmen, dem für den Kriegsetat und dem der landesherrlichen. Für den Kriegsetat blieb, wie bisher, die Accise der Städte, die Contribution des platten Landes bestimmt, und ihn verwaltete fortan das Kriegscommissariat, der Generalfeldmarschall als Director an der Spitze, neben ihm der Generalkriegscommissar als „Referendarius." Der neuen Behörde der Hofkammer wurde „das ganze Domainenwesen mit allen zugehörigen Gütern, Renten, Gefällen, Zoll-, Salz-, Münz-, Post- und andere Regalien" überwiesen; ein Präsident und sieben Räthe führten die Geschäfte; alle Amtskammern in den Provinzen, alle Aemter mit ihren Amtleuten, Verwesern, Rentmeistern, Pächtern u. s. w., alle locale Verwaltung

absonderlich, was ich von Ew. Kg. M. vor sentiments habe, am besten geben kann."

der Regalien ressortirten unter dies Collegium. Ausschließlich für den Bedarf des Hofstaates trat das Hofmarschallamt ein, unter Leitung des Obermarschalls, das, soweit es nicht besondere Einnahmen aus den Chatullgütern hatte, seinen Bedarf aus der Hofkammer erhielt. Es war ein bestimmter Etat fixirt, der freilich bald nicht mehr reichte; und nur um so heilsamer erwies sich diese Trennung, als das immer neue Andrängen des Hofmarschallamtes auf mehr Einnahmen, auf Suspension der Rückkäufe veräußerter, der Einlösung verpfändeter Domainen an der Hofkammer Widerstand fand. Es gab da freilich Reibungen, Aergernisse, selbst üble Nachrede in reichlichem Maaß, als wolle man dem Kurfürsten den Genuß seiner Einkünfte entziehen, als leide der Staat, weil dem Hofe nicht Alles gewährt werde, was er fordere; aber Danckelmann hielt das System aufrecht, wenn er auch „von Zeit zu Zeit, und wie oft er gekonnt, auch zuweilen gar unverhofft dem Hofstaat bei 20-, 30- bis 40,000 Thaler zugewandt und deshalb sehr gerühmt worden;“ [1]) er empfahl der Hofkammer immer von Neuem, „sich von dem Obermarschall nicht zu sehr in die Karte sehen zu lassen;“ und das Ergebniß war, daß die Finanz des Staates in Ordnung blieb und sich trotz der wachsenden Ausgaben besserte.

So Danckelmanns Thun und Art. Es war seine persönliche Stellung zum Kurfürsten, die ihm solche Einwirkung möglich machte; amtlich war er nur einer der Geheimenräthe, der

---

1) So Danckelmanns eigene Aeußerung in seiner Vertheidigungsschrift (Frühling 1698). Eben da sagt er, er habe dem Kurfürsten vorgeschlagen, „ein Collegium einzurichten, welches das Generaldomainenwesen in allen Dero Provinzen und die Rechnungssachen respiciren, jährlich den Etat aller Provincialcassen machen, die Rechnungen abnehmen und was an unnöthigen Ausgaben menagirt, wo die Einnahme verbessert werden könne, auf's Genaueste überlegen und in Summa Alles darin beobachten und unter S. Kf. D. gnädigsten Approbation reguliren sollte, welches auch geschehen, „und ist die Hofkammer auf- und eingerichtet worden.“

in den Sitzungen die ihm zur Bearbeitung übertragenen Sachen vortrug und an seiner Stelle als einer der jüngsten Räthe votirte, bis auch sein Bruder, der Präsident des Kammergerichts (Sylvester Jacob), dann auch ein zweiter Bruder, der Generalkriegscommissar (Daniel Ludwig), in den Geheimenrath berufen wurde. Der Kurfürst kam immer wieder darauf zurück, daß Danckelmann die Gesammtleitung der Geschäfte in die Hand nehmen, auch „den Namen und die Emolumente dafür haben müsse." So lange als möglich lehnte er es ab; er mußte es endlich geschehen lassen, daß die Bestallung als Großkanzler für ihn ausgefertigt wurde; er empfing sie aus des gütigen Herrn Hand mit der ausdrücklichen Weisung, sofort das neue Amt anzutreten und das Bestallungsrescript zu publiciren; es gelang ihm, die Erlaubniß zu erwirken, daß die Publication bis auf Weiteres vertagt werde.[1]) Nur so schien es möglich, eine Thätigkeit, die schon durch Eifersucht und Intriguen auf das Aeußerste erschwert war und keineswegs immer durch den damit doppelt erschwerten Erfolg gerechtfertigt wurde, fortzuführen.

Vor Allem lag ihm daran, die beiden Angelegenheiten, die, in unheilvoller Weise mit einander verwachsen, die Regierung des Kurfürsten fort und fort lähmten, die des Reverses und die des väterlichen Testaments, zu Ende zu bringen.

Wie sehr es im Interesse des Staates gewesen sein mochte, daß man dies Testament für ungültig erklärt hatte, man entging den unberechenbaren Schwierigkeiten, die der kaiserliche Hof als

1) Aus Danckelmanns Verantwortung auf die 290 Fragen (Januar 1702): der Kurfürst habe durch den damaligen Archivar eine Bestallung als Premierminister mit dem Prädicat Großkanzler ausfertigen lassen, „die Bestallung sei vom 7. Sept. 1693 datirt gewesen, er habe den Aufschub besonders durch die raison erlangt, daß, wenn er einmal die Charge übernommen und die Last von Geschäften auf sich habe, ihm dann nicht mehr möglich sein werde, täglich um die Person des Kurfürsten zu sein."

Vollstrecker des Testaments machen konnte, nur dann, wenn man die jüngeren Brüder des Kurfürsten zum Verzicht auf die Ansprüche, die es ihnen gab, bewegen konnte. Sie aber und ihre Rathgeber erkannten den Vortheil, den ihnen die drohende Einmischung der östreichischen Politik bot, zu gut, um sich einem Ansinnen zu fügen, das ihnen für den glänzenden Schein reichsfürstlicher Selbstständigkeit nichts als die Ehre ließ, Prinzen des Hauses Brandenburg zu sein. Zunächst war mit dem ältesten der Brüder, Markgraf Philipp Wilhelm, unterhandelt, es war ihm als Ersatz das Vierfache der nach den Hausgesetzen bestimmten Apanage, die Statthalterschaft von Magdeburg mit 4000 Thaler Gehalt, eine besoldete Stelle im Geheimenrath u. s. w. geboten worden;[1]) umsonst empfahlen die bestellten Commissare dem Prinzen die Annahme; selbst die im Geheimenrath beschlossene Erklärung, bei fernerer Weigerung das Erbieten zurückzuziehen und nichts als die hergebrachte Apanage zu gewähren, fruchtete nichts. Dann nahm Danckelmann die Sache in die Hand; er veranlaßte die Aufforderung an den Prinzen, sich kategorisch zu erklären und zu dem Zweck den Rath eines namhaften Juristen außer Landes einzuholen oder sich mit dem Herzog Moritz von Sachsen-Zeitz, seinem Schwager, zu besprechen, „weil S. Kf. D. nichts als das durchaus Billige forderten;" er selbst stellte dem jungen Herrn auf das Eindringlichste dar, daß es sich um den Frieden und die Macht des Kurhauses handle, daß die väterliche Vermahnung seines großen Vaters selbst gegen die Theilung des Staates spreche, daß der regierende Kurfürst seinen eigenen Söhnen nur die Hälfte von

---

1) Die erste „Darlegung" des ganzen Sachverhalts und des kurfürstlichen Erbietens an Markgraf Philipp Wilhelm ist vom 11/21. Juli 1690. In den Protokollen des Geh. Raths vom 20. und 28. März 1691 wird die Sache besprochen, und Serenissimus erinnert die Commission: dem Prinzen ernstlich zuzureden.

dem gewähre, was er seinen Brüdern zu geben bereit sei.[1]) Unter Vermittelung des Herzogs Moritz kam endlich der Vertrag vom 3. März 1692 zu Stande, mit dem Markgraf Philipp Wilhelm seinen Verzicht aussprach. Sofort begannen unter Vermittelung des Herzog Moritz die Unterhandlungen mit den andern Brüdern, die dann ebenso zum erwünschten Ergebniß führten.[2])

Mit dem Abschluß dieser Verträge war der östreichischen Politik die gefährlichste Waffe gegen das Haus Brandenburg entwunden; es blieb nur noch die Frage des Reverses, wir werden auch ihren Ausgang im Weiteren zu besprechen haben.

Verwickelungen anderer Art sollten vorerst die brandenburgische Politik in Athem halten.

Die Frage der neunten Kurwürde.

Für den Feldzug von 1691 waren die größten Vorbereitungen gemacht, um endlich Entscheidendes zu gewinnen. Mit dem Anfang April wollte Wilhelm III. bei dem Heer in Brabant eintreffen,

---

1) Protokolle des Geh. Raths 3/13. Oct., 15/25. Oct. 1691. Unter den Belastungen, die nachmals (1698) gegen Danckelmann vorgebracht worden, lautet die eine (in der Eingabe des Raths Kleinsorge): „Die kurfürstlichen Herren Brüder sind von D. so bas und gering gehalten, daß sie dadurch fast timide wurden, ihre Angelegenheiten vorzutragen; wenn nun ihr Naturell nicht so gut wäre, so würde dermaleinst ein Unglück im Hause zu besorgen sein.“

2) In der Sitzung des Geh. Raths, 3/13. März 1692, in der der Kurfürst seinen Bruder Philipp Wilhelm einführte, theilt Schwerin mit, „daß die Markgrafen Albrecht und Carl bei jetziger Anwesenheit des Herzogs Moritz, durch dessen Officia die Testaments- und Apanagensache zwischen S. Kf. D. und Markgraf Philipp zur Richtigkeit gekommen, auch die ihrige gern ausgemacht sähen.“ Darauf Serenissimus: „sie wollten jedem 12,000 Thlr. jährlich und also das duplum portionis pactis Geranensibus statutae geben.“ Der jüngste der vier Brüder, Christian Ludwig (geb. 1677) war noch unmündig, für ihn hatte das Testament des Vaters kein Fürstenthum, sondern das Amt Egeln bestimmt.

und die Campagne mit einem großen Angriff eröffnen; am Oberrhein sollte Johann Georg III. von Sachsen und der nun kursächsische Feldmarschall von Schöning die Offensive ergreifen, nach Italien Max Emanuel von Baiern marschiren, um auch dort das Uebergewicht der Alliirten zu sichern.

Aber früher, als man möglich geglaubt, waren die Franzosen in Bewegung; auf der ganzen Linie von den Seealpen bis zu den flandrischen Dünen ergriffen sie die Offensive. Ludwig XIV. selbst stand am 15. März vor Mons. Umsonst eilte Wilhelm III., seine Truppen zu sammeln, zum Entsatz heranzuführen; ehe er herankam, capitulirte diese wichtigste Festung. Der große Offensivplan war zu Schanden geworden; genug, wenn man weiteren Schaden abzuwehren vermochte. Die nächste Gefahr schien Lüttich zu bedrohn.

Gleich auf die Nachricht, daß Mons in Gefahr sei, hatte Friedrich III. seinem Corps zwischen Rhein und Maas Befehl gesandt, über die Maas vorzugehn. Nach dem Fall von Mons eilte er, Wilhelm III. jede weitere Unterstützung, die er zu leisten im Stande sei, anzubieten. [1]) Zu Lüttich lagen meist brandenburgische Truppen; bald war der Feind vor der Stadt, begann die Belagerung; trotz des furchtbaren Bombardements hielt sich die Festung, bis Graf Lippe aus Brabant mit Entsatz herankam und der Feind wich. Wilhelm III. hatte zwischendurch nach England müssen; auch nachdem er zurückgekehrt, kam es nur noch zu unbedeutenden Gefechten. Er selbst sprach am Schluß der Campagne sein Bedauern aus, „daß nichts Nennenswerthes geleistet sei." [2])

---

1) . . . und habt ihr J. K. M. dabei unser ganzes Vermögen zu Dero Befehl und Disposition zu stellen." Kurf. Rsc. an Th. von Danckelmann, d. d. Altenburg (auf der Reise nach Carlsbad) 12/22. Mai 1691.

2) Wilhelm III. an Friedrich III., Haag, 23. Oct. 1691. Dank für die Leistungen der brandenburgischen Truppen, „dont je suis très-satisfait estant très-marri que nous n'avons pu rien faire de considérable pour le bien et l'advantage de la cause commune; j'espère que la campagne prochaine" u. s. w.

Nicht minder ohne nennenswerthen Erfolg war der Feldzug in Italien; und am Oberrhein führte Schöning den Krieg in einer Weise, welche seinem Versprechen, „dem Kurfürsten eine Armee zu halten, die ihm nichts koste," nur zu sehr entsprach.

Aber in Ungarn war die Schlacht von Szalankemen geschlagen (18., 19. Aug.), furchtbarer als irgend eine frühere; fast schon verloren, war sie, nach dem Zeugniß der kaiserlichen Generale, durch General Barfuß und seine Brandenburger zum glänzendsten Siege geworden. [1])

Dies Corps war 6100 Mann stark ausgezogen; nun war nicht mehr die Hälfte übrig, allein in jener Schlacht hatte es 1070 Todte und Verwundete. Der Dank war, daß man in Wien die 3000 Mann Recruten, die der Kurfürst sofort nachschicken wollte, anzunehmen sich weigerte, da man alte Truppen, nicht Recruten brauche und fordern dürfe; daß man „sehr surprenirt" zu sein vorgab, als für die Sendung frischer Bataillone die verhältnißmäßige Zahlung gefordert wurde,[2]) daß man endlich die Trümmer des tapferen Corps mitten im Winter verabschiedete und nach Hause marschiren ließ.

---

1) Was Nic. von Danckelmanns Bericht, Wien, 29. Aug. 1691, nach den Angaben der kais. Generale Santen und Stahrenberg, die die Schlacht mitgemacht, meldet, ergänzt und berichtigt die sonst bekannten Angaben und rechtfertigt das hohe Lob, das Markgraf Ludwig von Baden den Brandenburgern ertheilt (das als Flugblatt gedruckte Schreiben, u. a. wiederholt in Théat. Eur. XIV. 8). Namentlich heben jene beiden Generale hervor, wie Markgraf Ludwig sich an die Spitze des Rg. Baireuth Reuter gesetzt und mit ihm, wie er vergebens mit den Regimentern Caprara, Styrum, Serau versucht, in die dickste Masse des Feindes eingedrungen sei, nicht minder, wie das Bat. Huth auf dem rechten Flügel „vigoureux durch ein continuirliches Feuer" den gewaltig vordringenden Feind stutzen gemacht.

2) Fridag berichtete so, als wenn die Hülfe dann „eine Million mehr zu stehen kommen werde," woraus man in Wien schloß, „daß der Kurfürst Kais. Maj. ferneren Beistand zu erweisen versagen wolle." Nic. v. Danckelmann Briefe aus Wien, 13/23. Dec. 1691.

„Man thut Alles, um uns zu disgustiren und zu ruiniren," heißt es in einem Schreiben des Kurfürsten an Schmettau. In Wien fand jede Schwierigkeit, die von Kurcöln, Aachen, Lüttich, Kurpfalz den brandenburgischen Truppen gemacht werden mochte, Entschuldigung und Vorschub; es wurde dem Fürsten von Ostfriesland ein kaiserliches Protectorium gegeben, das nur zu deutlich gegen Brandenburg gerichtet war; es wurde dem Hause Lüneburg gestattet, die Quartiergelder im Schwerinschen weiter zu ziehen, während eben auf diese Brandenburg für die Abtretung der ihm früher assignirten lauenburgischen Quartiere angewiesen war. [1])

Genug der Einzelnheiten. Sie waren Symptome der schon tieferen und allgemeinen Schäden, an denen die große europäische Verbindung krankte.

Seit dem Juli 1691 war auf dem römischen Stuhl Innocenz XI., dem Gegner Frankreichs und der Jesuiten, Innocenz XII. gefolgt, dessen Wahl die französische Parthei der Cardinäle durchgesetzt hatte. Man beachtete in Berlin wohl, wie sich seitdem die Stimmung in Wien änderte; nun wurde dort von der unnatürlichen Verbindung mit den schlimmsten Ketzern, die der Kirche schon die ganz nahe Wiedergewinnung Englands gekostet habe, von der Nothwendigkeit der Versöhnung der katholischen Mächte gesprochen; von Rom aus wurde verbreitet, daß der allerchristlichste König zum Frieden geneigt sei. Die Jesuiten, die in Wien in den letzten Jahren „gar wenig vermocht," gewannen täglich mehr Credit, die

1) Kurf. Rsc. an Schmettau im Haag, d. d. Herzberg, 10/20. Jan. 1692: . . . „zu geschweigen, wie unverantwortlich, ja fast unglaublich es ist, daß man dem fürstlichen Hause Lüneburg, welches, wie bekannt, nichts pro communi causa im verwichenen Jahre gethan, seine quotam aus dem Schwerinschen ungehindert ziehen läßt, hingegen unsre quotam, die wir sub titulo oneroso und durch Cedenz der Lauenburgischen Assignation haben, auf eine fast schimpfliche Art sequestrirt" u. s. w. Der Herzog von Schwerin, der convertirte Christian Louis, lebte bis zu seinem Tode (Juni 1692) im Ausland, zuletzt im Haag.

kaiserlichen Minister sagten wohl im Vertrauen, sie könnten „im Reich und in Ungarn“ nicht mehr anders als demgemäß verfahren. Hatte man von Berlin aus nach dem großen Siege in Ungarn dringend den Frieden mit den Türken empfohlen, damit sich die ganze kaiserliche Macht gegen Frankreich wenden könne, so war der Wiener Hof vielmehr entschlossen, den Krieg gegen die Türken mit aller Macht fortzusetzen; man beschleunigte die Unterhandlungen in Stockholm, damit im nächsten Frühjahr ein Corps von 9000 Schweden von Pommern aus nach Ungarn marschiren könne; man wies die Erbietungen Schwedens, den Frieden mit Frankreich zu vermitteln, nicht von der Hand.

Man wußte in Wien gar wohl, daß von Schweden und Hannover aus gearbeitet werde, „eine dritte Parthei“ zu bilden, daß Münster dem Plane der Neutralität geneigt sei, daß Frankreich sich ihnen erboten habe, die Festungen, die es diesseits des Rheins habe, aufzugeben, wenn deutscher Seits die Feindseligkeiten eingestellt würden, wogegen die dritte Parthei sich verpflichten solle, „die repugnirenden zu zwingen.“ Diesen Dingen trat nun der Wiener Hof einen Schritt näher. Der kaiserliche Gesandte im Haag, Graf Berka, „seiner bekannten Unvermögendheit halber und aus particularem Interesse ganz von den Jesuiten abhängig,“ erhielt den Auftrag, nach Münster und Hannover zu gehen. Zuerst von Münster aus verbreitete sich das Gerücht, zwischen England, Holland und Brandenburg sei ein Sondervertrag gegen das katholische Deutschland geschlossen, es gelte neue Säcularisationen; Gerüchte, die das katholische Deutschland allarmirten. [1]) Das herrische Verfahren des Generals von Schöning in Schwaben, Franken bis ins Fuldaische schien den Argwohn zu bestätigen; [2])

---

1) Gegenerklärung Brandenburgs auf dem Reichstage, 27. Juni 1691, Theat. Eur. XIV. p. 86.

2) Schmettau d. d. Haag, 15/15. Jan. 1692: „Absonderlich befremdet den

das „harte Schreiben,“ mit dem Kursachsen des Kaisers Abmahnungen erwiederte, wurde in Wien mit Ostentation übel vermerkt; und daß Wilhelm III. Schöning gegen den Vorwurf der Erpressungen in Schutz nahm, dieselben vielmehr dem kaiserlichen General Caprara zur Last legte, schien mehr, als man hinnehmen durfte. Man ließ merken, daß man Wilhelms III. Umtriebe, sich zum „Mittelpunkt der großen Allianz“ zu machen, nicht länger ertragen werde; man war indignirt, daß er am spanischen Hofe Gastanagas Abberufung veranlaßt habe, daß auf seine Empfehlung Max Emanuel von Baiern zum Statthalter berufen sei, nicht weil man den Sieger von Belgrad für minder befähigt dazu hielt, sondern „weil man wegen der künftigen spanischen Succession besorgt zu werden begann.“ Daß gar Max Emanuel sich gegen die Krone Spanien verpflichtet hatte, die ganze bairische Armee nach den Niederlanden zu führen und auf seine Kosten zu unterhalten, schien, weil damit der Reichsdefension ein unersetzlicher Nachtheil zugefügt werde, die ernstesten Schritte zu rechtfertigen.

Sichtlich zog sich die große Allianz mehr und mehr aus einander, in dem Maaße mehr, als Oestreich im Osten Erfolge gewann, während die ketzerischen Alliirten im Westen ihre Kraft in der Defensive verbrauchten; Spannungen, die am heillosesten auf die schon hinlänglich erbarmenswerthen deutschen Verhältnisse wirkten.

Man darf der welfischen Politik den Ruhm nicht versagen, daß sie diese Lage der Dinge mit hervorragender Gewandheit und Dreistigkeit zu benutzen verstanden hat. Die Primogenitur durch-

---

kaiserlichen Hof zum höchsten, daß kursächsischer Seits man zum großen Präjudiz kais. Autorität im Reich sich unterfängt, dem schwäbischen und fränkischen Kreis insgeheim zu proponiren, sie möchten sich diesen Krieg über mit Kursachsen setzen, ihm ein adjuto zu seiner jetzt verstärkten Armee geben und die kaiserlichen Truppen ins künftige von allen Emolumenten und Quartieren ausschließen u. s. w.

zuführen, die Kurwürde zu gewinnen, die norddeutsche Macht Heinrichs des Löwen herzustellen, das waren die Ziele, die Ernst August unverrückt verfolgte; mit oder gegen Kaiser und Reich, mit oder gegen Frankreich, mit oder gegen die römische oder evangelische Kirche, je nach den Umständen auch abwechselnd mit den einen und anderen.

Das Primogeniturstatut mußte gegen die jüngeren Söhne, mußte gegen die ältere Linie durchgesetzt werden. Mit Mühe hatte Ernst August seinem zweiten Sohn den Verzicht abgerungen; nachdem dieser im Türkenkriege gefallen, nahm der dritte, Maximilian Heinrich, den Kampf für das alte Hausrecht auf. Umsonst entzog ihm der Vater die Apanage; auch der jüngste Sohn, der eben erst mündige Christian, versagte den Eid auf das neue Familiengesetz. Der Oberjägermeister von Moltke und einige andere Diener des Hauses boten den Brüdern ihren Beistand, wandten sich an Anton Ulrich von Wolfenbüttel, der sofort bereit war, sein Aeußerstes daran zu setzen, damit das alte Recht des Hauses erhalten werde. Ein Vertrauter wurde nach Berlin gesandt (August 1691), Danckelmann ermuthigte zum Beharren bei dem Protest, ließ Hülfe hoffen. Was weiter verabredet worden, ergeben die diesseitigen Acten nicht; ein hannövrischer Geschichtschreiber sagt: „die Entdeckung dieser Umtriebe sollte von eben der Seite erfolgen, von wo die meiste Gefahr drohte; in den ersten Tagen des December wurde Ernst August durch die Kurfürstin, seine Tochter, von den Umtrieben der Gegner in Kenntniß gesetzt.“ [1]) Wenige Tage drauf erfolgte die Verhaftung Moltkes, Anderer; es wurde ihnen der Proceß gemacht, Moltke hingerichtet; nur die Fürbitte Celles rettete die Prinzen, sie leisteten den Eid auf das neue Statut.

---

1) Havemann, Geschichte der Lande Braunschweig und Lüneburg, III. p. 309 aus den Acten des Inquisitionsprocesses gegen den Oberjägermeister v. Moltke.

Anton Ulrich und sein Bruder Rudolph August hatten allen Grund, sich der Rache Hannovers zu versehen; und nach dem, was geschehen, konnte man in Berlin nicht weniger thun, als sich durch eine Allianz zu ihrem Schutz und zur Abwehr „aller vermeintlichen Prätensionen Hannovers auf die Festungen Braunschweig und Wolfenbüttel“ zu verpflichten. [1])

Schon gelang dem Hofe von Hannover ein zweiter Zug, dessen Bedeutung man in Berlin wohl zu beachten hatte.

Der junge Kurfürst von Sachsen Johann Georg IV. — sein Vater war Herbst 1691 im Felde gestorben — war nicht gemeint, die Rügen des kaiserlichen Hofes hinzunehmen; Schöning, der sein ganzes Vertrauen hatte, stachelte ihn; die Erörterungen zwischen Wien und Dresden wurden immer bitterer. Im Interesse der guten Sache glaubte Brandenburg Schritte thun zu müssen, „diesen mächtigen Kurfürsten, dessen Assistenz man diesen Sommer am Oberrhein gar nöthig haben werde, bei der guten Parthei zu halten.“ Friedrich III. meldete sich zum Besuch bei ihm an; von Danckelmann begleitet, kam er mit ihm in Torgau zusammen (Jan.): „Wir haben fleißig gearbeitet und eine enge Allianz zwischen Brandenburg und Sachsen vorgeschlagen; wir hoffen, demnächst beim Besuch Kursachsens in Berlin die Sache zu Ende zu bringen.“ Im Februar kam Johann Georg IV. nach Berlin; glänzende Feste, gegenseitige Versicherungen gab es genug, man stiftete einen gemeinsamen Ritterorden; aber weiter als bis zur Erneuerung der früheren Allianz kam man nicht. [2]) Schon in Torgau war auch der

---

1) Defensiv Allianz d. d. 21/11. April 1691. Ein Secretartikel bestimmt, falls Wolfenbüttel vermöge der hannövrischer Seits intendirten Combination von Celle, Hannover, Grubenhagen, Danneberg, Göttingen als Kurland und in Folge der gespannten Verhältnisse Wolfenbüttels mit Hannover mit Waffen oder andern Belästigungen angegriffen werden sollten, so solle das in specie ein casus foederis sein.

2) Vertrag d. d. Berlin, 10. Feb. 1692.

hannövrische Minister Grote und ein schwedischer Herr gesehen worden, auch der rührige französische Agent Vidal, den trotz aller Reichsedicte die gute Stadt Hamburg seine Functionen als Residenten des Reichsfeindes fortsetzen ließ, hatte sich in Leipzig eingefunden „auf unzweifelhaftes Anstiften des hannövrischen Hofes, um die Negotiationen desto besser zu poussiren.“ [1]) Nur zu bald wurde klar, daß Kursachsens Eintritt in die dritte Parthei so gut wie fertig war. In Wien sah man, daß das Anwachsen dieser Parthei am wenigsten Frankreich zum Frieden, auf den man selbst aus war, geneigter mache. Ein Versuch, Schöning durch den Titel eines Reichsgrafen zu gewinnen, scheiterte. Sachsen stellte, wenn es weiter am Rhein agiren sollte, maaßlose Forderungen, Einräumung der Festung Erfurt, des Herzogthums Lauenburg, Anweisung auf 600,000 Rthlr. Quartiere u. s. w. Erst Grote, dann Vidal kamen nach Dresden, das begonnene Werk zu vollenden; als jene Forderungen abgelehnt wurden, befahl der Kurfürst den Abmarsch seiner Truppen vom Rhein bis auf 3000 Mann Reichscontingent. Der Oberrhein war damit entblößt; da und dort drangen die Franzosen herüber, heerten, brandschatzten bis Würtemberg hinein. Und als Schöning im Juni ins Bad nach Teplitz kam, ward er bei nächtlicher Weile von einem Commando kaiserlicher Truppen aufgehoben und nach dem Spielberg abgeführt.

Umsonst hatte Brandenburg im Haag, wie in London auf die drohende Abkehr Sachsens aufmerksam gemacht, schleunige Werbungen, Mahnungen an den kaiserlichen Hof empfohlen. Heemskerk, der staatische Gesandte in Wien, theilte die Abneigung, die Portland, Dijckfeld, Heinsius gegen Brandenburg hegten, und arbeitete

1) . . . welches gewiß ein scandalöses, böses und unverantwortliches, auch J. Kais. M. so sehr zuwiderlaufendes Benehmen ist, daß man daraus von des fürstlichen Hauses Braunschweig künftiger Conduite nichts gutes ominiren kann. Kurf. Rsc. an Danckelmann in Wien, 20/30. Jan. 1692.

für Hannover; und Wilhelm III. selbst ließ in Hannover die größten Erbietungen machen, „50,000 Thaler monatlich nebst andern Avantagen," wenn es zur guten Parthei treten wolle. [1])

Wenn das in Hannover ohne Wirkung blieb, so sah man mit Unrecht in Berlin darin einen Beweis, „wie fest und stark des Herzogs Engagement mit Frankreich sein müsse." Für die hannövrische Politik war jetzt, wo Kursachsen dem Kaiser abgewandt, Brandenburg tief verstimmt, Kurbaierns Kriegsvolk in den Niederlanden war und für den Feldzug in Ungarn durchaus Hülfe geschafft werden mußte, der Moment gekommen, ihren Handel mit dem Kaiser zu machen. Ende März war er in aller Stille fertig.

Es wird angemessen sein, die Dinge so zu verfolgen, wie sie in den Gesichtskreis der brandenburgischen Politik eintraten.

Man wußte aus Pariser Meldungen in Berlin, wie in London und im Haag, daß Frankreich allerdings den Frieden wünsche, aber daß es ihn mit den Waffen in der Hand schließen wolle, daß es stärker denn je rüste. Zu Land und zur See hoffte es den Feldzug mit entscheidenden Schlägen zu eröffnen.

Gegen Ausgang Mai stand Ludwig XIV. vor Namur. Bevor die zerstreuten Truppen der Alliirten dort sich aus den Cantonnements sammelten, [2]) hatte die Stadt capitulirt (5. Mai), nur die Citadelle hielt sich noch.

---

1) Kurf. Resc., an Schmettau im Haag, 10/20. Jan. 1692 . . . „Jedermänniglich bemerkt, daß diejenigen, so nichts thun, ja vielmehr mit dem Feind colludiren und drohen, viel besser daran sind und mehr caressirt werden, als wir, die wir Alles pro bono publico aufgeopfert und willig zugesetzt haben."

2) Auf den Conferenzen im Haag rechnete man für diesen Feldzug: unter Befehl Kurbaierns an Inf.: 5000 Spanier, 5000 Brandenburger, 5000 M. staatische Truppen (als Ersatz für die abgezogenen hannövrisch-cellischen), ferner 6000 M. staatische Truppen, die Wilhelm III. hoffentlich noch erwirken werde; Cavallerie: 4000 Spanier (wovon freilich die Hälfte ohne Pferde), 2000 Brandenburger, 4000 Baiern. Zwischen Maas und Rhein: 16,000 Brandenburger. Friedrich III. hatte, die 6000 M., die er den Staaten überlassen, mitgezählt, 28,000 M., in diesem Feldzug jenseits des Rheins.

Auf die Nachricht, daß Namur in Gefahr sei, eilte (2. Juni) Friedrich III. mit unterlegten Pferden nach dem Rhein. Im Vorübereilen sprach er Ernst August; er erfuhr von ihm, daß zwischen dem Kaiser und Hannover jetzt alles geordnet und am 22. März ein Allianzvertrag geschlossen sei. Er freue sich, sagte der Herzog, daß er jetzt wieder mit Brandenburg „gleichförmige Sentiments" für die gute Sache führe, und es werde ihm lieb sein, wenn sie sich beide gleichfalls durch eine genaue Allianz gegen männiglich feststellten und künftigen Irrungen vorbeugten. Mit Freuden erklärte sich Friedrich III. dazu bereit.

Am 8. Juni kam er in Wesel an; seine Truppen diesseits der Maas waren bereits auf dem Marsch. Die Nachricht von dem großen Seesieg bei la Hogue (29. Mai) gab neuen Muth. Aber Wilhelms III. Versuche, den Feind bei Namur zu werfen, waren vergebens. Ein verwegenes Manöver, das sein rechter Flügel — Brandenburger unter General von Heyden — ausführen sollte, fand auch beim Kurfürsten von Baiern Widerspruch.[1]) Am 30. Juni capitulirte die Citadelle.

Der Fall von Namur war von der schwersten Bedeutung: „der ganze Landstrich bis Herzogenbusch und Breda steht gleichsam unter des Feindes Discretion, und das Stift Lüttich wird vielleicht abfallen, wenigstens Neutralität suchen." Friedrich III. eilte nach Lüttich, des Feindes Vordringen die Maas hinab und

---

1) Das ist die Geschichte, die zu so vielem Gerede Anlaß gegeben hat. Allerdings hatte Gen. von Heyden gefordert, daß auch andere Truppen zu einem Unternehmen gezogen werden sollten, in dem sonst „der größte und beste Theil der kurfürstlichen Truppen in Gefahr sei, geopfert zu werden." Friedrich III. an Wilhelm III., Lüttich, 23. Juli/2. Aug. 1692. Wilhelm III. Schreiben vom 21. Aug. spricht sein Bedauern über diese falschen Gerüchte aus, die brand. Generale hätten sich, wie immer, so auch bei jener Berathung als hommes d'honneur et de courage gezeigt und nicht um ihretwillen sei das Unternehmen unterblieben.

von der Mosel her zu hindern, während Wilhelm III., statt sich mit ihm zu vereinigen, sich westwärts zog, Flandern zu decken. Wie sank die Meinung von seiner militärischen Tüchtigkeit; er selbst mußte empfinden, daß er eines großen Erfolges bedürfe. Bei Steenkerken versuchte er den Feind zu fassen; aber der Herzog von Luxemburg schlug den unerwarteten Ueberfall vollkommen zurück (3. Aug.)

Schon bei jener flüchtigen Besprechung hatte Ernst August von Hannover den Kurfürsten gebeten, etwa 7000 Mann Hannoveranern den Durchmarsch durch das Clevische zu gestatten. Dann war er, kurz vor dem Fall der Citadelle von Namur, zu Wilhelm III. ins Lager gekommen; Anfangs Juli begannen sich seine 7000 Mann in Marsch zu setzen.

Weder von dem Vertrage, den er mit Wilhelm III. schloß, noch von jenem Wiener vom 22. März erhielt Friedrich III. Einsicht. Aber er empfing ein kaiserliches Schreiben, des Inhalts: daß Kais. Maj., da beim Wahltag von 1689 die meisten Stimmen für die Errichtung einer neunten Kur für das Haus Lüneburg gewesen, sich entschlossen habe, dieselbe zu errichten.

Eine Meldung, die allerdings überraschen durfte. Die Geheimenräthe in Berlin, zum Gutachten aufgefordert, hoben hervor, daß auf dem Wahltag eigentlich nur Brandenburg sich für die neunte Kur erklärt, nicht einmal Sachsen sich bestimmt ausgesprochen habe. Der Kurfürst hielt mit den Ministern, die in seiner Begleitung waren, mehrere Berathungen; sie sprachen ihr Bedenken aus, in einer Sache, deren Zusammenhang man nicht durchschaue, die hinter Brandenburgs Rücken gemacht sei, Schritte zu thun; sie hatten ganz recht, zu argwöhnen, daß in den Verträgen Hannovers mit dem Kaiser und den Seemächten nicht bloß von der Kur die Rede sei. In der That hatte der Herzog sich von

9*

den Seemächten zugleich eine förmliche Garantie Lauenburgs und die Erblichkeit des Bisthums Osnabrück ausbedungen.[1])

Aber sichtlich wünschte Friedrich III. die Förderung Hannovers, wünschte sie auch um seiner Gemahlin willen, deren Wünsche alle diejenigen, die des Herrn Art kannten, allen Grund hatten zu beachten. Und Hannover trat ja um diesen Preis der guten Sache bei, entzog damit der dritten Parthei, die einen elenden Frieden wollte, ihre stärkste Stütze.

Nur eins schien dringend nothwendig. Es war ein Act höchst präjudicirlicher Art, wenn eine neue Kurwürde von Wien aus geschaffen wurde; es war vorauszusehen, daß nicht bloß das Fürstencollegium, das mit dem Ausscheiden Hannovers eine große Schwächung erlitt, allarmirt sein werde; auch von Kursachsen war unter den jetzigen Verhältnissen mit Sicherheit Widerspruch zu erwarten. Das Verfahren, zu dem Hannover Anlaß gegeben, drohte den schlimmsten Zwiespalt im Reich in einem Moment zu entzünden, wo Alles daran lag, daß man zusammenhielt. Man empfahl brandenburgischer Seits, wenigstens die Investitur zu verschieben, erst einen Beschluß des Kurcollegiums zu erwarten, den man auf das Eifrigste zu beschleunigen versprach.

Weder in Hannover, noch in Wien fand dieser Ausweg Beifall. Ernst August sprach seine Verwunderung aus, daß Brandenburg seine Sache so übel unterstütze; mit jener Forderung habe man sie „fast schwerer" gemacht.[2]) Und in Wien hieß es: man müsse eilen, weil sonst der Kaiser von der Hülfe Hannovers in Ungarn nicht viel genießen werde; der Kaiser allein habe zu bestimmen,

---

1) Vertrag d. d. Lager bei Melle (nahe bei Ghent), 30. Juni 1692, bei Dumont VII., p. 310, Art. sec.: „Der König und die Generalstaaten feront tout ce qu'ils pourront à la paix générale que l'alternative de l'évêché d'Osnabruck soit changée en succession héréditaire, et ils tâcheront de l'obtenir de S. Maj. Cath."

2) So nach dem Prot. des zu Cleve gehaltenen Geheimenrathes 14/24. Juni.

wann er die Investitur ertheilen wolle. Dann schien man doch auf die Befragung des Kurcollegiums eingehen zu wollen; Kursachsen, sagte der Kurerzkanzler, werde allerdings nicht mehr zustimmen; wohl, so werde man in der Lage sein, die alte Streitfrage, ob im Kurcollegium der Dissens einer Stimme genüge, einen Beschluß zu hindern, endlich thatsächlich zu entscheiden.[1]) Die kaiserliche Autorität schien im Begriff, auch die letzte Schranke, die ihr in der Reichsordnung noch wirksam entgegenstand, durch eine dreiste Neuerung zu beseitigen.

Das hannövrische Corps für Ungarn, 6000 Mann vortreffliche Truppen, hatte Mitte Juli allerdings Preßburg erreicht; aber da blieb es wochenlang stehn; „sie werden vor Ankunft des Herrn von Grote nicht aufbrechen," Grote's, der, die Investitur zu empfangen, nach Wien kommen sollte.

Und schon begann im Reichsfürstenstande eine sehr bedenkliche Bewegung; „es macht hier großen Eindruck," sagt ein Bericht aus Wien, 27. August, „daß so viele armirte Reichsfürsten gegen das Electorat protestiren, daß Dänemark starke Drohungen macht, statt der dritten Parthei, die mit Hannovers Austritt so gut wie gesprengt ist, eine weit stärkere zum Schutz der Reichsverfassung gegen Eversion zu bilden." Namentlich Anton Ulrich von Braunschweig war höchst thätig; er trat mit Dänemark, Hessen-Cassel, Gotha, Münster u. a. zu dem „Bund der correspondirenden Fürsten" zusammen, zu gegenseitigem Schutz, „wenn sie wegen Protestes gegen die neunte Kur molestirt würden." Im Kurcollegium erhob auch schon Trier Widerspruch. Und aus Rom kamen Warnungen

1) Danckelmanns Bericht, Wien, 17. Juli 1692 . . . „Was mächtigeren Kurfürsten nicht wenig gefährlich sein dürfte, weil der kais. Hof dieselben präteriren, andere aber durch kaiserliche Gnade oder suspectirte Gewalt dazu vermögen und also denen, so durch ihre Macht dem kurfürstlichen Collegio das Ansehn geben, die Kraft ihres voti benehmen könnte." Er macht auf die Gefahr, die den Evangelischen daraus entstehen könne,' aufmerksam.

vor der neuen ketzerischen Kur; „man fürchtet, daß beim Kaiser Gewissensscrupel rege werden.“ Umsonst sandte Hannover eine Denkschrift nach Rom, seine Verdienste um die römische Kirche darzulegen;[1]) umsonst machten die Jesuiten „vieler Orten, sonderlich in Rom, alle erdenklichen Efforts,“ die neue Kur zu empfehlen, „von der man sich viel Gutes zu erwarten habe;“ der Papst war nicht zu bewegen, „es sei denn, daß der Herzog sich zu der Kirche fügt.“

Seltsam genug, daß Brandenburg plötzlich in anderm Ton einsetzte, in Wien die Beschleunigung der Investitur ohne Rücksicht auf die dissentirenden Stimmen im Kurcollegium empfahl.[2]) Der Kurfürst persönlich scheint darauf gedrängt zu haben, vielleicht aus Motiven, die auch seine Räthe noch nicht erkannten. Wie viel mehr mußte es Fremden unbegreiflich erscheinen, daß Brandenburg den schon zögernden Kaiser zu Schritten drängte, welche die kaiserliche Autorität über Recht und Herkommen hinausführten, daß es denjenigen Reichsfürsten entgegentrat, mit denen es sonst Hand in Hand gegangen war, Recht und Herkommen zu vertreten.

Und das, während Hannover und Celle fortfuhren, in Lauenburg, in Ostfriesland, in der schwerinschen Quartiersache, überall das brandenburgische Interesse zu verletzen. Ja, eben jetzt kam ein neues Aergerniß hinzu. Der alte Christian Louis von Schwerin starb, ihm folgte sein noch nicht volljähriger Sohn Friedrich Wilhelm; sofort nahm Celle als Kreisdirector die vormundschaftliche

---

1) Meriti di S. A. E. il Sign. Duca Ernesto Augusto u. s. w.; unter andern, daß er trotz des I. P. und des Normaljahres das Jesuitencollegium in Osnabrück und andere religiosi gelassen habe, non senza qualch' invidia di quelli di sua religione. Der Jesuit P. Vota, der am hannövrischen und berlinischen Hofe gern gesehn war, reiste im Juni 1692 durch Wien nach Rom.

2) Protocoll des Geh. Raths, Cleve, 1/11. Aug. 1692: „Ob contradicente licet Trevirensi zu Regensburg zum Collegialschluß zu schreiten und consensus Electoralis per majora zu geben? fiat, sed inseratur concluso, daß künftig in dergleichen occasion nicht anders als unanima gültig sein sollen, sive stabilitur hoc lege Imperii pragmatica.“

Regierung in Anspruch, die nach dem Recht der brandenburgischen Eventualsuccession in Mecklenburg dem Kurfürsten zu gebühren schien; ein Streit, den dann der Kaiser damit abschnitt, daß er den jungen Fürsten für volljährig erklärte.

Die Bewegung gegen die neunte Kur wurde immer stärker; und in Paris beobachtete man sie genau, begann auf sie zu rechnen. Jener Einbruch der Franzosen im Frühling hatte weit und breit den äußersten Schrecken hervorgebracht; der schwäbische und fränkische Kreis, hieß es, werde sich bei Frankreich zur Neutralität erbieten. Das deutsche Wesen ging so wüst durch einander, wie nur je. Schon stimmte auch Kurcöln, auch Kurpfalz gegen das neunte Electorat, „diejenigen, welche sich sonst in blinder Abhängigkeit vom kaiserlichen Hofe halten." War es denkbar, daß sie solche Opposition wagten, ohne die Gewißheit, daß sie in Wien gern gesehn werde?

Anfangs September waren die hannövrischen Truppen in Ungarn über Essek hinaus marschirt, mit in Action getreten. Seit man in Wien sie engagirt wußte, tauchten neue Bedingungen, neue Vorschläge für die neunte Kur auf. Jene drei rheinischen Kurfürsten machten zur Bedingung des neunten Electorats ein zehntes, ein östreichisches. Das „Decemvirat" wurde das Stichwort am kaiserlichen Hofe. Welche Gefahr, wenn das Haus Oestreich zur böhmischen Kur, die wenigstens über die Wahl hinaus mit dem Reich nichts zu thun hatte, eine zweite Kur mit Sitz und Stimme im Kurcollegium gewann. „Die geistlichen Kurfürsten dependiren ohnehin ganz vom Kaiserhofe; von Baiern und Pfalz hat man nichts Besseres zu erwarten; zu geschweigen, daß, je mehr die Zahl der Kurfürsten gemehrt und gemein gemacht wird, desto mehr die bisher den Königen gleich geachtete Dignität abnehmen muß."

Nur um so lebhafter drängten Hannover und Brandenburg

auf die Investitur; daß der Kaiser sie am 19. December 1692 in aller Förmlichkeit ertheilte, wurde dann von Wien aus als eine ganz besondere Gefälligkeit gegen Brandenburg in Rechnung gebracht; eine Gefälligkeit, für die man die Gegenleistung zu fordern nicht lange säumte, falls sie nicht schon vorher unter der Hand zugesagt war.

Freilich, mit der Investitur war die Opposition im Reich nicht zu Ende, vielmehr warf sie sich nur desto heftiger auf eine neue Frage. Es blieb noch die „Introduction," die Aufnahme Hannovers in das Kurcollegium, die Anerkennung des so veränderten Collegiums durch die Collegien der Fürsten und Städte, Fragen, die noch Jahre lang diese eiternde Wunde offen halten sollten.

Der Kaiserhof betrieb des Weiteren erst das zehnte Electorat, um dann, gleich als wenn damit ein großes Zugeständniß gemacht werde, auf die „Admission der Krone Böhmen" zurückzugehen:[1] „das sei das Aeußerste, womit Trier und Kurpfalz sich begnügen wollten, und in so schweren Zeiten sei ja Alles daran gelegen, daß das Kurcollegium wieder einig sei." Man war in Berlin, in Dresden, an allen evangelischen Höfen über diese neue Zumuthung gar sehr betreten; also die Krone Böhmen, die nicht zum Reich gehörte, nicht unter den Reichs- und Kreisordnungen stand, sollte fortan nicht bloß mitwählen, sondern in allen Angelegenheiten des Reichs mitbeschließen, ohne mit gebunden zu sein, und zwar in dem ersten und wichtigsten Collegium, dem „innersten Rath des Reichs," damit auch dort Oestreich mit der ganzen Wucht seines wachsenden Uebergewichts

1) Die Admission wurde von kaiserlicher Seite zuerst in Dresden, Feb. 1693, später in Berlin beantragt; Chwalkowski, Bericht aus Dresden 20. Feb. 1693.

dominire. Sie ahnten nicht, daß Hannover bereits in seinem Kurvertrage sich gerade dazu verpflichtet hatte.

Die Introduction und Admission wurden für die nächsten Jahre die Losungsworte der deutschen Publicistik.

Die Rückgabe von Schwiebus.

Es ist das Vorrecht der Dichter, aus den Charakteren der Menschen zu entwickeln, was sie thun und leiden. Der Geschichtschreiber wird sich bescheiden müssen, aus den dargestellten Thatsachen auf die Persönlichkeit Derer, durch die sie sich vollziehen, schließen zu lassen.

Nur in unsichern Zügen tritt in dem bisherigen Gang der Dinge unter Friedrichs III. Regierung dessen persönliches Bild hervor. Das Jahr 1693 bringt Thatsachen, die zuerst erkennen lassen, wohin sein Sinnen und Trachten gerichtet ist.

Das Jahr vorher schloß die brandenburgische Politik ungefähr mit dem Gegentheil von dem, womit es angefangen. Die Freundschaft mit Hannover stand in voller Blüthe; und als Herzog Ernst August mit seiner Gemahlin und seinem Erbprinzen im December nach Berlin kam, in Berlin den Courier der Investitur empfing und die welfische Kurwürde mit Freudenfesten auf dem Berliner Schloß gefeiert wurde, da schien der frohen Erregung das, was man bisher für Hannover gethan, noch nicht genug; man schloß ein ewiges Bündniß mit dem Hause Hannover, in dem Brandenburg sich verpflichtete, Hülfe zu leisten gegen diejenigen, welche der neuen Kurwürde und der Untheilbarkeit der Lande, auf die diese Kur gewidmet sein solle, entgegentreten würden.[1] Also gegen die

1) Es sind zwei Verträge, der eine vom 13/23. Dec. 1692: Defensivbündniß auf drei Jahre, dessen Secretartikel die im Text bezeichneten Gefährdungen

correspondirenden Fürsten, an ihrer Spitze Hessen, die Wolfenbütteler, die Ernestiner, die alten Freunde Brandenburgs. Selbst Wilhelm III. sprach sein Bedenken aus: „Hannover sei immer zu Veränderungen geneigt, es habe die Animosität der armirten Reichsfürsten, namentlich Hessen-Cassels, gegen sich." Man antwortete mit Erinnerungen an die rückständigen Zahlungen; [1]) „und die übel Intentionirten frohlockten."

In den Berathungen, die in Wien über den Feldzug von 1693 gehalten wurden, erörterte der kaiserliche Commissar die Lage des Doppelkrieges gegen Frankreich und die Ungläubigen, „damit die Verbündeten sich von der Nothwendigkeit überzeugten, die größten Anstrengungen zu machen, um endlich einen sichern und ehrenvollen Frieden zu gewinnen." Wer konnte läugnen, daß die Seemächte den Sieg von la Hogue bei Weitem nicht so, wie es möglich gewesen, benutzt, daß sie in den Niederlanden „nur Festungen und Schlachten verloren hatten." Es mußte mehr geschehen, damit Spanien sich an den Pyrenäen behaupten, damit Savoyen endlich die Offensive ergreifen könne. Der Kaiser forderte und erhielt die Zusage, daß im nächsten Frühling eine englisch-staatische Flotte ins Mittelmeer gehn solle; er gab den Alliirten nach, daß Markgraf Ludwig von Baden den Befehl am Oberrhein übernehme, damit der Feind, zugleich hier und in Italien hart ge-

---

als casus foederis bezeichnen, und das ewige Bündniß vom 14/24. Jan. 1693 nicht bloß zur Vertheidigung dessen, was man hat, sondern auch „gegen injustos detentores das Seine gemeinsam zu vindiciren." Auch Lauenburg soll dahin gerechnet werden, so lange nicht gütlicher Vergleich oder gerichtliche Entscheidung über das Herzogthum anders verfügt hat.

1) Namentlich, daß von den 40,000 Rthl. monatlich für die an den Statthalter in Brüssel überlassenen Truppen weder von Spanien, noch von England und Holland ihre Antheile gezahlt würden; „man müsse bald wissen, woran man sei, um seine mesures danach zu nehmen." Kurf. Rsc. an Daniel Ludwig von Danckelmann, 5/15. Oct. 1692. Und Portland darauf: „Que les finances du Roy ne sont asseurément pas en estat de l'effectuer, mais qu'il donnera satisfaction à S. A. E. sitost qu'il pourra" u. s. w.

drängt, außer Stande sei, sich mit Uebermacht auf die Niederlande zu werfen.

Von dem, was in diesem Feldzug gegen die Türken geschah, wird sogleich zu sprechen sein. Die Flotte kam nicht ins Mittelmeer, die Armee in Italien, die nach Prinz Eugens Plan kühn über die französische Grenze vordrang, mußte bald zurück. Markgraf Ludwig konnte vorerst nur in der verschanzten Stellung zwischen Heilbron und Laufen dem weiteren Vordringen des Feindes wehren. Und in den Niederlanden verlor man erst Huy; dann wurde bei Landen geschlagen (29. Juli), und Wilhelm III. gewann trotz aller Anstrengung wieder nicht den Sieg; [1]) der Feldzug schloß damit, daß sich auch Charleroy den Franzosen ergab.

Mehr als 30,000 Mann hatte Brandenburg ins Feld gestellt; mancher war der Meinung, daß sie, wie 1689, vereint, etwa zwischen Maas und Rhein auf Luxemburg vorgehend, Großes hätten leisten können. Jetzt waren sie, Dank dem unglücklichen System der großen Allianz, aller Orten zerstreut; 6000 Mann standen im staatischen Heer, 7000 Mann unter General von Heyden waren der spanischen Armee beigesellt; [2]) beide fochten bei Landen mit Ruhm; unter Markgraf Carl ging ein zweites und drittes Bataillon nach Italien; von dem Corps zwischen Maas und Rhein führte Feldmarschall von Flemming einen Theil nach dem Oberrhein; endlich

1) Wilhelm III. an Friedrich III., 3. Aug. 1693 (eigenhändig) mit dem Schlachtbericht: „Vous jugerez par là, que la perte des Français n'est pas moins considérable que celle des alliés et qu'ils ne feront aucun avantage de l'attaque, qu'ils ont fait de notre camp."

2) Friedrich III. war äußerst unzufrieden „de la manière qu'elles sont traictées;" nur auf dringende Bitte des Königs Wilhelm III. rufe er sie nicht gleich zurück, er mache zur Bedingung, daß „on les fasse agir en campagne," statt sie in den Festungen liegen zu lassen, daß man richtig zahle „et que le Roy me procure telle sureté que je n'aye plus à dépendre de la discrétion et les caprices des minitres d'Espagne." Kurf. Rsc. an Th. Ernst von Danckelmann, Crossen, 27. April/7. Mai 1693.

ein Corps von 6000 Mann ging unter General von Brandt nach Ungarn.

An diese Sendung knüpft sich eine Reihe von Verhandlungen sehr merkwürdiger Art.

Sie war die brandenburgische Gegenleistung für die hannövrische Investitur. Den formellen Vertrag darüber unterhandelte Graf Fridag, der nach seines Bruders Tode auf des Kurfürsten Wunsch am Berliner Hofe accreditirt war. Am 16. März war der Vertrag entworfen und unterzeichnet. [1]) Der Kurfürst verpflichtete sich, 6000 Mann für die Dauer des Krieges dem Kaiser in Ungarn oder auch gegen Frankreich zu stellen, wogegen der Kaiser 200,000 Rthl. ein für allemal, sowie jährlich 130,000 Rthl. zur Verpflegung zahlen sollte. Außerdem war brandenburgischer Seits die endliche Ertheilung der Anwartschaft auf Ostfriesland als conditio sine qua non bezeichnet worden; auffallender Weise unterließ man, die Aufnahme dieses Artikels in den Vertrag zu fordern; man begnügte sich mit einer mündlichen Zusicherung Fridags, unzweifelhaft um den Marsch der Truppen, die Ende April in Crossen sein sollten, nicht zu verzögern.

Als der Vertrag nach Wien kam, anerkannte man zwar, daß der Kurfürst seine Treue und Aufrichtigkeit genugsam an den Tag gegeben, aber die Geldsummen seien viel zu hoch; es sei besser, den Vertrag gar nicht zu ratificiren, als der Freundschaft zwischen beiden Höfen durch neue unvermeidliche Differenzen einen Stoß zu geben;

---

1) Vertrag d. d. Cöln, 6/16. März 1693, unterzeichnet Graf Fridag, Barfuß, E. v. Danckelmann, Dan. Lud. v. Danckelmann. Secretartikel: der Kurfürst verpflichtet sich, daß dieser Vertrag dem von 1686 in nichts derogiren soll; der Kaiser erklärt, was er dort an geheimen Subsidien versprochen (jährlich in Friedenszeit 100,000 Gulden, in Kriegszeit 100,000 Rthl.) von Quartal zu Quartal aus dem Herzogthum Schlesien abzahlen zu lassen, das Restirende wegen der Noth der Zeit in drei Terminen bis 1. Oct. 1694 mit je 60,000 Rthl. zu zahlen.

die gewünschte Anwartschaft auf Ostfriesland hänge nicht vom Kaiser ab, da dieselbe ja von Reichswegen als Entschädigung für die an Brandenburg 1675 bewilligte Million ertheilt werden solle. Lieber möge man, meinte Graf Kinsky, auf die brandenburgische Hülfe verzichten und einige kaiserliche Regimenter aus Italien heranziehen.

Die Herren in Wien fanden einen anderen Weg. Graf Fridag erhielt die kaiserliche Ratification des Vertrages, aber über Ostfriesland nichts. Er konnte nicht in Abrede stellen, daß Ostfriesland die conditio sine qua non gewesen sei; man nahm ein Protocoll darüber mit ihm auf, daß die Verabredung so und nicht anders gelautet habe; man forderte vor Auswechselung der Ratificationen des Kaisers Zustimmung zu diesem Punkt. Nach einigen Tagen zeigte Fridag an, daß er zwar nicht das Protocoll, aber eine Nachricht über die Sachlage nach Wien gesandt habe, und bat, um nicht weitere Verzögerung des Marsches eintreten zu lassen, zum Austausch der Ratificationen zu schreiten. Und der Kurfürst befahl denselben mit der Erklärung: er wolle den Effect davon eine hinlängliche Zeit erwarten, dann aber, wenn er ausbleibe, freie Hand haben, seine Truppen wieder zurückzurufen. [1])

Dies war am 2. Mai; der Kurfürst wollte nach Karlsbald; er ging über Frankfurt und Crossen, um dort seine Truppen selbst dem kaiserlichen Commissar zu übergeben. Es war kein Commissar da; auf das Aeußerste verletzte ihn diese Geringschätzung seiner „in allen Occasionen erwiesenen Devotion und Ergebenheit." Er ließ seinem Gesandten in Wien schreiben: die Truppen würden noch bis Ohlau marschiren; aber er verlange jetzt außer der ostfriesischen Expectanz Genugthuung dafür, „daß man ihn die Reise

---

1) Protocoll, Samstag 22. April/12. Mai 1693, unterzeichnet Graf Fridag, Meinders, Fuchs, E. v. Danckelmann. Der Kurfürst war am 5. Mai in Frankfurt, am 6. in Crossen, am 9. in Peitz, am 11. in Cottbus, am 20. in Karlsbad.

nach Crossen vergeblich thun lassen;" „wenn die Antwort J. Kſ. M. nicht nach unserm Wunsch ausfällt, habt Ihr unsern Gen. L., den v. Brandt, schleunigst durch einen Expressen davon zu avertiren, damit er sofort zurückmarschiren könne." Er befahl ihm, diese Erklärung sofort den drei Kanzlern mitzutheilen.

Man fand in Wien, daß der Kurfürst „sehr hart gegen Kais. M. procedire und dieselbe zu allem, was er verlange, gleichsam zwingen wolle;" so der Reichsvicekanzler, Graf Königseck. Der böhmische Kanzler, Graf Kinsky, meinte: er könne nicht begreifen, warum der Kurfürst nicht seiner Verpflichtung wegen Schwiebus nachkomme; worauf Nic. Danckelmann: er wisse von solchen Verpflichtungen nichts, da man den angeblichen Revers ihm funfzigmal vorzuzeigen versprochen und nie vorgezeigt habe. Dem Hofkanzler, Graf Strattmann, theilte Danckelmann ein Privatschreiben seines Bruders Eberhard mit, das sich derselbe zu weiterer nützlicher Verwendung ausbat. Er ging mit Strattmann nach Laxenburg, wo sich der Kaiser aufhielt; dann hatte er selbst (15. Mai) Audienz beim Kaiser, der sein Mißvergnügen über den Vorfall in Crossen aussprach: Graf Fribag habe nicht deutlich gemeldet, daß der Kurfürst in Person nach Crossen kommen werde, der Commissar sei bereits durch einen Expressen angewiesen, sich sofort von Breslau dahin zu begeben.

War das die Satisfaction, die dem Kurfürsten genügte? und von Ostfriesland kein Wort? mußte der Gesandte nicht den Courier absenden? „Er trage Bedenken," schrieb er dem Kurfürsten (17. Mai), „sich darin verantwortlich zu machen." Zwei Tage darauf erfuhr er, daß im kaiserlichen Geheimenrath beschlossen sei, Satisfaction in angemessener Weise zu geben, die Exspectanz nicht: man könne diese von der Rückgabe von Schwiebus nicht trennen, man müsse Gott und der Zeit anheimstellen, was aus dem Rückmarsch des brandenburgischen Corps entstehen werde. So erfuhr

Danckelmann im Vorzimmer des Kaisers von Graf Königseck; auf seine Antwort: „so werde er sofort den Courier an General von Brandt abfertigen," zog der Reichsvicekanzler die Schultern. Dann trat Graf Strattmann hinzu, bezeugte sein Leidwesen über jenes unglückliche Versäumniß; ob es nicht am besten sein würde, wenn Danckelmann zum Kurfürsten nach Karlsbad reise, ihm die Sache vorzutragen. Der Kaiser genehmigte es, er gab ihm ein Schreiben an den Kurfürsten mit (21. Mai), in dem er sich selbst die Schuld jener Versäumniß „aus Uebersehen und vielerlei andrer Distraction" beimaß und zu entschuldigen bat. In der Instruction, die Danckelmann erhielt, wurde die Expectanz gegen die Rückgabe von Schwiebus versprochen, Anderes in Aussicht gestellt.[1])

Am 2. Juni war Nic. von Danckelmann wieder in Wien; die Antworten, die er brachte, waren der Art, daß man weiter unterhandeln konnte; der Kurfürst müsse bei der Richtigkeit des Reverses beharren, wolle aber „zum Zeichen seiner gegen Ks. Mj. tragenden Deferenz und in dem lebhaften Wunsch, mit Kais. Maj. auch in diesem Punkt zu guter Einigkeit zu kommen," Schwiebus unter gewissen Bedingungen restituiren und zufrieden sein, beim allgemeinen Frieden diesen Titel mit einem andern zu vertauschen; wenn ihm zugestanden werde, Schwiebus zu behalten, bis die Grafschaft Limburg eröffnet sei, hoffe er auch den Consens der fränkischen Markgrafen beizubringen; in Betreff Ostfrieslands wolle

1) Instruction vom 21. Mai: „Daß der Kaiser die von S. Kf. D. schon längst bei dem gesammten Reich gesuchte Expectanz mit der Grafschaft Ostfriesland, in so weit solche J. K. M. zu geben vermögen, zu ertheilen und ausfertigen zu lassen in kaiserlichen Gnaden gesinnet und entschlossen sei . . . in der Hoffnung, daß S. Kf. D. dafür das wegen Schwiebus von ihm in dem Revers Versprochene leisten werde; der Revers sei dem Gesandten in originali vorgezeigt; sollten sich inzwischen mehrere Occasiones zeigen, K. M. gnädiges Gemüth zu zeigen, so werde K. M. sie gern benutzen; er möge sondiren, ob dem Kurfürsten die Expectanz auf die Grafschaft Limburg in Franken genehm sein werde."

er sich begnügen, wenn Kais. Maj. für sich und seine Nachfolger verspreche, alles zu thun, damit Ostfriesland an Brandenburg komme. Einstweilen marschirte General Brandt mit seinem Corps nach Ungarn.

Das Verfahren des kurfürstlichen Hofes, wie seines Gesandten in Wien ist so unbegreiflicher Art, daß man nicht umhin kann, irgend ein Motiv vorauszusetzen, das außer dem officiellen Gang der Verhandlungen, wie er nach den Acten dargestellt ist, liegt. Allerdings finden sich unzweideutige Spuren, daß denselben gewisse geheime Besprechungen zur Seite gingen; der Kurfürst sagt in dem Rescript, das er am 9. Mai aus Peitz an Danckelmann in Wien richtete: „aus den Euch bekannten Ursachen ist der Marsch der Truppen nicht länger aufzuhalten.“ [1])

Der Schlüssel des Räthsels ist die Königskrone.

Wie früh Friedrich III. den Gedanken gefaßt hat, ist nicht mehr zu erkennen. Vielleicht hat ihn schon Baron Fridag 1686 in der Zeit, da er den Revers wegen Schwiebus veranlaßte, angeregt. [2]) Bald nach dem Regierungswechsel waren in Polen Gerüchte verbreitet, der Kurfürst werde sich zum König machen. In den brandenburgischen Landen selbst ergingen sich Festredner, Poeten und Emblematiker nur zu gern in Andeutungen des nahen Königthums.

---

1) Daß dies aus Crossen, 29. April datirte Schreiben durch einen Courier aus Peitz abgefertigt worden ist, sagt E. v. Danckelmann in der Vertheidigungsschrift von 1698 zu Art. 15.

2) In einem Aufsatz von Ilgen (angeblich von 1716) steht, man habe 1686 dem damaligen Kurfürsten für den Verzicht auf die schlesischen Herzogthümer außer auf Schwiebus und die ostfriesische Schuld „auch noch Hoffnung gemacht auf die Grafschaft Rittberg und daß man ihn zum König machen würde, ohne gleichwohl wegen der beiden letzten Punkte einige Versicherung geben zu wollen.“ Man sollte meinen, daß der große Kurfürst nicht die richtige Adresse für eine solche Zusage einer östreichischen Promotion war; aber daß von Verleihung des königlichen Titels die Rede gewesen sein wird, dafür bürgt die Quelle.

Friedrich III. wird, wie einmal seine Art war, sobald nicht vergessen haben, was ihm im Februar 1691 im Haag bei dem Diner im „Haus am Busch," zu dem ihn Wilhelm III. eingeladen, geschehen: zuerst nur ein Couvert und ein Fauteuil für den König, erst nachdem sich derselbe gesetzt, ein Couvert freilich von gleicher Art, aber nur ein Stuhl mit einem Atlaskissen für ihn selbst, als vornehmsten Gast, worauf dann die andere Gesellschaft auch Couverte und Stühle erhielt. Und schon hatte der Herzog von Savoyen im diplomatischen Verkehr den Titel Königliche Hoheit; am kaiserlichen Hofe erhielt der Gesandte des Großherzogs von Toskana den Vortritt vor dem brandenburgischen, der von Modena war daran, den gleichen Vorzug zu erhalten. Die Versuche, die anderen Kurfürsten zu gemeinsamen Schritten in Wien zu bewegen, um die „Präeminenz" zu wahren, blieben erfolglos; sie nahmen es hin, daß auch die Reichsfürsten den kurfürstlichen Vorrang mehr und mehr vernachlässigten, als gleich gelten wollten.

Möglich, daß Baron Fridag auch diese Schwäche des Kurfürsten zu pflegen, daß er ihn zu überzeugen verstand, die Schaffung der neunten Kur und die Investitur Hannovers durch den Kaiser — denn er betrieb sie — sei ein wichtiges Präcedens für die ähnliche Schaffung einer neuen Königswürde; und wenn Friedrich III. nach Baron Fridags Tode (November 1692) sich in Wien verwandte, daß dessen Bruder die erledigte Stelle erhielt, so mag dieser ins Vertrauen gezogen gewesen sein.

Schon vorher hatte der Kurfürst Eberhard von Danckelmann von seiner Absicht gesagt, ihm befohlen, mit Fuchs und Meinders in Conferenz zu treten und die Sache nach allen Seiten zu erörtern. Ihr Gutachten fiel gegen den Wunsch des Kurfürsten aus; er befahl ihnen, die Sache in jedem geeigneten Falle vorzunehmen und sie so vorzubereiten, daß man sie mit Hoffnung auf Erfolg einleiten könne.

Einen solchen Anlaß mochte der Antrag des Kaisers auf Türkenhülfe geben; daß man sie trotz dem, was vorher mit dem Corps unter Barfuß geschehen war, gewährte und unter so auffallend bescheidenen Bedingungen gewährte, scheint nur in solchem Zusammenhang erklärlich. Wahrscheinlich forderte der Kurfürst von Neuem die Meinung seiner Minister; es wird erwähnt, daß Fuchs „in einem weitläuftigen Scriptum" dargelegt habe, es sei „eine pur lautere Unmöglichkeit, die königliche Würde beim Kaiserhofe suchen zu lassen." [1])

Auch Danckelmann wird eingesehen haben, in wie verhängnißvoller Weise dies Begehren den Gang der brandenburgischen Politik kreuzen, daß es den Staat in völlig schiefe Lagen bringen werde. Aber wer, wie er, des Herren Art kannte, konnte nicht zweifeln, daß dessen Blick und Herz schon nur noch auf den lockenden Glanz der Krone gerichtet war, daß schon die Krönungsceremonie, die neue Etikette, die neue Hoferdnung seine Gedanken erfüllte, daß er nicht mehr die Sache, wie große Opfer sie kosten möge, desto gewisser die Personen, die widersprachen, fallen lassen werde.

Schon gab es am Hofe Kreise, die den Kurfürsten in anderer Weise interessirten, als wünschenswerth schien, Cavaliere, die ihn nach höfischer Art in seinen kleinen und schwachen Seiten beobachteten und zu nehmen verstanden. Keiner unter ihnen schmiegsamer und mit feinerer Schmeichelei, als der Kammerherr Kolbe von Wartenberg aus der Pfalz, früher am Gröninger Hofe, dann in

---

1) Dies Scriptum von Fuchs ist im Archiv nicht wieder aufgefunden. Fuchs erwähnt es in einem Schreiben d. d. 30. Jan. 1698, in dem er auf Befehl des Kurfürsten Anklagepunkte zum Proceß gegen Danckelmann niederschreibt. Er bezeichnet ihn als den Urheber dieses und anderer „chimeriquer Projecte." In den Fragepunkten, die dann dem Verhafteten vorgelegt werden sollen, befiehlt der Kurfürst den 30., eben den über die Krone, zu streichen und der Sache bei einem andern Punkt „discursive Erwähnung zu thun." Das Protocoll zu Punkt 29. sagt: „Alles, was in der Sache wegen der königlichen Dignität passirt ist, dem habe Danckelmann völlig contradicirt."

pfalz-simmernschen Diensten, seit Kurzem Schloßhauptmann in Berlin. Wie war er unerschöpflich, neue Vergnügungen zu erfinden, Feste zu arrangiren, mit neuen Schaugerichten zu überraschen, den Herrn in dem lachenden Kreise seiner Hofleute die Sorgen der Politik vergessen zu machen. Nur zu gern schlossen sich dem neuen Günstling die Dohna, die Dönhoff, Andere auch aus dem geistreichen Kreise der Kurfürstin an.

Um so mehr mochte Danckelmann für seine Pflicht halten, die Sache, die er nicht mehr hindern konnte, selbst in die Hand zu nehmen.

Den Anlaß bot ihm eine Differenz über das Ceremoniel am kaiserlichen Hofe, eine Aeußerung des Grafen Fridag über die doch nicht gerechtfertigten Ansprüche Brandenburgs. Danckelmann darauf: den Kurfürsten stehe von alter Zeit königliche Würdigkeit zu; aller weiteren Differenz könne man durch Erhöhung Brandenburgs zur königlichen Würde ein Ende machen. Graf Fridag warf das weit hinweg; er wird nicht unterlassen haben, von diesem Gespräch nach Wien zu melden; daher wohl dort die Zuversicht, auch ohne die conditio sine qua non das brandenburgische Corps zu erhalten; daher auch — denn Eb. von Danckelmann hatte seinem Bruder in Wien gleich nach dem Vorfall von Crossen jenes vertrauliche Schreiben gesandt — dessen Zögern, den Courier an Brandt zu schicken, seine Bereitwilligkeit, in des Kaisers Auftrag nach Karlsbad zu gehen. Dort erfuhr er aus des Kurfürsten Munde „dessen Plan, sich zur königlichen Würde zu erheben und sie auf sein souveränes Herzogthum Preußen zu gründen."

Mit seiner Rückkehr nach Wien begannen die weiteren Besprechungen.[1]) Zunächst mit Strattmann und Königseck; daß der

1) Die Nachricht von diesen Besprechungen ist aus einem im Geh. Staatsarchiv aufbewahrten Manuscript entnommen: „Geschichte der Erwerbung der königl.

10*

Kaiser noch während des Feldzugs das Diplom ausstelle, schien ihnen unmöglich, vielleicht nach dem Kriege; aber alle andern Minister würden dagegen sein, noch am wenigsten Kinsky, der einzige, der nicht von Religionseifer verblendet sei. Dann wieder: ob denn das Herzogthum Preußen genügen werde, die Last der Krone zu tragen? auch sei die Säcularisation dieses Ordenslandes von Kaiser und Reich noch nicht anerkannt; dem Deutschmeister werde bei seiner Belehnung jedesmal sein Recht auf Preußen gewahrt; und was werde Kurbaiern sagen, dessen Pläne so hoch hinaus gingen? auch sei die Schwiebusser Sache noch im Wege. Selbst Strattmann, der zu Zeiten gern daran erinnerte, daß er des Kurfürsten geborener Vasall sei, sah wenig Hoffnung. Graf Königseck meinte: er sei schon übel genug daran, es heiße überall, er habe von Hannover für die Kur 100,000 Thaler bekommen; wenn er sich in die Sache einlasse, werde man sagen, er sei von Brandenburg bezahlt; es thue ihm leid, fügte er lachend hinzu, daß es nicht der Fall sei. Demnächst wurde Nic. Danckelmann angewiesen, ihm 25,000 Thaler zu zahlen; wenigstens übernahm nun der edle Graf, dem Kaiser die Sache vorzutragen, die Ausfertigung des Diploms nach dem Kriege und eine vorläufige Declaration, daß es geschehen werde, vorzuschlagen.

Mit den Schwierigkeiten wuchs Friedrichs III. Ungeduld und Begier. Und daß die Sache im tiefsten Geheimniß zwischen ihm und den beiden Danckelmanns gleichsam wie ein Intriguen-

---

Würde in Preußen, von Ernst Wilhelm Cuhn, Kg. Pr Kriegsrath, Historiograph im Departement der auswärtigen Geschäfte und Mitglied der Acad. der Wiss. (1792)." Die Acten, die er hier benutzt hat, haben mir nicht vorgelegen. Er sagt: Nic. v. Danckelmann sei vom Kurfürsten angewiesen worden, mit äußerstem Geheimniß zu verfahren, nie in seinen Depeschen und Berichten der Sache zu gedenken, sondern alles an seinen Bruder Eberhard zu berichten und die in dessen Handschreiben enthaltenen Weisungen als Befehle des Kurfürsten anzusehn.

stück spielte, erhöhte ihm ihren Reiz. Und die kaiserlichen Minister verstanden ihr Handwerk zu gut, um nicht für sich und für Oestreich so viel als möglich dabei herauszuschlagen. Der Kurfürst war nur zu geneigt, jeden Preis zu zahlen; den Danckelmanns fiel die schwierige Aufgabe zu, größerem Schaden zu wehren.

Stellten die Kaiserlichen die Rückgabe von Schwiebus voran, so fügte man wenigstens hinzu: daß der Kaiser den Titel von Preußen ausdrücklich anerkenne, daß in Schwiebus den Evangelischen ihr Recht und ihr Kirchenwesen garantirt werde, daß ein Reformirter im Reichshofrath Sitz und Stimme erhalte. Jeder dieser Punkte fand harten Widerstand; Graf Oettingen, der Reichshofrathspräsident, war außer sich: warum man den Kaiser in ein solches Labyrinth führe? Er, Graf Windischgrätz, Fürst Salm, die ganze Parthei der katholischen Eiferer setzten Alles daran, des Deutschmeisters Anspruch zu retten. Aber „der Kaiser hat alle Punkte placidirt, und so ist an dem guten Ausgang nicht mehr zu zweifeln," schreibt Danckelmann im August aus Wien; er sandte gleich darauf den Entwurf des kaiserlichen Decrets über die Exspectanz auf Limburg [1]); er konnte das über Ostfriesland in Aussicht stellen.

Dann die Frage der Admission Böhmens. Der Reichshofrath Graf Kolowrat war deshalb in Dresden gewesen, kam im Juni nach Berlin. Man wußte, daß in Dresden die Auslieferung Schönings als Bedingung gefordert war; Hannover empfahl in Berlin dringend die sofortige Zustimmung. Friedrich III. forderte das Gutachten seiner Geheimenräthe; selbst Fuchs war nicht unbedingt dagegen; „aber man müsse die Gelegenheit benutzen, den Revers

---

1) Der Entwurf ist vom 18. August 1693, das ausgefertigte kaiserliche Decret vom 15. Oct. 1693.

wieder zu bekommen und Schwiebus zu behalten; nichts ist, das S. Kf. D. Interesse und Gloire mehr afficirt, als diese Sache." Er wußte nicht, daß diese Frage schon abgethan war. Kolowrat reiste ab, mit dem Bescheid: die Admission werde eventuell keine Schwierigkeit machen.[1])

Bedenklicher, als die einzelnen Zugeständnisse war, daß sich Brandenburg tief und tiefer in die Strömung der östreichischen Politik hineinziehen ließ, daß es derselben in Fragen, die für den weiteren Gang der deutschen Dinge im höchsten Maaß präjudicirlich waren, nachgab, ja Vorschub leistete. Als gälte es, die kaiserliche Autorität, die ja das große Königsdiplom ertheilen sollte, immer höher zu steigern, empfahl man dem Wiener Hofe, sich um die Opposition der correspondirenden Fürsten nicht weiter zu kümmern, ließ in Regensburg, da sie sich der weiteren Theilnahme an dem Reichstage enthielten und gegen dessen Fortsetzung protestirten, erklären: Brandenburg werde, wenn sie ihren unbefugten Widerstand nicht aufgäben, künftig in gleicher Weise verfahren und den Reichstag, wenn ihm die Mehrheit der Stimmen nicht nach Wunsch sei, zerreißen. Ja, man empfahl dem Kaiserhofe, damit „der bisher so glücklich geführte Krieg gegen Frankreich" endlich den gehörigen Nachdruck bekomme, den nicht armirten Reichsständen außer den bisher üblichen Subsidien von 200 Römermonaten ohne Weiteres noch 40 bis 50 aufzulegen.[2])

Trotz so lebhafter Dienstbeflissenheit kam die große Frage in

---

1) Er sollte zum October wieder nach Berlin kommen. Die Geldverlegenheit in Wien war so groß, daß die Kammer außer Stand war, das Reisegeld zu beschaffen; erst am 5. Dec. meldet Ric. v. Danckelmann seine Abreise.

2) „Wenn gleich solches aliquid insoliti enthält, so ist es dennoch durch die necessität und das darunter versirende gemeine Beste justifizirt" Kurf. Rsc. an Ric. v. Danckelmann, d. d. Frankfurt a/O., 3/13. Nov 1693, in Antwort auf dessen sehr merkwürdigen Bericht über die Conferenzen zur Vorbereitung der Campagne von 1694, Wien, 8. Nov 1693.

Wien nicht aus der Stelle. Strattmann starb im October; Königseck, der bisher mit ihm und Kinsky den Gegnern Brandenburgs die Stange gehalten, begann zu kränkeln, starb bald darauf (Februar); und dem böhmischen Kanzler Kinsky ging, wie er sich ausdrückte, vor Allem Schwiebus ans Herz. An Königsecks Stelle wurde Windischgrätz Reichsvicekanzler, ganz von Oettingens Parthei.[1]) Schon geschah es, daß in Regensburg, wo auf jene Erklärung Brandenburgs ein sehr erregter Schriftwechsel folgte, der kaiserliche Commissarius, Baron Seilern, sich in den stärksten Ausdrücken gegen Brandenburg erklärte und „wegen Balancirung Brandenburgs durch Kurpfalz höchst odieuse Redensarten führte,“[2]) ohne daß man in Wien nöthig fand, ihn zu desavouiren; vielmehr war es nahe daran, daß er an Strattmanns Stelle berufen wurde, da es die Kaiserin wünschte. Ja, da zur Deckung des Oberrheins rasch etwas geschehen mußte, forderte man ohne Weiteres, daß Brandenburg sie übernehme: der Kaiser habe das Recht dazu, einmal, weil er über des Kurfürsten Reichscontingent verfügen könne, sodann, weil Brandenburg aus dem Vertrag von 1686 dem Kaiser 8000 Mann stellen müsse, endlich, weil der Kurfürst für 200,000 Thaler Quartiere im Reich erhalten habe. Wohl nicht die unumwundene Ablehnung Brandenburgs,[3])

---

1) Graf Oettingen bezeichnet sich durch die Aeußerung: die neunte Kur sei eine Erfindung des Teufels und dieser habe, um seine Absicht zu erreichen, vier Werkzeuge gebraucht, Strattmann, Königseck, Fridag und Grote; drei dieser würdigen Instrumente seien schon crepirt, nun müsse auch noch Königseck den Lohn für seinen Eifer bekommen.

2) Kurf. Rsc. an Nic. v. Danckelmann, 3/13. März 1694. Zum Hofcanzler wurde Graf Bucellini ernannt, „ein wohlerfahrner Mann, der aber statum imperii wenig kennt.“ (Nic. v. Danckelmann 17/7. Feb. 1694) Schärfer lautet das Urtheil bei Arneth, Prinz Eugen, I. p. 204.

3) Nach einem neuen Vertrag mit Wilhelm III (15. Oct. 1693) hatte Brandenburg für 1694, wie bisher, 20,000 M. in Brabant und am Niederrhein, und nach einem Vertrag mit Savoyen, 23. Dec. 1693 und 2. März 1694, gingen noch drei Bataillone nach Italien.

sondern der Widerspruch Spaniens und Wilhelms III. bestimmte den kaiserlichen Hof, die Forderung aufzugeben. Aber die Ungunst blieb, und die neu ernannten Minister zeigten sie geflissentlich; oft wochenlang hatten sie für Danckelmann keine Stunde Zeit übrig; er wurde bestellt und wieder abbestellt.

Endlich gegen Sommers Ende, als auch das Brandtsche Corps in Ungarn verbraucht war, erhielten die kaiserlichen Minister Befehl, die Verhandlungen wieder aufzunehmen, nicht die über die Königskrone, sondern über die „Retradition" von Schwiebus, die zugleich beim Kurfürsten zu betreiben, Kolowrat wieder nach Berlin gesandt wurde. Eberhard von Danckelmann hat später gesagt: Graf Kolowrat habe sich, da er gesehen, daß er bei ihm und den andern Ministern nichts ausrichte, an den Kurfürsten selbst gewandt und ihn durch viele Gründe zu überreden gewußt, so daß der Kurfürst sein Wort zur Retradition gegeben und dem Revers nachzukommen erklärt habe. Damit war freilich nicht bloß der Preis, für den man Gewährungen von Oestreich hätte erkaufen können, hinweggeworfen, es war zugleich ein erschlichenes Recht, dessen Gültigkeit man so lange bestritten hatte, anerkannt.

Man mußte sehen, was man noch retten könne. In immer neuen Verhandlungen — ich verfolge sie nicht im Einzelnen[1]) — kam man endlich (20. December) zu einem Schluß, der wenigstens den Schein kaiserlicher Gegenleistung gewährte. Brandenburg

1) Die persönliche Ansicht des Kurfürsten giebt ein Schreiben des Secretair Bergius an Eb. v. Danckelmann d. d. Wartenberg, 24. Sept. 1694: „Que Sa ferme résolution estoit de ne pas relâcher sur les deux articles (Ostfriesland und établissement perpetuel eines reformirten Hofrathes) et que l'un et l'autre fut inseré en termes exprès dans le Retraditionsreceß, Luy estant de trop grande importance tant pour Sa scureté que pour Sa réputation auprés de la postérité, de pouvoir faire voir au besoin, que ce n'estoit pas par manière de grâce que les deux points Luy estoient accordés;" auch dürfe man nicht „alléguer le prétendu revers, nul en tant de manières."

verpflichtete sich zur Rückgabe von Schwiebus, der Kaiser zur Anerkennung des Titels und der Souveränetät Preußens, „doch ohne Präjudiz für den Orden," und zur Bestellung eines reformirten Reichshofraths; zugleich stellte er ein Exspectanzdecret auf Ostfriesland aus, wozu der Consens des Kurfürstencollegiums bereits vorlag. Statt der gehofften Krone erhielt der Kurfürst das Versprechen des Kaisers, „in allen ihm nach der Goldenen Bulle zustehenden Rechten und Vorzügen ihn zu erhalten und keinem Fürsten oder Republik einen Vorzug zu gewähren." Und Brandenburg gab in Betreff der Admission die lose Zusage: es werde dem Kaiser darin gefällig sein.

Der 10. Januar 1695 war zur förmlichen Uebergabe des Kreises bestimmt Die Kaiserlichen legten ein Retraditionsinstrument vor, in dem in aller Weitläuftigkeit der Verzicht auf Jägerndorf und auf die Herzogthümer Liegnitz, Brieg und Wohlau wiederholt war, als wenn derselbe von Neuem bestätigt werden sollte. Die brandenburgischen Commissare erklärten, daß sie diesen Passus nicht „admittirn könnten, noch wollten;" nach heftigen Erörterungen strichen ihn die Kaiserlichen. Dann legten sie ihre Vollmachten vor, „in denen aus dem vormals ausgestellten Revers das Empfindlichste, so darin enthalten, erwähnt war, nämlich daß es Kais. Majestät freistehe, auch ohne des Kurfürsten Zuthun Schwiebus wieder zu nehmen." Auch solche Vollmachten weigerten sie sich anzunehmen: „wir erklärten ihnen, daß eine solche Clausel gar nicht zur Vollmacht gehöre und es gleichsam sei, als wollte man uns insultiren mit einer Schrift, welche mit Verschweigen der wahren Umstände erpractisirt sei und welche S. Kf. D. jetzt bloß aus Respect und Consideration für Kais. Majestät, keineswegs aber aus einer rechtlichen Schuldigkeit erfüllen wolle." Die Kaiserlichen zogen endlich ihre Vollmacht zurück und versprachen, eine andere beizubringen. Dann wurden die einzelnen Punkte der

Retraditionsacte festgestellt; der Kurfürst hatte nachgegeben, daß es mit der Religion in dem Zustand bleibe, wie derselbe 1686 gewesen sei; der Jammer der etwa 20,000 Evangelischen in dem Ländchen war ergreifend; „mit großer Wehmüthigkeit und vielen Thränen" baten die Prediger, die Schullehrer, viele Bürger um Schutz: sie würden bereits von den Katholischen insultirt, wo sie sich sehen ließen; es würde ihnen gedroht, die Kirche, die sie sich auf ihre Kosten gebaut, wegzunehmen und niederzubrennen, die Prediger auszutreiben, die Schulen zu schließen; ja, in der ersten Nacht nach Ankunft der Kaiserlichen war bereits an die Kirche Feuer angelegt, und den Brandstifter hatte man in ein nahes Kloster flüchten sehen. Man unterließ nicht, den kaiserlichen Commissaren ans Herz zu legen, daß sie Fürsorge treffen möchten; sie versprachen, dem Kaiser darüber Bericht zu erstatten.[1])

Dann folgte die Eidentlassung der Stände, die feierliche Uebergabe des Kreises.

Es wird überliefert, daß der Kurfürst, als einige seiner Minister ihm sehr angelegen, sich zu keiner Abtretung bewegen zu lassen, gesagt habe: „ich muß, will und werde mein Wort halten; das Recht aber in Schlesien auszuführen, will ich meinen Nachkommen überlassen, als welche ich ohnedem bei diesen widerrechtlichen Umständen weder verbinden kann, noch will." [2]) Wenigstens

---

1) Bericht von Fuchs, Cöln a/S., 4. Jan. 1695. Mit ihm waren committirt v. Brandt, Dobrczensky und Scultetus, alle drei von der neumärkischen Regierung, unter der Schwiebus stand.

2) Die Aeußerung des Kurfürsten steht in der Staatsschrift „Rechtsbegründetes Eigenthum" ꝛc. 1740, p. XXXVII. Ich habe die Aeußerung in den Acten nicht wieder gefunden, freilich auch nicht alle gesehen. Daß man nach diesem noch die früheren Ansprüche auf die schlesischen Fürstenthümer zu haben glaubte zeigt Ilgens Aeußerung in der Denkschrift von 1716: „es sei zu beklagen, daß alle diese Prätensien betreffenden Briefschaften dem Wiener Hofe in die Hände gerathen, und werde es also schwer zugehen, wenn sich eine bequeme Gelegenheit ergeben sollte, die Welt von des Hauses Brandenburg dieserwegen habenden jura

hatte man ausdrücklich nicht auf Grund des Reverses restituirt, man hatte dessen völlige Nichtigkeit behauptet; man hatte die Erwähnung der Verzichte auf die vier schlesischen Fürstenthümer zurückgewiesen, und sie war von den kaiserlichen Commissaren fallen gelassen. Man konnte glauben, damit doch noch einen Anspruch gerettet zu haben.

Aber freilich, der Schwiebusser Kreis war hingegeben. Es machte nah und fern, in und außer Landes einen schlimmen Eindruck, daß Brandenburg gethan, was es gethan. „Es ist billig zu bejammern," schreibt der Kanzler der Neumark 1698, „daß ein so herrlich Stück Landes, fast mit eitel evangelischen Leuten angefüllt, in der Päbstlichen Hände gerathen müssen, so auch noch herzlich darüber seufzen." Und ein anderer, der Geheimerath Schwerin, in derselben Zeit: „ich ignorire noch zur Stunde, was E. Kf. D. eigentlich zu dieser Retradition, deren man sich am kaiserlichen Hofe selbst nicht so leicht vermuthet, bewogen oder genöthigt." Man meinte, daß Eberhard von Danckelmann Schuld an diesem schimpflichen Verfahren sei, er habe dafür Großes vom kaiserlichen Hofe erhalten. Die Einen sagten: das Diplom als Reichsgraf, das allerdings für ihn „durch eine hohe Person" ausgewirkt war; aber er hatte es „deprecirt und nicht eher geruht, als bis die Sache bei Seite gelegt worden." [1]) Andere: er habe vom Kaiser die Exspectanz auf die kniggischen Lehen im Schwiebussischen und eine Summe von 10,000 Rthl. erhalten; er hat nachmals beweisen können, daß er „nicht eines Hellers-Werth" empfangen. Andere: er habe für seinen Sohn die reformirte Stelle

---

gründlich zu informiren. Bereits 1704 und 1711 (bei der Wahl Karls VI) ist dieser Ansprüche wieder gedacht worden.

1) Danckelmann sagt in seinem Proceß aus: der Freiherrntitel sei ihm und seinen Brüdern schon 1690 offerirt, so daß jeder von ihnen das unter dem 26. Feb. 1690 ausgefertigte kaiserliche Diplom sofort habe einlösen können. Ich kann nicht angeben, ob Eb. v. Danckelmann es eingelöst hat.

im Reichshofrath zugesichert bekommen; allerdings erhielt dieser die Stelle, aber nachdem Andre sie abgelehnt, da sie einen jährlichen Aufwand von wenigstens 4000 Thalern forderte.

Aber diese argen Gerüchte blieben; sie dienten Danckelmanns Gegnern vortrefflich zu ihren Umtrieben; bald genug sollte sich deren Wirkung zeigen.

Ausgang des Krieges.

Nur der Kurfürst war billig genug, nicht Danckelmann für das verantwortlich zu machen, was am wenigsten nach dessen Wunsch und Willen geschehen war.

Vielleicht um dem treusten seiner Diener so vielen Mißurtheilen gegenüber ein öffentliches Zeugniß seines Vertrauens zu geben, vielleicht auch in der Mißempfindung über die jüngsten Vorgänge, die sein Vertrauen zu Oestreich nur zu bitter enttäuscht hatten, entschloß er sich, die schon früher beabsichtigte Aenderung in der Leitung der Staatsgeschäfte nun ins Leben treten zu lassen.

Zur Feier seines Geburtstages meldete er sich bei Danckelmann zur Tafel an, mit dem Wunsch, daß dessen Brüder, die bis auf einen gerade in Berlin waren, ebenfalls erscheinen möchten. Während des Mahls erhob er sich, „in den gnädigsten Ausdrücken" zu verkünden, daß er ihn zu seinem Oberpräsidenten und Premierminister ernannt habe. Auf erneute Deprecationen, so hat Danckelmann später selbst ausgesagt, habe der Kurfürst erklärt, daß es bei diesem seinem Wunsch und Befehl unwiderruflich bleiben müsse; und so sei nichts übrig geblieben, als Folge zu leisten, obschon er genugsam zuvor gewußt, es auch ausgesprochen, daß sein Unglück ungeachtet aller Treue, Arbeitsamkeit und Eifer nunmehr unwiderruflich sei; auch seine Gattin, die der Kurfürst, ihr die erste Nachricht davon zu geben, in ihrem Zimmer besucht, sei darüber tief erschrocken gewesen; als einige Tage drauf, in Gegenwart des Kurfürsten, vor dem versammelten Geheimenrathe und den dazu erforderten Deputirten aller hohen Collegien, die wirkliche Installation erfolgt sei, habe er mit Thränen und Traurigkeit gedankt.[1]) Nur die Finanzen, dabei beharrte er, könne er nicht übernehmen, da das „nicht seines Talents und Thuns sei."

Von dem an lag die Leitung der brandenburgischen Politik und die Verantwortlichkeit für dieselbe so gut wie ganz auf Danckelmann.

In der allgemeinen Lage der Dinge hatte der Feldzug von 1694 wenig geändert. Weder gegen Frankreich, noch in Ungarn waren nennenswerthe Erfolge erkämpft worden. Aber Frankreichs Mittel begannen sich zu erschöpfen; nur mit großer Mühe brachte Ludwig XIV. für den Feldzug von 1695 die nöthige Heeresmacht auf. Durch Schweden, durch die Curie, von der Schweiz aus versuchte er Unterhandlungen mit dem und jenem der Verbündeten; er erbot sich zu bedeutenden Zugeständnissen. Auch auf Seiten der Verbündeten, namentlich in Holland, war das Verlangen nach Frieden groß; es lag Alles daran, daß sich die Alliirten nicht in Separatverhandlungen trennen ließen. Im August 1695 wurde die große Allianz förmlich erneut.

1) Die Ernennung geschah am 1/11. Jul. 1695. Die Bestallung d. d. 23. Jul./2. Aug. 1695 spricht in den lebhaftesten Ausdrücken von Danckelmanns Verdienst, der „von unserm ganzen Estat und Interesse eine vollkommene Wissenschaft und Erfahrung erlangt hat und dessen Treue, Redlichkeit, Capacität, große Application und Desinteressement uns von unserer Wiege an dergestalt bekannt ist, daß wir von nichts mehr und besser als eben davon persuadirt sind; wir hätten ihm auch vorlängst solche Function conferirt, wenn er nicht aus einer sonderbaren Modestie ihn damit zu verschonen vielfältig und unablässig gebeten hätte." Uebrigens ist die Bestallung im Original nicht ausgefertigt worden; sie mußte, um den Passus wegen der Finanzen zu ändern, in die Expedition zurückgehn, und der Oberpräsident hat die Sache wohl absichtlich da liegen lassen.

Freilich, in sich fester und in rechter Bundestreue stärker wurde sie damit nicht. Man begann dem Herzog von Savoyen zu mißtrauen. Die Spanier führten, seit die englisch-holländische Flotte im Mittelmeer war, in Italien wie in den Pyrenäen den Krieg nur noch lässiger; „sie haben nichts als Rodomontaden," schreibt Wilhelm III.

Am wüstesten gingen die Dinge in den deutschen Landen durch einander. Die Zerwürfnisse über die neunte Kur und die Admission Böhmens hatten den Reichstag so gut wie völlig stocken machen. Der leidenschaftliche Schriftwechsel über diese Fragen enthüllte die Schäden des Reichs und den Ursprung dieser Schäden auch dem blödesten Blick; in immer weitere Kreise drang die Ueberzeugung, daß Oestreich nur die Kräfte Deutschlands zu seinen Zwecken ausnutzen wolle, daß es darum die kaiserliche Autorität hoch und höher spanne, daß es zum Schutz der deutschen Grenzen im Westen möglichst wenig thue, um seine Kraft zu möglichst weiten Eroberungen im Osten zu verwenden. Die Masse der Reichsstände freilich, die kleinen und diejenigen, die jede Anstrengung scheuten, ließen geschehen, was der Kaiser verhängte; aber unter den armirten waren solche, die mit Geschick und Energie ihres eigenen Weges weiter gingen. Kurbaiern stellte die ganze Kraft seiner alten Lande darauf, sich in den spanischen Niederlanden unentbehrlich zu machen, und in Wien sprach man mit Sorge und Erbitterung von dem „allezeit rivalisirenden Hause Baiern."[1]) Kurpfalz hatte freilich wenig Kriegsvolk auf den Beinen, und diese wenigen dienten meist dazu, den Brandenburgern im

---

1) Danckelmanns Bericht von 10. Oct. 1693: Der Reichsvicekanzler sagt, Baiern begehre so viele und ungegründete Sachen und zwar jedesmal von Neuem, daß man fast zweifeln müsse, ob es wohl andere Gedanken, als man hier wünsche, führen möchte; Baiern sei allezeit domus aemula gewesen, und gehe man fast mit mehr Behutsamkeit mit diesem, als mit andern Höfen um.

Jülichschen die Quartiere zu verlegen, ähnlich wie die 600 Mann, die Kurcöln „Schanzen bauen, paradiren und vortrefflich verpflegen ließ;“ aber von den kurpfälzischen Prinzessinnen, den Schwestern des jetzt regierenden Kurfürsten Johann Wilhelm, war die eine Kaiserin und Mutter des künftigen Kaisers, die andere Gemahlin des kranken Karl II. von Spanien, eine dritte Königin von Portugal, eine vierte Gemahlin des Prinzen Jacob Sobiesky, der des Vaters Nachfolger in Polen zu werden hoffte — Verbindungen, die der kurpfälzischen Politik einen unverhältnißmäßigen Einfluß gaben. Auch Kurmainz war militärisch von geringer Bedeutung, aber jetzt hatte den erzbischöflichen Stuhl zugleich mit dem von Bamberg Franz Lothar inne, aus jener schönbornschen Familie, die im Frankenlande seit lange das Ruder führte. Die hessischen, die ernestinischen Fürsten, die ältere Linie des welfischen, die jüngere des albertinischen Hauses, in Gemeinschaft mit ihnen Dänemark, waren die eigentlichen Träger und Treiber des Widerstandes gegen die neunte Kur, die Albertiner im Voraus unter sich rivalisirend um die Succession der sächsischen Kur, die auf zwei Augen stand, der Däne in der Hoffnung, endlich bei dieser Gelegenheit dem Herzog von Gottorp den Gnadenstoß zu geben, obschon der Schwedenkönig demselben seine Tochter verlobt hatte. Natürlich war Ernst August von Hannover, so lange die neunte Kur noch nicht völlig durchgesetzt war, auf Wien angewiesen; aber wenn er, in seiner dreisten Art zu politisiren, üble Laune zu zeigen begann über den langsamen Fortgang der „Introduction“ und den Widerstand, den die von Wien abhängigsten Kurstimmen leisteten, so war sofort die Wirkung, daß der Kaiser seine Huld dem jungen Kurfürsten Friedrich August von Sachsen zuwandte, der 1694 seinem plötzlich gestorbenen Bruder gefolgt war, jenem „Starken.“ Man sah in Hannover mit wachsender Unruhe, wie Friedrich August 1695 mit seinem Kriegsvolk nach Ungarn zog, dort das Commando der kaiserlichen Armee übernahm, auch für den Feldzug des folgenden Jahres das Commando behielt, zugleich mit Münster, Wolfenbüttel, Dänemark in Verbindung trat gegen die Umtriebe Hannovers und trotz der hannövrischen Versuche, ihn durch König Wilhelm III. „intimidiren" zu lassen. Der Hof von Hannover selbst war in dieser Zeit durch entsetzliche Vorgänge erschüttert: der Kurprinz, der harte Georg Ludwig — „so kalt, daß er Alles um sich her in Eis verwandelt" — gleich dem Vater in nur zu offenkundigem Ehebruch, der Kurprinzessin Flucht zum Vater nach Celle, ihre erzwungene Heimkehr, dann die Ermordung des Grafen Königsmark, als sei er mit ihr in unerlaubtem Verhältniß, ihre Gefangenschaft im Schloß Ahlden — und in Dresden die Gräfin Aurora Königsmark, die schöne Buhlerin, in leidenschaftlichem Eifer, ihren Bruder zu rächen.

Welche Zustände! Wie in Berlin, wie von der Kurfürstin diese Vorgänge in den nächstverwandten Kreisen aufgefaßt worden, liegt actenmäßig nicht vor. Politisch hatte man — niemand wußte das mehr als Danckelmann — allen Grund, vor Hannover und den hannövrischen Einflüssen in Berlin auf seiner Hut zu sein. Ich vermag nicht zu sagen, ob man Kunde davon hatte, wie Ernst August, obschon er die Bemühungen Brandenburgs um Ostfriesland kannte, oder vielmehr eben darum mit dem jungen Fürsten dort einen Erbvertrag abgeschlossen hatte, der die schöne Grafschaft an Hannover bringen sollte; offenkundig war, daß Abgeordnete des Fürsten und der Stände nach Hannover gekommen waren, dort eine Versöhnung abzuschließen, die freilich nicht lange Frieden gab; aber Ernst August fuhr fort, am Hofe zu Aurich zu wühlen und gegen Brandenburg zu hetzen, während er Brandenburgs Freundschaftsdienste aller Orten forderte und erhielt.[1]) Wenn der Kaiser endlich die

1) Diese hannövrische Erbverbrüderung ist vom 20. März 1691, der hannövrische Tractat vom 18. Feb. 1693; daß die Stände von Ostfriesland von jener

brandenburgische Expectanz auf Ostfriesland ausstellte, so wird man in Wien gewußt haben, daß damit eine reiche Perspective norddeutschen Haders eröffnet wurde.

Man hatte ja gesehen, wie hoch dieser Brandenburger hinaus wolle; man mußte ihn inne werden lassen, was er sei und nicht dürfe aufhören wollen zu sein. Man begann sich den Markgrafen in Franken, die sich bisher immer zum Kurhause gehalten, huldvoll zuzuwenden, und bald genug hatte man den einen und andern von ihnen in den östreichischen Netzen. Noch war das Land Hadeln in der Form des Sequesters in des Kaisers Hand; bald ergab sich Gelegenheit, auch Mecklenburg unter kaiserlichen Sequester zu nehmen. „Jene Bemühungen um die Königskrone," schreibt Fuchs, „hat man am kaiserlichen Hofe so dargestellt, als habe der Kurfürst eine unersättliche Ambition und gedenke immer weiter hinaus, weshalb man seine Macht vielmehr mindern und schwächen, als vermehren müsse; daher es denn gekommen, daß man seitdem dort dem Kurfürsten fast in Allem zuwider ist." [1])

Es war die Stimmung des ganzen brandenburgischen Hofes, die er aussprach; als demnächst Graf Waldstein vom Kaiser nach Berlin gesandt wurde, mit dem Ersuchen, daß das Corps in Ungarn — es war auf 3070 Mann zusammen geschmolzen — auch den nächsten Feldzug dort mitmache, befahl der Kurfürst ausdrücklich, demselben nicht die erste Visite zu geben.

Erbverbrüderung nichts wußten, ergeben die Erklärungen des fürstlichen Regierungspräsidenten von Pettekum an die Stände (Bericht des brandenb. Marineraths Freitag, 15. Aug. 1691): „der Kaiser habe schon die Expectanz für Brandenburg ausgefertigt, er habe dazu kein Recht, da im Archiv eine alte von den Ständen bestätigte Verordnung des ersten Grafen liege, nach der der letzte seines Stammes befugt sei, pro lubitu einen successorem zu ernennen."

1) So Fuchs in seinem Schreiben zur Beschuldigung Danckelmanns, 30. Jan. 1698. Cresset schreibt an Lord Lexington, Celle, 28. März 1695: „The german Princes say the house of Austria is already as dangerous to them and their liberty as the house of Bourbon." Lexington Papers, p. 74.

Immer war es Danckelmanns Bemühen gewesen, des Kurfürsten Beziehungen zu Wilhelm III. so eng als möglich zu erhalten; jetzt führte die Mißstimmung gegen Wien wie von selbst dazu, und wie zum Dank dafür trat Wilhelm III. sein Recht auf Neufchatel, das auf den Erbfall stand, dem Kurfürsten ab (23. October 1694).

Es kam ein anderer Umstand hinzu. Zum ersten Mal hatte Wilhelm III. mit Erfolg gegen die Franzosen gekämpft. Er hatte Namur zur Capitulation gezwungen; noch hielt Marschall Boufflers die Citadelle; Marschall Villeroy eilte mit einem mächtigen Heere zum Ersatz herbei; er hatte Befehl, keine Schlacht zu wagen; gleichsam vor seinen Augen begann der Sturm auf die Citadelle;[1]) Boufflers ergab sich. Und an diesen glänzenden Erfolgen hatten die Brandenburger unter General von Heyden den rühmlichsten Antheil, Wilhelm III. sprach in den lebhaftesten Ausdrücken den Truppen seine Anerkennung, dem Kurfürsten seinen Dank aus.[2])

Seit den „Mißverständnissen" im Herbst 1692 hatte Friedrich III. den König nicht gesehen. Jetzt reiste er nach Cleve und weiter nach dem Haag, zwei Tage nach ihm traf er dort ein (9. October). Der König gab ihm die erste Visite. Was zwischen beiden verhandelt worden, liegt nicht mehr vor;[3]) eine nicht zuverläßige

---

1) Portland an Friedrich III., Lager bei Namur, 2. Sept. 1695: „Les dehors (der Citadelle) nous ont esté rendus ce midi en présence d'une armée ennemie des plus fortes que l'on aye jamais veue parmis les Chrestiens; elle est de plus de 100 bataillons et de 200 escadrons."

2) Eigenhändiges Schreiben d. d. 3. Sept.: Der Kurfürst werde sich über den Fall der Citadelle freuen „surtout après la part que vous avez eu en cette entreprise, qui asseurement n'aurait pu réussir sans l'assistance de vos trouppes, lesquelles je ne puis assez louer ny estre plus satisfait de la conduite de vos généraux. Elles y ont acquis une très grande gloire et réputation et je vous asseure que l'on ne peut avoir une plus sensible obligation que je vous aye de m'avoir assisté dans une si grande entreprise."

3) Der Kurfürst „retourna aussi dans ses Estats le 18. de ce mois, après avoir reçu de S. M. toutes les marques de satisfaction et d'affection, qu'on doit attendre de tant de liens qui les unissent et des puissants secours que

Notiz besagt, daß damals durch des Kurfürsten Bemühungen die Differenzen zwischen dem Könige und seinem Vetter, dem Erbstatthalter von Friesland, ausgeglichen worden. Gewiß ist, daß Wilhelm III. am Tage vor seiner Abreise, am 18. October, sein Testament unterzeichnete und bei den Hochmögenden deponirte.

Es ist das Testament, das später für Brandenburg so bedeutsam werden sollte. Der Kurfürst erfuhr nicht, daß es gemacht worden;[1]) der oranischen Erbschaft hielt er sich seinem Recht und den wiederholten Zusicherungen des Königs nach vollkommen gewiß. Natürlich, daß zu derselben nicht die Statthalterschaft der fünf Provinzen und die hohen Chargen der Union gehörten. Ob er sich in der Stille auch darauf Hoffnung machte? Wenigstens Danckelmann nährte sie nicht; er äußerte gegen einige der Herren Regenten, die seine und des Kurfürsten Ansicht zu erkunden wünschten: diese Verbindung vertrage sich nicht mit der Eifersucht, die die Republik auf ihre Freiheit habe, und mit der Macht eines Kurfürsten von Brandenburg; auch habe der Kurfürst genug mit der Regierung seines Staates zu thun; deshalb möchten die fünf Provinzen einen andern Statthalter bestellen. Er empfahl dazu den Erbstatthalter von Friesland; aber er wiederrieth, ihm auch das Generalat der Union zu übergeben, damit er nicht „Meister vom

---

S. A. E. a toujours donnés dans le cours de cette guerre avec tant de zèle pour la cause commune." Mercure hist. et pol. XIX., p. 775. Der Prinz Heinrich Casimir von Nassau und Friesland nebst seiner Gemahlin (der Tochter des Fürsten Johann Georg von Anhalt) und seinen Kindern war ebenfalls nach dem Haag gekommen.

1) Dies beweisen die späteren Vorgänge. Wenigstens 1697 konnte man bereits in der Staatenkundige historie van Holland (p. 171) lesen, daß das Testament deponirt und in demselben der Erbstatthalter von Friesland zum einzigen und allgemeinen Erben van alle zyne Goederen, Leen en Allodiaal eingesetzt sei. (Auch diese ganze Stelle ist wörtlich bei Wagenaer XVI. p. 301 wieder abgedruckt). Man wird diese Zeitungsnachrichten brandenburgischer Seits nicht übersehn, aber für unglaublich gehalten haben.

11*

Staat" werde; vielmehr müsse die Republik mit dem Kurfürsten ein Bündniß errichten, vermöge dessen er und seine Nachkommen allezeit eine gewisse Armee zu des Staates Diensten bereit hielten, der Staat aber das Geld zahle. Er fand mit diesem Plane — chimärisch nannte man ihn — lebhaften Widerspruch: nach des Königs Tod habe der Staat keinen besseren und zuverlässigeren Freund, als den Kurfürsten; und wenn es möglich gewesen, den König von England zum Statthalter zu haben trotz der großen Jalousie beider Nationen, so könnte es auch wohl mit Brandenburg ausführbar sein; am wenigsten sei es des Kurfürsten Interesse, den Prinzen von Nassau-Friesland dazu gelangen zu lassen, da der Kurfürst niemand mehr in der oranischen Succession zu fürchten habe.[1])

Mag Danckelmann in seinem Plan das politische Selbstgefühl der kaufmännischen und gewerbthätigen Republicaner unterschätzt haben, deutscher gedacht war, was er vorschlug, gewiß, als das spätere, von anderen Räthen des Kurfürsten empfohlene Project, die Statthalterschaft, wie sie Wilhelm III. hatte, für Brandenburg zu erwerben. Brandenburg wäre ein Anhängsel der Republik geworden.

Auch die Kriegsfrage war erörtert worden. Die Friedenserbietungen, die Frankreich machen ließ — selbst für Luxemburg und Straßburg erbot es sich Aequivalente abzutreten — zeigten, daß es der Erschöpfung nahe sei; es schien nur noch Einer großen Anstrengung zu bedürfen, um den stolzen König auf die Linie zurückzuführen, die der große Bund sich als Zweck des Krieges vorgezeichnet, auf den westphälischen und pyrenäischen Frieden. Freilich, die Krone Spanien leistete mit jedem Jahre weniger; man hatte Grund, an der Zuverlässigkeit Savoyens zu zweifeln;

---

1) Schmettaus Schreiben zur Belastung Danckelmanns, Berlin, 1. Feb. 1689.

der Wiener Hof wandte den besten Theil seiner Kraft vergebens auf die Wiedereroberung Belgrads, und in England und Holland wurde die Stimmung gegen den Krieg und die unerschwinglichen Lasten dieses Krieges immer lauter. Aber Wilhelm III. blieb fest; Brandenburg, Max Emanuel von Baiern, Hannover und Celle, der Landgraf von Hessen standen zu ihm; das Reichsheer im obern Deutschland, unter Führung Ludwigs von Baden, hatte den Rhein erreicht; der nächste Feldzug sollte dort einen Einfall nach Lothringen, an der Mosel das Vordringen der Brandenburger gegen Luxemburg, von Namur und Brüssel aus einen entscheidenden Stoß nach dem Hennegau bringen. Alles machte sich fertig, Ende Mai im Felde zu sein.[1])

Frankreich verstand diese Pläne zu kreuzen. Schon seit dem Herbst 1695 war ganz ins Geheim der Herzog von Savoyen mit großen Zugeständnissen gewonnen; mit dem Anfang der neuen Campagne forderte er die Neutralität Italiens; als die Verbündeten sie weigerten, führte er seine Truppen dem französischen Heere zu. Prinz Eugen hielt es für unmöglich, hier gegen die so verdoppelte Macht des Feindes den Kampf fortzuführen; Spanien fürchtete den Verlust Mailands. So wurde von Spanien und dem Kaiser die Neutralität Italiens angenommen; nun konnte Marschall Catinat und sein Heer gegen den Rhein oder die Niederlande verwandt werden. Zugleich hatte der französische Hof Jacob II. zu einer neuen Expedition nach England ausgerüstet, wo nach zahlreichen Mordversuchen gegen Wilhelm III. endlich eine weit verzweigte Verschwörung von Jacobiten und Papisten zum Ausbruch

---

1) Wilhelm III. an Friedrich III. eigenhändig, Kensington, 1/11. Mai 1696: . . . „Puisque tout le succès de la campagne en dépend . . . je vous assure que je n'ay jamais eu d'autre pensée que vous n'eussiez le commendement de cette armée (an der Mosel), si vous en aviez envie, quand elle pourroit agir offensivement."

bereit war; 160 Schiffe, mit 24 Bataillonen an Bord, lagen in Calais segelfertig, auf die erste Nachricht von der Empörung hinüberzusegeln. Das Complot wurde entdeckt;[1]) die Untersuchung ergab, daß es in erschreckender Weise auch in Kreisen, auf deren Treue man hätte rechnen müssen, verbreitet gewesen sei. Wilhelm III. wußte, daß er sich auf dies England, das er befreit hatte, je länger je weniger verlassen könne, daß es nur einen Weg gebe, Wagnissen ein Ende zu machen, die, wenn sie gelangen, England für immer in das System Frankreichs und der römischen Kirche zurückgeworfen hätten. In seinem und der Generalstaaten Namen trat Dijkfeldt mit einem französischen Diplomaten, der unter fremdem Namen nach Ghent kam, in Unterhandlung. Im August begannen die Minister der Verbündeten, die im Haag als militärische Conferenz versammelt waren, zu bemerken, daß England und Holland an dem Frieden arbeiteten. Am 1. September theilten die Hochmögenden der Conferenz das Ergebniß jener vorläufigen Besprechungen mit. Schweden war bereit, die Mediation zu übernehmen.

Vielleicht auch darum war es, daß Friedrich III. im Herbst 1696 wieder nach Cleve ging. Der König kam dorthin, nachdem er zuvor mit Ernst August von Hannover eine Zusammenkunft gehabt. Die Bedingungen, die Frankreich angeboten, waren der Art, daß man auf Grund derselben wohl unterhandeln konnte; freilich nicht auf die Basis des pyrenäischen Friedens, wohl aber auf die des westphälischen und nymwegischen war Frankreich erbötig zurückzugehn; das hieß, auch Straßburg, auch Luxemburg, alle die Reunionen, die es seit 1679 gemacht hatte, wollte es auf-

1) Auf den Glückwunsch Friedrichs III. antwortet Wilhelm III., Kensington, 10/20. März 1696, er sagt: „La découverte de la conspiration, qu'il y a eu contre moi, et que les ennemys n'ont peu effectuer l'invasion dans ce Royaume, qu'ils avoient projetté."

geben; und was hatte Spanien geleistet, was war es im Stande zu leisten, damit es auf den Fuß von 1659 hergestellt werde? Der spanische König kränkelte, man konnte gar bald jener schweren Frage der spanischen Succession entgegensehn; es war unberechenbar, was dann das Schicksal dieser großen und ohnmächtigen Monarchie sein werde. Der Wiener Hof, dem diese Succession wenigstens in den Geheimartikeln der großen Allianz von Holland und England bereits zugesichert war, hätte um Alles gern den Krieg fortgesetzt gesehn; aber hatten sie ein Interesse, für das schon zu mächtige Haus Oestreich, das obenein mit dem Zugeständniß der Neutralität Italiens die Gefahr für den Rhein und die Niederlande verdoppelt hatte, die erdrückende Last des Krieges noch länger zu tragen? hatte das Reich, hatten die evangelischen Fürsten im Reich ein Interesse, sich für die Mehrung der östreichischen Hausmacht in die Schanze zu schlagen?

Namentlich Brandenburg hatte keinen Anlaß, dem Frieden entgegen zu sein. Wie oft auch im Einzelnen unsicher und den mächtigen Bundesgenossen zu nachgiebig, die brandenburgische Politik hatte im Wesentlichen den Grundgedanken festgehalten, den sie beim Beginn des großen Kampfes ergriffen hatte; sie war für die Rettung der Gewissen- und Staatenfreiheit, für die Sicherung des Evangeliums und der Reichsgrenzen eingetreten; in der Herstellung des evangelischen Königthums in England hatte sie das Gleichgewicht Europas und die Zukunft der evangelischen Welt sichern wollen. Wurde nun von Frankreich Wilhelm III. und die evangelische Succession in England anerkannt, die Reunionen, die neuen Festungen an Rhein und Mosel, vor Allem Straßburg zurückgegeben, so war das Wesentliche erreicht.

Es kamen andere Motive hinzu. Im Juni war Johann Sobiesky gestorben; es begann in Polen die krampfige Bewegung einer neuen Königswahl; die französische Parthei arbeitete für die Wahl des Prinzen Conti; ihre Gegner war Pfalzgraf Carl bemüht an sich zu ziehen, der Bruder der Kaiserin. Weder dem französischen, noch dem östreichischen Einfluß konnte Brandenburg Polen überlassen wollen; „es ist die wichtigste und größte Angelegenheit, die uns seit unserer Regierung aufgestoßen.“ Daß Markgraf Ludwig von Baden sich entschloß, sich um die Wahl zu bemühen, daß man in ihm der Republik einen Fürsten empfehlen konnte, der zu den ersten Kriegsmännern der Zeit gehörte, schien den loyalen Einfluß Brandenburgs auf Polen zu sichern.[1])

Trat man so in der polnischen Frage dem Wiener Hof entgegen, so waren im Reich bereits zu so vielen andern Zerwürfnissen die über Mecklenburg ausgebrochen, die durch die willkürlichen Maaßnahmen des kaiserlichen Hofes bald den bedrohlichsten Charakter annahmen.

Es handelte sich um die Erbschaft der 1695 ausgestorbenen güstrowschen Linie. Der junge Herzog Friedrich Wilhelm von Schwerin forderte die ganze Erbschaft, sein Oheim, Adolph Friedrich von Strelitz, Theilung. Schon vor eingetretenem Erbfall hatte ein kaiserliches Decret die Kreisdirectoren Celle, Brandenburg und Schweden (für Bremen) aufgefordert, in Gemeinschaft mit dem kaiserlichen Commissar beim niedersächsischen Kreise, Grafen Eck, das Nöthige vorzukehren. Trotz der genommenen Abrede war Graf Eck in aller Stille nach Güstrow geeilt, hatte beide Ansprecher, die sich in Besitz zu setzen versucht, zur Ruhe verwiesen, die 300 Mann güstrowsche Truppen auf den Namen des Kaisers in Eid genommen, factisch kaiserlichen Sequester ein-

---

1) Kurf. Rsc. an Hoverbeck, 4/14. Jan. 1697, spricht „von unserer mit dem Markgraf von Baden habenden Intention; wir haben auch solches demselben schon zu erkennen gegeben und von ihm darauf die Erklärung erhalten, daß er endlich wohl 200,000 Rthl. hierzu emploniren wolle.“ Die im Text angeführten Worte sind aus dem kurf. Rsc. an Hoverbeck und Scultetus, 30. Jan. 1697.

treten lassen; zugleich ergingen an die Kreisdirectoren kaiserliche Schreiben, es sei nicht mehr nöthig, von Kreiswegen Truppen nach Güstrow zu legen.[1]) Sie hatten allen Anlaß, dies Verfahren „sehr befremdlich“ zu finden; es war natürlich, daß sie über ihr Recht wachten, „damit der Kaiser nicht auch an der Ostsee um sich greife und den Reichsständen, wie zu Wallensteins Zeiten geschehen, wegen Kränkung ihrer Religions- und anderen Freiheit Ombrage gebe.“ Sie beschlossen, von Kreiswegen eine gleiche Anzahl Truppen hinzusenden; Schweden als derzeitiger Director agens übernahm das Commando derselben. Unter Protest und Protest gegen den Protest nahmen sie dort Quartier. Der junge Herr von Schwerin wandte sich im Juli nach Wien, wo man sehr erfreut war, einen Anlaß zu weiterem Verfahren gegen die Fürsten, die sich der kaiserlichen Machtvollkommenheit nicht beugen wollten, zu gewinnen. Obschon der Reichshofrath noch erst mit der Voruntersuchung beschäftigt war, erließ derselbe — Graf Oettingen war Präsident — ein Decret an Graf Eck, den Herzog Friedrich Wilhelm bis zur Entscheidung in Besitz zu setzen.[2]) Ein Abmahnungsschreiben der Kreisdirectoren an den Herzog blieb ohne Wirkung; sie ließen ein Paar tausend Mann anrücken, die Stadt Güstrow umstellen, eindringen; die güstrowschen Compagnien warfen die Gewehre weg, die schwerinschen zogen mit klingendem Spiel ab; aber der kaiserliche Commissar wich

---

1) So der „Vergleich in forma Protocolli“ Hamburg, 25. Jan. 1696.

2) Das Decret ist vom 2/12. Jan 1697. In der Convention der drei Kreisdirectoren d. d. Hamburg, 24. Feb. 1697, heißt es: „Nachdem sich ergeben, daß, obwohl die beim Reichshofrath rechtshängige Sache weder in petitorio noch possessorio spruchreif, durch Herzog Friedrich Wilhelm ohne Publication und Insinuation einer Sentenz durch Graf Eck clandestine und ohne Mittheilung an die Kreisdirectoren in Besitz gesetzt ist“ u. s. w. Die entgegengesetzte Rechtsansicht ist dargelegt in der Flugschrift „Schreiben eines Freundes an einen Freund in der Mecklenburg-Güstrowschen Successionssache.“

nicht, „betrug sich so übermüthig, als ob er den Souverän spielen wollte;" da ließ ihn der schwedische Obrist Klinkowström „auf einen Stuhl setzen und durch eine Anzahl Grenadiere aus dem Schloß und zur Stadt hinaus tragen und aufs freie Feld setzen."

Man war in Wien außer sich; man forderte Auslieferung des Klinkowström, Abmarsch der Kreistruppen; man erließ die heftigsten Edicte gegen die Krone Schweden, ohne Rücksicht auf die Friedensmediation, die in ihrer Hand war. Der Kaiser, sagte Baron Seilern, werde eher Krone und Scepter daran setzen, als solche unerhörte Beschimpfung dulden. Umsonst ließ Friedrich III. sein Bedauern über das Vorgefallene aussprechen, Vorschläge zur Genugthuung machen; er erschrecke, schreibt Nic. von Danckelmann aus Wien, wenn er die Gesichter und das Benehmen des kaiserlichen Hofes sehe, die ein nahes Unglück verkündigten. Er erfuhr, daß Graf Oettingen gefordert habe, ihn sogleich arretiren und über die Grenze bringen zu lassen. Am 11. April wurde er zur Conferenz beschieden; Graf Kinsky erklärte: was da in Güstrow geschehen, beleidige das Völkerrecht und laufe gegen den Respect, den gekrönte Häupter von ihren Vasallen zu erwarten hätten; der Kaiser wolle sich über die Sache weiter unterrichten, Danckelmann werde gut thun, bis dahin sich am Hofe nicht weiter sehen zu lassen. Vergebens wiederholte Danckelmann das Bedauern des Kurfürsten, dessen Erbieten, das Kreisdirectorium, das in der Form zu weit gegangen, zur gebührenden Genugthuung zu bewegen; zur Bezeigung seines Respectes sei der Kurfürst bereit, sogleich vom Kaiser die bisher noch nicht erfolgte Belehnung zu empfangen. Die Antwort lautete: die Belehnung könne nicht erfolgen, bevor Satisfaction gegeben sei. Auch dem lüneburgischen Gesandten wurde der Hof verboten. Danckelmann erhielt aus Berlin Weisung, sich sofort als Gesandter zum Friedenscongreß nach Ryswick zu begeben. Ohne Abschiedsaudienz erhalten zu können, reiste er ab. Die Verbindung zwischen dem kaiserlichen und dem brandenburgischen Hofe hatte ein Ende.

Und doch war trotz der begonnenen Friedensverhandlungen in Ryswick die Kriegsgefahr nichts weniger als vorüber. Mit dem Heere, das gegen Savoyen gestanden, verstärkt, eröffnete Boufflers die Feindseligkeiten gegen die Niederlande. Von solcher Uebermacht bedroht, konnte Wilhelm III. nur von Brandenburg schleunige Hülfe erwarten; es war der größte Freundschaftsdienst, daß der Kurfürst General Heyden mit dem größten Theil seines Corps nach Flandern zu eilen gestattete;[1]) denn auch der Mittelrhein, auch Bonn und Cöln und Cleve waren bedroht.

Aber zugleich drang ein französisches Heer unter Vendome in Catalonien ein. Und in Polen gewann die französische Parthei immer größeren Anhang, Contis Wahl schien unzweifelhaft; die Hohe Pforte hätte sich nichts Besseres wünschen können; der kaiserlichen Macht in Ungarn, der sie schon seit drei Jahren völlig das Gegengewicht hielt, wäre sie, wenn Frankreich die polnische Politik bestimmte, überlegen gewesen.

In solcher Gefahr faßte man in Wien den klugen Gedanken, den brennenden Ehrgeiz des jungen Kurfürsten von Sachsen auf Polen zu richten; man verhieß ihm jede Art von Unterstützung. Er gab das Commando in Ungarn auf, eilte heim, möglichst viel Geld zum Glücksspiel um Polen flüssig zu machen, nachdem er gelegentlich auf dem Heimwege in der Nähe von Wien den Glauben seiner Väter abgeschworen, um von den Polen gewählt werden zu können.

---

1) Kurf. Rsc. 11/21. Mai 1697: „Da S. K. Maj. dazu sehr wichtige Gründe haben müssen, obschon Sie sich nicht darüber expliciren könnten“ u. s. w. Die Staaten waren in Hoffnung auf den nahen Frieden so übel vorbereitet, daß sie 2000 Centner Pulver aus der Festung Wesel erbaten, worauf Angesichts der nahen Gefahr nicht eingegangen werden konnte.

Wie man von dem Uebertritt Friedrich Augusts denken mag, bei Kursachsen war bisher das Directorium des corpus Evangelicorum im Reich gewesen, und der convertirte Kurfürst erklärte sehr bestimmt, daß er es auch ferner zu behalten gedenke. Im Kurcollegium war nur noch die brandenburgische Stimme evangelisch.

Daß in der wüsten Wahlhandlung der Polen erst Conti gewählt, dann August II. proclamirt wurde, daß Brandenburg selbst mit dem Versuch, noch den Prinzen Jacob Sobiesky zwischen zu schieben,[1]) scheiterte, war eine Niederlage, die nicht damit minder wurde, daß August II. sofort um brandenburgische Hülfe gegen den Prinzen Conti, der in Danzig landete, bitten mußte. Hinter Augusts Wahl stand Oestreich; es war mehr als Muthmaßung, daß zwischen beiden Höfen Weiteres insgeheim verabredet war, „Dinge, eben so gefährlich und schädlich, als wenn der Prinz von Conti auf dem polnischen Thron säße."

Schon hatten die Ryswicker Verhandlungen einen Gang genommen, der Friedrich III. und seine Räthe auf das Aeußerste erregte.

Es ist dem Oberpräsidenten später zum Vorwurf gemacht worden, daß er sich „gegen die Maxime des Kurhauses Brandenburg mit Schweden zu eng eingelassen, ja, mit Kurbaiern eine Allianz eingeleitet habe."

Allerdings hatte er, als der mecklenburgische Handel heißer wurde, mit Schweden die Defensivallianz von 1686 erneut, in den geheimen Artikeln die gegenseitige Garantie auf Preußen und Liefland ausgedehnt, gemeinsames Verfahren in der polnischen Wahl ausbedungen, die Verpflichtung übernommen, zu Gunsten

1) Eb. v. Danckelmann an seinen Bruder und Fuchs, 4/14. Juli. (kurz vor der Nachricht von der Wahl) an Hoverbeck nach Warschau zu schreiben: daß er Alles anwende „d'exécuter les ordres du maître et ses intentions s'il est possible pour notre candidat ou pour quelqu'un de la maison royale."

Gottorps bei Dänemark zu wirken. Man besorgte, daß der Kaiser diesen Gottorper Streit benutzen werde, sich Dänemark zu verpflichten, Dänemark als Instrument kaiserlicher Autorität im niedersächsischen Kreise zu benutzen.[1])

Und mit dem Kurfürsten Statthalter Max Emanuel, in dem der Kaiser den gefährlichsten Rivalen seiner spanischen Succession fürchtete, war durch Danckelmann eine Defensivallianz von großer Tragweite eingeleitet: gegenseitige Unterstützung zur Erlangung solcher Rechte und Länder, die den Contrahenten bereits verfallen seien oder durch Succession, Testament, Anwartung ihnen zufallen könnten; bairischer Seits war die Statthalterschaft der Niederlande und die weitere spanische Succession, für Brandenburg Jülich und Berg beim Aussterben des Hauses Pfalz-Neuburg und das Oberquartier Geldern bezeichnet; ferner: beide Kurfürsten versprachen sich Unterstützung, die Königswürde zu erlangen, beide verpflichteten sich, keiner Neuerung im Kurcollegium zu Gunsten der Krone Böhmen zuzustimmen.[2])

Man sieht, was Danckelmann wollte. Und sein Bruder war in Ryswick als zweiter Bevollmächtigter neben Schmettau.

Die sachlichen Verhandlungen dort haben für unsre Aufgabe wenig Bedeutung; nur zu gering war der Einfluß, den Brandenburg auf sie üben konnte.

Es war in Regensburg erörtert worden, ob und wie sich das Reich beim Congreß zu betheiligen habe. Dem Kaiser ein Man-

1) Vertrag vom 11. Juli 1696. Ein geheimster Artikel gegen die Bestrebungen des Hauses Braunschweig, den größten Theil der Directorialautorität im niedersächsischen Kreise an sich zu reißen, wurde schließlich auf den Wunsch Schwedens ausgelassen.

2) Der Vertrag d. d. Grandmont, 5. Sept. 1696, von Diest verhandelt. Danckelmann selbst hat gegen Fuchs, dessen Gutachten gegen den Vertrag lautete, geäußert, der Vertrag müsse unratificirt bleiben, um im Fall des Kundwerdens als non ens verläugnet werden zu können.

dat von Reichswegen zu geben, wurde verworfen; es wurde eine Reichsdeputation beliebt, Seitens des Kurcollegiums auch Brandenburg in derselben. Aber die Vollmachten der französischen Gesandtschaft lauteten auf Kaiser und Reich insgemein, weder auf eine Reichsdeputation, noch auf einzelne Reichsstände, die etwa als Einzelne dem großen Bund beigetreten waren. Wie gern benutzten das die Kaiserlichen; ohne Weiteres sprachen sie auch im Namen des Reichs, höchstens, daß sie der Deputation mittheilten, was ihnen gefiel; sie suchten den Frieden so viel als möglich „schwer zu machen;" man mußte besorgen, daß dann England und Holland für sich schließen würden.[1])

Schon vor Eröffnung des Congresses hatten die Kaiserlichen erklärt, daß sie den Kurfürstlichen nicht den Titel Excellenz geben würden; die andern Alliirten erklärten, daß sie es dann auch nicht könnten. Dann weiter weigerten sich die Kaiserlichen von den Herren Kurfürsten neben dem ersten Gesandten einen zweiten anzuerkennen; wenn es in Osnabrück und Münster, in Nymwegen aus Gnaden geschehen sei, so dürfe doch keine Regel daraus werden. Wenn die Brandenburgischen eine ausdrückliche kaiserliche Declaration verwiesen, daß es damit, wie zu Nymwegen, gehalten werden solle, so blieb das ohne Erfolg. Sie forderten, da ja eine Kriegserklärung Brandenburgs gegen Frankreich vorliege, eine Vollmacht der französischen Gesandtschaft zum Friedensschluß mit Brandenburg; weder dieser, noch der kaiserlichen schien es erforderlich.

„Es kann uns nichts so empfindlich sein, als daß wir so, wie es allem Anschein nach die Kaiserlichen vorhaben, vor den Augen von ganz Europa beschimpft werden." So der Kurfürst an Schmettau, 14. Mai. Doppelt empfindlich war ihm, daß die

1) Aus einem Schreiben des kursächsischen Gesandten v. Bose, d. d. Haag, 6/16. März 1697: ... „Da das Interesse aller Alliirten darin besteht, qu'il fallait aller avec les Hollandais et non pas les suivre" (Dresden. Arch.).

spanische Krone, deren Ohnmacht und Armseligkeit vor aller Welt offenbar war, sich mit den Kaiserlichen vereinte, ihm Fußtritte zu geben;[1]) er sprach die Hoffnung aus, daß Wilhelm III., „der nächst Gott unser bester und sicherster Freund in der Welt ist," solches Verfahren nicht zugeben werde. Wilhelm III. versprach, sein Möglichstes zu thun, auch die Staaten dazu zu veranlassen. Wenn er wirklich Versuche der Art gemacht hat, so waren sie ohne Erfolg. Der Kurfürst drohte, seine Truppen abmarschiren zu lassen; er werde doch nicht, ließ ihm Wilhelm III. sagen, um ceremonieller Differenzen willen die größten Interessen auf das Spiel setzen; er versprach noch einmal, es solle alles Mögliche geschehen.

Nun folgte die Wahl in Polen; die Kaiserlichen jubelten, daß ihr Friedrich August den Platz behauptet habe. „Wir sehen keine andere Hülfe," schrieb Friedrich III. seinen Gesandten, „als mit Conservirung unserer bisherigen Freunde, Englands, Schwedens und der Staaten, mit der Krone Frankreich allmählig wieder in Beziehung zu treten."[2]) Die französischen Herren ließen es nicht einmal zu einem Versuch kommen.

Sie waren bereits Hollands und Wilhelms III. so gut wie gewiß — Hollands, das nicht mehr Willens und in der Lage war, es auf eine Fortsetzung des Krieges ankommen zu lassen; Wilhelms III., dem es vor Allem darauf ankommen mußte, Frankreichs Anerkennung als König zu erhalten, um den jacobitischen

---

1) Friedrich III. an Wilhelm III., Memel, 1/11. Juli 1697: . . . „Je ne me peus pas empêcher de Luy témoigner de nouveau l'extrême chagrin que j'ai d'en trouver si peu de recognoissance" . . . u. s. w. von Fuchs concipirt.

2) Kurf. Rsc. an Schmettau, Königsberg, 21. Jun./1. Juli 1697: . . . „Nicht zwar, daß wir mit den Franzosen etwas im Reich, unserm werthen Vaterlande, unseren jetzigen Alliirten England und dem Staat oder sonst der Wohlfarth und Libertät von Europa im Geringsten nachtheilig eingehen und schließen wollen, sondern nur um uns bei gedachter Krone ein appuy zu erwerben, wenn der Kaiser mit Hülfe des neuen Königs in Polen uns etwas zu unserem Nachtheil und Präjudiz vornehme."

Umtrieben ein Ende zu machen. Zwei, drei Zusammenkünfte, die Portland mit Boufflers hatte, brachten diese Punkte ins Reine.

Schon war Ath in Flandern von den Franzosen genommen, in Spanien Barcellona in Gefahr; nur noch bis zum 31. August erklärte Frankreich an die Präliminarien gebunden sein zu wollen, die es gemacht, auch in Betreff Straßburgs; nur daß es zur Wahl stellte: Straßburg oder Freiburg und Breisach, das heißt, die Reichsstadt oder zwei östreichische Plätze. Da bei Ablauf des Termins keine Antwort erfolgt war, erklärte Frankreich 1. September diese Alternative für erloschen: es werde Straßburg behalten. Und die englischen Herren meinten: die Deutschen hätten Niemand als sich selbst anzuklagen. Am 20. September unterzeichneten England, Holland, Spanien. In ihrem Friedensinstrument war ein Artikel, der für Brandenburg den Frieden von 1679 gewährleistete.

In eben diesen Tagen erfocht Prinz Eugen den glänzenden Sieg bei Zenta; auch das brandenburgische Corps hatte seinen vollen Antheil an dem Ruhm des Tages. Ungarn war bis an die Wälle von Belgrad gewonnen; und von den Franzosen konnte man noch Breisach und Freiburg bekommen. Am 30. October unterzeichneten die kaiserlichen und ein Theil der Reichsgesandten den Frieden, in dem freilich noch im letzten Augenblick eine Clausel eingeschaltet wurde, welche die Evangelischen in den zurückgegebenen Reunionen so gut wie Preis gab.[1]) Es war nur zu wahrscheinlich, daß die Kaiserlichen im katholischen Interesse mit den Reichsfeinden unter Einer Decke spielten. Die meisten Evangelischen, auch Brandenburg, unterzeichneten nicht.

Frankreich hatte seine treuen Alliirten, die Türken, Preis

1) Die berüchtigte Ryswicker Clausel (Art. IV.) lautet: „Religione tamen catholica Romana in locis sic restitutis eo statu, quo nunc est, remanente." Die Declaration der nicht unterzeichnenden Gesandtschaft, d. d. Haag, 4. Nov. 1697 in den Actes et Mém. de la paix de Ryswick, IV. p. 143.

gegeben. Auch sie suchten den Frieden. Es währte bis zum Schluß des nächsten Jahres, bevor er zu Stande kam. Mit ihm hatte das Haus Oestreich Ungarn bis zur Marosch, Siebenbürgen, fast ganz Slavonien. Die nächsten Jahre mußten die spanische Succession eröffnen; in Wien zweifelte Niemand, daß sie dem Kaiserhofe zufallen müsse und zufallen werde. Die „Vasallen“ im Reich mochten auf ihrer Hut sein.

Danckelmanns Fall.

„Ich sehe wohl,“ schreibt der Kurfürst an Graf Portland, „daß der ganze Erfolg, welcher mir dieser unglückliche Friede bringt, darauf beschränkt sein wird, daß ich in denselben mit eingeschlossen werde; ich wundere mich nicht, daß Frankreich die Absicht gehabt hat, mir wehe zu thun; meine Hingebung, mein Eifer für den König von England haben keine andere Wirkung haben können; aber was mir weher thut, ist, mich von denen so unwürdig behandelt zu sehen, für die ich das Blut meiner braven Soldaten und das Vermögen meiner Unterthanen daran gesetzt habe.“

Mochten von den großen Zwecken des Krieges die wesentlichen, die, um deren willen Brandenburg die Waffen ergriffen hatte, durchgesetzt sein, die Ryswicker Verhandlungen hatten in nur zu empfindlicher Weise gezeigt, daß nicht anerkannt, daß geflissentlich verdunkelt und verleugnet wurde, was Brandenburg für die gemeinsame Sache, was es für England und Holland, für Wilhelm III. gethan.

Und nun, nach kaum geschlossenem Frieden, wollte die spanische Regierung in Brüssel sofort und unbezahlt die brandenburgischen Truppen heimsenden; und sie schuldete noch, außer 200,000 Rthlr., die auf Mons angewiesen waren, 500,000 Rthlr., für die sie weder Anweisungen, noch eine Hypothek geben wollte. „Es giebt nichts Unwürdigeres," schließt jenes Schreiben an Portland, „als die Art, wie Spanien mit uns verfährt; möge der König seinen Einfluß in Brüssel geltend machen, wenn man mich für die gemeinsame Sache erhalten und hindern will, daß ich andere Wege einschlage, mir zu meinem Recht zu helfen." [1]) Auch Wilhelm III. schuldete von den monatlich 10,000 Rthlr., zu denen er sich 1690 verpflichtet hatte, noch 426,000 Rthlr.; auch das englische Parlament, das diese Zahlung vom 1. Januar 1694 an übernommen, war noch mit 276,000 Rthlrn. rückständig; ebenso der Kaiser, ebenso Holland. Was der Kurfürst „aus eignen Mitteln" für diesen Krieg aufgewendet hatte, berechnete er auf mehr als drei Millionen. Und was war ihm dafür geworden? Portland antwortete ihm: „einen Beweis von seines Königs aufrichtiger Freundschaft könne er in dessen Bemühen sehen, ihm in dem Vertrage mit Frankreich den Titel Serenité Electorale zu erwirken." England gab ihm bisher immer diesen Titel; aber in dem Vertrage steht nur Altesse Electorale.

Das also waren die Ergebnisse, die Danckelmann mit seiner Politik erzielt hatte. Er hätte Erfolge haben müssen, um seine zahlreichen Gegner am Hofe zu entwaffnen und des Kurfürsten gewiß zu bleiben; das Mißlingen machte seine schon untergrabene Stellung unhaltbar.

Er war nicht ohne Schuld. Der Vorwurf, der ihn trifft, ist nicht, daß er so wenig von der Huld des Kaiserhofes, als von

---

1) Das Schreiben des Kurfürsten an Portland, Cöln a./S., 5. Oct. 1697. Portlands Antwort, Haag, 14. Oct.: „La dernière période de la lettre de V. A. E. est un peu forte: mais je cognois trop Sa grandeur d'ame et Son zèle pour le bien public et la religion pour pouvoir douter, qu'Elle ne se conserve pour le public." Ueber den Titel Serenissimus, s. Actes de la Paix de Ryswick, III. p. 362.

dem Wohlwollen der deutschen Nachbarn Förderung des brandenburgischen Interesses erwartete, wie böse Stunden es ihm einbringen mochte, daß er seinem Herrn weder Devotion vor dem Reichsoberhaupt, noch Vertrauen zu Hannover empfahl. Ihm war die gewiesene Politik Brandenburgs mit den reformirten Mächten Holland und England Hand in Hand die großen Principien der Staaten- und Gewissensfreiheit zu retten und zu sichern. Er mochte meinen, daß eben dies das politische System sei, in dem der große Kurfürst seinen Staat gegründet; und dies System festzuhalten, schien ihm Pflicht; als wenn es, in der lebendigen Energie persönlichen Wollens erwachsen, der minderen Energie, der widerstrebenden Neigung aufgezwungen, noch dasselbe bleibe, dasselbe wirken könne.

Und weiter: wenn die Hochmögenden und das Parlament in dieser Gemeinschaft scharf und immer schärfer ihr Sonderinteresse zu verfolgen verstanden, so rechnete er nicht auf die Dankbarkeit, aber auf den weiten Blick Wilhelms III., der, wenn er an die Zeiten de Witts, an 1672 und 1688 gedachte, nicht zweifeln konnte, wo die Stütze des oranischen Interesses sei. Auch da rechnete er falsch.

Wilhelm III. hat demnächst, als Danckelmann gestürzt war, offen ausgesprochen: der Grund der Ungnade, die ihn getroffen, sei seine Anhänglichkeit für ihn, den König.[1]) Gewiß, der staatskluge König war durch die Rücksicht auf die holländischen Interessen und Stimmungen, auf seine äußerst gefährdete Stellung zu dem Parlament und den Partheien von England gebunden. Aber wenn ihm um so mehr daran liegen mußte, Brandenburgs gewiß

1) Dobrczenski, Bericht aus London, 18/28. Feb. 1698. Der König sagt zu ihm, „qu'il se trouve des gens qui croyent, que sa disgrâce vient en partie de ce qu'il a été trop attaché à mes interests, qui sont pourtant les mesmes que ceux de M. l'Electeur."

zu bleiben, so hätte er dazu thun müssen, daß Danckelmann sich halten konnte; er hätte ihm Erfolge geben, er hätte nicht dulden müssen, daß fort und fort, zuletzt noch auf dem Congreß, Dinge geschahen, die den Kurfürsten, wie er ihn kannte, auf das Empfindlichste verletzten und den Gegnern Danckelmanns freies Spiel gaben. Oder meinte er des Kurfürsten ohnehin gewiß zu bleiben, so lange er ihm die Hoffnung auf die oranische Succession ließ? so lange er ihm zu verbergen verstand, daß er über dieselbe bereits gegen ihn verfügt habe? Oder meinte er damit Danckelmanns Stellung zu befestigen, daß er fort und fort und recht geflissentlich dem Hofe von Hannover die größte Aufmerksamkeit erzeigte? Ja, als 1696 Friedrich III. nach Cleve kam, namentlich um ihm sein Königsproject, mit dem er in Wien so übel gefahren war, vorzutragen und zu empfehlen, äußerte sich seine Gleichgültigkeit und Ironie in einer Weise, die ihm immerhin ein solcher Wunsch zu verdienen scheinen mochte, die aber der Wünschende nicht um ihn verdient hatte.[1])

Es ist nicht nöthig, im Einzelnen zu verfolgen, wie Danckelmanns Stellung unsicherer wurde, die Zahl seiner Gegner und ihre Erbitterung sich mehrte. Er war nicht behutsam; der oft zu gütigen Connivenz des Herrn gegenüber erschien er herb und hart. Wenn der Kurfürst geschehen ließ, daß sein Oberkämmerer Kolbe von Wartenberg mit der jungen Wittwe eines Kammerdieners in anstößigem Verhältniß lebte, so hielt es Danckelmann für seine Pflicht, auf dies Aergerniß aufmerksam zu machen, und auf des Kurfürsten Veranlassung heirathete Wartenberg die junge Frau

---

1) In der Instruction für Graf Alex. Dohna, 24. Aug. 1700, erinnert der Kurfürst, im Thiergarten zu Cleve auf der Promenade habe der König zu ihm gesagt: er halte dafür, daß des Kurfürsten Mittel nicht hinreichten für die königliche Dignität, aber wenn der Kaiser sie ihm zugestehe, werde er nicht zurückbleiben.

(März 1696).[1]) Wenn die Höflinge dem langweiligen Cato aus dem Wege gingen und hinter seinem Rücken desto ärger über ihn frondirten, so hatten die Herren vom Geheimenrath nicht minder Klagen vollauf; was war denn noch ihr Collegium, seit der Oberpräsident die Geschäfte leitete? das arge Wort eines fremden Gesandten: „sie hießen wohl darum Geheimeräthe, weil Alles vor ihnen geheim gehalten werde," war in Aller Mund. Nicht minder, wie die Höflinge und die hohen Beamteten, waren die hohen Militärs, Feldmarschall von Barfuß an der Spitze, gegen den Oberpräsidenten, der, so hieß es, sich berühme, bei der Belagerung von Bonn dem Kurfürsten den Plan zum entscheidenden Angriff gegeben zu haben, der, wie überall, so auch im Kriegscommissariat einem seiner Brüder die Leitung zugewandt habe, einem Civilisten. Schon fehlte es nicht an Nachreden bedenklicherer Art; in jenen Mecklenburger Conflict habe der Oberpräsident den Staat gestürzt, weil seinem Sohn dafür eine Comthurei zugewandt worden; mit dem Gottorper und dessen übel berüchtigtem Agenten Ducroß habe er sich gegen das alt verbündete Dänemark eingelassen, ja, demselben Staatsgeheimnisse verrathen für die und die Summen, für andere Summen jenen geheimen Vertrag mit Baiern entworfen, für die Preisgebung von Schwiebus vom Kaiser die und die Güter und die Zusicherung des Reichsgrafentitels erhalten u. s. w.

Noch glaubte der Kurfürst Mittheilungen der Art nicht; er selbst hatte jene Verhandlungen mit Baiern befohlen, jene Besprechungen mit Ducroß gut geheißen, das Reichsgrafenpatent

---

1) Diese Angabe in dem sonst sehr stark gefärbten Aufsatz in Büschings Magazin (XX. p. 224) ist richtig. Die Wartenberg war die Tochter des Zöllners und Weinschenken Rickers in Emmerich, und an den kurf. Kammerdiener Biedekamp verheirathet gewesen. s. die Specification der kurf. Bedienten, 1688 bei König, Berlin, III. p. 282).

war in Wien kostenfrei ausgefertigt, von Danckelmann, wie er wußte, abgelehnt. Aber er ließ es schon geschehen, daß man solche Dinge an ihn brachte, daß man in seiner Gegenwart, an seiner Tafel den Oberpräsidenten mit Späßen und Witzen belästigte; er selbst regte wohl dazu an und lachte auf des würdigen Mannes Kosten. Rasch wurden die höfischen Herren — Graf Christoph Dohna rühmt sich selbst seiner feinen Witterung — dreister gegen den schon wankenden; immer neue Anzeigen, wahre und falsche, wurden an den Kurfürsten gebracht: jene Denkmünze auf die sieben Brüder Danckelmann, als habe der Oberpräsident sie anfertigen lassen, jene lobpreisenden Verse des Oberceremonienmeisters von Besser, die gegen Danckelmanns Willen auf des Kurfürsten Befehl veröffentlicht worden waren,[1]) der vernachlässigte Unterricht des Kurprinzen, „als wolle der Oberpräsident ihn in Ignoranz aufwachsen lassen, um dereinst sich und den Seinigen die Leitung der Geschäfte desto sicherer zu bewahren;" als Informator habe er dem Prinzen Jemanden bestellt, der zu seinen Domestiken gehöre, nämlich den Johann Friedrich Cramer, einen Mann von classischer Bildung und späteren Rath bei der Regierung in Halle, der allerdings Informator bei des Oberpräsidenten Sohn gewesen war.

Diese Dinge waren in vollem Gang, als der Kurfürst im Frühjahr 1697 nach Preußen reiste. Nun folgte das rasche Ende des polnischen Interregnums, die Wahl Friedrich Augusts von Sachsen; also Kursachsen war nun um die königliche Dignität, um die Macht der Republik voraus, war katholisch geworden. Es

1) So nach Bessers Deposition, Berlin, 9/19. Jan. 1700; es handelt sich über das von Carpzow in Leipzig veranlaßte und durch dessen Vermittelung gedruckte längere Gedicht, zu unterscheiden von zwei anderen Besserischen Compositionen, einer kürzeren, als Danckelmann Oberpräsident wurde, und dem sog. Scherenschleiferlied, für die Maske, die der Oberpräsident bei einer „Wirthschaft" erhielt.

folgten jene Demüthigungen, die der brandenburgische Name in Ryswick, in der Person des vom Wiener Hofe ausgewiesenen Nic. von Danckelmann erlitt; endlich „der Abfall“ Wilhelms III. Bei seiner Rückreise aus Preußen (August) sagte der Kurfürst zu Christoph von Dohna: „ich will Euch etwas anvertrauen, aber wenn Ihr davon sprecht, laß ich Euch den Kopf vor die Füße legen; ich habe mich entschlossen . . .“ damit schwieg er, und der Graf verstand ihn.

Der Oberpräsident verkannte nicht, daß seine Rolle zu Ende gehe. Er hatte schon in Preußen um seine Entlassung gebeten: „er fühle, daß seine Kräfte nicht mehr der Last der Arbeit gewachsen seien.“ Bald nach der Rückkehr wiederholte er die Bitte. Endlich versprach ihm der Kurfürst die Demission „in allen Gnaden und in so weit, daß er die Charge des Oberpräsidenten und ersten Staatsministers niederlegen möge.“ [1]) Also nur diese Stelle; das Erbpostmeisteramt und die Präsidentschaft der Regierung in Cleve wurde ihm nicht entzogen. [2])

Dies war Montag, den 2. December. Am Mittwoch kam Feldmarschall von Barfuß mit einem eigenhändigen Schreiben des Kurfürsten, das begann: „Vielgeliebter Herr Oberpräsident“ und in dem ihm eine Pension von 6000 Rthlr. zugesichert war: „meine

---

1) Kurf. Rsc. vom 22. Nov. 1697: „Obschon er uns von unsrer zarten Jugend an bis hierher in allen guten und bösen Zeiten mit sonderbarer Application gedient und obschon uns lieb gewesen wäre, wenn er dabei habe continuiren können, aber auf seine bei uns zu verschiedenen Malen geschehene Instanz und weil seine bei so vielen continuirlichen schweren Arbeiten merklich abgenommene Gesundheit einige mehrere Ruhe nothwendig erfordert“ u. s. w.

2) Die folgende Darstellung ist aus den Proceßacten geschöpft. Die Rolle, die der Frau v. Wartenberg beim Sturz Danckelmanns in Lamberty, I. p. 142 und in dem Schreiben von 1714 in Büschings Magazin XX. p. 220 zugeschrie= wird, kann ich nach den Acten weder bestätigen, noch in Abrede stellen.

Gedanken wird Euch der Feldmarschall noch weiter mündlich vorstellen." Sie bestanden in der Weisung, daß sich Danckelmann „aller Correspondenz in Staats- und kurfürstlichen Sachen enthalten und die geschäftlichen Papiere und Briefe, die er habe, ausliefern solle; ausdrücklich war die Versicherung kurfürstlicher Gnade und Protection für ihn und die Seinigen hinzugefügt, auch die früher erbetene Erlaubniß für seinen Sohn, nach Frankreich und England zu reisen, gewährt. Danckelmann sprach seine große Freude aus, der Oberpräsidentschaft entledigt zu sein, „als einer Last, die ihm zu schwer und die er, ohne darunter zu erliegen, nicht länger ertragen könne;" er wollte sofort zum Kurfürsten, ihm seinen Dank zu sagen; worauf der Feldmarschall: er habe vergessen zu sagen, der Kurfürst wünsche, weil er ihn, der ihm so lange Jahre so treu gedient, nach ertheilter gnädigster Entlassung nicht ohne Commotion sehen könnte, er möchte einige Tage damit anstehn. Dennoch wiederholte Danckelmann seine Bitte; wenigstens möge sie dem Kurfürsten vorgetragen werden. Die Antwort, die vom Kurfürsten kam, war: „Sie könnten aus gar zu großer Sensibilität sich noch nicht dazu entschließen, und würden ohnedies sein gnädiger Herr sein und bleiben, ob Sie ihn auch nicht sofort sähen."

Noch durchschaute Danckelmann nicht das Spiel seiner Gegner. Er hatte folgenden Tags, wie immer am Donnerstag, offene Tafel, zu der sich einige Secretäre fremder Gesandtschaften eingefunden; natürlich, daß da von seiner Demission die Rede war. Dies, und daß er an die Regierung nach Cleve gemeldet, er habe die Stelle als deren Präsident behalten, ward auf dem Schloß mit Uebertreibungen erzählt, als sei damit „S. Kf. D. Respect auf das Höchste lädirt." Auf die erneute Bitte um Audienz lautete die Antwort: S. Kf. D. werde ihm ansagen lassen, wenn er kommen solle; im Uebrigen möge er seine förmliche Demission durch Herrn von Fuchs aufsetzen lassen, wie er wolle. Der Kurfürst befahl, in die offen gelassene Stelle die Summe von 10,000 Rthlr. als Pension zu schreiben, „damit er als ein ehrlicher Mann, ohne sein eigenes Vermögen anzugreifen, leben könne."

Man ließ Danckelmann wissen, der Kurfürst sei ungnädig, daß die Papiere noch nicht abgeliefert seien. Danckelmann hatte begonnen, sie zu sortiren; er erbat sich zwei Beamtete des Archivs, die ihm helfen sollten; die Arbeit währte Tage lang. Statt einer Ansage zur Audienz kam am 12. December ein Schreiben des Cabinetssecretair Bergius: der gewesene Oberpräsident habe zum folgenden Tage, wenn der Kurfürst aus Charlottenburg zum Geheimenrath komme, die Stadt zu verlassen. Fuchs fügte mündlich hinzu, daß er sich nach Neustadt zu begeben habe. Am 13. December verließ Danckelmann Berlin, den Archivbeamteten die weitere Ordnung seiner Papiere überlassend.

Was immer dem Kurfürsten vorgeredet sein mag, um diese Entfernung Danckelmanns durchzusetzen, mit ihr hatten seine Gegner gewonnen Spiel. Nun hieß es: „er kenne alle Geheimnisse des Staates; welche Gefahr, daß er üblen Gebrauch davon machen werde; schon habe er seine Sachen über die Grenze, nach Stettin geschafft; er werde sich an fremde Mächte wenden, Dienste bei ihnen nehmen." Es schien dringend nothwendig, sich seiner Person zu versichern. Am 20. December, früh Morgens, kam General von Tettau nach Neustadt, ihm den Arrest anzukündigen und ihn sofort nach Spandau zu führen.

Dann erging (2. Februar) ein kurfürstlicher Befehl an alle Geheimen- und andern Räthe, „auf Eid und Pflicht Alles und Jedes, was ihnen wissend, so S. Kf. D. hohem Interesse zuwider, entweder durch den :c. Danckelmann selbst oder, durch seine Connivenz und Versehen, von Andern gethan sei, eigenhändig aufzusetzen und in des Kurfürsten eigene Hände einzuliefern." Die traurige Reihe der sechszehn Eingaben,[1]) die noch vorliegen, eröffnet die des Feldmarschalls von Barfuß; nur einer, Geh. Rath von Rhetz, erklärt, er wisse nichts zu specificiren, was den gewesenen Oberpräsidenten belaste; am feinsten und unter sanfter Hülle schneidendsten schreibt Fuchs,[2]) am leidenschaftlichsten Unverfährt, der Kanzler von Halberstadt, der auf den Sturz seines Wohlthäters eine Carriere zu gründen hoffte. Nur einer, Graf von Schmettau, machte in Mitten seiner Beschuldigungen bemerklich, in England und Holland werde Danckelmanns Entlassung vielleicht als Strafe dafür angesehen werden, daß er mehr dem allgemeinen, als dem Privatinteresse Brandenburgs gedient, und des Kurfürsten „hohe Meriten" um England und den Staat verringern. Dann noch ein Blatt mit des Kurfürsten eignen Aussagen: „Punkta, worüber der Oberpräsident zu befragen sei." Darunter: „warum der von Danckelmann bei dem englischen Tractat mein Interesse nicht besser prospicirt hat;" ein zweiter: „ob es Recht sei, daß man zwischen Eheleuten Uneinigkeit suchet anzurichten, indem er mich mit dem Salomon verglichen, der sich auch von Weibern hat bethören lassen, da er doch seiner Frau mehr nachgiebt, als ich;" weiter: „ob es recht, daß man sucht sein Privatinteresse dem des Herrn vorzuziehen, indem er gern noch länger würde zugegeben haben, daß mein Sohn nicht wohl erzogen würde, und dazu den Cramer

---

1) Das Schriftstück heißt: Extractus status, causae et gravaminum, des gewesenen Oberpräsidenten Danckelmann geführte Direction und Ministerium betreffend.

2) Fuchs, Berlin, 30. Jan. (9. Feb.) 1698: „Wiewohl ich von Natur mitleidig bin und mich über andrer Leute Unglück betrübe, so bescheide ich mich dennoch meiner Schuldigkeit" u. s. w. Ueber den Kanzler Unverfährt hat Büschings Magazin, VIII. p. 485 Lehrreiches. Danckelmann sagt von ihm 25. Feb. 1702: „La mauvaise foi de cet homme, dont je me suis plaint qu'il a usée dans mes affaires;" er erwähnt „la déloyale infidelité" gegen den Kurfürsten, die endlich an den Tag gekommen.

recommandirt;" endlich: „ob es recht, daß er alle Collegien mit seinen Brüdern und Creaturen besetzet und so viele davon in den Geheimenrath gebracht."

Aus diesem Material wurden ein und dreißig Fragen formirt und eine Commission von Ministern ernannt, die sich nach Spandau begeben und den Verhafteten befragen sollte, mit der Weisung, wenn er Abschrift derselben verlange, zu erklären, daß man dazu keine Ordre habe.[1]) Am 4. März fand das Verhör statt; Danckelmann antwortete auf die meisten Punkte mit offener Darlegung des Sachverhaltes, auf andere, daß sie zu allgemein seien, auf alle mit der größten Schonung des Kurfürsten und seines Antheils an den gefaßten Entscheidungen; auf das Bestimmteste lehnte er die Verantwortung für die Finanzverwaltung ab, die bis auf die Postcasse und Chatoulle unter der Hofstaatskasse, der Hofkammer und dem Kriegscommissariat gestanden; er sagte: „ungeachtet aller unterthänigen Erinnerungen, die deshalb geschehen seien, hätten die Ausgaben sehr zugenommen und an Kleinodien, Erkaufung von Gütern, Bauten seien nicht Tausende, sondern Tonnen Goldes angewendet, welches ohne Beschwerung der Kassen nicht geschehen können."

Wenige Tage nach dem Verhör wurde Danckelmann von Spandau nach Peitz geführt, dort wie ein „Crimineller" gehalten. Man begann einige seiner Güter, weil sie Domainenstücke seien,

---

1) Die Commissare sind der Oberkriegspräsident F.-M. v. Barfuß, der Oberhofmarschall v. Lottum, der Wirkl. Geh. Rath v. Schwerin, der Wirkl. Geh. Rath v. Schmettau. In dem Commissorium d. d. Potsdam, 21. Feb. 1698 heißt es: „Obschon die nach seiner Dimission geführte Untersuchung seiner Conduite ihn zum höchsten graviret und die Indignation, so wir seithero gegen ihn gefaßt, und den von uns resolvirten Personalarrest genugsam meritiret, so wollen wir gleichwohl, ehe wir deshalb fernere Resolution nehmen und selbige der Welt kund machen, aus Liebe zur Gerechtigkeit und in Consideration seiner langwierigen uns geleisteten Dienste ihn zuvor darüber hören."

einzuziehen; dann wurde auf sein Haus in Berlin, auf seine Capitalien, seine Kuxe in Wettin u. s. w. Beschlag gelegt, und einzelne von den Neu-Begünstigten erhielten ihren Theil von der Beute.

Von den Brüdern Danckelmanns war Sylvester Jacob, der Präsident des Kammergerichts, 1695 gestorben. Der frühere Gesandte in Wien, Nicolaus Bartholomäus, und der Kriegscommissar, Daniel Ludolph, waren Mitglieder des Geheimenrathes; Thomas Ernst Gesandter in London, Johannes Commissar in Emden; es wird nicht an dem Willen gefehlt haben, auch sie zu verderben. Nur gegen Wilhelm Heinrich, den Kanzler in Minden, fand man einen Vorwand, Untersuchung einzuleiten; aus den Acten erhellt nicht, daß er schuldig befunden worden.

Der Sturz Danckelmanns machte in und außer Landes großes Aufsehen. Gegen Dobrczenski, den Hofmarschall der Kurfürstin, der Thomas Ernst von Danckelmann abzulösen über Hannover nach London ging, sprach die Herzogin Sophie „nicht weniger ihre Verwunderung als herzliche Freude aus, daß durch des Oberpräsidenten Entfernung und Bestrafung die so höchstdienliche und erwünschte Union und Liebe zwischen dem Kurfürsten und dessen Gemahlin, ihrer Tochter, so fest und wohl bestellt werde." Und Herr von Leibniz legte, als wenige Tage darauf Ernst August, sein hoher Gönner, starb, der fürstlichen Wittwe eine Denkschrift vor, in der er entwickelte, wie man diese Conjunctur, da die Kurfürstin wieder das Vertrauen ihres Gemahls habe, benutzen müsse, um dieses Gut dauerhaft zu machen und allen vernünftigen, davon zu hoffenden Vortheil zu ernten; es sei eben so gerecht, wie natürlich, daß die Mutter ihrer Tochter mit guten Rathschlägen zur Seite stehe; beide könnten durch dieses Mittel an beiden Höfen eine Macht behaupten, die ihrer würdig sei und zum Wohl beider Häuser gereiche, indem beide ihren großen Geist und ihre außerordentlichen Talente zum Wohl beider Häuser und zur Eintracht zwischen dem Kurfürsten dort und dem jungen Herzog hier verwendeten; das müsse mit viel Vorsicht geschehen, nicht durch schriftliche Mittheilungen, es müsse eine vertraute Person bald hier, bald dort sich aufhalten; für diesen Zweck könne er Keinen, als sich vorschlagen; das Interesse für die Wissenschaften und Künste, das der Kurfürst an den Tag lege, werde dazu plausible Vorwände geben; er werde durch die Frau Kurfürstin auf den Gemahl und den heranwachsenden Kurprinzen einzuwirken Gelegenheit finden u. s. w. Schon unter Danckelmann war das große Werk der evangelischen Union in Anregung gekommen; noch von ihm war der Gedanke der Kurfürstin, eine Sternwarte, eine Academie der Wissenschaft zu gründen, mit Eifer aufgefaßt worden. Da knüpfte Leibniz an; nicht lange, und er begann seine wissenschaftliche Thätigkeit in Berlin.[1])

Sehr anders im Haag und in London. Gleich auf die erste Nachricht von Danckelmanns Verabschiedung sprach Wilhelm III. dem Kurfürsten sein Bedauern aus, daß er diesen Schritt gethan;[2]) noch lebhafter, als Dobrczenski in der ersten Audienz von den weiteren Schritten meldete, die nöthig geworden seien; die Strafe des Gefängnisses scheine ihm etwas zu hart: „wenn Danckelmann Verbrecher ist, wie ich Mühe habe zu glauben, so mache man ihm den Prozeß, und ich werde der erste sein, ihn zu verdammen;“

---

1) So nach Guhrauer, Leibniz II p. 161. Die Denkschrift ist von Feder publicirt und in Varnhagens Sophie Charlotte wieder abgedruckt. Von dem Plan, Leibniz an Pufendorfs Stelle als brandenburgischen Historiographen zu berufen, habe ich gelegentlich in einer academischen Abhandlung gesprochen (Bericht der Königl. Sächs. Gesellsch. 1864, p. 67).

2) Wilhelm III. an Friedrich III. eigenhändig d. d. Kensington, 14/24. Dec. 1697: „Je suis bien marri d'apprendre que sur la sollicitation de votre premier Président M. de Dankelmann vous luy avez accordé sa dimission, puisque je suis assuré que vous avez perdu un très-fidèle et zélé serviteur ce que j'ay tousjours recognu en luy et que je dois ce témoignage à la verité.“

und bei einer zweiten Audienz: „man lege ihm den Kopf vor die Füße, wenn er schuldig ist; aber des Kurfürsten Reputation leidet darunter, wenn er ohne Schuld als Verbrecher gestraft wird." Sehr bald hatte der Gesandte zu bemerken, und auch Andre bemerkten es, „daß der König ihn vernachlässige, daß dessen Freundschaft für den Kurfürsten erkaltet sei, daß man dafür halte, Brandenburg werde sich der gemeinen Sache nicht mehr so, wie vordem, annehmen." [1])

Man mochte am Hofe zu Berlin doch wohl erkennen, daß die Sache ärgeres Aufsehen mache, als man erwartet hatte, daß der Ruhm der Huld und Herzensgüte, mit dem man den Kurfürsten zu feiern pflegte, einen schweren Stoß erleide, wenn er gegen den Pfleger seiner Kindheit und den Berather seiner Jugend verfahre, wie etwa der Kaiser mit dem Feldmarschall Schöning, daß man wenigstens den Schein wahren müsse. Es wurde dem Gefangenen (12. April) die Abschrift der Klagepunkte nach Peitz gesandt, aber auf seine Bitte um einen Vertheidiger nicht eingegangen; er selbst verfaßte eine Vertheidigungsschrift in seinem Gefängniß.

Eine Commission, in der der Kanzler von Unverfährt die Hauptrolle spielte, erhielt den Auftrag der weiteren Untersuchung, auf die dann der Hoffiscal Möller die Anklage gründen sollte. Es verging Jahr und Tag, ohne daß der Proceß weiter kam; als im November 1700 dem Hoffiscal bei 2000 Ducaten Strafe anbefohlen wurde, in vier Wochen den Proceß zu Ende zu brin-

1) Dobrczenskis Bericht, London, 18/28. Feb. 1698. Der König sagt u. a. auf die Mittheilung der Beschuldigung gegen Danckelmann, er entschuldige seine Conduite nicht: „je luy ai souvent conseillé de se gouverner autrement envers Mad. l'Electrice et tous ceux de la cour, s'il ne voulut pas que sa chute fût inévitable, et je conviens que M. l'Electeur peut avoir raison d'en être mal satisfait et de le luy faire sentir."

gen, schrieb er in die Acten: „Heiliger Gott, gerechter Richter, Artikel kann ich machen, aber woher soll ich die Beweise nehmen? Niemand will das Herz haben, S. Kf. D. den schlechten Stand das Processes zu offenbaren, sondern der Proceß soll continuirt werden." Am 7. December 1700 überbrachte die Commission ihre Klageschrift: 290 Artikel, über die der Gefangene „zu verhören und dessen Antwort zu vernehmen sei;" von der allgemeinen Amnestie, die Friedrich III. bei seiner Krönung erließ, war Danckelmann ausgeschlossen. Dringend bat der Gefangene, wenigstens den Proceß zu beschleunigen.[1]) Am 7. Januar 1702 begann das Verhör; es währte bis über die Mitte März. Der Hoffiscal Wilhelm Durham — Möller war gestorben — meldete dem Könige: sein Eid verpflichte ihn, zu sagen, daß die gegen den gewesenen Oberpräsidenten gemachten Beschuldigungen sehr zweifelhafter Art seien, und empfehle er, nochmal untersuchen zu lassen, ob die Sache auch so beschaffen sei, daß man den Verklagten mit nothdürftigem Beweis überführen könne.[2]) Friedrich III. ließ sich die Acten vorlegen, strich einige Klagepunkte, so den über den bairischen Vertrag 1696, mit dem Bemerken: „er erinnere sich, daß er zu dieser Handlung den Befehl gegeben;" er befahl, des Weiteren zu verfahren, wie das Recht es mit sich bringe. Sechs

---

1) Dem kursächsischen Gesandten v. Reisewitz, der Auftrag hatte, sich theilnehmend nach Danckelmann und seinem Proceß zu erkundigen, antwortete der Oberhofmarschall v. Wittgenstein Lottum: „Qu'il n'en avoit point osé faire ouverture, le Roy ayant declaré publiquement, qu'il croyait tous ceux malhonnests et infames qui luy parleroient en sa faveur." Reisewitz Bericht, 8. Juli 1701. Bericht des kursächsischen Gesandschaftssecretärs Wolters, 28. Dec. 1701: „Danckelmanns Proceß soll formirt werden auf expressiven Befehl des Königs, dürfte aber wohl liegen bleiben, wie es das Interesse derjenigen Faction fordert, die das größte pouvoir hat."

2) Advocatus fisci frei eröffnetes Gewissen an S. M. d. d. Berlin 31. März 1702 und darauf das Königl. Rsc. an das Directorium der fiscalischen Sache. 4. April 1702 mit dem Schluß: „Ihr habt nur ferner, wie das Recht es mit sich bringt, in der Sache verfahren zu lassen."

Wochen drauf reichte Durham eine zweite Eingabe ein:[1]) er habe dem Befehl gemäß sich fertig gemacht, des Angeklagten Schuld zu deduciren, allein sofort so viele Klippen und Anstöße gefunden, daß er sich fast nirgends glücklich durchzukommen getraue. Er geht die ersten funfzig Punkte durch, um darzulegen, daß dieselben durchaus nicht ein Strafurtheil begründen; er führt dem Könige den alten Rechtsspruch vor: „wenn es genügte, anzuklagen, wer würde unschuldig sein?" er fordert andere Beweise, Aussagen des Geheimenraths, der Regierungscollegien, wenn der Proceß weiter geführt werden solle; „weil aber dies zu nicht geringer Verlängerung der Gefangenschaft und des unglücklichen Zustandes des von Danckelmann gereichen wird, so ist wohl zu beklagen, nachdem man anfangs wider ihn und seine Güter executiv verfahren, daß nun erst, nach etlichen Jahren, soll zusammen gesucht werden, ob und wie er könne überführt werden."

Auf Grund ärztlicher Atteste wurde dem Gefangenen gestattet, auf eine halbe Stunde weit außerhalb der Festung, natürlich von Wachen begleitet, sich Bewegung zu machen. Die Fiscale, die Commissare, die in Peitz gewesen, die Generalcommission, endlich der Geheimerath selbst, erklärten, daß die Acten keinen Anhalt zu weiterem Verfahren gäben; sie beantragten, „wenn dem Verklagten allergnädigst versprochener Maaßen Justiz darin administrirt werden solle," seine Freisprechung und Freilassung. Friedrich III. befahl, „nachdem er selbst den Bericht gelesen und zur Genüge erwogen," daß es bei der bisherigen Strafe auch ferner bleiben solle.[2])

---

1) Dieß Actenstück ist abgedruckt bei F. Förster, Urkundenbuch zur Gesch. Friedrich Wilhelms I. p. 9, mit der verkehrten Vermuthung, daß es von dem Oberprocurator Brechtel verfaßt sei.

2) Des Königs Rescript an die General-Untersuchungscommission d. d. 22. Feb. 1704: . . . „Nun ist uns am besten bekannt, durch was für eine Conduite

Nach Jahren, bei der Geburt eines ersten Enkels (1707), hat der König die Festungsstrafe Danckelmanns aufgehoben, ihm aus seinem ehemaligen Vermögen ein Gnadengehalt angewiesen, ihm in Cottbus zu leben gestattet, mit der Weisung, nie in die Nähe der königlichen Residenz zu kommen. Den geforderten Verzicht auf sein noch übriges Vermögen erklärte der ungebrochene Greis nur leisten zu können, wenn seine Unschuld anerkannt und öffentlich ausgesprochen werde. Es wurde ihm nicht gewährt.

---

und actiones gedachter v. Danckelmann in unsre Ungnade verfallen und seindt wir persuadirt, daß die Strafe, die er deshalb leidet, nicht zu hart, bevorab wir dieselbe auf gewisse Maaße moderirt haben. Es hat daher auch dabei annoch sein Bewenden, und können wir auch nicht glauben, daß er von denen in unserm Dienst erworbenen, auch sonst gehabten considerablen Mitteln so gar entblößet, daß ihm zu subsistiren ganz und gar nichts mehr übrig sei." Dies Schreiben ist contrasignirt vom Grafen Wartenberg.

König Friedrich I.

Friedrich III. ist von seinem großen Enkel der Vorwurf gemacht worden, daß er in persönlicher Abneigung gegen Frankreich und in Furcht vor dem Phantom der Universal-Monarchie Ludwigs XIV. in Kriegen, die dem Interesse Brandenburgs völlig fremd gewesen seien, seine Kräfte vergeudet habe.

Man darf zweifeln, ob der Gedanke der Politik von 1688 solchen Vorwurf verdient. In des Großen Kurfürsten Hand hätte sie zu andern Ergebnissen geführt; in der unsichern Friedrichs III. ging verloren, was sie rechtfertigte.

Nicht bloß die Demüthigungen von Ryswick zeigten, daß Brandenburg mit einem schweren Verlust an dem Kapital seiner politischen Bedeutung aus dem Kriege kam. Dieser Friede selbst und der gleich darauf folgende im Osten veränderte die Ponderation der europäischen Mächte in einer Weise, die für Brandenburg äußerst ungünstig war.

Als Friedrich III. begann, hatte Brandenburg nach dem Kaiser die bedeutendste Macht im Reich, und in Europa nach den „großen Potenzen" Frankreich, Oestreich, den Seemächten, Spanien eine der nächsten Stellen. Denn damals war Schwedens Suprematie im Norden gebrochen; die italienischen Mächte, Portugal, die Schweiz zählten kaum; Dänemarks ganze Kraft ging darin auf, sich neben Schweden zu halten; die große Republik Polen war durch Anarchie ohnmächtig, und der Moscowiter lag noch ſo gut wie ganz außer dem Kreiſe des europäiſchen Syſtems. Brandenburg, mit ſeinen Territorien über die ganze Nordhälfte Deutſchlands hingeſtreckt, zugleich in den Oſten und Weſten Europas hineinreichend, ſchien berufen, einen Einfluß auf die allgemeine Politik, wie kaum eine andere Macht zweiten Ranges, zu üben.

Jetzt war die öſtreichiſche Macht durch die Eroberung Ungarns verdoppelt, durch die tiefe Schwächung der Pforte im Rücken frei. Und der vom Wiener Hofe empfohlene Fürſt hatte die polniſche Krone gewonnen; mit Oeſtreich im Bunde gegen die Pforte kämpfend, hatte der Moscowiter am ſchwarzen Meere feſten Fuß gefaßt, die Republik Venedig Morea gewonnen. Die öſtliche Politik gravitirte auf Oeſtreich.

Frankreich hatte den erſten Schritt bergab gethan. Es hatte die Demüthigung ſeines treuſten Alliirten, des Sultans, geſchehen laſſen; und die beiden Mächte, auf deren Rivalität ſich die großen Erfolge Ludwigs XIV. gegründet hatten, Holland und England, waren nun in Einer Hand; ſein geſchworener Feind, der Oranier, war, wie man damals ſagte, König in Holland und Statthalter in England; wenigſtens die äußere Politik Englands beſtimmte er, und auf Holland konnte er ſo gut wie ſicher rechnen; mit den unerſchöpflichen Mitteln der beiden Seemächte hielt er im Weſten Europas dem erſchöpften Frankreich das Gegengewicht.

Paradox, wie immer die großen europäiſchen Wechſel auf Deutſchland wirken, ging das Reich, ſtatt ſich zu ſammeln, raſchen Schrittes in der Zerſetzung weiter. Wohl begann man den Druck der maſſigen Anſchwellung Oeſtreichs, das unverhältnißmäßige Zuwachſen undeutſcher Gebiete zum Kaiſerhauſe zu empfinden. Die Vielen und Kleinen beugten ſich nur um ſo mehr, die mächtigſten Fürſtenhäuſer fanden oder ſuchten außer dem Reich ein beſſeres Glück. Von den Kurfürſten war der eine König von

Polen geworden, und sofort stürzte er sich in die verwegensten Unternehmungen. Der von Baiern hatte die Statthalterschaft der spanischen Niederlande und für seinen Kurprinzen die Aussicht auf die spanische Succession. Und sein Bruder war Kurfürst von Cöln, Bischof von Lüttich, Coadjutor in Hildesheim; wenn die Frage jener Succession eintrat, stand das Haus Baiern in offenem Gegensatz gegen Oestreich und mit den spanischen Niederlanden, mit den Gebieten von Lüttich und Cöln in Mitten des westeuropäischen Conflicts. Das Haus Lüneburg hielt sich zu Schweden, dessen politische Bedeutung in dem Schutz des Gottorper Hauses sich neu begründet hatte; wenn die schon auf das Aeußerste gespannte Rivalität zwischen Dänemark und Schweden losbrach — und die Gottorper Händel waren wie die brennende Lunte neben der Pulvertonne —, wenn der Kampf am Sund und zu beiden Seiten der unteren Elbe entbrannte, so stand der junge, ruhmbegierige Polenkönig mit der ganzen Macht seiner blühenden Kurlande, es stand der Zaar Peter, voll Begier, wie schon das schwarze Meer, so auch die baltische Küste zu erreichen, zur Schilderhebung gegen Schweden bereit.

Die Schwerpunkte des europäischen Gleichgewichts hatten sich völlig verändert; sie lagen nicht mehr in der Linie der brandenburgischen Gebiete; im Westen war die Kraft des Hauses Baiern wie vorgeschoben, und in den nordischen Fragen stand zwischen den brandenburgischen Territorien an der Elbe der welfische Ehrgeiz, an der Weichsel die polnisch-sächsische Macht, beide schon in dem sichern Gefühl, gegen Brandenburg den Vorsprung gewonnen zu haben.

Zum Theil in diesen allgemeinen Verhältnissen liegt es, wenn demnächst Brandenburg mehr und mehr zurücktritt. Nicht, als hätte nicht eine thätige, umsichtige, ihrer selbst gewisse Politik sich Raum schaffen können; die Machtmittel Brandenburgs waren der Art, daß sie, richtig und an der richtigen Stelle verwandt, schwer genug ins Gewicht gefallen wären; und selbst, daß die schon nahen Conflicte im Norden und Westen diesen Staat nicht unmittelbar berührten, hätte er benutzen können, sich zu sammeln und zur Entscheidung einzutreten.

Der Ehrgeiz Friedrichs III. richtete sich auf Ziele anderer Art, Ziele, die, so zu sagen, seitab von den großen Entscheidungen lagen. Die Bedingungen, unter denen sie erreicht wurden, machten die militärische Kraft seines Staates fremden Interessen dienstbar und seinen Hof zum Tummelplatz fremder Einflüsse.

Wechsel der Lage.

Wenigstens das Wichtigste über die höfischen Vorgänge nach Danckelmanns Fall muß erwähnt werden; sie gewinnen für die Politik dieses Staates nur zu große Bedeutung.

Gegen Danckelmann war seit Jahr und Tag gearbeitet worden, nicht eben zum Vortheil der Staatsgeschäfte. Interessen sehr verschiedener Art hatten sich vereint, ihn zu beseitigen; die großen Familien, denen der Emporkömmling zuwider war; die Herren vom Geheimenrath, welche die collegialische Führung der Geschäfte, wenn nicht für ihr Recht, so doch für nothwendig und deutscher Art gemäß hielten; die Zurückgesetzten, die, wie Paul von Fuchs, nicht verschmerzen konnten, daß ihre „solide Meisterschaft in den Affairen" keinen Preis mehr hatte; die Militärpartei, der alte, tapfere Feldmarschall von Barfuß an ihrer Spitze, der sich zwar „für keinen Politiker hielt," aber nicht mit ansehen konnte, daß Danckelmann, so sagte er, sich immer mehr Autorität angemaßt, die des Kurfürsten gemindert habe; endlich diejenigen, die Carriere machen wollten, Kolbe von Wartenberg als Günstling und Vertrauter, Ilgen im Cabinet, Unverfährt in der Verwaltung,

Leibniz in der Leitung der geistigen und höheren Interessen, falls ihm nicht mehr daran lag, unter dieser Maske der Kurfürstin nahe zu bleiben, um im welfischen Interesse zu arbeiten. Auch gewisse theologische Einwirkungen hatten nicht gefehlt, und es ist bezeichnend, daß schon in den nächsten Monaten statt der bisher so lebhaften Polemik gegen die Jesuiten die irenischen Bestrebungen zum Ausgleich der evangelischen Bekenntnisse in den Vordergrund traten.[1])

Bald war Wartenberg den Andern voraus, wenn er auch den Schein zu meiden verstand, als kümmere er sich um mehr als seine Hofämter.[2]) Danckelmanns Amt als „Premierminister" wurde nicht wieder besetzt; der Kurfürst selbst übernahm die oberste Direction und wählte Ilgen zum Cabinets- und Staatssecretair. Die Herren im Geheimenrath kamen wieder in regelmäßige Thätigkeit, wenn auch die „publiken und Staatsaffairen" (das Auswärtige) im Wesentlichen dem Cabinet blieben.

Die schwierige Finanzlage — nach so langem Kriege erklärlich — forderte Minderung der Ausgaben. Die des Hofstaats zu beschränken, hätte zu viele Interessen verletzt und den Beifall des Herrn nicht gefunden; unter des heitern und erfindungsreichen Oberkammerherrn Leitung wurde der Hof immer glänzender, Feste folgten auf Feste, neue Lustschlösser wurden gebaut,

---

1) Der Ausgangspunkt für dies negotium irenicum, wie es Leibniz nennt (ed. Dutens, V. p. 284), ist die auf des Kurfürsten Anlaß verfaßte Schrift „Weg zum Frieden" von dem Hofprediger Jablonsky, auf Grund deren er dann mit Leibniz und dem Abt Molanus weiter verhandelte. Ich übergehe das Einzelne, das collegium charitativum, Winklers arcanum regium u. s. w. Unter den Geheimenräthen war namentlich Paul von Fuchs bei diesen Dingen betheiligt.

2) Johann Casimir Freiherr Kolbe von Wartenberg war Schloßhauptmann (16. Feb. 1691), Domprobst zu Havelberg (27. Feb. 1694), Oberstallmeister (6. Feb. 1696), Oberkammerherr (31. März 1696), Protector der Academie der Künste (8. Dec. 1697), Inspecteur der kurfürstlichen Lustschlösser (18. Dec. 1697). Er wurde demnächst Hauptmann der sämmtlichen Chatoullgüter (28. Jan. 1699).

neue Prachtgärten angelegt; und damit es nie an Geld für die Hofstaatskasse fehle, erhielt der Obermarschall zugleich die Direction der Geheimen Hofkammer, also aller Civileinkünfte des Staates.

Aber gespart mußte werden. Feldmarschall von Barfuß gab zu oder empfahl, die Armee zu reduciren. Es folgte „die große Reduction,“ [1]) die so viel böses Blut in der Armee machte; der junge Fürst Leopold von Dessau war außer sich, sein schönes Regiment von zehn auf vier Compagnien heruntergesetzt zu sehen; die Grand-Mousquetaires, die im Felde 280 Mann betragen hatten, wurden auf 60 Mann reducirt, ebenso die Gensd'armen; die Grenadiere zu Pferde wurden ganz aufgehoben.[2])

Man hatte ja nun Frieden, freilich jenen unglücklichen Ryswicker, in dem das politische System, welches Danckelmann vertreten, sich schlecht genug bewährt hatte. Natürlich, daß nach seinem Sturz eine andere Richtung eingeschlagen wurde.

Nach dem Friedensschluß war Spanheim wieder nach Paris gesandt worden. Bald zeigte sich, daß ein näheres Verständniß mit dem französischen Hofe im Werke sei. Man schlug dort Spanheim die Bildung einer dritten Parthei vor „zur Garantie des Ryswicker Friedens,“ mit dem weiteren Motive, „daß es über

---

1) Kurf. Rsc. an Debrczenski in London, 10/20. Juli 1698: „Wenn wegen starker Reduction der Armee censurirt werden sollte, als ließen wir die Hände sinken, so soll er sagen, diese hätten wir vornehmen müssen, um unseren Estat in Ordnung zu bringen, so leid es uns gethan, so viele erfahrene Soldaten abzudanken.“

2) Die von Riedel „Der brandenburgisch-preußische Staatshaushalt“ mitgetheilten Etats ergeben, daß die Ausgaben des Kriegsetats, während der letzten vier Kriegsjahre durchschnittlich 2,000,000 Rthl. in den beiden Jahren nach der Reduction 2,500,000 Rthl. blieben, daß zu nicht militärischen Zwecken (Schuldentilgung, an den Hofstaat, an Legationsgeldern u. s. w.) daraus in jenen vier Jahren durchschnittlich 150,000 Rthl., in den darauf folgenden zwei Jahren 250,000 Rthl. ausgezahlt wurden. Doch ist damit bei Weitem noch nicht erklärt, wie die Reduction der Armee um fast ⅓ nicht größere Ersparniß erzielt hat

die spanische Succession nicht zum Kriege komme." [1]) Mit Schweden, wo seit Kurzem Karl XII. den Thron bestiegen, stand man seit den mecklenburgischen Händeln in vertrauter Beziehung: „wir hoffen, daß es alsofort gern mit in die Garantie treten wird." Es gab unter den Großen Schwedens viele, die sich nach der alten Verbindung mit Frankreich, nach gemeinsamen Unternehmungen mit ihm zurücksehnten; in diese französisch-schwedische Verbindung schien Brandenburg, das im Kampf gegen sie emporgekommen war, jetzt eintreten zu wollen.

In London und im Haag war die Stimmung mehr als gleichgültig gegen Brandenburg, mißtrauischer in dem Maaße, als man den Kurfürsten rücksichtsloser behandelt hatte; aus dem Haag wurde ihm geschrieben: „auch der kleinste Schritt ist bei jetzigen Conjuncturen im Stande, hier einen großen Argwohn zu erregen." Der Wiener Hof wurde noch kälter und beleidigender, als er sich in den Friedenshandlungen gezeigt hatte: „es scheint ihm wenig daran gelegen, seine Parthei auf den Fall der spanischen Succession zu verstärken; er behandelt uns, Celle und Schweden in der mecklenburgischen Sache immer härter, ja unwürdig." Diese dauernde Ungnade des Kaisers begann am Berliner Hofe zu beunruhigen; die Einen verdammten Danckelmann um so mehr, dessen blinde Rücksichtslosigkeit Brandenburg in diese unnatürliche Spannung mit dem Reichsoberhaupt gebracht habe; Andere, schärfer evangelische glaubten dem Gerücht, daß zwischen Wien und Paris „durch Vermittelung der Pfaffen und des heiligen Stuhls" ein Vergleich geschlossen sei, der, indem er die Frage der Succession ordne, die beiden großen katholischen Mächte zur höchsten Gefahr der evangelischen Welt vereinige; Frankreich überlasse dem Kaiser den Elsaß, Burgund und die Schweiz, der

1) Kurf. Rsc. an Dobrczensky, 9/19. April 1698, mit Spanheims Berichten aus Paris über die dort eingeleiteten Verhandlungen.

Kurfürst von Baiern erhalte die spanischen Niederlande, der Herzog von Savoyen Mailand, der Pabst Neapel und Sicilien; die übrigen Lande der Succession nehme Frankreich, dem es vor Allem um Westindien zu thun sei, um dem Handel Hollands und Englands die Axt an die Wurzel zu legen.[1])

Man hatte in Berlin die Fühlung der Dinge verloren, die in der großen Politik vor sich gingen. Seit dem Frühling 1698 unterhandelte Portland in Paris im tiefsten Geheimniß über die Zukunft der spanischen Monarchie, und im October wurde von Frankreich, England und Holland der Partagetractat unterzeichnet, nach dem der Kurfürst von Baiern als der Universalerbe der Monarchie gelten sollte. Während der letzten Monate dieser Verhandlungen war gar kein brandenburgischer Gesandter am Hofe Wihelms III.; endlich, Ausgangs des Jahres, wurde Graf Christoph von Dohna nach London gesandt; und in Betreff der großen westeuropäischen Frage enthielt seine Instruction nichts als den Antrag: daß bei Gelegenheit ihrer Erledigung das Herzogthum Geldern, welches vordem zu Cleve gehört habe, an Brandenburg zurückgegeben werde, zumal da die Krone Spanien aus dem Kriege von 1674—1679 noch ungefähr drei Millionen an Brandenburg schulde. Als wenn ein solches Anmelden von Ansprüchen der Weg wäre, in einer Frage, die voraussichtlich ganz Europa unter die Waffen rufen werde, Stellung zu nehmen.

Schon war man mit ähnlichem Kleinhandel in den Bereich einer andern Verwickelung eingetreten, die nicht minder große Dimensionen anzunehmen drohte, und verließ mit dem gelegentlichen Vortheil, den man dort suchte und gewann, mehr und mehr die Richtung, in der man sich hatte bewegen wollen.

---

1) Aus der Instruction für Freiherrn von Canitz nach dem Haag, d. d. Friedrichsberg 2/12. Mai 1698.

August II. von Polen hatte bei den unermeßlichen Kosten, die ihm seine Wahl in Polen und die Beschwichtigung der ihm feindlichen Partheien unter den polnischen Großen machte, schon im Sommer 1697 dem Berliner Hofe einige sächsische Aemter zu Pfand oder Kauf angeboten. Erst nach Danckelmanns Fall kam der Handel zum Abschluß; es liegen zwei Quittungen der sächsischen Kammer vom 17. Februar 1698 vor, die eine über 40,000 Thaler, als Kaufsumme für das Amt Petersberg bei Halle, die anderere über 300,000 Thaler für die Abtretung der Erbvogtei der Abtei Quedlinburg, der Reichsvogtei und des Schulzenamtes über die Stadt Nordhausen, dreier streitiger Aemter am Harz.[1])

Der junge Polenkönig schwelgte in den kühnsten Plänen; hochbegabt, voll Schwung und Leidenschaft, unersättlich in jeder Art des Genießens, fühlte er die Lust und Kraft in sich, zu vollbringen, was kleinere Geister für abentheuerlich und unmöglich gehalten hätten. Er schien dazu angethan, den so lange dunklen Osten Europas mit dem Glanz seiner Größe zu erfüllen, während der alternde Ludwig XIV., die „Sonne des Westens," im Sinken war.

Auch der Brandenburger hatte in diesen großen Projecten eine Stelle; es galt, ihn zu locken und zu fesseln. In Johannisburg hatten beide Fürsten, von ihren vertrautesten Räthen begleitet, eine Zusammenkunft. Der König entzückte Alle durch seine Liebenswürdigkeit und seinen Glanz. Er gewann den Kurfürsten durch ein Zugeständniß bedeutsamer Art. Seit mehr als dreißig Jahren hatte Brandenburg ein Recht auf den Pfandbesitz von Elbing, den die Republik Polen unter allerlei Vorwänden zu verzögern verstanden hatte. Der König gab die Stadt hin; Brandenburg

1) Die Verträge sind ohne Ort und Datum und so auch bei Dumont VII. p. 376 abgedruckt. Die daraus folgenden Streitigkeiten, namentlich mit der Aebtissin von Quedlinburg, muß ich übergehen.

möge sich „kurzer Hand durch Surprise oder wie sonst" ihrer bemächtigen; wenn dann die Republik die Stadt mit den drauf verschriebenen 400,000 Thalern einzulösen sich weigere, mit Gewalt der Waffen Elbing in den vorigen Stand zu setzen beschließe, so werde er als König zu solchem Kriege seine Zustimmung nicht geben. Gern übernahm der Kurfürst dafür, gleich nach der Occupation 100,000 Thaler, beim Beginn des Reichstags 50,000 Thaler zu zahlen; er verpflichtete sich, wenn dem König aus dem Handel Unannehmlichkeiten erwüchsen, ihn mit gewaffneter Hand zu unterstützen.[1])

Es war ein erster Gewinn, den der König machte: er sicherte sich die Unterstützung Brandenburgs gegen die Republik, deren, wie ihm schien, lächerliche Libertät nicht schnell genug abgethan und mit der Souveränetät der Krone vertauscht werden konnte. Dann wünschte er ein Zweites. Das Herzogthum Crossen reichte von der kursächsischen Lausitz bis zur polnischen Grenze; für die militärische Verbindung zwischen Sachsen und Polen war ihm dies Gebiet von größtem Werth; er bot in Tausch die Grafschaft Mansfeld, die freilich weder von gleicher Ausdehnung, noch von Kursachsen ganz und mit voller Landeshoheit besessen wurde; diese Schwierigkeiten auszugleichen, wurde weiteren Verhandlungen vorbehalten.[2]) Sodann ein Drittes. Der König theilte im Vertrauen mit, daß er mit dem Zaaren demnächst eine Zusammenkunft haben werde, um über gewisse Pläne schlüssig zu werden, für die man auf Brandenburgs Theilnahme rechne. Wie weit der Kurfürst zum Beitritt Hoffnung gemacht, ist nicht ersichtlich; als sich

1) Verabredung zu Johannisburg, 7. Juni/28. Mai 1698. Der Vertrag ist von Fuchs geschrieben, „in Gegenwart der beiden Fürsten verlesen und von ihnen durch Handschlag bekräftigt." Er ist mit unterzeichnet von Graf Beichlingen, Kolbe von Wartenberg, Barfuß, Fuchs und Schmettau.

2) Aus der Instruction des kursächsischen Residenten in Berlin, v. Reisewitz, 7. Juli 1698 und aus dessen Bericht, 6. Sept./27. Aug. 1698 (Dresd. Arch.).

August II. mit dem Zaaren im September gesprochen, schreibt der kursächsische Agent in Berlin: „der Kurfürst ist sehr begierig, was mit dem Zaaren geschlossen." Im October kam Patkul nach Dresden, wurde dort Geheimer Kriegsrath; in Berlin — er hatte hier zuerst Zuflucht gefunden (1695) — kannte man den genialen Mann und seinen Haß gegen Schweden. Was August II. wollte, war nun klar.

Konnte man mit ihm gehen wollen? Es ist bezeichnend, daß in eben dieser Zeit die letzten Differenzen zwischen Schweden und Brandenburg, die wegen der Grenze in Pommern, abgethan, die Allianz von 1696 erneut wurde. Das Einvernehmen zwischen beiden Höfen schien herzlicher, denn je.[1])

Aber auf Elbing hatte Brandenburg ein Recht. Die nöthigen Anordnungen zur Occupation waren in aller Stille getroffen; General-Lieutenant von Brand war beauftragt, sie mit zwei Regimentern auszuführen. Die Ueberrumpelung mißlang; es mußte offne Gewalt angewandt oder doch gedroht werden (14. October); nach allerlei Bedenken her und hin ergab sich die Stadt (11. November).

Die Wuth der Polen war maßlos; sie wollten „aufsitzen und ins Brandenburgische einfallen;" sie forderten, daß der brandenburgische Gesandte vom Hofe gewiesen werde; ein wüster Schwarm brach ins Herzogthum ein, überfiel Soldau, plünderte das Städtchen; man machte brandenburgischer Seits umfassende Rüstungen;[2]) man war zum Aeußersten entschlossen.

1) Der „Hauptvertrag" wegen der Grenzregulirung ist d. d. Stockholm, 22. Dec. 1698. Die Erneuerung der Allianz, 23. Juni 1698 bei Nordberg Charles XII. I. p. 39.

2) Schreiben Wartenbergs an Dohna in London (undatirt; wohl April 1699) in Dohna Mem. p. 254: „Vous pouvez assurer qu'en cas de rupture en Pologne notre armée sera composée de 40,000 f., tout le monde nous offre des troupes contre la Pologne." Dohna hatte Englands Hülfe nach der Garantie von 1663 zu fordern.

Der Elbinger Handel schien der Anfang des Kampfes im Norden werden zu sollen, der nah und fern gefürchtet wurde; der Kaiser, Schweden, Dänemark boten ihre Vermittelung an, auch Wilhelm III., den schon neue Verwickelungen wegen der spanischen Succession mit immer schwererer Sorge erfüllten, that, was er konnte, um zu beruhigen. Es kam zu Unterhandlungen; die Republik Polen verstand sich dazu, in achtzehn Monaten die Pfandsumme zu zahlen, die Friedrich III. auf 300,000 Thaler ermäßigte; einstweilen wurden Juwelen und Kleinodien, darunter eine reiche russische Krone, an Zahlungsstatt gegeben;[1]) am 31. Januar 1700 räumten die brandenburgischen Truppen Elbing.

Schon waren schwerere Wetter im Aufgehn. Wenige Wochen nach dem Partagetractat, der zwischen die Ansprüche Frankreichs und des Kaisers Baiern schob, war der kleine Kurprinz gestorben, und nur er, nicht sein Vater, noch seine Brüder aus zweiter Ehe hatten ein Recht auf Spanien. Von Neuem stand Europa vor der furchtbaren Alternative, entweder Frankreich oder Oestreich um das Reich, in dem die Sonne nicht unterging, mächtiger werden zu sehen. König Karl II. siechte dem Tode zu; wenn er ein Testament hinterließ, dann war es gewiß für die eine oder andere Macht; wenn er starb, ehe er sich entschlossen, so war der Kampf um die Erbschaft desto gewisser. Auf das heftigste rang bereits die östreichische und französische Diplomatie in Madrid, jene für des Kaisers zweiten Sohn, den Erzherzog Karl, diese für Ludwigs XIV. jüngern Enkel, Philipp von Anjou. Die Seemächte arbeiteten an einem neuen Partagetractat, dem Frankreich geneigt schien, dem der Wiener Hof stolz den Rücken kehrte.

Nicht minder rasch und heftig entwickelte sich die Spannung im Norden. In jener Zusammenkunft im September hatte es

---

1) Vertrag d. d. Warschau, 12. Dec. 1699.

sich darum gehandelt, Schweden jetzt, da es ungerüstet und „ein junger, unreifer Mensch“ König sei, anzugreifen und einiger Provinzen zu berauben. Man eilte, sich dazu fertig zu machen. Patkuls Ansicht, daß man Liefland überfallen, Riga nehmen müsse, ohne den Krieg zu erklären und ohne den polnischen Reichstag zu fragen,[1]) fand Augusts II. Zustimmung.

Und in Dänemark waren seit der Thronbesteigung Friedrichs IV. die ältern, vorsichtigen Räthe zur Seite gestellt; es wurden solche berufen, die des jungen Herrn Verlangen nach großen Thaten theilten; vor Allen den Gottorper dachte man unter die Füße zu treten, den Schwager des jungen Schwedenkönigs, jenen kühnen und trotzigen Herzog Friedrich, der die Tönninger Schanzen wieder baute, damit die Dänen, so sagte er, wiederkommen und sie niederreißen müßten. Umsonst bemühten sich die Gesandten der vermittelnden Mächte, auch brandenburgische, in den Conferenzen von Pinneberg, diesen Haber zu schlichten; immer mehr dänische Truppen sammelten sich in den Herzogthümern. Im August ging der Herzog nach Schweden, Hülfe zu fordern, und tausend Mann Schweden rückten aus Wismar ins Gottorpische; einige Regimenter kamen aus Schweden nach Pommern und Wismar.

Der sächsische Hof galt noch dafür, ganz auf schwedischer Seite zu sein, während er bereis in aller Stille ein Schutz- und Trutzbündniß mit Dänemark und mit dem Zaaren geschlossen hatte; die Concentrirung sächsischer Truppen in Samogitien, die schnöde Behandlung der schwedischen Gesandtschaft in Moskau, das schroffe Auftreten Dänemarks gegen die Vermittelungsvorschläge der Pinneberger Conferenzen ließen nicht länger zweifeln, was im Werke sei.

Keine Frage, daß Friedrich III. nach dem jüngst geschlossenen

1) Das Gutachten von Patkul ist datirt Grodno 1. Jan. 1699. Auszüge daraus hat Förster, Die Höfe und Cabinette Europas, III. p. 83.

Vertrage verpflichtet war, Schweden, wenn es in seinen deutschen Provinzen oder in Liefland angegriffen wurde, mit 6000 Mann zu unterstützen; und die Seemächte neigten sich auf Schwedens Seite; für Schweden war Hannover und Celle, schon darum, weil Dänemark am meisten gegen die neunte Kur gearbeitet, mit Braunschweig und Wolfenbüttel, mit Münster, Gotha, Würzburg ein Bündniß geschlossen hatte, „den Respect der Reichsfürsten" mit den Waffen in der Hand gegen Jedermann zu vertheidigen, nöthigenfalls Frankreich, als Garanten des westphälischen Friedens, anzurufen. Die Vertragspflicht, die bisherigen Verbindungen, die Gefahr, durch die polnisch-sächsische Kriegsmacht an der Weichsel Ostpreußen von Pommern und den Marken völlig getrennt zu sehen, mußte Brandenburg von August II. und Friedrich IV. fern halten. Aber wenn der junge, unerfahrene Schwedenkönig dieser mächtigen Coalition, wie kein Zweifel, erlag, sollte dann nur Dänemark und Sachsen den Gewinn davon haben? Hatte die Ungunst der Zeiten dem Großen Kurfürsten das schon eroberte Pommern wieder entrissen, so schien man jetzt die Gunst der Zeiten benutzen zu müssen, um Stettin und Stralsund für immer zu gewinnen; und die spanische Succession hielt die Seemächte und Frankreich vorerst gefesselt.

Ohne feste Leitung und voll persönlicher Spannungen, wie der Berliner Hof war, wurde diese Frage sofort den Rivalisirenden, Wartenberg und Barfuß an ihrer Spitze, zum Mittel, sich der Gunst des Herrn zu bemächtigen. Die für Schweden sprachen, hatten den großen Rückhalt des hannövrischen Einflusses; das Lockendere war auf der Gegenseite. Der Kurfürst ließ sich überzeugen, daß er „völlig freie Hand" habe;[1]) in den Differenzen

1) Wartenberg an Dohna in London schon April 1699: „Vous savez que S. A. E. n'a jusqu'à présent aucun engagement et les mains libres, ce qui n'a pas été il y a longtemps dans la maison Electorale de Brandenbourg." Die weitere Deduction findet sich wiederholt in der Darlegung, die Friedrich III.

mit Dänemark sei Schweden nicht der angegriffene Theil, sondern im Begriff anzugreifen; und wenn man vertragsmäßig verpflichtet sei, Liefland gegen einen Angriff vertheidigen zu helfen, so verbiete derselbe Friede von Oliva, durch den Schweden Liefland besitze, den brandenburgischen Waffen, sich gegen Polen zu wenden, und der König von Polen sei es, der sich zum Angriff auf Liefland anschicke; von den drei Potentaten, die Schweden zu überfallen gedächten, werde vorerst nichts als Brandenburgs Neutralität gefordert; es genüge ihnen, daß die Schweden nicht durch Pommern nach Polen, durch die Kurmark nach Sachsen einbrechen könnten.

Eine Wendung, die nur den Schein hatte, ein Ausweg zu sein; sobald der Kampf entbrannte, mußten sich die Verlegenheiten für Brandenburg erneuen und verdoppeln; und daß der Kurfürst sich für diese Ansicht entschied, machte es den drei Potentaten möglich, ihn zu beginnen.

Barfuß, Fuchs, Schwerin sahen, wie Wartenberg die Fäden in die Hand bekam, ärger als je Danckelmann. Mit jedem Tage wuchs seine Gunst und mit der Gunst der Kreis seiner Bewunderer. Aber er war nur Hofmann, hatte nur Hofchargen, keine Stelle im Geheimenrath; die Geschäfte kannte er nicht. Es schien unmöglich, daß er sich trotzdem halten, daß er, in diesem Kampf gleichsam zwischen Hof und Staat, obsiegen könne.

Denn schon auch am Hofe, so gewandt und gewinnend sein Benehmen war, erwuchs ihm eine gefährliche Gegnerschaft. Nur zu viel Verdienst um seine Gunst beim Kurfürsten hatte die Frau von Wartenberg, die überall rasch, dreist, praktisch, in Verlegenheiten Rath wußte, in Zweifelsfällen zum Entschluß half, in mißlaunigen Tagen zu zerstreuen verstand. Sie fühlte, was sie galt, und ließ es fühlen; mehr noch ihre Anmaßung, ihre dreiste Ge-

über sein Verhalten in den nordischen Händeln in der Instruction für Graf Alex. Dohna, d. d. 24. Aug. 1700, hat ausführen lassen.

14*

wöhnlichkeit erbitterte die Damen des Hofes, die alten Familien. Bisher hatte die Kurfürstin sich geweigert, sie zu empfangen; die Wartenberg setzte Alles daran, es zu erzwingen; es blieb bei der Weigerung, „falls nicht der Kurfürst ausdrücklich den Empfang befehle." Mit dem Versuch, den Befehl zu erwirken, scheiterte Wartenberg.

Die Gegner meinten, sein Stern beginne zu sinken. Er kannte seines Herrn Sinn, er wußte, was er sich über Alles wünsche. Er war gewandt genug, sich ihm unentbehrlich zu machen.

Die Königskrone.

König zu sein war und blieb Friedrichs III. Sehnsucht. Sie wurde nur noch heißer, seit der junge Kurfürst von Sachsen die polnische Krone gewonnen.

Eben diese Erhebung Augusts II. gab ihm neue Hoffnung. Es kam, da man die königliche Dignität auf ein souveränes Gebiet, wie der Kurfürst in Preußen besaß, gründen zu müssen schien, vor Allem auf die Republik Polen an, der ja eventuelle Rechte auf das Herzogthum vorbehalten waren; es war möglich, zum Ziel zu kommen, wenn man den König zu gewinnen verstand.

Mehr als irgend ein anderer war der General Graf Flemming in des Königs Pläne eingeweiht.[1]) Er war brandenburgischer Vasall, Erbmarschall von Pommern, kam häufig nach Berlin. Wartenberg stand mit ihm auf vertrautem Fuß. Bereits bei der Zusammenkunft in Johannisburg (Juni 1698) hatte August II. Andeutungen fallen lassen, die auf seine Förderung zu rechnen gestatteten.

---

1) „Seine Lineamente bezeichnen mehr einen Wollüstigen als Ehrgeizigen. . . er macht keinen Plan, sondern läßt es darauf ankommen, wie Zeit und Glück und Zufälle es fügen." So von Loen in seiner meisterhaften „Abbildung des F.-M. von Flemming" (Kleine Schriften I. 195).

Aber wie die Zustimmung des Kaiserhofes gewinnen? Seit jener Ausweisung Danckelmanns im Frühling 1697 war dort kein brandenburgischer Gesandter oder Resident gewesen; man hatte wieder anzuknüpfen versucht, man hatte einen besonders gewandten jungen Mann, Christian von Bartholdi, nach Wien gesandt, mit dem Auftrag, zu versuchen, ob er sein Creditiv anbringen könne.[1]) Es war ihm gelungen; der kaiserliche Hof vernahm mit Befriedigung, daß der König endlich seine Belehnung zu empfangen wünsche. Zur Bezeugung besonderer Ergebenheit wurde einer der ersten Beamteten des kurfürstlichen Hofes, Graf Otto Magnus von Dönhoff, zur Lehnsempfängniß gesandt, die den 20. August für die kaiserlichen, am 24. September für die böhmischen Lehen mit dem üblichen Gepränge erfolgte.

Es galt für Wartenbergs Verdienst, das gute Vernehmen zwischen beiden Höfen hergestellt zu haben. Auch in Wien galt es dafür; der Freiherr von Wartenberg wurde in den Reichsgrafenstand erhoben.

Seit der Wahl von 1689 hatte der Kurfürst die kaiserliche Zusicherung, daß endlich auch ihm, wie den andern Kurfürsten, das Privilegium de non appellando, das er bisher nur für das Kurland besaß, gewährt werden sollte. Jetzt erinnerte man sich in Wien dessen, entschuldigte sich, daß nicht mit der Belehnung zugleich auch diese Sache abgethan worden, begann auf die nähere Verhandlung darüber einzugehn.[2])

---

1) Instruction für den Kammergerichtsrath Christian von Bartholdi, 11. April 1698. Er sollte die Beilegung der mecklenburgischen Sache betreiben, die Lehnsempfängniß einleiten, für die Aufnahme Hannovers ins Kurcollegium werben, den Fortgang der spanischen Succession beobachten u. s. w. Daß der Auftrag wegen der königlichen Dignität, davon die Instruction nichts erwähnt, mündlich ertheilt war, bezeugt Bartholdis Schreiben, Wien 10/20. Jan. 1700.

2) So die Meldungen Bartholdis vom 3. und 13. Feb. 1700. Es wurde schließlich, wenn nicht das priv. de plano non appellando, wie es für die Kur- und Neumark schon galt, wenigstens das clevische pr. de non app. in possessorio

Bartholdi hatte, als er nach Wien abreiste, vom Kurfürsten mündlich den Auftrag erhalten, die Frage der königlichen Dignität zu „encaminiren.“ Bartholdi sah die außerordentliche Finanznoth des kaiserlichen Hofes; selbst für eine Reise des Kaisers nach Prag, selbst für die täglichen Bedürfnisse des Hofhaltes, für die täglich 200 Ducaten, die der Kaiser zu Almosen brauchte, konnte die Kammer kaum Rath schaffen; kein Jude lieh dem Hofe mehr unter 17 Procent. Man war rathlos, wenn man an die nahe Möglichkeit eines Kriegs wegen der spanischen Succession denken mußte; man fürchtete „einen gefährlichen und unbeständigen Vergleich mit Frankreich machen zu müssen, wenn dem Kaiser nicht bald unter die Arme gegriffen werde.“ Bartholdi glaubte es an der Zeit, „wegen der königlichen Würde etwas zu wagen.“ Er sprach mit Graf Kaunitz, dem Reichsvicekanzler, der für Brandenburg wohlgesinnt war; dessen Aeußerungen waren der Art, daß es möglich schien, weiter vorzugehen.[1])

Aus diesen Tagen (25. October 1699) ist ein sonderbares Rescript des Kurfürsten: da Graf Wartenberg wegen seines täglichen Dienstes um des Kurfürsten Person in seinen Geschäften nicht Alles selbst genau examiniren könne, sondern „seinen Zugeordneten und Subalternen“ überlassen müsse, so werde er im Voraus aller Verantwortung freigesprochen und ihm „eine wohlbedächtliche und immerwährende Decharge“ ertheilt. Allen Behörden, in denen etwas von den betreffenden „Rechnungs- und Oeconomiesachen“ vorkomme, wurde dieses Rescript zur Nachachtung mitgetheilt.[2])

---

auf alle brand. Territorien ausgedehnt, zugleich quoad petitorium die appellable Summe auf 2500 Goldgulden erhöht. Die Ausfertigung des kaiserlichen Decretes darüber geschah erst 16. Dec. 1702. Die letzten Verzögerungen ergab die Forderung von 7000 Gulden Kanzleigebühren.

1) Bartholdi an den Geh. Rath v. Canitz, Wien, 28/18. Oct. 1699.

2) Abgedruckt bei F. Förster, Friedrich Wilhelm I., I. p. 29.

Nur der gewandte Oberkämmerer schien „das große Dessein“ hinausführen zu können; und er mochte sich solchen Freibrief erbeten haben, um sich demselben ganz widmen zu können. Er am besten kannte die Ränke, denen Danckelmann erlegen war; er wählte — mit großem Geschick — Diejenigen, die für ihn arbeiten mußten; ihnen schob er die Verantwortlichkeit zu. Selbst in dem großen Dessein blieb er hinter dem Vorhang.

Jetzt forderte der Kurfürst von Bartholdi, von Ilgen, von Fuchs Gutachten, „ob er die königliche Dignität zu suchen oder anzunehmen habe.“ Sie antworteten jeder nach seiner Art — Bartholdi voll Eifer und Hoffnung — Ilgen behutsam, mit starker Betonung aller Schwierigkeiten, aber so auf des Kurfürsten Art berechnet, daß er nur noch mehr gereizt werden mußte — Fuchs, mit der gewohnten Meisterschaft seines Räsonnements widerrathend, um so mehr, da sich dem Kurfürsten statt der höchst bedenklichen Schaffung eines neuen Königthums mehr als eine Aussicht biete, eine schon vorhandene Königskrone zu gewinnen; er nannte die polnische, die von England.[1]) Eine Reihe von Bemerkungen, die Friedrich III. gegen Fuchs niedergeschrieben, lassen seinen Gesichtskreis erkennen: „Weil die Sache nicht unmöglich ist, auch Niemandem dadurch geschadet, wohl aber die Ehre und der Nutzen meines Hauses sehr dadurch gefördert wird, so kann mir Niemand verdenken, daß ich mich bemühe, je eher, je lieber zum Zweck zu kommen.“ Ferner: „Weil meine Lande dergestalt belegen, daß fast alle Potentaten Europas meine Freundschaft nöthig haben, so werde ich noch dieses große Werk mit Gottes Hülfe desto eher mit ihnen durchtreiben, sonderlich, da keinem von ihnen etwas dadurch abgeht.“ Die sonstigen Möglichkeiten, zur Krone zu gelangen, erschienen ihm chimärisch: „In Polen steht mir meine

1) Das Gutachten von Fuchs ist undatirt, das von Ilgen Berlin 25. Nov., das von Bartholdi, Friedrichswerder, 26. Nov. 1699.

Religion, die ich um alle Kronen der Welt nicht verwechseln werde, im Wege; auf England kann ich mir keine Hoffnung machen, weil der Herzog von Gloster (der Princessin Anna Sohn), Savoyen, Frankreich und Hannover Erbrecht auf jene Krone haben und ich erst schwere Kriege führen müßte, dessen es auf die Weise, wie ich mit Gottes Hülfe die königliche Würde zu erlangen hoffe, nicht bedarf." Sein Gedanke war, die königliche Würde auf diejenige seiner „Provinzen," die in keinem Lehnsverhältniß mehr stand, auf sein souveränes Herzogthum Preußen zu widmen: „Wenn ich sie auf meine brandenburgischen Lande nehmen will, so bin ich kein souveräner, sondern ein Lehnkönig, und werde ich deshalb mit dem ganzen Reiche zu thun haben." Die etwa von Polen zu erwartenden Schwierigkeiten erschienen ihm gering: „Ich habe schon in der elbingschen Sache erfahren, daß, wenn ich nur einige Große der Republik gewinnen kann, dann des kleineren Adels Widerspruch schon zu überwinden ist." In seinen Beziehungen zum Reich, in seinen Verhältnissen zu den Kurfürsten und Fürsten, der Collegialversammlung u. s. w. werde er „nichts Neues prätendiren;" er hielt nöthig, daß ihn die preußischen Landstände, „wie aus eigner Bewegniß, ersuchten, die königliche Würde anzunehmen." Jetzt, wo die Frage der spanischen Succession in den Vordergrund trete, sei des Kaisers Zustimmung wohl zu gewinnen; der alte Kaiser sei ihm günstiger, als vielleicht der römische König; jetzt könne er dem Kaiser noch große Dienste leisten; wenn derselbe erst so viele neue Königreiche gewonnen, werde man in Wien nichts mehr gewähren. Er schließt: „Daß ich anders als durch Annehmung der königlichen Würde die honores regios für mich und meine Minister erhalten könnte, dazu sehe ich schlechte Apparenz; denn so lange ich nichts als Kurfürst bin, opponirt man mir allemal; die Consequenz mit den andern Kurfürsten und, was dieselben repliziren, muß ich auch über mich ergehen lassen. Da auch Kurfürst Friedrich I. meinem Hause die Kurwürde gebracht, so wollte ich gern die königliche Würde als Friedrich III. hereinbringen, und es heißt omne trinum perfectum; deshalb ich will, daß meine treuen Diener und Räthe dahin arbeiten sollen."

In den letzten Decembertagen reiste Bartholdi wieder nach Wien. Er schreibt dem Kurfürsten: noch in den letzten Stunden vor seiner Abreise habe er hören müssen, daß man ihn als den Anstifter dieses Projects, das in ein Labyrinth von Gefahren verwickele, verantwortlich mache; zwei Jahre lang habe er S. Kf. D. Befehl gehabt und nichts übereilt, S. Kf. D. könne noch jetzt die Sache aufgeben ohne irgend eine Unannehmlichkeit.[1]) Nur um so mehr mußte die Sache im engsten Kreise der Vertrauten bleiben; nur Graf Wartenberg und Ilgen in Berlin, Bartholdi in Wien waren im Geheimniß. Je mehr es sich verhüllte, wuchs die Unruhe, die Eifersucht, das Flüstern und Horchen Derer, die nur wußten, daß Wichtiges vorging.

Seit dem Tage von Johannisburg hatten Augusts II. Pläne ihre Richtung verändert, sie waren unermeßlich größer geworden. Ihm und seinen nordischen Alliirten mußte Alles daran liegen, Brandenburgs gewiß zu sein, wenn sie sich auf Schweden stürzten. Der Polenkönig übernahm es, den Berliner Hof zu gewinnen. Es wird nicht ohne sein Vorwissen geschehen sein, daß sein Beichtvater, der Jesuit Vota, der am hannövrischen und Berliner Hofe wohl bekannt war, eine Denkschrift an Friedrich III. richtete, in der er ihm in beredter und stachelnder Argumentation die Angemessenheit, die Ausführbarkeit der Königskrönung wie von sich aus darlegte;

---

1) Bartholdis Schreiben aus Wien, 10/20. Jan. 1700: „des projets qui l'envelopperoient dans un labyrinthe inévitable . . . on me charge presque déjà de l'imputation, comme si j'avais animé V. S. E. à entreprendre l'affaire" u. s. w. Auch Bartholdi erhielt völlige Indemnität zugesichert. Instruction vom 11/21. Dec. 1699 von Ilgens Hand, wie alle Schriftstücke des Cabinets in dieser Sache.

der Weg dazu sei entweder die Acclamation seiner Völker oder die Ernennung durch den Kaiser oder, und das sei der beste Weg, die Erhebung durch den Pabst, die zu erreichen sei auf Grund jener Union der Bekenntnisse, zu der die Entwürfe schon so weit gediehen seien.[1])

Als August II. aus Polen zurückkam, ging Wartenberg nach Dresden, ihn Namens des Kurfürsten zu begrüßen; eine Zusammenkunft beider Fürsten in Oranienbaum wurde verabredet. Dort versprach August II. nicht bloß seine und seiner Alliirten Zustimmung zur königlichen Dignität; er sei bereit zu deren „besseren Unterhaltung“ auch zur Acquisition des schwedischen Pommerns behülflich zu sein. Er empfing dafür die Zusage, daß der Kurfürst 8000 Mann bereit halten werde, den Schweden den Durchmarsch nach Polen oder Sachsen zu wehren.[2]) Wenige Wochen drauf lief ein Schreiben des Königs von Dänemark (vom 13. Februar)

---

1) Je ne prétend pas que l'on dise de V. S. E. ce qu'on a dit de Henri IV. que pour une couronne on pourroit bien aller à la messe. V. S. E. est trop généreuse et sa pieté est trop sincère pour donner la religion à des interests temporels; je dis seulement que sans choquer sa conscience, qui est très tendre en fait de religion, on pourroit trouver quelque tempérament recevable de deux partis pour réunir l'église sous un seul et véritable pasteur" u. s. w. Das Memoire ist ohne Votas Unterschrift, aber von seiner Hand geschrieben. Es ist nach dem April 1699 geschrieben, es erwähnt, daß Lothringen „tout fraichement" den Titel altesse Royale erhalten habe. Ein Schreiben Votas vom 28. Oct. 1699, in dem er die Vorgänge seines Lebens schildert, ersucht den Kurfürsten, sich in Wien und anderer Orten dafür zu verwenden, daß er Cardinal werde. Vielleicht ist das Memoire aus derselben Zeit.

2) Zusammenkunft in Oranienbaum, 19/9. Jan. 1700. August II. sendet d. d. Leipzig, 16/26. Jan. 1700 seine Declaration über die königl. Würde, er wiederholt sein Versprechen wegen des schwedischen Pommerns „worüber wir miteinander Unterredung gepflogen." Dann kommt G.-F. Jac. Heinrich von Flemming nach Berlin (Vollmacht d. d. Leipzig, 10/26. Jan. 1700). Vom 23. Jan./2. Feb. ist der Vertrag, der, durch die bloße Unterschrift des Königs und des Kurfürsten beglaubigt, ausgewechselt wird; Art. 5.: „J. Kf. D. behalten ihren vollkommen freien Willen, ob und zu welcher Zeit sie den Alliirten in diesem ihren Dessein näher accediren wollen" u. s. w.

ein: „auch er wolle, wie der König von Polen, alles, was in seinem Vermögen stehe, zu des Kurfürsten Vergnügen beitragen und eine unauflösliche Freundschaft mit ihm schließen." Er sandte Graf Reventlou nach Berlin, den Vertrag zu verabreden.[1])

Die nordischen Alliirten hatten zu gleicher Zeit angreifen wollen. Auf Patkuls Rath wurde schon im Februar ein Handstreich gegen Riga versucht; mit besserem Erfolg warf sich General Flemming mit den sächsischen Truppen auf Dünamünde; Mitte März war der Krieg in Liefland in vollem Gang. Mit dem Manifest vom 11. März begannen auch die Dänen den Angriff auf die gottorpischen Festen, nahmen Schleswig, Husum, begannen die Belagerung von Tönningen, wohin die Schweden sich zurückgezogen. „Aus getreuem Herzen," schreibt der Dänenkönig an den Kurfürsten, stelle er ihm anheim, ob er nicht „die favorable Gelegenheit" benutzen wolle, sich Stettins, wo nur 1200 Mann lägen und damit des ganzen Pommerlandes zu bemächtigen; auch der Zaar stehe bereits bei Nowgorod, gegen den gemeinsamen Feind zu agiren.

Aber Tönningen hielt sich, bekam Verstärkung aus dem Bremischen. Celle und Hannover sandten auf Schwedens Anrufen Truppen nach Holstein, verlegten den anrückenden sächsischen Truppen den Weg; eine englisch-holländische Flotte segelte nach dem Sund; Karl XII. selbst landete in Seeland. Mit dem Juni war der Dänenkönig in die Defensive gedrängt, bald in sehr ernster Gefahr. Der Kurfürst ließ 6000 Mann die Elbe hinab bis Lenzen vorgehn, „nicht um den Dänen zu helfen, sondern damit

---

1) König Friedrich IV. an den Kurfürsten, 24 April 1700 pr. 1. Mai. Die Antwort 4. Mai lehnt es ab, da der Tractat mit Dänemark noch nicht in der nöthigen Form vorliege und mit dem Zaaren noch gar kein Engagement gemacht sei. (Der mit Reventlou verhandelte und am 6. April gezeichnete Vertrag war noch nicht ratificirt.)

ihnen möglich werde, sich mit leidlichen Bedingungen aus der Sache zu ziehn." Er ließ zugleich, um jeden Verdacht zu beseitigen, in Stockholm den Wunsch andeuten, seinen Kurprinzen mit Karls XII. jüngerer Schwester zu verloben. Und den Seemächten empfahl er sich, indem er sich mit ihnen um den Frieden im Norden bemühte. Unter ihrer gemeinsamen Vermittelung wurde der Friede von Travendahl (12. August) geschlossen.

Karls XII. ganzer Zorn war auf August II. gerichtet, der ihn gröblich hintergangen, in unerhörter Weise überfallen hatte. Bei Stettin lagen 20,000 Mann Schweden. Man war in Dresden höchst besorgt: „sie werden durch die Neumark gehn," hieß es; die Brandenburger hätten ihnen den Weg verlegen können, aber war darauf zu rechnen? In jener Declaration vom 26. Januar hatte August II. versprochen, die Zustimmung der Republik zur neuen Krone zu schaffen; es zeigte sich, daß er seinem Versprechen „den Effect nicht werde geben können, man habe sich denn zuvor in allerlei schwere Bedingungen gegen die Republik eingelassen." Und mehr: man erfuhr Augusts II. Plan, Elbing stark zu befestigen, zwischen Preußen und Brandenburg seine militärische Macht zu concentriren;[1]) man hatte allen Grund, ihm nicht weiter zu trauen, als man ihn in der Hand hatte. Jetzt freilich begann er ins Gedränge zu kommen; er sandte eine neue Declaration (11. Juni), vollzogen unter dem polnischen Majestätssiegel; Pater Vota mußte Briefe voll Zuversicht und Schmeichelei nach Berlin schreiben, den Erzbischof Primas seine Maitresse, den einflußreichen Kronschatzmeister Prebendau seine Frau, Flemmings Tochter, bearbeiten, um die Republik nachgiebiger zu machen.

---

1) Man wußte es aus dem Bericht Bartholdis aus Wien, 24. Jan./3. Feb. 1700, der nach den Angaben des Gen. Styrum so meldet, mit dessen Bemerkung: „tous les princes qui s'embarqueront avec le Roy de Pologne courreront grand risque de se perdre avec Luy."

Die Hauptsache sei, meinte man am Warschauer Hofe, daß in Berlin die Räthe, die dem Oberkammerherrn noch immer im Wege ständen, außer Credit gesetzt würden.[1])

Wie täuschte man sich. Nicht die Republik zu schützen, noch gar Liefland erobern zu helfen, war Wartenbergs Meinung. Je größer in Polen die Bedrängniß wurde, desto weniger war von der Republik Widerspruch gegen die Königskrone zu fürchten. Diese galt es zu erringen; sie war das entscheidende Gewicht, das der Graf gegen seine Rivalen in die Waagschale werfen mußte.

Aber mit jedem Schritt weiter schienen die Schwierigkeiten größer zu werden. Die Andeutungen, die man in London hatte machen lassen, waren nicht eben freundlich aufgenommen; er werde sich den andern Mächten conformiren, hatte Wilhelm III. gesagt, aber er wünsche, daß der Kurfürst, wenn er wegen der königlichen Dignität noch nicht völlig resolvirt sei, sie aufgebe, besonders jetzt, da man ihn schon in Verdacht habe, er sei mit Polen und Dänemark im geheimen Einverständniß; schon lange sei das Gerücht, er werde bei der Theilung das königliche Preußen bekommen und dann auf das gesammte Preußen die Krone gründen. Natürlich sprach man im Haag noch härter; man fand es unbegreiflich, daß Brandenburg sich nicht, wie die beiden Seemächte so hochherzig gethan, auf die Seite Schwedens, sondern Derer, die es meuchlings überfallen, stellen wolle. Man sah mit

---

1) Hermsdorf (wohl an Ilgen) Warschau, 4. Mai: „S. M. estime Colbe à cause de sa fidelité, mais Barfuss, Schmettau, Fuchs luy sont autant suspects qu'il sont à S. S. E. même, Flemming se défie aussi de ces trois personnes.“ Und Retsewitz berichtet aus Berlin, 6. Juni: „Das hiesige Ministerium ist in allen negotiis höchst discrepant und hat sich seit meines Abwesens völlig umgekehrt; der Oberkammerherr und der Feldmarschall contrecarriren einander ouvertement und melirt sich der erstere mehr als jemalen durch Assistenz von Ilgen in die Affairen, hat auch einig das Secret von Polen.“

Unruhe, wie jetzt, wo die Seemächte ihr Aeußerstes thaten, den kaiserlichen Hof zur Annahme des neuen Partagetractats zu bringen, Brandenburg sich von ihnen hinweg und der östreichischen Politik zuwandte, Brandenburg, auf dessen Mittel sie ein für alle Mal rechnen zu können meinten.

Eben dieser Partagetractat — er war am 3. und 25. März von Frankreich, England und den Staaten unterzeichnet worden — hatte eine Spannung zwischen den Seemächten und dem Kaiserhofe hervorgebracht, die in dem Maaße wuchs, als jene die Annahme in Wien dringender forderten, der Kaiserhof sie entschiedener weigerte, sehr zur Genugthuung Frankreichs.

Begreiflich, daß das brandenburgische Project um so mehr ins Bedrängniß kam. Es war darauf berechnet, daß man sich zwischen den vielerlei Spannungen und Conflicten zu dem ersehnten Ziele hindurchschlängelte, daß man sich gleichsam auf der todten Linie zwischen entgegengesetzten Strömungen weiter lavirte. Schon mußte man inne werden, daß in Wien nichts zu erreichen sei, wenn man sich nicht entschloß, offen des Kaisers Parthei zu nehmen.

Die Verhandlungen Bartholdis hatten einen wunderlichen Verlauf genommen. Gleich nach seiner Ankunft hatte er mit Kaunitz berathen, wie man die Sache am besten einleiten, welche Form zur Schaffung der Königswürde anwenden könne. Kaunitz hatte die Meinung, man müsse dem Kaiser die Wahl lassen zwischen Ernennung durch ein kaiserliches Diplom oder Anerkennung der vom Kurfürsten angenommenen Krone; Bartholdi trat dem nicht entgegen, ihm lag mehr daran, die Sache nur erst einzuleiten. Sie waren übereingekommen, dem Kurfürsten vorzuschlagen, daß er seinen Wunsch unmittelbar durch Bartholdi an den Kaiser bringen lasse. Sie waren beide sehr erstaunt, in der Antwort des Kurfürsten (17/27. Februar) zu lesen: „weil Graf Kaunitz gerathen, die Sache durch den Pater Wolf an den Kaiser zu bringen, so lasse er es sich gefallen und habe einen eigenhändigen Brief an denselben geschrieben." Allerdings war der Jesuit Pater Wolf, Baron von Lüdinghausen, im höchsten Vertrauen des Kaisers und, ohne sein Beichtvater zu sein, in allen wichtigen Sachen sein Berather; er war 1686 in Berlin gewesen und hatte, was Bartholdi und Kaunitz nicht wußten, in der Reversgeschichte eine Rolle gespielt; er war am kaiserlichen Hofe dafür bekannt, unbestechlich zu sein, aber eben so bekannt dafür, in seinen Aeußerungen wenig behutsam zu sein; in einer Sache, die so viele Rücksicht und Verschwiegenheit erforderte, hatte man seine Parrhesie zu fürchten. Aber des Kurfürsten Befehl lautete zu bestimmt, als daß man es nicht mit dem Pater hätte versuchen müssen. Man übergab ihm das kurfürstliche Handschreiben; man war hocherfreut, daß er sofort bereit war, sich dem Auftrage zu unterziehen. Bereits am 3. März konnte Bartholdi melden, daß Pater Wolf seinen Vortrag beim Kaiser gemacht und eine nach des Kaisers behutsamer Art günstige Antwort erhalten habe.[1])

Wunderlicher Zufall! Man hatte in Berlin, wie man sich auf Bartholdis Erinnerung überzeugen mußte, beim Dechiffriren seines Schreibens die Chiffre seines Namens mit der nächstfolgenden, die den Pater Wolf bedeutete, verwechselt.[2]) Man hätte die Sache nicht in bessere Hände legen können.

---

1) „Der Kaiser hat die Proposition mit großer Geduld angehört und wenigstens keinen Widerwillen blicken lassen, wiewohl er nur eine dilatorische Antwort und zwar dahin gehend gegeben: „es mache eine andere faciem in Europa und er müsse das Werk so überlegen, daß er und S. Kf. D. nicht mehr Schaden und Mühe daran hätten; er gönne E. Kf. D., so ihm allezeit zugethan gewesen, Alles Gute und wolle es bei allen Gelegenheiten erweisen."

2) Bartholdi, 24. Jan./3. Feb.: „Que le meilleur seroit, si V. S. E. faisoit insinuer par 160 immédiatement à 110 que l'ambition digne d'un Prince" u. s. w. Die Chiffre 160 bedeutet Bartholdi, 161 Pater Wolf.

Größere Sorge machte es, daß der Kurfürst sehr bestimmt „die kaiserliche Creation" verwarf; er mochte Recht haben, zu sagen: das werde dem kaiserlichen Hof das Mittel geben, die Sache ins Endlose zu verschieben; es werde den übrigen Höfen Europas solche Creation als ein Zeichen von Dependenz erscheinen, „die wir," so war der Ausdruck, „bei dieser Sache ganz vermeiden wollen." Kaunitz machte bemerklich, daß die Sache für ihn desto schwieriger werde, daß er viel dabei riskire; er gab zu verstehen, daß Graf Königseck von Hannover 100,000 Thaler erhalten habe; der Kurfürst wies für ihn 100,000 Thaler an.

Der Kaiser ernannte Kaunitz und den Oberhofmeister, Graf Harrach, mit Bartholdi zu verhandeln. Es ließ sich so an, als wenn die Sache sehr langsam vorrücken werde. Da kam die Nachricht von jenem zweiten Partagetractat vom 25. März, gleich darauf die Aufforderung der drei Unterzeichner desselben, daß der Kaiser beitreten möge, und daß man drei Monate seine Erklärung erwarten werde; es wurde bekannt, daß zugleich festgestellt sei, wie weiter verfahren werden solle, wenn der Beitritt nicht erfolge.

Man war in Wien im höchsten Maaße erregt, sowohl über den Inhalt des Vertrages, wie über die Form, mit der er angeboten wurde. Wie hätte man geschehen lassen sollen, daß von der herrlichen Erbschaft, die man ganz fordern konnte, alle italischen Besitzungen losgerissen wurden? wie gar, daß Lothringen an Frankreich falle und der Herzog dafür mit Mailand entschädigt werde, während die dem Haus Oestreich überlassenenen Stücke der Erbschaft nicht der Macht des Kaisers, sondern seinem Sohn, dem Erzherzog Karl, zufallen sollten? Es schien würdiger, eher Alles zu wagen, als sich einem Abkommen zu fügen, mit dem die Seemächte ihren Frieden auf Kosten des Hauses Oestreich sichern zu können meinten. Freilich mußte man es dann auf einen neuen

Krieg wagen; und ihn aus eigenen Mitteln zu führen war Oestreich außer Stande, selbst wenn man darauf rechnen konnte, daß die Türken nach den Verlusten des letzten schweren Krieges sich nicht regen würden; die Finanzen waren auf unerhörte Weise zerrüttet. Oestreich war isolirter, denn je; am wenigsten auf das Reich konnte es rechnen. Der Ryswicker Frieden hatte mit jener unheilvollen Clausel die Evangelischen tief verletzt; die Conversion Kursachsens, die kirchliche Verfolgung, welche der Kaiser in den Erblanden und in Ungarn, welche Kurpfalz und andere Katholische in ihren Territorien trotz aller Reichsgesetze betrieben, erfüllten das protestantische Deutschland mit Aufregung und Erbitterung. Die Opposition der Fürsten wegen der neunten Kur war im Wachsen und wurde von Frankreich aus genährt; mit französischem Geld warben Gotha, Münster, die Herren in Wolfenbüttel; Kursachsen war völlig von seinen nordischen Projecten in Anspruch genommen; Kurbaiern stand in schroffster Opposition gegen Oestreich, und Kurcöln folgte dem Bruder; dem tiefen Zwiespalt im Kurcollegium gab die Frage wegen der Admission Böhmens Ausdruck und Nahrung.

Man war in Wien nicht gewohnt, vor solchen Schwierigkeiten zurückzuweichen; man rechnete auf das Glück Oestreichs. Daß Karl XII. die Dänen niederwarf, traf zugleich die Opposition der correspondirenden Fürsten; die stattliche Macht von Hannover und Celle war mit der neunten Kurwürde gewonnen, es war Georg Ludwig sofort als Kurfürst belehnt, und wie sollte er ohne des Kaisers Einfluß auf das Kurcollegium die „Einführung" gewinnen? Nun kam auch Brandenburg mit seinem Anliegen; die kaiserliche Politik und die Jesuiten rechneten sehr richtig, wenn sie es förderten; je lebhafter Friedrichs III. Begier nach der Krone war, desto höhern Preis konnte man fordern. Mit den Armeen der beiden norddeutschen Fürsten verstärkt, durfte man den Krieg wenigstens anfangen; war einmal die Lawine im Rollen, so riß sie die Mindermächtigen mit.

Mit Ungeduld warteten die Seemächte auf des Kaisers Beitritt zum Partagetractat, der Kurfürst auf die Anerkennung der Königskrone. Jene machten kein Geheimniß daraus, daß sie, wenn der Tractat nicht angenommen werde, des Erzherzogs Karl Ueberfahrt nach Spanien zu hindern wissen würden. Von Berlin aus wurde das Gerücht verbreitet, daß Alles zur Abreise nach Königsberg bereit sei, daß Friedrich III. sich dort krönen werde, ohne auf die Erklärung aus Wien zu warten.

Wenigstens einen Schritt weiter glaubte der Wiener Hof thun zu müssen. Am 7. Juli schrieb Pater Wolf dem Kurfürsten, er habe keinen Zweifel mehr, ihn demnächst als königliche Majestät begrüßen zu können; er habe kein Verdienst bei der Sache, er sei „weder Statist, noch Politiker; der Kaiser allein sei es, dem aller Dank gebühre."[1]) Am Ende des Monats war der Entschluß des Kaisers fertig.[2]) Es begannen die Verhandlungen über die Zugeständnisse, die Brandenburg dafür gewähren müsse. Sowie man sah, daß der Kurfürst ungefähr Alles, was man wünschen mochte, bewilligen werde, ließ der Kaiser dem Gesandten Frank-

---

1) Er braucht den Ausdruck, „der Kaiser hat einen ungemeinen Eifer, E. Kf. D. eine solide Consolation zu geben, und dieses zwar wegen der niemals fallirenden Erfahrniß Dero unverwandter Treue und Liebe zu Allerhöchst Ihrer Person, welche ich noch in den jungen Jahren Ihrer damals kurprinzlichen Durchlaucht, wo sich Dieselben, Dero Vater in Vertraulichkeit mit J. Kais. M. zu erhalten, in der Schwiebusser Materie also frei und devot gegen Kais. M. bezeuget haben, ein augenscheinlicher Zeug selbst war, indem ich damals die Sache zu incaminiren von beiden anhero geschickt war."

2) Bartholdi an Wartenberg, 27. Juli 1700, pr. Schönhausen, 31. Juli: „Dieu soit loué de ce que la résolution principale dans la grande affaire a été prise d'une manière qui est également glorieuse et advantageuse à notre auguste maitre. On ne peut pas dire que S. M. J. ait negligé sa devise „consilio et industria" et si sa lenteur est insupportable, on se peut promettre de ce prince beaucoup de fermeté."

reichs seine Antwort sagen: „es scheine ihm nicht schicklich, sich auf Engagements über die Erbschaft eines theuren Verwandten, der noch von jungen Jahren und bei guter Gesundheit sei, einzulassen;“ und den Seemächten: „er ersuche sie, sich nicht mit der Ernennung eines Erben der spanischen Monarchie zu bemühen.“ 1)

Dadurch war das große Project Wilhelms III. in seinem Fundament bedroht. Nur mit Mühe hatte er Frankreich so weit gebracht; er durfte voraussetzen, daß sich Ludwig XIV. nun auch nicht mehr gebunden erachten werde. Freilich um die Stimme der Nächstbetheiligten, des spanischen Hofes und der unter der Krone vereinten Länder und Völker, hatte er sich nicht gekümmert; er hatte nur das europäische Interesse und auch dies nur nach holländischen und englischen Gesichtspunkten ins Auge gefaßt. Er sah Holland neuen Kriegen, neuen Anstrengungen zur Vertheidigung seiner Landgrenzen auf das Aeußerste abgeneigt, im höchsten Maaße des ungestörten Fortgangs der Commerzien bedürftig; seine Stellung in England war tief erschüttert, sie war nur noch haltbar, wenn Frankreich die Jacobiten nicht zu unterstützen, mit ihm gemeinsames Interesse zu haben fortfuhr. Wie, wenn nun Ludwig den Handschuh aufnahm, den der kaiserliche Hof ihm hinwarf?

Und als seien der Wirren, der brennenden Fragen noch nicht genug, jetzt am 10. August starb das letzte von den zahlreichen Kindern, welche die Prinzessin Anna von England geboren hatte, der zwölfjährige Herzog von Glocester. Daß sie nach Wilhelm III. — er fühlte, daß seine Tage gezählt seien — den Thron von England besteigen werde, war unzweifelhaft; aber wie dann

---

1) „De se dispenser de nommer un héritier.“ Mündliche Erklärung am 18. Aug. 1700, bei Lamberty, I. p. 113.

15*

weiter? Sie war nichts weniger als von seiner politischen und religiösen Ansicht; sie hatte ihrem Vater, dem vertriebenen Jacob II., und ihrem Bruder, der immer noch Prinz von Wales genannt wurde, eine treue Anhänglichkeit bewahrt; und Frankreich hatte im Ryswicker Frieden Wilhelm III., aber nicht die protestantische Succession in England anerkannt; nach dem Prinzen von Wales hätte Savoyen, hätte Frankreich selbst stuartische Erbrechte geltend machen können; erst nach diesen war Jacobs I. protestantische Enkelin, die Kurfürstin Sophie von Hannover, erbberechtigt.

Und mehr noch: wenn Wilhelm III. starb, war die große oranische Erbschaft, es waren die hohen Dignitäten der Republik der Niederlande eröffnet. Er hatte seit 1695 sein Testament bei dem Hof von Holland niedergelegt; wenige außer ihm mochten wissen, was es enthalte; er hatte es nicht so gefaßt, wie Friedrich III. nach so bündigen Erklärungen und nach seinem Recht hoffte und erwarten durfte; konnte er glauben, daß das Haus Brandenburg sich der Enterbung ruhig fügen werde? Und wenn die Hochmögenden im Stande waren, für die innerhalb der Staaten liegenden oranischen Besitzungen gewaltsame Schritte zu hindern, die Grafschaften Mörs und Lingen lagen im Reich, es lagen in den spanischen Niederlanden, in der Franche Comté, in Südfrankreich oranische Güter in Menge; genug, um in der Frage der spanischen Succession, die schon so verwickelt war, zum Marchandiren her und hin verwandt, das Gewirr noch zu mehren.

Was immer Wilhelm III. bestimmt haben mag, in jenem Testament so zu verfügen, er hatte angemessen gefunden, den Kurfürsten in dem Vertrauen auf seine Zusage zu lassen, das an dessen Hingebung für ihn und seine Politik so großen Antheil hatte; er fuhr fort, ihm mit dem oft recht herben Ton eines älteren Freundes seine Meinung zu sagen, Vertrauen zu fordern, ohne es zu erwiedern, Rathschläge zu ertheilen, ohne seinerseits deren zu wünschen.

Schon mit Danckelmanns Entlassung war er unzufrieden gewesen; mit dem Verhalten Brandenburgs bei dem aufgehenden Hader im Norden war er es noch mehr. Die wachsende Vertraulichkeit mit dem Wiener Hofe beunruhigte ihn; sichtlich wurde der kaiserliche Hof nur um so hartnäckiger gegen die wohlgemeinten Friedensprojecte der Seemächte.

Und nun rückte gar jenes brandenburgische Corps nach Lenzen vor; also zur Unterstützung Dänemarks, das sich der vereinten Macht Schwedens, der Seemächte, des Hauses Lüneburg zu beugen im Begriff stand; also Brandenburg wagte an jenem abscheulichen Complott Theil zu nehmen, das den Frieden der baltischen Welt, den baltischen Handel auf so unerhörte Weise verstört hatte.

Schon sprach alle Welt von der Königskrone Brandenburgs und den Zugeständnissen, die gemacht seien, des Kaisers Zustimmung zu erhalten. Der angeblich schon geschlossene Tractat wurde in den Zeitungen mitgetheilt; es hieß da unter andern: der Kurfürst stelle dem Kaiser 8000 Mann zur Eroberung Mailands; er verpflichte sich, in Berlin den Bau einer römischen Kapelle und vier Jesuiten Aufenthalt zu gestatten. Mit dem Hochmuth und der Leichtfertigkeit, welche der öffentlichen Meinung in Holland eigenthümlich war, wurde dies Schriftstück benutzt, um der alten Mißgunst gegen Brandenburg eine neue Maske, den Umtrieben Derer, die die oranischen Erbrechte des Kurfürsten verwünschten, einen neuen Impuls zu geben.[1])

Lord Portland, so meldete Tettau aus London, sei nach dem Haag gesandt, dahin zu arbeiten, daß der junge Fürst von Nassau,

1) „Il n'est pas croyable le bruit que fait un mémoire qui court . . . ou entre autres l'on dit que V. S. E. a promis l'établissement d'une église et de quelques Papistes dans Berlin, ce qui aliène plus l'esprit de tout le peuple que si V. S. E. donnait une province." Graf Alex. Dohna Bericht Cleve, 17. Sept. 1700. Die Hauptpunkte des Mem. stehn im Th. Eur. XVI. 102.

Friesland an des Königs Stelle zur General-Statthalterschaft gelange; der König werde demnächst dort eintreffen. Und Bondeli schrieb aus dem Haag: er könne nicht mehr zweifeln, daß des Königs Absicht sei, die Succession zu ordnen, wenn es nicht schon geschehn sei; die Parthei de Witts und Oldenbarneveldts sei noch nicht erloschen und hoffe auf eine neue statthalterlose Zeit; aber es gebe auch solche, die Brandenburg wünschten; er sehe kein besseres Mittel, „die Intrigue der Favoriten" zu brechen, als die möglichst enge Verbindung mit dem Hause Lüneburg, die Wilhelm III. dringend wünsche, und eine Reise des Kurprinzen nach Holland. [1])

Friedrich III. mußte von dieser höchst unerwarteten Gefährdung seiner oranischen Ansprüche äußerst überrascht sein. Graf Christoph von Dohna, der bei seiner Gesandtschaft nach London im vorigen Jahre vom Könige mit so großer Herzlichkeit und Offenheit behandelt zu sein glaubte, hatte nichts Derartiges in Erfahrung gebracht. Aber zu zweifeln war nicht mehr möglich; wie wenn über die königliche Dignität diese große Erbschaft verloren ging?

Wartenberg wußte, wie viele Garne und Netze ihm gestellt seien; aus Wien hatte Bartholdi ihm gemeldet, daß Fuchs durch den Geheimenrath Blaspeil in Cleve mit Herrn van Hop in Beziehung stehe, daß Blaspeil diesem, als er auf seinen Gesandtschaftsposten nach Wien zurückkehrte, die Briefe von Fuchs vorgelegt habe. Bartholdi hatte es von dem englischen Gesandten

1) Kurf. Rsc. an Bondeli im Haag, Oranienburg, 20. Juli 1700. Bondelis Bericht, 10. August: „Le Roy veut être honoré et caressé et quand même le Roy auroit actuellement disposé de la succession, comme l'on le croit pour sur, cela seroit capable de le faire changer de volonté et de sentiment." Die „Favoriten" sind Bentink (Lord Portland), van Keppel (Lord Albemarle), van Ginckel (Duke of Athlone), Zuylesteyn u. s. w. „the Dutch favourites," gegen die der Ruf no Dutchmen in England immer lauter wurde.

in Wien erfahren, hatte selbst einzelne Aeußerungen aus seinen Berichten nach Berlin von demselben wiedergehört. Man sah, wie weit die Intrigue schon sei. Von Fuchs, seinem Schwiegersohn Schmettau, dem Feldmarschall Barfuß war Alles zu fürchten.

Zu den Freunden Wartenbergs gehörte Christoph Dohna und dessen Bruder Alexander, der Oberhofmeister des Kurprinzen. Graf Alexander entwarf einen Plan, wie man die Reise des Kurprinzen einleiten, des Kurfürsten Zustimmung gewinnen könne. Nur die Kurfürstin hatte Bedenken; sie wollte mit ihrer Mutter nach Aachen ins Bad, sie hätte den Sohn gern mit sich bis Wesel genommen; aber sie gab nach.[1]) Wenige Tage nach der ersten Anregung zur Reise war der Kurprinz als Graf von Ruppin mit Alexander Dohna auf dem Wege, zu seiner Belehrung Holland und die spanischen Niederlande zu besuchen.

Dohnas Instruction enthielt: daß er von der Succession mit dem Könige nicht sprechen solle, wohl aber von der königlichen Dignität, von der vorsichtigen Stellung, die Brandenburg in den nordischen Verwickelungen eingenommen, von des Kurfürsten freudiger Bereitwilligkeit, unter des Königs Vermittelung das enge Bündniß mit Hannover zu erneuen; auch sollte er über die dereinstige Vermählung des Kurprinzen um des Königs Rath bitten, fragen, ob ihm die Wahl der Princessin Ulrike von Schweden genehm sei. Auf der Hinreise sollte er einen kleinen Aufenthalt am hannövrischen Hofe machen.

Der Hof hier war in einiger Aufregung wegen der plötzlich so nahe tretenden Aussicht auf die Krone von England. Nur die

---

1) Al. Dohna an Ilgen, Schönhausen, 18. Aug. Berlin, 24. Aug.: „La véritable source de ce chagrin (der Kurfürstin) venait de l'absence de ce cher Churprinz, qu'Elle auroit de tout son coeur mené Elle même à Wesel, . . . la peine de cette absence avec celle de scavoir, si la pensée de ce voyage seroit agréable à S. S. E., la tenoit en quelque agitation" u. s. w. Die Abreise erfolgte 28. Aug.

Kurfürstin Mutter sprach sich mit auffallender Gleichgültigkeit über dieselbe aus; sie versicherte, daß ihr Sohn, der Kurfürst, darin denke wie sie.

Die Aufnahme des Kurprinzen im Loo war überaus herzlich; mit jedem Tage mehr gewann der rüstige Knabe des Königs Herz; sein keckes Reiten auf der Hetzjagd, sein sicheres Schießen, sein ungezwungenes Benehmen entzückte ihn. Eingehend besprach er mit Dohna alle Fragen seiner Instruction: er wiederholte seine Ansicht, daß er die Annahme der königlichen Würde für bedenklich halte, zumal bei den jetzigen Wirren, daß, wenn der Kaiser sie anerkenne, Frankreich, wenn Dänemark und Polen, Schweden desto mehr Schwierigkeiten machen würde; den Einwand, daß Sr. Majestät Empfehlung bei Frankreich und Schweden die Bedenken beseitigen werde, hörte er nicht ungern; er schloß: wenn der Kurfürst bei seinem Plan bleibe, werde er gern nach Kräften helfen, vorausgesetzt, daß der Kurfürst nicht Reelles dafür opfern müsse.[1]) Es beruhigte ihn, daß die Bedingungen, die der Kaiser gestellt, nicht die jenes Memoires seien, daß weder von einer römischen Kirche in Berlin, noch von andern Bedingungen der Hülfeleistung in der spanischen Succession die Rede sei, als in dem Vertrage von 1686, dem er, der König, selbst damals zugestimmt habe; er sprach den Wunsch aus, daß man sich nicht tiefer einlassen möge, namentlich nicht darauf, die Brandenburgischen Truppen auch außer dem Reich zu verwenden.[2])

---

1) „S. M. appréhendoit cependant toujours les suites et témoignoit, que pourvuque V. S. E. ne sacrifioit pas le réel et ne devint pas moins puissante étant Roy qu'Elle ne l'avoit été étant Electeur, que cela seroit très-bon." Dohnas Bericht, Cleve, 17. Sept. 1700.

2) „De ne pas laisser sortir ses trouppes de l'Empire, que si V. S. E. feroit plus que ce que je venois de luy dire, qu'Elle acheteroit la dignité Royale à un prix qui engageroit non seulement son credit et son honneur, mais qui la mettroit dans des dangers évidents."

Auch der junge Prinz von Friesland, fast gleichen Alters mit dem Kurprinzen, war dort. Dohna hatte den Eindruck, daß an einen Vorzug desselben, an ein ungünstiges Testament nicht zu denken sei.[1]) Wie der König, so war der ganze Hof des Lobes voll von dem Kurprinzen, „auch unsere Engländer," sagte Lord Albemarle, „die sonst so kalt sind und nichts bewundern, als was englisch ist."

Nicht minder günstig war der Eindruck, den der „Graf von Ruppin" in Amsterdam, im Haag, in Rotterdam machte; überall drängte sich die Menge heran, ihn zu sehen, begleitete ihn, wenn er zu den Werften, dem Rathhause, den Gärten mit fremden Thieren u. s. w. fuhr, mit freudigem Zurufe. Bald war die Meinung des Volks über die Zukunft fertig: der König beabsichtige, an die Hochmögenden den Antrag zu stellen, daß der Kurprinz zum Generalcapitän der Republik, der Prinz von Friesland zum Statthalter gemacht werde. „Das einzig Ueble ist," schreibt Dohna, „daß immer wieder das Gerücht geht, Brandenburg werde dem Kaiser Truppen nach Mailand stellen und Zugeständnisse in Betreff der römischen Kirche machen, und es scheint Leute zu geben, die sich ein Vergnügen daraus machen, solche Gerüchte zu verbreiten." Man entdeckte, daß Jemand aus Berlin hergekommen sei, den Kurprinzen und seine Begleitung zu beobachten; man glaubte, daß er von Fuchs und Schmettau geschickt sei.[2]) Es gelang, die angesehensten Männer des Staates, na-

1) „Je dois remarquer avec un profond respect et en grandissime secret que les affaires du jeune Prince de Nassau ne sont pas sur le pied, qu'on l'a cru et que se trouve plus de jour que je n'osois espérer à avoir dans son temps une parfaite satisfaction en faveur de M. le prince El." Das Weitere wird er mündlich melden. Dohna an den Kurfürsten, Loo, 18. Sept. 1700.

2) Bondeli, Haag, 28. Sept. er höre „du chagrin que 220 et 264 ont de n'entrer pas dans la connoissance des affaires, qui se passent, et du soin qu'ils se donnent de s'enformer par d'autres voies" u. s. w.

mentlich den Rathspensionär von dem Ungrund jener Angaben zu überzeugen; auch sie sprachen sich günstig über die neue Dignität aus.

Dann ging die Reise über Antwerpen nach Brüssel, wo man beim Kurfürsten von Baiern die zuvorkommendste Aufnahme fand. Dohna glaubte mit Sicherheit zu bemerken, daß der Kurfürst die Absicht habe, die Niederlande zu behalten und nicht minder, wie Friedrich III. sich zum Könige zu machen, und daß er in dieser Beziehung gegenseitige Annäherung wünsche. Dort am Hofe erschien zufällig der Erzbischof von Cambray, dessen Telemaque der Prinz gelesen und mit der Mutter so oft besprochen hatte, zumal die Geschichten von Philokles und Protesilaos, die denen von Danckelmann und Wartenberg so ähnlich sind; der würdige Prälat war entzückt über die freie und verbindliche Art, mit der ihm der Prinz seinen Dank aussprach.

Die beiden Kurfürstinnen, Mutter und Großmutter, waren von Aachen noch Brüssel gekommen; sie reisten eine kleine Strecke mit dem Kurprinzen, dann gingen sie zu König Wilhelm, der sie bereits auf der Herreise begrüßt hatte. Was da mit der Kurfürstin Sophie über die englische Succession, mit der Kurfürstin Sophie Charlotte über die Königswürde und sonst verhandelt sein mag, liegt in den Acten nicht mehr vor.[1])

Je günstiger sich die Verhandlungen mit Wilhelm III. und

---

1) Die alberne Geschichte, als hätte Wilhelm III. den Kurprinzen mit nach England nehmen und zu seinem Nachfolger machen wollen, habe ihn auch schon mit auf sein Schiff genommen, der Graf Dohna aber sei ihm nachgeeilt und habe ihn zurückgefordert und der König drauf gesagt: „kann der Herr ihn besser versorgen, als ich, so nehme er ihn hin,“ diese Geschichte, die F. Förster I. p. 102 nach Morgenstern erzählt, widerlegt sich von selbst. Der König nahm am 28. Oct. 10 Uhr Morgens im Haag Abschied von den beiden Kurfürstinnen, der Kurprinz (mit Dohna) begleitete ihn nach Honslardyck und bis auf seine Jacht und wurde dort von dem Könige „congedié d'une manière extrêmement tendre et obligeante.“ Dohnas Bericht vom 29. Oct. 1700.

dem Rathspensionär stellten, desto größer wurde Friedrichs III. Ungeduld, zum Schluß zu kommen. Er hatte bereits die gewünschte Aeußerung der Bedeutendsten unter den Ständen des Herzogthums Preußen; eines Landtagsbeschlusses schien es zu diesem Zweck nicht zu bedürfen.[1]) Ebenso waren die einflußreichsten Großen der Republik Polen gewonnen, der Erzbischof-Primas, der Kronschatzmeister, der Kronfeldherr u. a. Daß Karl XII. sich mit einem Heere nach Reval einschiffte (1. October), daß in Dresden und Kopenhagen der Durchmarsch dänischer Truppen zum Schutze Kursachsens gewünscht wurde, setzte Brandenburg in die Lage, sich nach allen Seiten hin „mehr Autorität zu geben.“ [2]) Alles war zur Abreise nach Preußen fertig, als der Kurprinz und die Kurfürstin nach Berlin zurückkehrten.

Aber immer noch fehlte die entscheidende Nachricht aus Wien. Ja, die Dinge schienen sich dort ins Unklare zu wenden; mit der äußersten Hartnäckigkeit hielt man bald diese, bald jene Bedingung fest; jetzt die, daß der Kurfürst die rückständigen Subsidien aufgeben müsse. Während Bartholdi eben so hartnäckig in der Weigerung war und Pater Wolf, dessen Eifer unermüdlich schien, auch in diesem Punkte den Kaiser zum Nachgeben bestimmte, äußerte der Kurfürst gegen Herrn von Heems, den kaiserlichen Residenten in Berlin: er sei bereit, auch das nachzugeben, wenn sofort geschlossen werde.[3]) Sofort meldete das Heems nach Wien, und man warf sich nun auf eine neue Bedingung; man forderte die dauernde

---

1) Christoph v. Dohna Schreiben an Friedrich III., Königsberg, 28. Juli: die guten Preußen freuten sich über des Kurfürsten gnädige Eröffnung, „ils m'ont demandé avec empressement, si ce que le Roy de Pologne avait débité passant par la Prusse, étoit vrai, car en deux endroits il a beu la santé du Roy de Brandenburg; les Prussiens voudroient que ce fut Roy de Prusse.“ Dohna Mém. p. 274.

2) Aus v. Reisewitz Bericht, 24. Nov. 1700: „Le Messias de Vienne n'est pas encore arrivé, son retardement cause bien d'allarme à notre monarque.“

3) In ähnlicher Weise kreuzt eine Aeußerung des Kurfürsten gegen den

Gestattung des römischen Gottesdienstes in Berlin oder, wie noch weiter gehend Heems gegen den Kurfürsten aussprach, die Zulassung einiger Jesuiten in der Residenz.[1]) Man berührte damit den Punkt, in dem Friedrich III. völlig fest war: eher möge das ganze Werk scheitern; schon jetzt entfremde er sich mit seiner großen Nachgiebigkeit seine letzten Freunde und Bundesgenossen, gefährde seine oranische Erbschaft. Die Conferenz in Wien, die am 29. October gehalten wurde, endete ohne Ergebniß. Der Kurfürst war äußerst betreten; wieder ließ er Heems kommen; was er ihm mittheilte, meldete der Resident sofort durch Staffette nach Wien.

In diesen Tagen kam die Nachricht nach Berlin, daß Karl II. am 1. November gestorben sei; gleich darauf die von der Eröffnung seines Testaments, in dem Philipp von Anjou zum alleinigen Erben der Monarchie eingesetzt sei. Jetzt erließ Friedrich III. ein Schreiben an den Geheimenrath (22. November), in dem er demselben mittheilte, daß er den Entschluß gefaßt habe, die Königskrone anzunehmen, und welche Schritte er zu diesem Zwecke gethan; er forderte dessen schleunigstes Gutachten: ob er sein Vorhaben, da in Wien und in Polen das Geheimniß nicht hinlänglich bewahrt sei, noch länger aufschieben könne, ohne an seiner Gloire und Reputation Schaden zu nehmen, ob er ohne Gefahr für jetzt und künftig die königliche Dignität annehmen könne.

---

französischen Gesandten Desalleurs die Unterhandlung, die Spanheim in Paris eingeleitet hatte. Das Einzelne übergehe ich.

1) Ilgen in einem Aufsatz von 1704, der eine sehr lehrreiche Uebersicht der ganzen Verhandlung giebt: „Absonderlich wurde der Punkt der Religion sehr hart getrieben, und weil J. Kön. M. sich bald anfangs deutlich erklärt, daß Sie in diesem Stück nichts, so Ihr Gewissen im geringsten drücken könne, einräumen, sondern, wenn man hierauf am Kais. Hofe bestehn sollte, lieber das ganze Werk fallen lassen und sich statt der irdischen mit der ewigen Krone, die Ihr doch zu seiner Zeit werden müsse, begnügen wollten, so ließen zwar die kaiserlichen Minister von ihrer anfänglichen Errichtung eines Jesuitencollegiums in Berlin und von anderen dergleichen gethanen Zumuthungen nach“ u. s. w.

Da traf am Mittwoch Morgen, 24. November, der ersehnte Courier aus Wien ein. Dort hatte die Nachricht aus Madrid einen unbeschreiblichen Eindruck gemacht; man hatte bis zum letzten Augenblick geglaubt, daß, wenn Karl II. ein Testament mache, es zu Gunsten des Erzherzogs Karl lauten werde; jetzt hatte man Alles verloren, wenn man sich nicht zu einem Kriege entschloß; jetzt mußte man eilen, sich Brandenburgs zu versichern. Natürlich vermied man den Schein, als sei man des Kurfürsten benöthigt; man legte, „da der Kaiser ihm ein Zeichen seiner Gewogenheit geben wolle," Bartholdi etwas modificirte Bedingungen vor. Bartholdi schwur, daß der Kurfürst sie nie annehmen werde. Man sagte ihm, es sei ein Courier von Heems gekommen, dem der Kurfürst gesagt: er wolle auf alle Bedingungen eingehen, er habe Bartholdi in diesem Sinn angewiesen; man sagte Bartholdi: er sei ein Chicaneur und habe falsch geschworen. Bartholdi blieb dabei, daß er solche Weisungen nicht erhalten habe. Die ganze Verhandlung schien daran, zu scheitern, wenn nicht wieder Pater Wolf aus der Verlegenheit geholfen hätte. So wurde endlich am 16. November der Tractat geschlossen.

Diesen Tractat überbrachte der Courier, der am Morgen des 24. November eintraf, mit einem Schreiben des Kaisers vom 19.: es sei zwar noch nicht Alles in Richtigkeit, aber er vertraue nicht so sehr auf Worte, als auf des Kurfürsten aufrichtiges Gemüth; und da er erfahren, daß derselbe sich zur Reise nach Preußen fertig halte, so habe er sich nicht länger aufhalten wollen, sondern den Tractat am 16. schließen lassen: „Ich thue demnach zu der anzunehmen vorhabenden Würde allen gedeihlichen Segen und Glück, und daß dieselbe in Dero Posterität zu ewigen Zeiten continuiren möge, freund-, oheim- und gnädiglich wünschen."

Im Schloß zu Berlin war an diesem Mittwoch Galatafel

zur Feier der Geburt des ersten Sohnes, der dem römischen König Joseph geboren war. Jeder flüsterte dem Andern die große Neuigkeit zu; sie sollte noch Geheimniß bleiben. Aber bei der Tafel erhob Markgraf Albrecht sein Glas: „Es lebe unser gnädiger Herr Friedrich, König von Preußen!“ unter unendlichem Jubel ließ man zum ersten Mal den König von Preußen hoch leben.[1])

Es war noch nicht Alles abgethan. Bei Prüfung des in Wien concipirten Vertrages fand sich (Art. VII.) der gelegentlich eingeschobene Ausdruck, daß der Kurfürst die Krone ohne Zustimmung des Kaisers, als des höchsten Oberhauptes der Christenheit, anzunehmen „nicht befugt“ sei. Sollte der Kurfürst ihn genehmigen und damit anerkennen, daß er wesentlich doch durch den Kaiser ernannt werde? Er sandte sofort (27. November) nach Wien, zu fordern, daß dies „nicht befugt sei,“ verändert werde in „nicht gemeint sei;“ er erbot sich, dafür zuzugestehen, daß die Hälfte des Corps, das er dem Kaiser zur Verfügung zu stellen habe, in Mailand verwandt werde; nur im äußersten Nothfall sollte Bartholdi weichen; ihm wurden zwei ratificirte Exemplare des Tractats, der eine mit diesem, der andere mit jenem Ausdruck, gesandt. Es kostete große Mühe, auch noch dieses Zugeständniß zu erreichen; aber es gelang, am 4. December ratificirte der Kaiser den „erneuten Allianztractat.“[2])

---

1) In der Freude des gelungenen Werkes schenkte der Kurfürst seinem Obercammerherrn ein Bernsteinherz (es liegt zerbrochen bei den Akten), mit den Worten: „Ich gebe Euch dieses Herz zum Zeichen meiner Treue und mit der Versicherung, daß ich mein Herz nimmer von Euch wenden, sondern beständig lassen werde; Ihr habt mir solche große und considerable Dienste geleistet, daß mein ganzes Haus, so lange einer lebt, es gegen Euch und die Eurigen vergelten müssen.“ So hat der Graf (Berlin den 23. Nov. 1700) die Worte aufgeschrieben.

2) Der oftgebrauchte Ausdruck „Krontractat“ ist weder sachgemäß, noch in den Acten begründet; mit dem richtigen „nicht gemeint sei“ in Art. VII. hat ihn F.

Sofort nachdem derselbe in Berlin angekommen, erließ der Kurfürst ein Manifest, in dem er verkündete, daß er nach Königsberg gehen und sich als „König in Preußen“ proclamiren werde. „Allhier strotzt Alles von königlichen Gedanken,“ schreibt der sächsische Gesandte in den nächsten Tagen.

Der Preis der Krone.

Am 16. December brach der Hof nach Preußen auf, erreichte in den letzten Tagen des Jahres Königsberg; der 18. Januar war zur Krönung bestimmt; es waren zwei Bischöfe, ein reformirter und ein lutherischer, ernannt, um die Salbung zu vollziehen.

Es ist nicht dieses Ortes, die Reihe der Feierlichkeiten, die Stiftung des Ordens vom schwarzen Adler, die Krönungsceremonie, die Feste, die ihr folgten, den unermeßlichen Prunk, den das neue Königthum entfaltete, zu schildern.

Des ersten Königs großer Enkel sagt: „Was in seinem Ursprung ein Werk der Eitelkeit war, ergab sich in der Folge als ein Meisterstück der Politik; Friedrich I. entzog seinen Staat damit der Abhängigkeit, in der das Haus Oestreich die andern deutschen Fürsten hielt.“ [1])

In dem Manifest vom 16. December, in dem Friedrich III.

Förster, Höfe und Cabinette I. Art. p. 6 mitgetheilt, doch ohne die Separatartikel.

1) Das harte Urtheil Friedrichs II. (Oeuvr. I. p. 102) lautet: „Frédéric n'était en effait flatté que par le dehors de la royauté, par le faste de la représentation et par un certain travers de l'amour propre, qui se plait á faire sentir aux autres leur infériorité . . . c'était un amorce que Frédéric jetait à toute sa postérité et par laquelle il semblait lui dire: Je vous ai acquis un titre, rendez-vous en digne, j'ai jeté les fondements de votre grandeur, c'est à vous d'achever l'ouvrage.“ Il employa toutes les ressources de l'intrigue, et fit jouer tous les ressorts de la politique, pour conduire son projet jusqu'à sa maturité.“

seine Krönung verkündigte, begründete er die Zulässigkeit seines Vornehmens mit dem Hinweis auf „seine angemessene Macht und seine Independenz." [1]) Nicht ein Beschluß der europäischen Mächte, nicht ein Act der allgemeinen Politik, noch ein Votum der Stände seines Herzogthums oder seiner gesammten Lande wurde die Grundlage der Königswürde; sie sollte dem, was thatsächlich schon da war, nur die entsprechende Form und den angemessenen Namen geben.

Wie gern hätte die östreichische Politik den Anlaß benutzt, der kaiserlichen Autorität ein neues Attribut, das der Standeserhöhung auch zu königlicher Dignität, beizulegen; aber sie hatte, in bedrängter Lage, wie sie war, davon abstehen, sie hatte das entscheidende Wort aufgeben müssen. Wie gern hätte die Curie über das ketzerische Bekenntniß des Kurfürsten hinweggesehen, wenn er sich hätte entschließen wollen, seinen Königstitel aus ihrer Hand zu empfangen; der alte Innocenz XI. hatte Schritte in diesem Sinne gethan; [2]) daß nun die Krönung geschah ohne Zuthun Dessen, der ausschließlich „das Recht, Könige zu schaffen," von Gott zu haben glaubte, veranlaßte den römischen Stuhl zu jener Bulle, [3]) die das neue Königthum für ungültig erklärte und die christgläubigen Mächte aufforderte, sie nicht anzuerkennen, sie so wenig, wie die neunte Kur; ein Protest, der

1) „Bestand und Würde der Cron des Königreichs Preußen" 1701 und Leibnizens Schrift bei Guhrauer „Leibniz deutsche Schriften" II. p. 303.

2) Papst Innocenz XI. an den Bischof von Ermeland, 5. Mai 1700: „Nos interim Deum O. M. assiduis orare votis non desistemus, ut nobis aliquando viam aperiat, qua nostram erga Illam (El. Br.) benevolentiam uberius declarare possimus, qua quidem re nil nobis accidere jucundius posse vel ex iis quae tibi coram fusius diximus, per te ipse satis intelliges.

3) Pabst Clemenz XI., Breve vom 16. April 1701: „Etsi nobis persuasum sit," s. Lamberty, I. p. 383. Auf die Gegenschriften von Johann Peter Ludwig, dem Kanzler von Halle, (Op. I. 13. ff.) gehe ich nicht näher ein.

ohne Wirkung blieb, wie der, den Rom gegen den westphälischen Frieden eingelegt hatte.

In den Verhandlungen über die Anerkennung der neuen Dignität wurde immer wieder — so war des Königs eigenste Ansicht — vorangestellt, daß er mit seiner neuen Würde Niemand etwas entziehe, daß er nur die Titel und Ehren, die ihm seiner Macht nach gebührten, haben wolle. Er meinte nur das, was sein Vater begonnen und gewollt hatte, zum Schluß geführt zu haben. Er feierte fortan jährlich den Krönungstag mit glänzenden Festen. Er war glücklich, das Werk, welches so vielen seiner Räthe chimärisch erschienen war und das Wilhelm III. als unausführbar widerrathen hatte, nun doch vollständig gelungen zu sehn; nicht minder glücklich, daß er unter kluger Benutzung der Umstände mit nicht eben großen Opfern das Ziel seiner Wünsche erreicht hatte, mit ungleich geringeren, als Hannover hatte bringen müssen, um die Kurwürde zu gewinnen, die noch nicht einmal von allen Kurfürsten, noch weniger von den Fürsten im Reich und vom Ausland anerkannt war.[1])

Freilich die Anerkennung der Krone von August II. und von Dänemark zu erhalten und doch nicht Schweden und Schwedens Verbündete, die Seemächte, sich zu verfeinden, hatte man Wege einschlagen müssen, die in nicht geringem Grade zweideutig waren, so zweideutig, daß Graf Wartenberg und Ilgen für nöthig fanden, sich eine Erklärung ihres Herrn ausstellen zu lassen, die sie außer aller Verantwortung stellte.[2]) Und mit Frankreich pflog man so vertrauliche Unterhandlungen, daß in der diplomatischen Welt ge-

1) Namentlich diesen Gesichtspunkt hebt eine Denkschrift „Welcher Gestalt die königliche Dignität ohnerachtet aller gefundenen Schwierigkeiten u. s. w. 1704" hervor. Sie ist von eines Schreibers Hand; Ilgens eigenhändige Correcturen bezeugen, daß er der Verfasser ist.

2) d. d. Cöln a./S. 7. März 1700: . . . „daß dasjenige, so ich mit dem Könige von Polen in der schwedischen Sache geschlossen, aus eigner Bewegniß

sagt wurde, „Brandenburg ist in der französischen Intrigue,"[1]) während man in Wien jenen Tractat abschloß, dessen Spitze gegen Frankreich gekehrt war. Und obschon man wußte, daß die Seemächte zu den äußersten Schritten entschlossen seien, um den Erzherzog Karl nicht in Spanien landen zu lassen, für dessen Succession man sich dem Kaiser verpflichtete, hatte man sich in Holland zur Erneuerung der alten Verträge erboten und den Vertrag darüber wirklich abgeschlossen.[2]) So verwickelte und widerspruchsvolle Beziehungen waren die Mitgift des neuen Königthums.

Und wie bedeutende Zugeständnisse hatte man in jenem „erneuten Allianztractat" dem Kaiser machen müssen, um dessen Anerkennung der königlichen Dignität zu gewinnen. Der ganze Kreis von unerledigten Streitfragen war in den Unterhandlungen zur Sprache gekommen und fast jede nach dem Ansinnen des Kaiserhofes entschieden worden. In der mecklenburgischen Frage erkannte der Kurfürst die kaiserlichen Resolutionen an und versprach,

---

von mir geschehen und daß ich dazu von meinem Obercämmerer und Ilgen, welche beide ich darin gebraucht, nicht inducirt und überredet worden bin . . . dannenhero ich sie auch dabei schützen und sie zu keiner Verantwortung oder in Unglück bringen will" . . . (von Ilgen geschrieben, von Friedrich III. unterzeichnet).

1) v. Reibenitz Bericht nach Dresden, 24. Nov. 1700: „il est vrai, qu'on remarque depuis peu une confidence extraordinaire entre l'Electeur et Mr. Desalleurs, outre que Mr. Ilgen a eu trois ou quatre conférences avec luy dans sa maison."

2) Tractat vom 31. Aug. 1700 (unterzeichnet P. v. Fuchs, Schmettau, F. v. Wassenaar.). Dohna berichtet, Amsterdam, 2. Nov. 1700: „Der Kurfürst habe dieß Erbieten an Herrn Obdam (Wassenaar) in Berlin gemacht und um weitere Mittheilung von Holland gebeten; der Rathspensionär erwiedere ihm: der Kaiser würde auf den Partagetractat schon eingegangen sein, si l'on avoit pu conserver le Milanois à la maison d'Autriche, mais que cela n'avoit pas été possible." Die von Wilhelm III. gewünschte Erneuerung der Allianz zwischen Brandenburg und Hannover und Celle ist am 4. Nov. in Amsterdam von Dohna und Bothmer unterzeichnet worden.

sich für die gleiche Anerkennung bei den anderen Kreisdirectoren zu verwenden; in Sachen Quedlinburgs versprach er die Aebtissin „klaglos zu stellen;" er verpflichtete sich, für die Aufnahme Böhmens in das Kurcollegium zu stimmen und zu wirken; er verzichtete auf das Recht der Standeserhöhungen innerhalb seiner Reichslande, damit die kaiserlichen Behörden nicht an ihren Sporteln Einbuße erlitten u. s. w. Vor Allem, er nahm es über sich, für die spanische Succession des Hauses Oestreich mit einzustehen, sie mit seinen Waffen durchführen zu helfen.

Und doch, man kann zweifeln, ob alle diese Vortheile, welche die Anerkennung der neuen Krone dem Hause Oestreich für den Augenblick brachte, die Bedenken hätten aufwiegen dürfen, die am kaiserlichen Hofe, wie es heißt, auch von Prinz Eugen, geltend gemacht worden sind.[1]) Wie bescheiden auch der derzeitige Inhaber der neuen Krone von der politischen Bedeutung des höheren Titels denken, wie befriedigt sein persönlicher Ehrgeiz mit dem, was er erreicht hatte, sein mochte, es lag in der Art und Geschichte dieses jungen Staates ein Leben, das, wenn auch für jetzt matter pulsirend, doch seiner Zeit wieder hervorbrechen und dem jetzt nur äußeren Prunk des königlichen Namens einen entsprechenden Gehalt geben konnte.

Das neue Königthum war auf das Herzogthum Preußen gewidmet, nicht auf die brandenburgischen Reichslande. Aber alle diese Gebiete standen nicht, wie wohl sonst Reichslande unter Einem Fürsten, zusammenhangslos, landständisch geschieden, gleichsam nur in Personalunion, neben einander. Sie waren bereits, wie wir sahen, im Regiment, militärisch, finanziell, in den Augen des

---

1) Der Brief von Prinz Eugen an Kaunitz, vom 10. Feb. 1701 (Werke I. p. 44) spricht freilich ausdrücklich genug; aber nach Arneths Kritik ist kein Stück dieser Sammlung mehr ohne Weiteres zuverlässig.

Auslandes Ein Staat; sie hießen in den officiellen Ausfertigungen „unsere Provinzen.“ Nur noch wenige lose Fäden verbanden sie unmittelbar mit dem officiellen Reich und dessen Institutionen; die Gesetzgebung, die Polizeigewalt des Reichs[1]) berührte sie kaum mehr; von der Jurisdiction der Reichsgerichte wurden sie eben jetzt so gut wie völlig abgelöst, wie denn die Gründung des Tribunals in Berlin den Berufungen an das Reichskammergericht in Wetzlar, als dritte Instanz, im Wesentlichen ein Ende machte.[2]) Dieser Ausscheidung aus dem zerfallenden Körper des Reichs, dieser rastlos weiter schwellenden Entwickelung der Realunion gab das Königthum einen Namen, eine Gestalt, ein kühneres Maaß. Der höhere Titel galt nicht bloß für Preußen, sondern für alle „königlichen Provinzen;“ im Herzogthum Pommern, in der Grafschaft Mark, im Fürstenthum Minden hatte man fortan nur „königliche Regierungen;“ des Königs Regimenter waren nun die preußische Armee, des Königs Unterthanen nannten sich Preu-

1) Man könnte der Art etwa noch die Avocatorien (mit Einschluß der Handelsverbote) anführen; doch ist auch für solchen Fall das oben p. 64. erlassene kurfürstliche Edict vom 3/13. April 1689 bezeichnend.

2) Zur Berichtigung einer neuester Zeit geäußerten Ansicht bemerke ich, daß die Entwickelung des privil. de non apellando und die Emancipation von den Reichsgerichten in den brandenburgischen Reichslanden langsamer vor sich gegangen ist, als in denen fast aller andern Kurfürsten, wie ein kurf. Rsc. an den Geh. Rath v. Danckelmann, 6. Sept. 1700, ausführt. Die Hauptmomente in Friedrichs III. Zeit bilden: 1) die Zusage bei der Wahl von 1689, in aller Form ausgesprochen in dem Kais. Rsc. vom 29. Nov. 1690, 2) die Gründung eines O.-A.-Gerichts in Cöln a./Sp., die mit der Erlassung der „interimistischen Ordnung für das O.-A.-G., 28. Nov. 1703 (der erste Entwurf wird schon im Aug. 1700 den Regierungen mitgetheilt) ins Leben trat; und zwar wird da bereits § 7 für alle Provinzen in causis denegatae et protractae justitiae die Berufung von den Obergerichten an das O.-A.-G. angeordnet, 3) der Stillstand des Reichskammergerichts von 1704 bis 1711 und die in Folge dessen an sämmtliche königliche Regierungen erlassenen Rescripte vom 1. Juli und 20. Dec. 1704, sich einstweilen auch in den noch dem Reichskammergericht vorbehaltenen Appellationen (quoad in petitorio) an das O.-A.-Gericht in Berlin zu wenden. Mylius II. p. 271 ff. Hymmens Beiträge, VI. p. 235.

ßen. Mochte auf dem Reichstage im Kurcollegium die kurbrandenburgische, im Fürstencollegium die magdeburgische, die pommersche u. s. w. Stimme aufgerufen werden, in der That und in den Augen der Welt war es der König von Preußen, in dessen Namen sie votirte.

Ein Verhältniß, das mit der Natur des Reichs vollkommen im Widerspruch gewesen wäre, wenn dasselbe nicht schon längst durch die Machtgestaltung des Hauses Oestreich, durch die Reichsstandschaft fremder Kronen, namentlich der schwedischen, durch den Gang der Dinge seit 1648 vollkommen zerrüttet gewesen wäre. War das Reich, in zahllose Territorien zerlegt, durch jene Verquickungen mit undeutschen Kronen und Landen gelähmt, durch den westphälischen Frieden und dessen Garantie auf die Souveränetät jedes kleinen und kleinsten Standes gestellt, außer Stande, sich zu Einem Staat, zu der Einheit und Kraft eines lebensvollen, politischen Gemeinwesens zurückzubilden, so bezeichnete fortan der Name Preußen einen solchen Staat innerhalb des Reichs, — neben den Reichen und Landen, den deutschen und undeutschen, die das Haus Oestreich besaß, eine nur aus deutschen, fast nur aus evangelischen Gebieten bestehende Macht, neben der verwitterten Ruine des römischen Kaiserthums ein werdendes deutsches Königthum. Und mit der Widmung dieser Krone auf das alte Ordensland, jenes „neue Deutschland," wie man es einst genannt hatte, wurden nicht, wie mit dem polnischen Königthum Augusts II. geschehen war und demnächst mit dem englischen des Welfenhauses geschah, Reichslande an außerdeutsche Interessen gekettet, sondern ein dem Reich verloren gewesenes Gebiet dem deutschen Wesen völlig wieder einverleibt.

So die ferneren Beziehungen, die sich an die königliche Würde und ihre Anerkennung durch den Kaiser knüpfen. Noch zwei andere Punkte in dem mit ihm geschlossenen Vertrage verdienen Beachtung.

Die Evangelischen Deutschlands waren, und mit Recht, in ernster Sorge um die Zukunft ihrer Kirche. Je furchtbareren Eindruck der Abfall des Kurfürsten von Sachsen gemacht hatte und je heftiger seitdem die römische Reaction im Reich weiter arbeitete, desto ernster wurde die Pflicht des einzigen evangelischen Fürsten, der im Kurcollegium Sitz und Stimme hatte. Und wenn auch die Erbitterung der Lutheraner im Reich gegen den reformirten Brandenburger stärker war, als ihre Besorgniß vor den römischen Umtrieben, wenn sie ertrugen, daß Kursachsen das Directorium der evangelischen Stände im Reich behielt trotz der Conversion, Brandenburg ermüdete nicht, überall und mit vollem Eifer bedrängten Evangelischen zu helfen und sie zu vertreten, im äußersten Falle wohl mit Repressalien gegen die römische Kirche drohend. Tausende, die von ihren katholischen Landesherrn ausgetrieben wurden, fanden in den brandenburgischen Landen Aufnahme. Nirgend wurde die Verfolgung ärger und gewaltsamer betrieben, als in den kurpfälzischen Gebieten, seit die neuburgische Linie dort regierte; die Religionsbeschwerden gegen Kurpfalz wurden ein stehender Artikel am Reichstag, und Brandenburg war unermüdlich, dort, wie in Heidelberg, Fürsprache zu thun und Abstellung zu fordern. Wie gern hätte die kaiserliche Politik für die Anerkennung der königlichen Dignität Zugeständnisse zu Gunsten der römischen Kirche erzwungen, wenigstens den Widerstand Brandenburgs gegen die pfälzischen und anderen Religionsverfolgungen beseitigt. Mit allen Bemühungen erreichte sie nicht mehr, als daß Friedrich I. versprach, keine Repressalien gegen seine römisch-katholischen Unterthanen zu gebrauchen, und auch dies nur, nachdem der Kaiser sich verpflichtet hatte, die Religionsbeschwerden, sobald dieselben durch das Corpus Evangelicorum an ihn gebracht würden, dem westphälischen Frieden und den Reichsconstitutionen gemäß zu erörtern und nach Billigkeit beizulegen.

Ein Ergebniß, das um so auffallender ist, da es Pater Wolf gewesen war, der seinen Einfluß auf den Kaiser daran gesetzt hatte, den Vertrag zum Abschluß zu bringen. Er war nicht ehrgeizig, wie Pater Vota in Warschau, der den Cardinalshut wünschte, nicht nach Geld begierig, wie Graf Kaunitz, nicht um seinen Einfluß bei Hofe ängstlich besorgt, wie Graf Harrach. Daß er nicht aus bloßer Sympathie, daß er vielmehr nach einem weiter gehenden Plan gehandelt hat, wurde demnächst offenbar. Im August 1701 kam er nach Berlin mit dem geheimen Auftrage, die Vermählung der jüngsten Tochter des Kaisers mit dem Kurprinzen anzubieten. König Friedrich I. und seine Gemahlin nahmen den Antrag mit gebührendem Danke an, machten nur auf die Schwierigkeit des verschiedenen Bekenntnisses aufmerksam. Mit diesem Bescheide kam Wolf nach Wien zurück; er vertraute Bartholdi, was geschehen sei. Bartholdi empfand die ganze Gefahr, die ein so huldreiches und blendendes Erbieten in sich barg; er habe kaum sein Zittern verbergen können, schreibt er, wenn Pater Wolf mit ihm davon gesprochen, ihn zur freundlichen Mitwirkung aufgefordert habe. Es bedürfe weiter nichts, meinte der Jesuit, als einer Versicherung des Königs, mit der man den Beichtvater des Kaisers und den heiligen Stuhl beschwichtigen könne, der Versicherung, daß die Erzherzogin in Berlin ungestört ihren Gottesdienst feiern dürfe, und daß ihre Töchter in der römischen Kirche erzogen würden, während die Söhne der Religion des Vaters folgen könnten. Es war der stille und sichere Weg des Umspinnens, wie ihn die Jesuiten liebten; sie konnten gewiß sein, sich so in dem preußischen Königshause einzunisten und dann, durch die Mutter und die Schwestern weiter minirend, wie im Hause der Stuarts geschehen war, den stärksten Damm zu brechen, der dem evangelischen Wesen im Reich noch blieb. Nur daß Friedrich I. vielleicht mit aus Rücksicht auf die oranische Succession, gewiß nach der religiösen Ueberzeugung, die ihm völlig fest stand, auf jene Bedingungen einzugehen für unthunlich erklärte; und den kühneren Gedanken, mit dem Uebertritt der Erzherzogin denselben Zweck zu erreichen, mochte der Stolz oder die Glaubensstrenge des Kaiserhauses unausführbar machen.

Mit dem Scheitern seines Planes schien Pater Wolf wie gebrochen; sonst so sicher in seinem Auftreten, so zuversichtlich in seinen Entschlüssen, war er nun kleinmüthig, scheu, vor den Ränken seiner Feinde besorgt; er erbat sich die Erlaubniß, den Hof zu verlassen, um in der Stille des Jesuitercollegiums zu Breslau seinen Tod zu erwarten.[1])

Noch ein zweiter Punkt bleibt zu erwähnen. Für den Kaiser handelte es sich beim Abschluß des Tractats in erster Reihe um die spanische Succession; schon der Vertrag von 1686 hatte Brandenburg verpflichtet, wenn diese Frage eintrete und das Recht des Hauses Oestreich bestritten werde, mit den Gegnern des Kaisers zu brechen und ihm ein Auxiliarcorps von 8000 Mann gegen jährlich 100,000 Thaler zu stellen, bis der Friede geschlossen sei. So dringend eine größere Leistung gefordert wurde, es blieb in dem neuen Tractat bei dieser Zahl; es wurde ausdrücklich bedungen, daß, wenn in Folge des Bruchs brandenburgische Territorien angegriffen würden, dieses Corps zu deren Schutz zurückgerufen werden könne, und daß es eben darum nicht jenseits des Meeres oder im Königreiche Neapel, sondern nur innerhalb des

1) So weit ist es nach den diesseitigen Acten möglich, die Geschicke dieses denkwürdigen Mannes zu verfolgen. Daß er dann noch die schon vorher von ihm eifrig betriebene Gründung einer jesuitischen Universität in der gut evangelischen Stadt Breslau durchsetzte und in welcher Weise es geschah, hat Wuttke in den schlesischen Provinzialblättern LXII. p. 502 ff. 1840 dargestellt.

Reichs — Mailand war Reichslehen — verwendet werden solle. Immerhin ein theurer Preis für den Königstitel; nur daß auch kaiserlicher Seits noch eine andere Gegenleistung übernommen wurde, die von großer Bedeutung war. Der Kaiser verpflichtete sich, zur Behauptung der oranischen Succession „die hülfliche Hand zu bieten," namentlich die beiden zum Reich gehörigen Grafschaften Mörs und Lingen, sowie die in den spanischen Niederlanden belegenen oranischen Güter und Herrschaften an niemand Anders gelangen zu lassen.[1]) Er verpflichtete sich, die spanische Schuld an Preußen entweder baar oder durch ein Aequivalent quitt zu machen.

Also es war doch nicht einseitig zur Vergrößerung der schon übergroßen östreichischen Macht, daß sich das junge Königthum in jenem Tractat vom 16. November 1700 verpflichtete. Wie immerhin die Staaten dereinst über die Statthalterschaft entscheiden mochten, was war die Statthalterschaft ohne die große Grundlage der oranischen Hausbesitzungen, deren die beiden Grafschaften im Reich und die Besitzungen in den spanischen Niederlanden vielleicht die Hälfte ausmachten?

Und wenn um die Zeit, da der Vertrag geschlossen wurde, zu fürchten war, daß demnächst der Kaiser und die Seemächte sich feindlich gegenüberstehen würden, so sorgte Frankreich dafür, daß das Gegentheil eintrat.

Als Ludwig XIV. Ende November 1700 den europäischen Höfen die Thronbesteigung seines Enkels notificirte, hatten die

1) Art. separat I. des Vertrages vom 16. Nov. 1700. Kais. M. erklärt sich bereit, „daß Sie in Hoffnung, es werde sich mit den von S. Kf. D. allegirten juribus allenthalben angegebener Maaßen verhalten und deren Prätension gegründet sein, Derselben und Ihrem Kurf. Hause hierunter nicht aus Händen gehen, sondern Dero Interesse und Convenienz Ihro bester Maaße empfohlen sein lassen und daß Sie zu Dem, wozu Sie von Gott und Rechtswegen befugt, wirklich gelangen mögen, befördern wollen u. s. w.

beiden Seemächte deren Anerkennung nicht versagen zu können geglaubt, da zugleich die völlige Trennung der spanischen von der französischen Monarchie in den bindendsten Formen zugesichert wurde; ja, sie waren unzufrieden, daß der Berliner Hof nicht verfuhr, wie sie, sondern die Anzeige unbeantwortet ließ, worauf Desalleurs Berlin, Spanheim Paris verließ. Aber nun öffnete Max Emanuel, als Statthalter der Niederlande, die Festungen dort den französischen Truppen; im Cölnischen, wie in Baiern, wurde eifrig gerüstet. Man mußte vermuthen, daß Max Emanuel, der jüngst noch so glänzende Aussichten für die Zukunft seines Hauses gehabt hatte, jetzt Ersatz dafür im Anschluß an Frankreich suchen, daß er die Offensive gegen Oestreich ergreifen werde, um sich an östreichischen Erblanden Ersatz zu schaffen. Schon trat auch Savoyen, es trat Mantua auf Frankreichs Seite, französische Truppen zogen in Mailand ein, besetzten Mantua; wenn sie sich über Tyrol mit Baiern die Hand reichten, so war Oestreich so gut wie lahm gelegt, die einzige Continentalmacht, welche der bourbonischen das Gegengewicht halten konnte.

Freilich schon im Frühling 1701 zog ein kaiserliches Heer unter Prinz Eugen über die Alpen, begann kühn und glücklich den Kampf. Aber es fehlte dem Kaiser die Unterstützung des Reichs; der schwäbische und fränkische Kreis erklärten sich neutral, auf dem Tage von Heilbronn (11. August 1701) traten die drei anderen vorderen Kreise, auch Kurbaiern, dieser Neutralität bei; die correspondirenden Fürsten, namentlich Gotha und die Herren in Wolfenbüttel, hatten große Truppenmassen gesammelt, nach dem Rath und mit dem Gelde Frankreichs; der größte Theil des Reichs schien der Sache Oestreichs den Rücken zu kehren. Und in Holland, mehr noch in England war die Stimmung durchaus gegen den Krieg.

Aber immer drohender entwickelte sich die mercantile und

militärische Ueberlegenheit, die das Haus der Bourbonen mit der spanischen Krone gewonnen hatte; schon sprach man in Paris und Madrid davon, die Holländer fühlen zu lassen, daß sie nichts seien, als aufrührerische Unterthanen der Krone Spanien; die rasch fortschreitenden Festungsarbeiten bei Antwerpen bedrohten die Staaten und England zugleich. Am 7. September wurde zwischen ihnen und dem Kaiser „die große Allianz" geschlossen. Zunächst fand sie den heftigsten Widerspruch in England; aber in denselben Tagen starb Jacob II., und sofort ließ Ludwig XIV. den Prinzen von Wales als König von Großbritannien begrüßen. Kurz zuvor war durch Parlamentsbeschluß die protestantische Succession festgestellt, die Kurfürstin von Hannover und deren Descendenz zur Nachfolge nach dem Tode der Princessin Anna berufen; wollte Ludwig XIV. der Nation einen König, einen Katholiken als König aufzwingen? Jedermann in Englaud war nun für den Krieg gegen Frankreich.

Sofort erbot sich Preußen, den beiden Seemächten, wie im vorigen Kriege und unter denselben Bedingungen, ein Corps von 5000 Mann zu überlassen.[1]) Daß Kurfürst Clemens trotz des Widerspruchs seiner Stände, trotz aller Abmahnung von Holland „burgundische Kreisvölker," Franzosen, in Lüttich, ins Cölnische

---

1) Vertrag zwischen Wilhelm III., Friedrich I. und den Gen. Staaten, London 9/19. Jan. 1702, Haag 30. Dec. 1701 (unterzeichnet Marlborough, Schmettau und Spanheim, mehrere holländische Herren): Le roy de Prusse ayant offert à S. M. B. et à leurs H. H. P. P. de leur remettre un corps de bonnes et vieilles troupes et cette office ayant été bien reçue, on est convenu . . . Die Zahl der Truppen ist 874 M. C. und 4255 M. J. Es werden gestellt: die zwei Cavallerie Regimenter Heyden und Schöning, ebenso fünf fertige Batt. (Sydow, Anhalt, Zerbst, Schlaberndorf, zwei Varenne) der Rest, fast ½ Cav. und Inf., wurde den vorhandenen Regimentern bei 40 und 50 Mann entnommen. Die Separatartikel sind unbedeutend; einige von Preußen vorgeschlagene, die nicht angenommen wurden, bezeichnet Lamberty, II. p. 49.

einrücken ließ, schon auch die Stadt Cöln bedrohte, zeigte, in welcher Gefahr auch das Reich, auch die preußischen Lande am Rhein seien. Schleunigst wurde die Besatzung von Cöln mit kurpfälzisch-jülichschen und preußischen Truppen verstärkt; im April standen 12,000 Mann Preußen bei Wesel;[1]) vereint mit kurpfälzischen und holländischen Truppen begannen sie die Belagerung von Kaiserswerth, das im Juni fiel; dann zwangen die Preußen unter Graf Lottum die Festung Geldern zur Uebergabe, es folgten die denkwürdigen Belagerungen von Rheinberg, von Bonn, an deren glücklichem Erfolge die preußischen Truppen einen so ruhmvollen Antheil hatten.

Schon waren Hannover und Celle in das Land ihrer wolfenbüttelschen Vettern eingebrochen, deren Kriegsrüstung zu sprengen; die Ueberfallenen wandten sich nach Berlin, baten um Vermittelung; Mitte April wurde durch Fuchs ein Vertrag zu Stande gebracht, nach dem sie ihr Bündniß mit Frankreich aufgaben, ihre Truppen dem großen Bunde überließen. Auch der Herzog von Gotha wandte sich nach Berlin, überließ dem Könige seine 6000 Mann, ging selbst ins schwedische Lager. Schon brach auch die bairische Neutralität der vorderen fünf Kreise zusammen; der Kaiser selbst trat ihr mit dem östreichischen Kreise in dem Nördlinger Vertrage bei, der westphälische verband sich mit dieser Kreisassociation; 60,000 Mann übernahm sie ins Feld zu stellen; das ganze Reich bis auf Kurcöln, Kurbaiern und den burgundischen Kreis war bei einandar. Am 6. October wurde der Reichs-

1) Diese 12,000 M. werden in den späteren Auseinandersetzungen zwischen Preußen und den Seemächten bezeichnet als „das sogenannte alte Corps des Grafen Lottum," das Preußen ganz auf eigene Kosten hielt, bis die beiden Seemächte in einem Vertrag von 1706, für dasselbe das Brod und das sogenannte Agio (den Verlust an deutscher Münze bei Zahlungen in den Niederlanden) übernahmen.

krieg erklärt — der Reichskrieg für die spanische Succession des Hauses Oestreich.

In derselben Zeit war Karl XII. Herr der Weichsel; er hatte Warschau genommen, er hatte König Augusts II. Armee bei Clissow geschlagen (19. Juli), er hatte Krakau besetzt; die Republik Polen war in sich zerrissen, in völliger Auflösung.

Kolbe von Wartenberg.

Es folgt eine Reihe von Kriegsjahren, die den Osten und Westen Europas auf das Tiefste erschütterten.

Aehnliche Doppelkriege waren in dem verflossenen Jahrhundert mehrere geführt worden. Diesen unterschied von ihnen ein eigenthümlicher Umstand.

In unerhört frivoler Weise, ohne Kriegserklärung angegriffen, und dann gleich in dem ersten Kriegsjahre Sieger über jeden der drei Angreifer, kämpfte Karl XII., Zorn und Rache schnaubend, weiter. Er verfolgte seine Siegesbahn, ohne sich um die Wirren im Westen zu kümmern.

Und im Westen wurde darum gekämpft, ob die spanische Monarchie eine französische oder östreichische Secundogenitur sein solle; das eine so gefährlich, wie das andre für das europäische Gleichgewicht und die Selbstständigkeit aller anderen Staaten. Aber für Oestreich traten die Seemächte, trat das Reich ein, und Frankreich gewann weder Schweden, noch Schwedens Gegner zu Genossen.

Obschon ganz Europa mit in den einen oder anderen Kampf gerissen wurde, zum allgemeinen Kriege kam es nicht. Es war, als ob das europäische Staatensystem sich in zwei excentrischen Kreisen bewegte und immer excentrischer bewegte.

Wie kein anderer Staat, stand der preußische zwischen beiden und in beiden. Auf diese Zwischenstellung schien er seine Politik normiren, so zwischen dem ungeheuren Conflict im Osten und Westen den deutschen Interessen Halt und Ausdruck geben zu müssen, die weder östreichisch, noch bourbonisch, weder schwedisch, noch polnisch oder moscowitisch waren. Die Aufgabe war gewiß schwierig, sie war doppelt schwierig durch die heillose Verworrenheit und Verkommenheit der deutschen Verhältnisse; aber sie war die eigenste dieses Staates, diejenige, in der er emporgekommen war, in der seine Zukunft lag; und die Machtmittel, die er besaß, waren bedeutend genug, sie zu lösen.

Friedrich I. hatte die erste Gunst des Momentes in anderer Weise benutzt. Nun war er König, wenn auch noch nicht von allen Mächten anerkannt. Die Anerkennung des Kaisers, der Seemächte hatte er erkauft mit der Verpflichtung zum Kampf gegen Frankreich, der ihm selbst im deutschen, im evangelischen Interesse am Herzen lag. Auf diesen wandte er mit jedem Jahre mehr seine militärische Macht; für seinen östlichen Bereich blieb ihm kaum soviel, die Grenzen zu schützen; die Seemächte versprachen, ihn dort zu decken, wenn er in Gefahr komme.

Natürlich, daß im Westen die Politik von den großen Mächten, die dort wider einander standen, beherrscht wurde; natürlich, daß im Osten, bei der militärischen Uebermacht Karls XII. und der militärischen Ohnmacht seiner Gegner, die bloße diplomatische Einwirkung Brandenburgs wenig wirkte. So seltsam zerlegte sich die preußische Macht und ihre Action: im Westen Krieg ohne Politik, im Osten Politik ohne Armee. Wie tapfer die preußischen Truppen in Brabant, an der Donau, in Italien kämpfen mochten, den Gewinn ihrer Leistungen hatten andere Mächte; und zwischen Schweden, Polen, dem Zaaren ohne den Nachdruck der Waffen, den Waffenerfolgen Anderer diplomatisch nachhinkend, sank die preußische Politik zur Intrigue hinab.

Seit der Krönung war Graf Wartenberg Alles; seiner Hand waren „die Staatsaffairen" anvertraut,[1]) die Summe der auswärtigen Beziehungen; und er leitete sie, ohne Mitglied des Geheimenrathes zu sein.

Eben dies bot den Gegnern die Handhabe zu einem ernsten Angriff; als sei es „eine hochgefährliche und schwere Verantwortung nach sich ziehende Sache," daß die wichtigsten Geschäfte außer dem höchsten Collegium des Staates, ohne dessen Mitwirkung und Kunde sich vollziehen, statt der altbewährten Collegialverfassung die gefährlichste Form des ministeriellen Alter Ego eintreten solle. Die Herren Geheimenräthe begannen sich zu besprechen und zu berathen. Wartenberg erfuhr davon; mit der Offenheit und Anspruchslosigkeit des vollendeten Hofmanns schrieb er dem Könige: die Ursachen, warum ihm die Session im Geheimenrath erlassen worden, seien Sr. Majestät am besten bekannt; aber er müsse besorgen, daß man glaube, er habe sich zu den Pflichten, die ihm oblägen, gedrängt und verfahre nicht überall, wie er müsse; er ersuche Se. Majestät, das ganze Collegium der Geheimenräthe und jeden einzelnen zu einer offenen Erklärung zu veranlassen, ob ihnen bewußt sei, daß er irgendwie in einigen Stücken gegen Sr. Majestät Intentionen und wider seine theuer geschworene Pflicht gehandelt habe. Der König selbst trug des Grafen Schreiben im Geheimenrath vor, forderte schriftliche Erklärungen. Das Collegium, sowie Jeder einzeln depre-

1) Memorial Wartenbergs an den König, Potsdam, 25. Mai 1701: „der König habe die Gnade gehabt, ihm außer seinen früheren Verrichtungen noch verschiedene von Dero wichtigsten Staats- und andern Angelegenheiten, mit Zuziehung des Oberhofmeisters des Kronprinzen Graf Dohna und des Geh. Raths und ersten Staatssecretairs Ilgen, anzuvertrauen."

cirten durchaus: sie seien weit entfernt, in des Königs Anordnungen eingreifen zu wollen, sie hätten gar nichts gegen des Oberkammerherrn reichsgräfliche Gnaden zu erinnern u. s. w.[1])

Natürlich, daß Wartenberg dafür sorgte, diejenigen zu Fall zu bringen, die ihm den Weg hatten verlegen wollen. Und wenn er Vorwände dazu suchte, so gab es in allen Verwaltungszweigen Unordnung und Malversation genug, um die nöthigen Maaßregeln zu veranlassen. Der Obermarschall Graf Lottum mußte sich auf seine Güter zurückziehn; der Hofmarschall von Wengsen wurde nach Cüstrin gebracht,[2]) Unverfährt verhaftet und der Proceß gegen ihn eingeleitet; Feldmarschall von Barfuß, so sagt ein Bericht, „hat allen Credit verloren, so sehr er auch von den Grafen Dohna und Dönhoff secundirt wird, welche zusammen eine Faction machen." Fuchs mußte die Verwaltung der Post und der Commercien abgeben,[3]) aber er behielt den Kopf oben, „er läßt kein Mißvergnügen blicken und affectirt nichts als sein Vergnügen zu suchen." Die Post übernahm Wartenberg selbst und wurde in aller Form mit dem Erbpostmeisteramt belehnt; nicht bloß eine erhebliche Mehreinnahme für einen schon überreich Dotirten — man schätzte sein Einkommen auf 123,000 Thaler jährlich — es war mit diesem Amt das Briefgeheimniß auf den preußischen

1) So die Erklärung des Geheimenrathes 28. Mai 1701 unterzeichnet von Schwerin, Fuchs, Schmettau, Brandt, Berchem. Daneben liegen noch die Erklärungen einzelner Herren im Wesentlichen desselben Inhaltes.

2) Wolters meldet nach Dresden, 18. März 1702: „E. v. Wengsen hat seine Sentenz, sie lautet auf 10,000 Rthl. Strafe und Abbitte bei Graf Wartenberg; sein Unglück ist, daß er gegen ihn bei Hofe ein Complott machen wollen, der ihn doch befördert hat.

3) Der Lehnbrief ist bereits vom 13. Aug. 1700, während Wolters Bericht vom 28. Dec. 1701 ausdrücklich sagt, daß Fuchs die Post noch verwaltet. Das Amt gab 1000 Rthl. festes Gehalt, die Nutzung des glänzend ausgestatteten Posthauses, ein Dreißigstel von dem Nettoertrag der Postcasse. Lehrreich wie rasch der Verkehr wuchs: 1697 hatte der Ertrag nach Abzug der Kosten 71,236 Rthl. betragen, 1699 schon 107,550 Rthl.

Posten seiner Discretion anvertraut. Vor Allem mußte ihm daran liegen, für Lottums Stelle die geeignete Persönlichkeit zu finden; die Königin wünschte das Amt für Herrn von Ahlefeld, den dänischen Gesandten; sie und die ihr Ergebenen bemühten sich auf alle Weise für denselben. Aber Graf Wartenberg brauchte Jemanden, auf den er rechnen konnte; auf seine Empfehlung wurde ein heruntergekommener Herr vom Reichsgrafenstande, Graf August von Wittgenstein,[1]) der seit einiger Zeit sich in Berlin aufhielt, Obermarschall, ein Amt, das, gelegentlichen Nebenverdienst ungerechnet, auf 18,000 Thaler Einkommen gerechnet wurde. Die Mißstimmung zwischen dem König und seiner Gemahlin war größer, denn je, und die Sarcasmen, welche „die republikanische Königin"[2]) in ihren geistvollen Plaudereien auch über den König und die „Comödie der Krönung" zu äußern liebte, wurden in den Hofkreisen und über sie hinaus nur zu bekannt.

Wenige Monate später wird berichtet: „bei Hofe scheint von Neuem eine Revolution zu sein." Der Schlag traf den Grafen Dönhoff, den Oberkriegscommissar; er habe sich seine 15,000

---

1) Graf Augustus ist ein Enkel des für seine Dienste auf dem Friedenscongreß von Osnabrück vom Großen Kurfürsten mit der Grafschaft Hohenstein belohnten Grafen Joh. von Wittgenstein. Was in Büschings Magazin, VIII. über die Processe des Grafen August mit seinen Creditoren berichtet wird, ist im Wesentlichen richtig. Wolters schreibt 10. Dec. 1701: „dem Grafen Wartenberg ist Ahlefelds humeur und Capacität formidabel gewesen, da er im Gegentheil versichert ist, daß keine Bassesse so groß ist, die er nicht vom Grafen Wittgenstein erwarten kann; dieser machte noch vor wenigen Wochen eine so pauvre Figur, daß" u. s. w. Und in einem andern Bericht: „Alle desordres bei Hofe haben aus Danckelmanns Fall erfolgen müssen, der en maitre regiert hat, nachmals aber sind die Minister in Factiones zerfallen, die öffentlich wider einander agiren und schlimm sprechen."

2) Tolland — man weiß, wie er die Königin, „die Serena" feiert — sagt in seiner Relation p. 47 (deutscher Druck von 1706), „daß man sie in ganz Deutschland nur die republicanische Königinn zu nennen pflege," republicanisch natürlich in dem Sinn, wie sich die Whigs in England wohl rühmten: „wir haben den Stolz von Republicanern."

Thaler Gehalt, so hieß es, durch Unterschleife gar sehr aufgebessert; er wurde cassirt, aus der Liste der Ritter vom schwarzen Adler gestrichen, auf seine Güter verbannt. „Vielleicht wird nun auch Graf Dohna fallen; die ganze Faction ist ruinirt." Feldmarschall Barfuß entschloß sich, um seinen Abschied zu bitten, bevor er ihm ins Haus gesandt wurde; denn er, wie Jedermann, wußte, daß der seit einigen Wochen in Berlin anwesende Graf Wartensleben bestimmt sei, ihn zu ersetzen, ein Offizier, der da und dort, zuletzt als General beim Herzog von Gotha in Dienst gestanden hatte. Mit Wartenslebens Ernennung (19. August) war der Kreis der höchsten Stellen im Staate nach Graf Wartenbergs Sinn besetzt. Die Opposition verstummte.

Wenigstens in den Hofkreisen. Aber eine von den getroffenen Aenderungen griff über dieselben hinaus und ließ eine Gegenstellung fühlbar werden, die dazu angethan war, eine nicht geringe Bedeutung zu gewinnen.

Schon die Reduction von 1698 hatte in der Armee viel böses Blut gemacht; und es galt dafür, daß Feldmarschall von Barfuß bei der Durchführung derselben seiner Gunst und Ungunst nur zu viel Einfluß gestattet habe. Daß er endlich seinen Abschied erhielt, wurde nicht eben bedauert; desto kränkender erschien, daß jetzt, wo der begonnene Krieg am Rhein und an der Maas von Neuem zeigte, was der König an seiner Armee hatte, ein fremder Offizier berufen wurde, ihn zu ersetzen, als wenn unter den preußischen Generalen keiner sei, der das leisten könne, was der aus Gotha leisten werde.

Der alte General Duhamel forderte seinen Abschied und ging nach Venedig, den Oberbefehl über die Armee der Republik zu übernehmen; der General der Infanterie Friedrich von Heyden, der den frischen Ruhm von Kaiserswerth hatte und jetzt vor Venloo stand, erklärte, nicht unter Wartensleben dienen zu können;

er bat um seinen Abschied und erhielt ihn, nachdem er auch Venloo genommen. Sein Bruder Sigismund, General der Cavallerie, und Graf Lottum, beide in hohem Maaße bewährte Offiziere, konnten nur mit Mühe bewogen werden, nicht den gleichen Schritt zu thun. Auch Markgraf Philipp, der General-Feldzeugmeister der Armee, hatte sich Hoffnung auf den Marschallsstab gemacht; Viele hielten ihn vor Allen dazu geeignet; in seiner straffen soldatischen Art schien er der rechte Typus eines preußischen Offiziers; sein Regiment galt für das schönste der Armee, wie denn sein Vorgang, nur „lange Leute" in die Grenadiercompagnie zu nehmen, bald zur allgemeinen Mode wurde; auch im Felde, namentlich bei dem blutigen Sturm auf Huy 1694 hatte er sich ausgezeichnet; aber, so sagte man, „es ist eine Staatsmaxime des Hofes, die königlichen Brüder niederzuhalten." Eben das war's, was verdroß; unter denen, die sich am bittersten äußerten, war sein Schwager, Fürst Leopold von Dessau, der jüngste General der Armee, aber schon einer der genanntesten, Meister in jeder soldatischen Uebung, des Geistes seiner Truppen bis zur höchsten Steigerung Herr, von einem Kriegsfeuer ohne Gleichen, an der Spitze seiner Grenadiere unwiderstehlich; er zuerst hatte sein Regiment an den Gleichschritt gewöhnt, und mitten im Kugelregen avancirte es, in Reih und Glied geschlossen, wie auf dem Paradeplatz; er hatte statt des hölzernen Ladestockes den eisernen eingeführt und damit ein Schnellfeuer möglich gemacht, wie Aehnliches keine andere Armee leistete. Gleich in den ersten Campagnen dieses neuen Krieges — aus ihnen stammt der Name des „Dessauers" — bei Kaiserswerth, Venloo, Roermond, Stephensweerth, hatte die Armee ihren alten Ruhm, ihre Zucht und Wucht von Neuem bewährt; und jedes folgende Kriegsjahr erhöhte mit dem Selbstgefühl der Tüchtigkeit das Gemeingefühl preußischer Waffenehre, die feste Geschlossenheit dieser Armee.

17*

Nur daß zugleich in dem Maaße, als die Dinge am Hofe wechselvoller und zerfahrener wurden, Hof und Armee sich mehr entfremdeten, zumal da der König nicht mehr, wie er in den ersten Jahren seiner Regierung gethan, selbst mit ins Feld zog, ja kaum, wenn er dann und wann über Cleve nach dem Haag reiste, im Vorübergehen ins Feldlager kam.

Ihm war wohler in den Kreisen seines Hofes und in den gewohnten Beschäftigungen, die sich ihm da boten. Und Wartenberg verstand es, denselben den Reiz der Mannigfaltigkeit und den Schein glücklicher Erfolge zu geben. Daß unter dem Fittige des schwarzen Adlers alles Bedeutende Schutz und Förderung finde, daß da nicht bloß der Pracht und dem Geschmack, sondern auch den edleren geistigen Interessen, neuen schöpferischen Gedanken eine Stätte bereitet sei, das schien dem gütigen Herrn der schönste Ruhm, um den er werben könne. Schon war die Societät der Wissenschaften nach Leibnizens Plan im Beginn ihrer Thätigkeit, die erste in deutschen Landen; ein Mann, wie Bayle, sprach es aus, daß die Bibliothek des Königs eine der schönsten Europas sei; und König August II. von Polen ließ um die Risse zu den Prachtbauten bitten, die Andreas Schlüter hatte ausführen müssen.[1])

Freilich diese Dinge hatten auch noch eine andere Seite. Schon 1702 betrug die Ausgabe der Chatoulle, die auf 270,000 Thaler jährlich angesetzt war, monatlich 20,000 Thaler mehr.[2]) Aus der Kasse der kurmärkischen Landschaft sind in den neun Jahren Danckelmanns 194,000 Thaler bezogen worden, in den

---

1) Schreiben von Wolters an Graf Flemming in Dresden, 15. Mai 1703, meldet, daß die Risse abgesandt seien.

2) So nach Wolters', wie er selbst sagt, genauen Erkundigungen, 15. Mai 1703.

neun Jahren nach seinem Fall 831,000 Thaler.[1]) Man griff zu immer neuen Finanzerfindungen, forderte Schloßbaugelder, Krönungssteuer, erhöhte die Salzsteuer u. s. w., ohne das wachsende Bedürfniß damit zu decken.

Schon 1700 war von einem in brandenburgischen Dienst getretenen Mecklenburger, dem Kammerrath Luben von Wulfen, eine Maaßregel vorgeschlagen, die zugleich höhere Erträge aus den Domänen und unberechenbare Förderung des Gemeinwohls zu versprechen schien: Parzellirung und Vererbpachtung königlicher Domänen.[2]) Die ersten Versuche mit einigen Vorwerken in der Altmark schienen sich auf das Glänzendste zu bewähren: nicht bloß daß höhere Einnahmen erzielt werden; von der Ablösung der Dienste, von der Vervielfältigung der Bauerstellen erwartete man einen unvergleichlichen Aufschwung des Ackerbaues und der Bevölkerung. Man schritt auf der begonnenen Bahn weiter, zunächst in der Mittelmark und im Magdeburgischen; wie heftig der Widerspruch der Hofkammer in Berlin, der Amtskammer in Halle sein mochte,[3]) man entließ die remonstrirenden Beamteten, setzte solche

---

1) So die „Specification Desjenigen, so bei J. K. M. Regierung zu derselben Besten aus dem Landschaftswerk aufgenommen worden."

2) Luben, „welcher die Oeconomie niemals gelernt," war „in einige Consideration gekommen, weil er seine Beförderer, Danckelmann und Knyphausen, stürzen helfen." Ausführliches über das ganze Erbpachtsverfahren hat von Ranke, Preußische Geschichte, I. p. 127 nach einem Aufsatz von Riedel mitgetheilt.

3) Extract aus einer Relation vom 3. Juni 1703 (im Dresd. Arch.): „weil die Inventaria, ingleichen die Materialien der Amthäuser, welche man demolirte und verkaufte, wie auch etwas Geld, welches die Erbzinsleute erlegen mußten, das erste Jahr eine considerable Summe einbrachten, so wurde S. M. abusirt, in Hoffnung es würde der jährlichen Ueberschuß continuiren . . . aber da die Bauern ihre jährliche Pension erlegen sollten, fand sich, daß sie das Getreide aus Noth wohlfeil verkaufen mußten und weder Verlag, noch Credit hatten, die Felder in Anbau zu bringen; daher erfolgte die Execution, welche einige von ihren Häusern jagte, den andern aber, welchen der ruinirte Theil adcrescirte, ihr Unglück vergrößerte . . . die Bauern sind zum Theil ruinirt, die Felder wüste und das Inventarium, sowie die Hälfte des rechten Werthes verkauft und

an ihre Stelle, die den Ideen Lubens folgten; er selbst wurde in die Hofkammer berufen. Nun arbeitete das System rüstig weiter; nicht mehr bloß Bauern kauften, man forderte die Beamteten auf, sich bei dem Kaufe zu betheiligen; der Edelmann auf dem platten Lande konnte sein Geld nicht besser anlegen, als in Theilstücken königlicher Domänen; 1707 ging die „große Commission" nach Preußen, wo man aus den achtzig Aemtern der Krone, die bisher nur 600,000 Thaler gebracht, jährlich mehr als eine Million zu gewinnen hoffte.

Wie glänzend in der Theorie, wie menschenfreundlich und zugleich im monarchischen Geist dieses System erscheinen mochte, in der That minderte es mit jedem Jahre die Substanz des Domanialvermögens, das bisher einer der Grundpfeiler des Staates gewesen war. Und nicht bloß, daß die Mitglieder der großen Commission ihre Vettern und Freunde in den Erbpachtscontracten zu begünstigen verstanden; an der Spitze der Commission stand Obermarschall Graf Wittgenstein, und Generaldirector der Domänen war der Oberkämmerer, Graf Wartenberg; sie deckten die Ausfälle der Hofkasse mit der Verschleuderung der Domänen.

Ob auch mit den Subsidien, die die Armee verdiente?[1]) Es liegt in den Acten eine Uebersicht der sämmtlichen Posten, die während des Jahres 1703 „aus den königlichen Provinzen" in die Kriegskasse geflossen sind; sie ergeben 1,990,140 Thaler; ein anderes Actenstück giebt an, wie die Mehrkosten für die großen Rüstungen, die 1704 vorgenommen wurden, aufzubringen seien; sie betragen 1,284,494 Thaler; unter den angeführten Posten sind auch Obligationen, welche England ausgestellt hat,

anstatt des Profits von etlichen Tonnen Goldes, welchen Luben zu verschaffen versprochen, findet man, daß, im Fall alles in vorigen Stand gesetzt würde, S. M. eben so viel Verlust leiden würden."

1) Frédéric le Grand Oeuv. I. p. 122: „mais à quel prix n'acheta-t-il pas le plaisir de contenter ses passions? il trafiqua du sang de ses peuples" u. s. w.

Obligationen auf Provinzen der spanischen Niederlande aus den Kriegen der neunziger Jahre, auf die 100,000 Thaler, die der Kaiser jährlich aus dem Vertrage von 1700 zu zahlen hatte. Aber der Kaiser zahlte nicht, am englischen Hofe drängte man 1704 vergebens auf einen Antrag beim Parlament, die rückständigen Subsidien 1694—1696 zu bewilligen, von den Anweisungen auf die spanischen Niederlande werden noch 1751 namhafte Reste in den Rechnungen der Kriegskasse aufgeführt.[1])

Freilich eine andere Frage ist, welche Zahlungen neben den Subsidien nach Berlin gingen. Wenn man da die Fiction, mit Schweden in bestem Einvernehmen zu stehen, auch dann noch fortsetzte, als Karl XII. Elbing occupirte, wenn man 1704, als ganz Polen bereits in der Schweden Gewalt war, sich bestimmen ließ, noch nach Italien ein Corps von 8000 Mann zu senden,[2]) wenn man im Herbst 1705, als sich Karl XII. bereits zum Einbruch nach Sachsen rüstete, neue Bataillone über die Alpen sandte, — so ist es schwer, sich der Vermuthung zu erwehren, daß andere als politische Gründe entscheidend waren. Und nicht umsonst stand Graf Wartenberg in fleißiger Correspondenz mit Marlborough, der englische Gesandte in Berlin, Lord Raby, in vertrauten Beziehungen mit der Gräfin; namhafte Summen in englischen Obligationen, die später in dem gräflichen Nachlasse vorgefunden wurden, erklären das Weitere.

1) von Viereck an Friedrich II., Berlin, 17. Mai 1751: „da J. M. gestern die eigentliche Summe der bei dem Kriegsetat annoch notirten Arreragen von der Provinz Luxemburg und der Prévôté Mons nicht benennen können, so nehme ich die Freiheit" u. s. w.

2) „Une augmentation des troupes que S. M. a présentement au service des Hautes Alliés d'un corps de 8000 h. d'infanterie, pour marcher incessament au Piemont." Marlboroughs Memoire vom 24. Nov. 1704 (Murray p. 545). Der Vertrag ist am 28. Nov. 1704 abgeschlossen; England zahlt [illegible]00 Rthl., Holland 100,000 Rthl., der Kaiser giebt das Brod. Von der Anwesenheit Marlboroughs in Berlin und dem zweiten Vertrage vom 1705 berichtet Murray II., p. 336.

So große militärische Verwendungen und die dringende Nothwendigkeit, die östlichen Provinzen doch nicht ganz ohne Deckung zu lassen, forderten eine bedeutende Vermehrung der Armee, die im Frühjahr 1704 ins Werk gesetzt wurde. Merkwürdig, wie auch da neue Gedanken, Prinzipien von weitgreifender Bedeutung hervortraten.

Um das Heer am Rhein auf 25,000 Mann zu bringen, sollten Werbungen im Betrage von 12,000 Mann gemacht werden,[1] und zwar, damit jede Compagnie von 125 auf 160 Mann gebracht werden könne, sollte jeder Hauptmann für sich 25 Mann anwerben, die übrige Mannschaft von den Kreisen in allen Provinzen und den Gewerken in den Städten aufgebracht werden, in der Art, daß jedes Gewerk auf zehn Meister „einen jungen Burschen" stellte. Noch weiter von dem bloßen Werbesystem entfernt sich die zweite Maaßregel; sie wird in folgenden Ausdrücken berichtet: Von den 20,000 zur Landmiliz enrollirten Bauersöhnen, welche den Winter über durch Unteroffiziere exercirt worden, soll ein Ausschuß von 10,000 Mann gemacht und daraus vier Nationalregimenter gebildet werden zum Dienst an der Grenze und in den Festungen, eins zwischen Rhein und Weser, das zweite zwischen Weser und Elbe, das dritte zwischen Elbe und Oder, das vierte zwischen Oder und Weichsel; die anderen 10,000 sollen im Exercitio erhalten werden, damit man sich ihrer im Nothfalle bedienen könne; in Preußen soll eine besondere

---

1) Genauer: jede Compagnie soll von 125 auf 160 Gemeine, jede Schwadron von 60 auf 85 Gem. gebracht, überdieß aus einigen Freicompagnien acht neue Bat. formirt werden, „welche Augmentation bei 12,000 M. ausmacht." Wolters Bericht, 15. März 1704. Das sehr merkwürdige Patent (es liegt mir gedruckt vor) ist d. d. Cöln, 11. März 1704. Auch in andern Staaten, in Sachsen, Dänemark u. s. w. begann man demnächst die „Landmiliz" einzurichten, Einrichtungen, die weiter zu vergleichen außer meiner Aufgabe liegt. Einige Actenstücke dazu hat v. Gansauge Pr. Kriegswesen, p. 204 ff.

Miliz sein, und zwar sollen die nach der Landesverfassung schon bestehenden Vibranzen, 3500 Mann zu Fuß und 1500 Reuter, um noch 5000 Mann vermehrt und sofort exercirt werden; die ganze Landmiliz soll mit gleichen Gewehren versehen werden, und der König weist dazu aus seiner Chatoulle 50,000 Thaler an. Endlich sollen die Jäger des ganzen Landes, die man auf 3000 rechnete, in Regimenter und Compagnien getheilt und als Dragoner exercirt werden.

Die Kosten der Armee hatte das Land aufzubringen; die Accise der Städte, die Contribution des platten Landes galt „als das Fundament, worauf der Etat der Armee zu formiren sei." Zu den neuen Werbungen von 1704 forderte der König „über dem bisherigen Quantum" noch 400,000 Thaler; unter den Vorschlägen zur Aufbringung dieser Summe war auch der, für die Lehnspferde der Ritterschaft, die nicht mehr aufgeboten wurden, eine Geldleistung zu fordern; auch der, die bäuerlichen Hufen, die der Adel zu Hoffeld geschlagen, wie Bauergut zu veranlagen. Die Stände der Marken — sie hatten von jener Summe 131,600 Thaler zu zahlen — antworteten mit einem merkwürdigen Antrage. Sie stellten voran, daß „die königliche Armee in die Provinzen eingetheilt und von jeder die ihr zugewiesene Zahl erhalten werden müsse;" sie forderten, daß zu dem Zweck ein neues „Kriegs- oder Steuercollegium" errichtet werde, bestehend aus einigen Räthen der Hofkammer und ständischen Deputirten von Ritterschaft und Städten, unter Vorsitz des Kriegscommissariats; nicht mehr, wie bisher, sollte die Accise und die Contribution unmittelbar an die königliche Kasse abgeführt werden; es sollte die Accise unter Aufsicht der städtischen Magistrate stehen, die Contribution „nicht nach Einem Principio, wie bisher," sondern von den Ständen „nach Beschaffenheit und Nahrung jedes Kreises proportionirlich eingerichtet, ständisch erhoben und verwaltet werden.“ Es war noch einmal das altständische Wesen, das sich geltend zu machen, die Einheit des Staates in alt territorialer Weise zu zerlegen suchte. Die Frage wurde lange her und hin besprochen, endlich in einer „großen Conferenz,“ der der König selbst präsidirte, verhandelt.[1]) Es wird nicht schwer gewesen sein — die Protokolle liegen nicht mehr vor —, den König zu überzeugen, daß er mit solcher Einrichtung seine Souveränetät beeinträchtigen, seinen Ständen eine Befugniß, wie sie dem Parlament in London einen nur zu bedenklichen Mißbrauch möglich mache, einräumen werde, daß er nach den Reichs- und Landesgesetzen zu bestimmen habe, was zur Erhaltung des Kriegsstaates nothwendig sei. Es blieb bei der hergebrachten Art der Accise und Contribution. Diese deckten von den mehr als 3 Millionen Ausgaben des Kriegsetats 2½ Millonen, die eingezahlten Subsidien und fremden Kriegscontributionen kaum ½ Million.

Auch andere Mächte der Coalition empfingen Subsidien; auch der Kaiser nahm deren, auch England hatte 16 Bataillone und 20 Escadronen in staatischen Sold gegeben. Und nach den Maaßregeln von 1704 hatte Preußen 47,000 Mann Feldtruppen, die 15,000 Mann Landmiliz-Ausschuß und die 15,000 Mann für ein zweites Aufgebot ungerechnet.[2])

---

1) Kurz und treffend giebt Wolters (Bericht vom 22. Nov. 1706) als „Ursach“ der Conferenz an, „daß die sämmtlichen Stände sich offerirt, 40,000 Mann zu halten, hierbei wollen sie sich aber gewisse conditiones und absonderlich dieses ausbedingen, daß sie die völlige Disposition über die Kriegscasse haben wollen.“ Der im Text dargelegte Vorschlag ist entwickelt in einer ständischen Eingabe vom 2. Mai 1705.

2) Königl. Rsc. an Printzen (zur Verhandlung mit Bonnac in Danzig): „unsre itzo auf den Beinen habenden 47,000 M. alte geworbene regulirte Militz . . . ohne unsre jetzt auf einen sehr guten Fuß kommende Nationalmiliz.“ Die Angaben bei v. Schöning (Der Gen Feld.-M. v. Natzmer, p. 273) berechnen die Feldtruppen auf 46,951 Mann. Es liegen zwei Listen vor, die eine vom 23. Mai 1703, wo die Gesammtstärke der Armee (mit Einschluß der 5000 Mann in Holland und der Garnisonen) auf 37,063 M. berechnet wird, die andere vom

Es hatte andere Gründe, daß man in dem großen Kampfe gegen Frankreich Preußen nur als Auxiliarmacht anzusehen sich gewöhnte, bald so völlig, daß die Seemächte 1706 auf die Nachricht, es sollten einige preußische Bataillone nach Königsberg marschiren, förmlich dagegen Einsprache thaten: man könne von diesen Truppen dort nicht den geringsten Gewinn für die gemeinsame Sache absehen.[1])

Bis zu welchem Maaße schief die Stellung Preußens in der großen Coalition geworden war, zeigen die Verhandlungen über die oranische Succession und die über die Vertheidigung des schwäbisch-fränkischen Kreises 1704.

Es ist erwähnt worden, daß Wilhelm III. es angemessen hielt, den König in dem Glauben zu lassen, die oranische Succession werde ihm zufallen. Es handelte sich um Güter und Besitzungen im Werthe von 50 Millionen, darunter das souveräne Fürstenthum Orange, die Grafschaften Lingen und Mörs — Mörs, das ein altes clevisches Lehen war, Lingen, auf dem tecklenburgische Ansprüche hafteten, die Friedrich I. bereits durch Kauf an sich gebracht hatte. Und im Hintergrunde stand die Frage der Statthalterschaft von fünf der sieben Provinzen, die Berufung zum Capitän- und Admiral-General.

Am 2. April 1702 starb Wilhelm III. Das eröffnete Testament zeigte, daß er den jungen Prinzen von Nassau, Erbstatthalter von Friesland und Gröningen, zum Universalerben eingesetzt

---

18. März 1704, wo mit der eingeleiteten Ergänzung (ohne die 5000 Mann in Holland) die Gesammtstärke auf 61,234 M berechnet wird.

1) Marlborough an Lord Raby in Berlin, 5. Feb. 1706: „to represent to the court and ever to the king himself in the most serious manner . . . . that these troops which were so much depended upon for the service of the common cause . . . should be sent so far off, as the public cannot expect the least advantage from them.“ Murray, II. p. 415.

und die Generalstaaten zu Vollstreckern des Testaments ernannt hatte.

Es begannen Verhandlungen ebenso weitläufiger, wie ärgerlicher Art. Die Mutter des jungen Prinzen von Nassau, die Dessauerin, vertrat die Sache ihres Sohnes mit dem äußersten Eifer, und sie hatte, so schien es, einen sicheren Rückhalt an den einflußreichsten Regenten, denen daran lag, den fremden König fern zu halten. Man nahm es sehr übel, daß Friedrich I. sofort die im Reich belegenenen Grafschaften in Besitz genommen, daß er als das über sie competente Gericht das Reichskammergericht bezeichnet hatte, während man auch über diese, wie über Orange, über die Güter in der Freigrafschaft und in den spanischen Niederlanden den Hof von Holland entscheiden lassen wollte. Wie hätte man die Festungen, die zur Erbschaft gehörten, wie Grave, Breda, Gertruydenburg, Willemstadt, in fremde Hand kommen lassen sollen? man billigte, daß der Commandant in der Festung Grave das Besitzergreifungspatent abgerissen hatte; man ließ in der Festung Mörs den Bürgern die geforderte Huldigung untersagen.

Das Recht Preußens beruhte auf dem Testament des Prinzen Friedrich Heinrich und auf dem Fideicommiß, mit dem die Güter des Hauses von Friedrich Heinrich, von Wilhelm I. und von Renatus von Nassau-Oranien belegt worden waren; Wilhelm III. schien nur über das, was er selbst erworben, verfügen zu können. Friedrich I. erinnerte die Herren Staaten daran, daß sie für das Testament des Prinzen Friedrich Heinrich ebenso die Executoren zu sein übernommen hätten, wie jetzt für das Wilhelms III. Sie antworteten nicht darauf; eine gerichtliche Aufforderung wurde öffentlich angeschlagen, des Inhalts: dem König von Preußen werde angesonnen und befohlen, sich, wenn er irgend ein Recht auf die Erbschaft zu haben vermeine, damit vor dem Hof von Holland zu melden und zwar binnen sechs Wochen, bei Strafe ewigen Stillschweigens und der erwachsenen Kosten.[1]) Durch diesen „unerhörten Vorgang," wie Friedrich I. schreibt, durch diesen „scandalösen Act" schien die seit Monaten eingeleitete gütliche Ausgleichung völlig unterbrochen; auf die gereizten Denkschriften Preußens antworteten die Hochmögenden in nicht minder gereiztem Tone, wenn man auch gegenseitig versicherte, daß man die alte Freund- und Nachbarschaft gar hoch schätze und um keinen Preis gefährdet zu sehen wünsche. Wenigstens in Betreff jener Citation lenkten dann die Herren Staaten ein wenig ein, entschuldigten sie; worauf der König erklärte, er sei, da ihm nichts ferner liege, als einem nahen und theuren Verwandten zu nahe zu treten, gern bereit, demselbigen einige von den oranischen Besitzstücken zu überlassen. Es war wenigstens ein Anfang gütlicher Theilung, wenn schon der größte Theil der Güter unter staatischem Sequester blieb oder in dem Bereich fremder Kronen lag, gegen die man Krieg führte.

Wenn sich Friedrich I. den Herren Staaten gegenüber nicht bloß in der Erbschaftsfrage, sondern auch in den immer neuen Differenzen wegen der Besatzung von Mörs, wegen der Quartiere in Geldern, das seine Truppen erobert, wegen der Wiedererstattung von Munition, Pallisaden u. s. w., die er ihnen aus Wesel zukommen lassen, in hohem Grade nachgiebig erwies, so war es wohl nicht allein, weil er sich außer Stande fühlte, seinen Willen und sein Recht durchzusetzen. Hatte Holland gleich nach Wilhelms III. Tode beschlossen, die Statthalterschaft und das oberste Commando unbesetzt zu lassen, so brachte eben diese Frage in den anderen Provinzen die heftigste Aufregung hervor; in Arnheim, Nymwegen, Seeland kam es zu förmlichen Revolten; es schien

---

1) „Sur peine de l'ordonnance de l'imposition d'un perpétuel silence comme aussi de payer les frais faits à ce sujet." So hieß die Formel, die so großes Aergerniß machte, in der Citation vom 3. März 1703. Lamberty II., p. 367, wo überhaupt die wichtigsten Actenstücke aus diesen Verhandlungen.

unmöglich, daß bei so schwerem auswärtigen Kriege ein statthalterloses Regiment sich halten könne, zumal, da bald genug die Krone England eine Superiorität in Anspruch nahm, welche die klugen Staatsmänner in Holland überzeugen zu müssen schien, daß sie mit mehr als ihrer eigenen Macht müßten auftreten können, um der größeren Englands die Waage zu halten.

Während der letzten Krankheit Wilhelms III. war in den Provinzen überall die Meinung gewesen, der König von Preußen müsse Statthalter werden.[1]) Wenn Friedrich I. vielleicht auch darum sofort nach Holland gereist, wochenlang dort geblieben war, so hatte er freilich sich überzeugen müssen, daß die Einflußreichsten am wenigsten seinen stillen Wünschen geneigt waren. Aber er war weit entfernt, sie darum aufzugeben; und so weit aus einigen Andeutungen zu schließen ist, war Wartenberg der Vertraute dieser Herzenswünsche und derjenige, der sie nährte.

So begann sich neben der großen Frage der spanischen Succession, um die der ungeheure Krieg entbrannt war, die Frage der oranischen Succession und der hohen Dignitäten in den Niederlanden zu entzünden, eine Frage, in der es sich ihrem tieferen Inhalte nach darum handelte, ob diese niederdeutschen Lande vom Dollard bis zur Scheldemündung, die durch die burgundisch-östreichische Politik dem deutschen Leben verloren worden waren, sich dereinst zum deutschen Vaterlande zurückleben sollten. Ihnen selbst, zumal den Holländern, die den nur zu deutschen Particularismus in einem seiner glänzendsten Erfolge zeigen, lag nichts ferner, schien nichts erniedrigender.

Wenigstens an einem der großen Höfe argwöhnte man jene

---

1) Spanheim schreibt aus dem Haag 20. Aug. 1701: „viele sähen, was sie gewönnen, wenn der König von Preußen Statthalter werde; ils disent, qu'il leur faut un prince fait, qui sçut gouverner et qui fust en estat de soutenir la république."

preußischen Tendenzen und beobachtete sie mit gespannter Aufmerksamkeit. Es giebt eine nicht officielle östreichische Denkschrift, die im Herbst 1704 verfaßt ist, in jener Zeit, wo der glänzende Tag von Blindheim in Wien Alles mit neuen Hoffnungen und großen Plänen erfüllte.[1]) In dieser Schrift heißt es: Europa sei reif, der Macht Habsburgs unterworfen zu werden; durch die Verblendung Frankreichs stehe ganz Europa auf Oestreichs Seite; selbst die Ketzer kämpften jetzt, das Kaiserhaus, ihren Hauptfeind, zu stärken und der Kirche den Sieg zu verschaffen. Man werde die Waffen nicht eher aus der Hand legen, als bis Frankreich gedemüthigt und ein doppeltes Kaiserreich, das östreichische für den Osten und das spanische für den Westen, gegründet sei. Dann werde man sich gegen die Ketzer im Reiche wenden, mit der Cassation des westphälischen Friedens beginnen. Die Fürsten im Reich würden außer Stande sein, Widerstand zu leisten, sie seien völlig uneins, und jeder werde sich über den Schaden des anderen freuen. Zuerst müsse Baiern zerschmettert werden, damit die Katholischen nur im Kaiser ihren Halt gegen die Ketzer sähen. Die Kurfürsten von Sachsen und Brandenburg, „Theaterkönige," seien durch ihre ehrgeizigen Pläne so benommen, daß sie keinem Gewaltschritte des Kaisers im Reiche in den Weg treten würden. „Der Kurfürst von Brandenburg will König von Preußen sein und durch die oranische Erbschaft einen Fuß in Holland gewinnen; er hofft, daß ihm seine Intriguen,

---

1) „Derniers conseils ou testament politique d'un ministre de l'Empereur Leopold I. en 1705." Der Abdruck derselben von Larochefaucould Liancourt (1859) ist mir nicht zu Gesicht gekommen; ich benutzte außer einer Abschrift aus dem Münchner Staatsarchiv, den Abdruck, der sich in den Mémoires de la cour de Vienne, Cologne 1706 findet und der nach dem ersten Druck (Rotterdam 1706) gemacht ist. Dieß Testament ist nach der Schlacht von Blindheim (Aug. 1704) und vor dem Ilbersheimer Vertrage (7. Nov. 1704) geschrieben. Es verdiente wohl eine genauere Untersuchung.

sein Geld, seine Waffen und die Hülfe Oestreichs dort die Generalstatthalterschaft zu Wege bringen werden; er verspricht sich, diese Würde mit der königlichen zu verbinden, mit den Mitteln seiner nahegelegenen Lande die Republik zu zerstören und König von Holland, wie von Preußen zu werden."[1]) Mit Recht habe der Kaiser die Absicht gut geheißen und ihre Ausführung empfohlen; dieser Plan knüpfe Brandenburg fester an den kaiserlichen Hof, lenke ihn immer mehr vom Reiche ab; wenn die Republik siege, so sei der Kaiser eines gefährlichen Gegners erledigt; wenn Brandenburg siege, so sei das Haus Oestreich an Denen gerächt, die von ihm abgefallen, aber der Sieger werde so vollauf zu thun haben, um sich in Holland zu behaupten, daß der Kaiser seine Pläne im Reich ungehindert durchführen könne.

Diese Rathschläge haben, wie gesagt, keinen officiellen Charakter, wie hundert Jahre früher das stralendorfische Gutachten. Aber die Gedanken des Wiener Hofes sprechen sie aus; es war und blieb dort die herrschende Maxime, jeden weiteren Zuwachs Preußens nach dem Reich hinein zu verhüten, es namentlich nicht im Süden der Mainlinie vordringen zu lassen. Selbst in der äußersten Noth, als das Reichsheer bei Hochstädt geschlagen war (20. September 1703)[2]) und als die französisch-

---

1) „Il (le Roy de Prusse) vous a communiqué ce vaste dessein, vous avez sagement fait de l'encourager à le suivre, vous eussiez du le Luy proposer s'il ne l'avait pas imaginé de Luy même. Cette idée l'attachera à vous et s'il commence une fois à la mettre en exécution, elle l'embrassera assez pour le détourner entièrement de l'Allemagne; et cependant vous travaillerez à Vos dessins avec plus de liberté."

2) Ueber diese Schlacht unter Führung des kaiserlichen Generals Grafen Styrum, in der 6000 Preußen unter Ernst Leopold von Anhalt den Rückzug deckten, wenigstens die völlige Vernichtung abwehrten, liegt mir der Bericht des Gen. M. von Natzmer vor, der die Hinterhut führte. Es folgten dann die Winterquartiere dieser preußischen Truppen in der Oberpfalz, die dem Kaiserhofe zu so vielen ungerechten Anschuldigungen den Anlaß gaben.

bairische Macht (Ende 1703) die Donau bis Regensburg und Passau hinab beherrschte, zögerte man, das vom Könige angebotene Corps von 16,000 Mann „zum Schutze des fränkischen und schwäbischen Kreises" anzunehmen:[1]) „es genüge, wenn der König die 8000 Mann nach dem Vertrage von 1700 und sein Reichscontingent stelle;" als ob er der einen und anderen Pflicht mit dem, was er am Rhein und sonst bisher im Felde gehabt, nicht vollauf Genüge gethan. Auch die beiden Kreise, so groß die Noth war, fanden es hoch bedenklich, dies Erbieten anzunehmen, zumal da der König den nöthigen Vorspann, Marschquartiere, Aehnliches von ihnen forderte und sie ersuchte, zu weiterer Verabredung Räthe nach Berlin zu senden. Sie wiesen auf einen Reichsbeschluß hin, nach dem jeder Fürst selbst für seine Truppen sorgen solle; sie meinten, mit der Sendung jener Räthe nach Berlin solle nur die Anerkennung der preußischen Königswürde Seitens der beiden Kreise erschlichen werden; sie argwöhnten, der König wolle nur ein starkes Corps in Franken haben, um alte Prätensionen seines Hauses auf die Stadt Nürnberg mit Gewalt durchzusetzen.[2]) Aber daß sich ein neues französisches Heer im Elsaß sammelte, daß es Miene machte, trotz der Armee am Oberrhein unter dem Markgrafen von Baden, die Pässe des Schwarzwaldes zu forciren, um sich mit der Armee an der Donau zu vereinen, daß man, um eine zweite Armee unter Prinz Eugen bei Regensburg zu bilden, von kaiserlichem Volk

1) Prinz Eugen an Fürst Leopold von Dessau 15. Juni 1704: „da dasjenige Corps, so ich commandiren soll, meisten Theils von den löblichen Königl. Preußischen Truppen besteht." Heller, Milit. Corr., II. p. 118. Lamberty, III. p. 24 sagt: „on tint que ce réfus étoit un effet de la jalousie et méfiance, que l'on avoit conçu sur ce que ce Roi là prétendoit le commandement sur ce secours."

2) Lamberty, l. c. mit der für diesen als Quelle so viel benutzten Autor sehr bezeichnenden Bemerkung: la réponse que ces deux cercles firent à ce Roy parut fort sage."

nicht mehr als zwei Bataillone Infanterie und vier Regimenter Cavallerie mit einigen Reichscontingenten stoßen lassen konnte,[1]) zwang zum Einlenken; man nahm das preußische Corps unter der Bedingung an, daß der König für dessen Verpflegung sorgen müsse.

Jene Angst vor den Ansprüchen auf Nürnberg war nicht ohne äußeren Anlaß. In Wien so gut, wie im fränkischen Kreise wußte man, daß Friedrich I. mit Markgraf Christian Heinrich von Anspach, der ihm schwer verschuldet war, einen Vertrag geschlossen hatte (1703), nach dem die Markgrafschaft Baireuth, deren Erledigung bevorstand, nicht an Anspach, sondern an Preußen fallen sollte. Und nicht minder stand der Anfall der Grafschaft Limburg, deren Exspectanz der Kaiser bei Gelegenheit des Schwiebusser Handels gegeben hatte, in naher Aussicht. Da hielt man in Wien für nöthig, bei Zeiten vorzubauen; man gab dem Sohne des Markgrafen eine jährliche Pension von 15,000 Gulden; man verstand es, ihn mehr und mehr dem Berliner Hofe zu entfremden; man machte ihn glauben, „daß Preußen die ganze Verfassung des brandenburgischen Hauses umkehren, die Markgrafen um Land und Leute bringen wolle." Als Februar 1705 eine preußische Besatzung auf die Plassenburg gelegt wurde, da war nicht bloß in den markgräflichen Landen, sondern im ganzen fränkischen Kreise Bestürzung; Nürnberg, Bamberg, Würzburg, die Familie Schönborn hetzten und wühlten mit allem Eifer; in dieser Richtung war es daß Kaiser Joseph gleich nach seinem Regierungsantritt einen

1) In der Schlacht von Blindheim (s. u) hatte Prinz Eugen (rechter Flügel) an Fußvolk 11 preußische and 7 dänische Bat. und von seinen 74 Esc. waren 20 preußische. Kaiserliches Fußvolk war gar nicht in der Schlacht, da die zwei kaiserlichen Bat. in Rottweil zurückgeblieben waren (Heller, II. p. 189). Freilich die veröffentlichte Verlustliste der Blindheimer Schlacht (u. a. bei Lamberty, III. p. 199) giebt neben den Verlusten der preußischen und dänischen Infanterie auch 316 Todte und 402 Verwundete von der kaiserlichen Infanterie.

Schönborn zum Reichsvicekanzler ernannte. Ilgen schreibt einige Jahre später: „Da hat man sich gegen das Haus Brandenburg gänzlich demaskirt und die vorgegebene kaiserliche Autorität und das kaiserliche Amt so weit poussirt, als man es immer bringen können, unter dem Prätexte, man sehe wohl, was das Haus Brandenburg mit einer so großen Armatur und gesammelten Schätzen intendire, daß es nämlich aller Obligation gegen Kaiser und Reich sich gänzlich entziehen, seine zum Reich gehörenden Lande nicht mehr für Reichslehen erkennen, sondern sich ganz vom Reich ablösen und sie wie Preußen in völliger Souveränetät regieren wolle, ohne auf den Kaiser und dessen im Reich ergehende Verordnung weiter die geringste Reflexion zu nehmen." Ilgen fügt hinzu: „Man weiß, daß in Wien öfters damit umgegangen worden, wenn Brandenburg sich nicht in Allem sofort dem Willen des Kaisers submittire, das Reich aufzufordern, dem Hause Brandenburg alle Successionsrechte auf Sachsen, Hessen, Braunschweig, Jülich=Berg, Mecklenburg, Holstein, Anhalt, Ostfriesland zu entziehen und gänzlich zu cassiren; dergleichen Vorschläge sind schon verschiedentlich beim Reichstag geschehen, und sie wären bereits wohl schon weiter gekommen, wenn nicht andere Stände, die ähnliche Exspectanzen haben, gehindert hätten, ein so despotisches Verfahren im Reich einreißen zu lassen."

Der Krieg im Osten.

In den nordischen Wirren hatte Friedrich I. zuerst nur die gute Gelegenheit gesehen, sein Krönungsproject zu verwirklichen. Er blieb auch des Weiteren, wie er sich ausdrückt, „der Intention, sich weder der einen, noch der anderen Parthei theilhaftig zu machen." Je gewaltsamer die Dinge dort sich entwickelten, desto verlegener und bedenklicher wurde diese Neutralität. Seit August II.

18*

bei Clissow geschlagen war (19. Juli 1702), war Karl XII. so gut wie Herr in Polen; sein Name erfüllte Europa.

Als Friedrich I. im Sommer 1702 im Haag war, sprach er gegen den schwedischen Gesandten dort, Graf Lilienroot, seinen Wunsch aus, mit Karl XII. in nähere Beziehung zu treten. Das Erbieten wurde wohl aufgenommen; verhandelnd konnte man Preußen noch weiter von August II. abziehen, Zeit gewinnen, sich Thorns zu bemächtigen, sich in den Niederungen der Weichsel und in Ermeland festzusetzen. Es währte bis zum 8. August 1703, ehe der Vertrag von den beiderseitigen Gesandten im Haag entworfen war; über mehrere Punkte, die noch unerledigt waren, sollte im schwedischen Hauptquartier weiter verhandelt werden.[1])

Die Kunde von diesem Vertrage, von dem eingeleiteten Verlöbniß des Kronprinzen mit Karls XII. jüngerer Schwester, Ulrike Eleonore, erschreckte im Haag nicht minder, als in Hannover, in Wien nicht minder, als in Polen. In Hannover hatte man sich der schwedischen,[2]) in Wien der preußischen Allianz völlig sicher geglaubt und sah nun eine Combination eintreten, die beide Illusionen zerstörte. In Holland hatte die Parthei des Prinzen von Nassau-Friesland gehofft, Karl XII. zu einem Angriff auf Ostpreußen zu bewegen; dieser Vertrag vom 8. August war für sie „ein Donnerschlag."[3]) Und in Polen erwartete man nun nichts Anderes,

---

1) Fuchs an den König, 12. März 1703. Wolfgang v. Schmettau, der im Haag mit Lilienroot verhandelte, war Fuchs Schwiegersohn. Der Vertrag ist abgedruckt bei Nordberg, III. N.o LXXIX. Er enthielt nichts weiter als die Anerkennung der preußischen Krone und daß Preußen der Republik Polen, wenn sie den Krieg erklären sollte, nicht Hülfe leisten werde, endlich daß man gemeinsam die protestantischen Interessen schützen wolle.

2) „Outre que le Prince Electoral est le rival du Prince Royal." Wolters, 11. Aug. 1703.

3) So der Rathspensionär Heinsius, Schmettau, 31. Aug. 1703. Dagegen schreibt Marschall von Biberstein (an Wartenberg), Berlin, 30. Aug. 1703: die Königin von Polen habe Briefe aus Polen, nach denen man dort ein Ende

als daß Karl XII. und Friedrich I. das polnische Preußen unter sich theilen würden.

Der Zustand Polens war entsetzlich; die Republik in Partheien zerrissen, in erbärmlichster Ohnmacht, das Land von den Schweden, Moscowitern, Sachsen, Tartaren, von den heimischen Kriegsbanden immer von Neuem durchheert und ausgesogen, Reichstage und Landtage an allen Ecken und Enden, jeder lärmender und vergeblicher, als der frühere. Mit dem Fall von Thorn (October 1703) löste sich der Rest des Anhangs auf, den August II. noch gehabt hatte; schon waren seine Gegner conföderirt; ihre Losung wurde: „Dethronisation, damit die Republik, ohne die dieser misgewählte König den Krieg erklärt und geführt habe, in Frieden komme.“ Und der erste Magnat der Republik, der Erzbischof Primas schrieb: „man muß die Segel einziehen, bis der Sturm vorüber ist.“

Wiederholte Versuche Augusts II., sich dem Schwedenkönige zu nähern, sich auf Kosten Polens mit ihm zu verständigen, waren gescheitert. Die Bemühungen der Seemächte, deren Handel bei der Zerrüttung Polens litt, den Frieden zu vermitteln und die schwedische Kriegsmacht für den Krieg gegen Frankreich zu gewinnen, blieben erfolglos. Des Kaisers Erbietungen zur Mediation fanden kaum Gehör. Die europäische Diplomatie war in Verzweiflung über diesen „nordischen Alexander,“ der eben so wenig Diplomat, wie ganz Soldat, eben so unzugänglich, wie unberechenbar war; kaum, daß er irgend einem Diplomaten gestattete, in sein Hauptquartier zu kommen; als Dienstsuchende oder als Cavaliere, die den Krieg kennen lernen wollten, oder unter welcher Maske sonst mußten sie sich einschleichen. Stieren Blickes gegen

der Wirren erwarte, „puisqu'on considéroit le partage de la Prusse Polonaise entre le Roy de Pologne et de Suède comme une chose faite et assurée.“

den Polenkönig, den er haßte und verachtete, weiter rasend, schien er zu glauben, daß „die Barbaren des Ostens“ für immer mit Narva abgethan seien; er schien nicht zu bemerken, wie die Politik des Zaaren, seit er Patkul in seinen Dienst genommen, Freund und Feind zugleich aus dem Sattel zu heben thätig war.

Merkwürdig, wie in diesem Gewirr der östlichen Dinge die preußische Politik einen diplomatischen Ariadnefaden zu spinnen versuchte.

Ein Christian Müller, „ein freier Sachse,“ wie er sich nennt, ein „Statist und Publicist,“ der mit Welt- und Staatsverbesserungsplänen und protestantischem Eifer Carriere zu machen suchte, hatte sich nach Berlin gewandt, bei Wartenberg und Ilgen, mehr noch beim Könige Gehör gefunden. Nicht gerade in ihrem Auftrage, wohl aber mit ihrer Gutheißung seiner Pläne begab er sich zur schwedischen Armee, verstand sich dort mit Stallmeistern und Kammerdienern in Verbindung zu setzen, Karl XII. eine Denkschrift in die Hände zu spielen, die dessen Aufmerksamkeit erregte: die Polen seien ein treuloses, geldgieriges, verderbliches Volk, durch die unsinnigste Freiheit gänzlich verdorben, die Quelle ewiger Unruhen für ihr Nachbarn und für Europa; man müsse sie unschädlich machen; wenn die schwedische und preußische Armee vereint ihr Land besetzten, sei alles Andere leicht gethan; Karl XII. müsse das große und mächtige Fürstenthum Litthauen, Friedrich I. das polnische Preußen und Pommerellen nehmen; dem Zaaren könne man die polnische Ukraine geben, den Rest der Republik König August II. erblich und souverän behalten, unter der Bedingung der Rückkehr zum Protestantismus; der Kaiser werde mit der Theilung zufrieden sein, wenn die Theilenden ihm 60,000 Mann gegen Frankreich stellten.[1])

---

1) Daß das Gutachten im März oder April 1703 an Karl XII. gelangt ist, ergiebt ein lehrreiches Aktenstück im Dresdner Archiv, in dem Müller die

Kein Zweifel, daß Müller mit dem vertrautesten und frivolsten der Räthe Augusts II., dem Gen. Graf Flemming, im Verständniß war. Flemming kam im Lauf des Sommers zweimal nach Berlin; er wies auf die bedrohlichen Erfolge des Zaaren hin, der bereits die Festung Petersburg gegründet, bereits Kriegsschiffe zu bauen begonnen habe; von ihm drohe allen Ländern an der Ostsee die schwerste Gefahr; noch könne man sich so verständigen, daß ihm nicht die ganze Beute zufalle, noch könne man die Republik Polen zu großen Zugeständnissen bewegen; aber man müsse sie nicht zum Aeußersten treiben. Er sprach von 100,000 Tartaren, die im Begriff seien, für die Republik aufzusitzen; er drängte zur höchsten Eile.

Ein Theil der schwedischen Truppen war nach dem Fall von Thorn (October 1703) auf Elbing marschirt, andere, angeblich auf dem Marsch nach Litthauen, blieben in Ermeland. Wie hätte Preußen zusehen sollen, daß die wichtige Stadt, auf die es Pfandrecht hatte, daß das Bisthum, welches die Provinz Preußen durchschnitt, von den Schweden gewonnen wurde. Der Bischof bat um preußische Truppen; die Elbinger sandten nach Berlin: sie seien außer Stande die 100,000 Rthl. Contribution aufzubringen, die General Steenbock gefordert.

Man hatte in Berlin nicht eben Vorliebe, noch weniger Vertrauen zu der eben so hochmüthigen, wie heimtückischen Politik des Dresdner Hofes.[1]) Aber die Gefahr im Reich — eben jetzt war

---

ganze Reihe seiner Thaten von 1701 — 1710 aufzählt. Das Gutachten selbst überreicht Müller, nach Berlin zurückgekehrt, d. d. 3. Oct. 1703 an Wartenberg, „da sein früher eingereichtes Concept cassirt zu sein scheine."

1) Man hatte Kenntniß von einem sächsischen Allianzproject zwischen Sachsen und Schweden zur Zerstückelung des preußischen Staates, das von Paris aus gefördert wurde. Dies Project und den Brief des Gen.-Lieut. Jordan an den sächsischen Kanzler Graf Beichlingen d. d. Paris, 6. März 1702 hatte der gewandte Marschall von Biberstein in Abschrift zu bekommen gewußt und eingesandt.

der Feind bis Regensburg und Passau vorgedrungen — die drohende Dethronisation, das Einnisten Schwedens an der unteren Weichsel, die ehrgeizigen Pläne des Moscowiters schienen nur noch einen Ausweg zu lassen, den, nach dem von König August II. angeregten Projecte den Frieden im Osten auf Kosten der Republik Polen herzustellen.

Obrist Eosander, Schwede von Geburt, der so eben in Stockholm gewesen war, die Verlobung des Kronprinzen formell einzuleiten, wurde an Karl XII. gesandt:[1]) man wünsche vertraulich zu erfahren, was er mit Polen im Sinn habe; für Schweden sei Liefland die Hauptsache, Preußen habe auf Elbing und andere Punkte im polnischen Preußen Ansprüche; der Kaiser und die Seemächte, die sich, wenn sie die Arme frei hätten, gewiß Allem, was zur Vergrößerung Schwedens und Preußens dienen könnte, widersetzen würden, seien jetzt nicht in der Lage, im Geringsten zu hindern; wenn Schweden einverstanden sei, so werde Preußen Mittel finden, die Zustimmung Augusts II. und der angesehensten Männer der Republik zu gewinnen. Es wurde beliebt, in vertraulicher Conferenz, die zu Danzig gehalten werden sollte, das Weitere zu erörtern.

Der wolfenbüttelsche Geheimerath von Alvensleben, der zu dieser höchst geheimen Sendung nach Danzig ausersehen wurde, erhielt vor Allem die Weisung, die Dethronisation zu widerrathen; vielmehr müsse August II. gehalten werden, damit er von Polen hergeben könne, was Schweden und Preußen forderten; man

---

1) Instruction für den Quartiermeister-Lieutenant von Eosander genannt Göte d. d. 27. Oct. 1703. In der Verlobungsangelegenheit rivalisirte Hannover, „qui a sçeu si bien profiter de la petite froideur qui a été jusqu'à présent entre nous (Schweden und Preußen), heißt es in dem Kön. Rsc. an Eosander, 24. Dec. 1703.

müsse in der Stille Alles feststellen, die geforderten Gebiete besetzen, dann erst den Zaaren und Dänemark davon in Kenntniß setzen und ihnen die für sie bestimmten Theilstücke zuweisen. Außerdem sollte Alvensleben beantragen, daß Elbing, als an Preußen verpfändet, preußischen Truppen überwiesen werde, wogegen Preußen die auferlegte Contribution zahlen wolle.[1])

Allerdings wurde in Danzig conferirt; es kam, die angeknüpften Verhandlungen fortzusetzen, Leuwenstedt an den Hof zu Berlin. Aber schon war bei Karl XII. die Entthronung Augusts II. beschlossene Sache.

Er dachte daran, Prinz Jacob Sobiesky zu erheben, für den die Stimmung in Polen zu sein schien, der auch in Berlin alle Gunst zu haben glaubte. Im Januar versammelte sich ein Reichstag in Warschau, am 14. Februar beschloß er die Absetzung Augusts II. Gleich drauf ließ August II. den Prinzen Jacob und dessen Bruder Constantin in Schlesien aufgreifen und nach Sachsen abführen. Auf das Wildeste schäumte die Wuth der Polen auf: „sie würden mit 20,000 Mann nach Sachsen gehen und so lange sengen und brennen, bis man Prinz Jacob herausgegeben."

Mit dem Gewaltstreich gegen die Prinzen war das schöne Project für den Frieden im Norden ins Wasser gefallen. Jetzt kam Patkul, vom Zaaren gesandt, nach Berlin, ein anderes anzubieten:[2]) statt der Theilung Polens eine Theilung Schwedens;

---

1) Instruction für den Geh. Rath Joh. Fried. v. Alvensleben d. d. 1. Nov. 1703, als Beilage „Project, wie künftig zu dem Frieden in Polen zu gelangen."

2) Patkuls Bericht an einen sächsischen Minister über seine Zusammenkunft mit Ilgen in Saarmund Anfang Juni: j'ai ordre du Czaar, de proposer encore une alliance avec le Roy de Prusse dans le dessein de l'engager à rompre, et si cela ne se peut pas, de luy lier seulement les mains d'une telle manière, qu'il ne puisse pas nous faire du mal." Augusts II. Instruction für Patkul, Sendomir 23. Mai (eigenhändig): er wolle 12,000 Sachsen unter Preußens Befehl stellen, die Friedrich I. mit seinen 8000 M. in Preußen und mit 12,000 in Brandenburg vereinigen werde; er selbst habe 12,000 Mann in

der beste Theil Polens habe sich für August II. erklärt, sich in der Conföderation von Sendomir verschworen, Gut und Blut für ihn daran zu setzen; Dänemark warte nur auf die Erklärung Preußens, um das Joch des Travendaler Friedens abzuwerfen;[1]) vereint würden die vier Mächte mit Schweden bald fertig werden, Liefland, Pommern, Holstein unter sich theilen.

Wie hätte Preußen sich auf diesen Plan einlassen können, jetzt, wo die schwedische Macht von der Oder und Weichsel her sofort sich auf die fast unbewehrten Marken hätte stürzen können; man mußte zufrieden sein, mit Karl XII. in gutem Vernehmen zu stehen. Aber freilich trotz aller Freundschaftsversicherungen ließ er Elbing nicht räumen; schon begannen seine Truppen, Danzig enger zu umschließen; den Vorwand gab, daß die Stadt zu August II. hielt. Wie waren die Danziger in Aufregung; sich selbst zu schützen, vermochten sie nicht; ihre Wälle und Mauern waren verfallen, ihr Zeughaus, ihre geworbenen Knechte im elendesten Zustande, an ihrer Spitze ein ehemals schwedischer Oberstlieutenant; in den Bierhäusern hieß es immer wieder: wir wollen uns nicht länger vom Rath scheeren lassen, wir wollen nicht Geld über Geld zahlen, daß die Herren zu Tonnen Goldes reich werden, wir wollen nicht ruhen, bis wir den Brandenburger zu unserm König und Schutzherrn haben.[2]) In der That beriethen nun die Herren auf dem Rathhaus, ob man um eine preußische Besatzung bitten

---

Großpolen, 22,000 Mann in Kleinpolen, 25,000 Litthauer, der Zaar mehr als 20,000 M. in Litthauen, 20,000 Dänen seien bereit, in Schonen einzubrechen: „Je lesse à juger si nous ne serrons pas en estas de prescrire ce que nous voulons à ces orgeilleux ennemis."

1) Ahlefeld an Gen. Flemming, 27. Mai 1704: „Il y a un temps infini que je m'efforce à mettre cette cour dans la bonne voie, j'ai fait tout au monde pour faire un concert touchant les affaires de Pologne et je me suis épuisé en discours et en raisonnements."

2) Aus einem Bericht Christian Müllers d. d. Danzig, 2. Mai 1704.

solle; sie sandten nach Berlin, anzufragen, ob man es wohl thun werde, wenn die Stadt darum bitte.

Wir haben der großen Rüstungen erwähnt, die Friedrich I. in diesem Frühjahr machen ließ. Die Truppen im Preußischen wurden, die Wibranzen ungerechnet, auf 12,000 Mann gebracht, allenfalls genug, um die Grenzen des Landes zu schützen. Sollte man sich um Danzigs willen in endlose Gefahr stürzen? Holland und England, die bisher Nichts gethan, die Stadt zu decken, deren Selbstständigkeit für ihren Handel so wichtig war, hätten eine preußische Occupation so wenig zugegeben, wie sie die schwedische hindern zu wollen schienen. „Eine preußische Occupation," sagte das Gutachten des Geheimenrathes, „werde die Stadt nur hartnäckiger machen; man müsse den Schweden keinen Prätext zum Kriege gegen Preußen geben; man könne den Danzigern nur rathen, sich der Conföderation anzuschließen."[1]) Danzig zahlte einige hunderttausend Gulden an Schweden, es trat der Conföderation bei.

Karl XII. drängte zur Wahl; am 19. Juni wurden die Landboten nach Warschau berufen, unter dem Schutz und dem Druck der schwedischen Waffen wurde gewählt; Stanislaus Lesczinski, Woywode von Posen, war der „Neuerwählte."

August II. hatte die äußersten Anstrengungen gemacht, die Wahl zu hindern. Er hatte 20,000 Mann bei Guben gesammelt, die durch das Crossensche nach Polen einrückten. Er sandte Flemming nach Berlin, zu schleunigem Beistand, nach Kopenhagen, zum Einfall nach Schonen aufzufordern; nur rasches Handeln könne noch vor den „vasten Desseins" Schwedens retten.[2]) Er

1) Protocoll des Geh. Rathes vom 20. Mai 1704, anwesend Schwerin, D. Danckelmann, Fuchs, Ilgen.

2) „Mais qu'elle (S. M. Dan.) ne songe point à Holstein pour ne point s'attirer d'ennemis. En Hollande il faut travailler, qu'elle se tienne passive et qu'elle retienne aussi la maison de Lunebourg."

hatte zugleich Unterhandlungen völlig entgegengesetzter Art eingeleitet.

Schon im Juni meldeten preußische Berichte aus Karls XII. Hauptquartier von Friedensanträgen des Polenkönigs, von sehr lockenden Erbietungen, die er gemacht habe, solchen, „in denen Preußen und Hinterpommern Gefahr gelitten haben würden;“ Frankreich arbeite mit allen Kräften daran, Schweden und Sachsen zu verständigen.[1]) Dann nach der Wahl, nachdem die sächsischen Truppen und die der Conföderation von Sendomir da und dort geschlagen und zersprengt waren, waren dieselben Anträge, nur in größerem Umfange, wiederholt worden; Leuwenstedt legte in Berlin Abschrift von Briefen vor, aus denen sich das saubere Doppelspiel der Dresdener Politik ergab.

Die Mittelsperson war der französische Jesuit Montmejan von der Mission zum heiligen Kreuz in Warschau, der Augusts II. Mittheilungen durch dessen Vertrauten Riemeck empfing und sie an Karl. XII. durch dessen Geheimsecretair Hermelin beförderte. Der Vorschlag war: zunächst sollten sich die sächsisch-polnischen Truppen auf das linke, die schwedischen auf das rechte Weichselufer zurückziehen, sodann ein Offensiv- und Defensivbündniß geschlossen und zum sofortigen Angriff gegen alle Feinde, namentlich gegen einen, „den man nicht zu nennen brauche (Rußland),“ geschritten werden; im Fall man sich auch gegen Brandenburg wende, habe man auf den Beitritt Hannovers zu rechnen;[2]) zum Garanten und vielleicht zum Genossen der Allianz werde man Frankreich gewinnen können.

---

1) Bericht des Gen. v. Schlippenbach, Bartenstein, 7. Juni 1704.

2) Art. 10: „qu'en cas, qu'on agisse contre Brandenbourg, il est très assuré, que le Duc de Hannovre se joindra avec les deux rois pour agir contre luy.“ Das Schreiben des „Bekannten“ an Hermelin ist d. d. 29. Oct. 1704. Die Abschrift von Hermelin vidimirt. „Der Bekannte“ ist Montmejan, der mit Hermelin von früher her Verbindung hatte.

Angeblich aus eigener Meinung hatte Montmejan beigefügt: dem Neuerwählten könne man als Entschädigung das Herzogthum Preußen mit dem Königstitel geben.[1]) Karl XII. ließ auch diese Propositionen abschriftlich in Berlin mittheilen, um die dort noch etwa vorhandenen Einflüsse des Dresdener Hofes völlig zu entmuthigen.

Daß August II. in solcher Weise intriguirte, wird in Berlin nicht eben überrascht haben; von desto ernsterer Bedeutung mußte es scheinen, daß Frankreichs dabei in der Weise, wie es geschehen, erwähnt war; August II. hatte die Hand zu einem Plane geboten, der nichts Geringeres war, als Verrath am Reich in dem Moment seiner höchsten Gefahr.

Denn das französisch-bairische Heer unter Marschall Marsin lag, wie erwähnt, im Frühling 1704 am rechten Donauufer bis Regensburg hinab, und im Elsaß stand ein zweites französisches Heer unter Marschall Tallard, bereit, durch den Schwarzwald zu jenem zu stoßen. Gelang ihnen noch ein Schlag, wie der vorjährige bei Hochstädt, so setzte der stolze Feind dem Reich den Fuß auf den Nacken; darum die höchst ernsten Anstrengungen, die von Seiten der alliirten Mächte gemacht wurden; von Preußen rückten 16,000 Mann unter Fürst Leopold von Dessau an den unteren Main. Zum ersten Male wurde dieselbe Art der Kriegführung, der Ludwig XIV. bisher so große Erfolge dankte, gegen ihn angewendet. In raschen Märschen führte Marlborough sein Heer vom niederländischen Kriegstheater an den Main, gewann bei Heilbronn die Verbindung mit der Armee die am Oberrhein unter dem Markgrafen von Baden stand, während an der Donau herauf Prinz

1) „On pourra luy donner la Prusse Ducale erigée en Royaume, cette province n'étant peu difficile à prendre, et cela ne feroit pas ombrage aux confédérés, qui d'un coté seroient bien aise de voir le Brandenbourg un peu abbatu, et d'un autre" u. s. w.

Eugen sich ihm näherte. Eine Reihe kühner Bewegungen an der oberen Donau führten endlich in der Nähe des Schlachtfeldes vom vorigen Jahr zu der entscheidenden Schlacht von Blindheim (15. August); die Preußen bildeten die Hauptstärke auf Prinz Eugens Flügel, nicht bloß der Zahl nach; durch sie gelang es dem Prinzen, den schon wankenden Sieg zu erringen.[1])

Es war die erste Niederlage, welche die französische Armee erlitt; 26 Bataillone, 4 Dragonerregimenter streckten das Gewehr; das obere Deutschland war von den Feinden befreit; bis über den Rhein folgten die alliirten Armeen. Und von Seiten des Wiener Hofes wurden sofort Schritte gethan, das bairische Land in Oestreich zu incorporiren; die Achtserklärung der Fürsten von Baiern und Cöln wurde eingeleitet.

Vor dieser Schlacht waren die ersten, nach ihr die zweiten Erbietungen von August II. an Schweden gemacht worden. Karl XII. hatte sie und mit ihnen die von Frankreich gewünschte Verbindung abgelehnt; er hatte von Neuem Augusts II. Kriegsvolk, Sachsen, Polen, ein russisches Hilfscorps, aus einander gesprengt, her und hin gejagt, Posen occupirt, bei Puniz, nahe an der schlesischen Grenze, den Rest, 24 Bataillone unter General Schulenburg, in die Flucht gejagt. Aber in Ingermannland und Liefland drangen die Russen immer weiter vor; Dorpat, Narva fiel in ihre Gewalt. Jeder Verständige mußte sehen, daß dort die wahre Gefahr für die schwedische Macht sei, während Karl XII. nur die Ver-

---

1) Außer den bekannten Materialien für die Schlacht von Blindheim, die gar sehr einer Revision bedürfen, habe ich mehrere Berichte in den diesseitigen Acten benutzen können; besonders lehrreich ist der von Grumbkow, der zu Marlborough commandirt war, vom 16. Aug. mit einer rasch entworfenen Zeichnung der Schlacht. Er sagt von der Cavallerie des rechten Flügels: „so außer E. M. Regimenter schlechte Thaten gethan." Und Marlborough an den König, 17. Aug. rühmt „la bravoure de toutes les troupes de V. M. qui se sont particulièrement distinguées."

nichtung Augusts, die Krönung und Anerkennung des Neuerwählten verfolgte.

Mit Sorge sah man am Berliner Hofe den Gang, den die Dinge nahmen; man fürchtete, daß Karl XII., um seinem Gegner „ans Herz zu greifen,“ nach Sachsen einbrechen werde; man ließ ihn wissen, daß man nach dem Kurvereine und den Erbverbrüderungen solchen Einbruch würde ansehen müssen, als wenn er in die brandenburgischen Lande geschehen.[1]) Man bewog Marlborough bei seiner Anwesenheit in Berlin, Namens der Seemächte die Garantie der kursächsischen Lande zu übernehmen; mit ihm gemeinsam empfahl man Karl XII. auf das Dringendste den Frieden mit Polen und dem Zaaren.

Das Alles wirkte nicht. Man versuchte einen anderen Weg; man erbot sich zu einem Bündniß mit Schweden „zur gegenseitigen Sicherheit und einem angemessenen Vortheil für beide Kronen;“ die Sicherheit werde erreicht, wenn man der Republik Polen neue Grenzen gebe und sie so beschränke, daß sie und ihr König den Nachbarn nicht mehr schaden könnten; die abgetretenen polnischen Gebiete würden die Satisfaction der beiden Kronen geben; dem Neuerwählten könne man außer der Succession nach Augusts II. Tode sofort ein Stück polnisches Land zugestehen; Preußen habe 20,000 Mann zur Hand, diese mit den 38,000 Mann Schweden vereint, würden genügen, den Frieden zu dictiren.[2])

1) Prebendau an Gen. Flemming, 18. Feb. 1705: „Ilgen hat Recht, wenn er sagt, dieser Hof habe die Garantie der kursächsischen Lande bewirkt,“ er fügt hinzu, „daß sie von allen Puissancen ratificirt sei.“ (Dresd. Arch.)

2) Der Vorschlag, von Ilgens Hand, proposé à Mr. Leyenstedt, 14. Oct. 1704, schließt Art. 8.“ Le mot aut nunc aut numquam doit être observé dans cette occasion plus que dans aucune autre, et l'on craint même, que l'on n'aye déjà attendu trop longtems à cause du bon état ou sont présentement les alliés contre la France et qu'ils à mesure qu'elles deviennent bonnes, gastent et ruinent l'espérance que la Suède et la Prusse peuvent avoir de profiter des troubles de la Pologne.“

Schweden war zufrieden, daß Preußen einen Schritt näher trat. Noch immer war jener Vertrag von 1702 nicht zu Ende verhandelt; Karl XII. ließ in Berlin melden, sein wismarischer Präsident, von Rosenhane, werde sich zu den weiteren Verhandlungen einfinden. Aber er stellte andere Gesichtspunkte voran: die völlige Dethronisation Augusts II., die Manutenirung des Neuerwählten. Und erst im März 1705 kam Rosenhane nach Berlin; mit Weiterungen über das Ceremoniel verzögerte er noch wochenlang die Conferenzen. Inzwischen blieb Elbing und Ermeland, deren Räumung so oft versprochen war, von schwedischen Truppen besetzt.

Aber als im Frühling 1705 einige Regimenter aus Ostpreußen aufbrachen, unter Leopold von Dessau nach Italien zu marschiren, erhoben die Schweden darüber Beschwerde; als ob ihnen aus jenem Antrag zur Allianz ein Recht zustände, zu fordern, daß die Truppenmacht in Ostpreußen nicht verringert sei für den Fall, daß ihnen gefalle, die Allianz anzunehmen. Zugleich meldeten sie von neuen Briefen Augusts II., die Preußen als den schlimmsten Feind Schwedens schilderten und gemeinsame Schritte gegen den treulosen Nachbar vorschlugen. Sie thaten, als ob Preußen nur durch die Großmuth Schwedens vor solchen Anschlägen gerettet werde.

Die Dinge lagen nicht mehr so, wie im October. „Schwedens Macht ist im Abnehmen, die des Zaaren im Wachsen, und alle früheren Kriege zeigen, daß die Russen Schweden endlich müde gemacht haben," — so Ilgen schon im Januar 1705; „Preußen hat Truppen genug, die Russen, Polen, Tartaren von seinen Grenzen abzuweisen, nicht genug, den Neuerwählten zu halten; Schweden will nur die Last dieses Kampfes ohne Ende auf Preußens Schultern wälzen." [1]) Eusebius von Brandt, an den

1) So das Gutachten von Ilgen (praelectum Regi, 12. Jan. 1705) von Alvensleben, 25. Jan.

sich der Neuerwählte mit der Bitte gewendet, seine Anerkennung in Berlin zu befürworten, derselbe Brandt, der einst Kalkstein in Warschau festgenommen, meldete von Cottbus aus (29. April): „man beginnt in Polen mehr als Alles die große Macht des Zaaren zu fürchten, der sichtlich für August II. eingetreten ist, um sich zum Herrn der Republik zu machen; die Polen sehen, daß, wenn es ihm gelingt, ihre Libertät ein Ende hat, daß der Zaar sie nicht bloß als Souverän, sondern als Despot regieren wird; Monarch in Polen, wird er nicht allein Preußen, sondern dem Kaiser und dem ganzen Reiche furchtbar sein."

Nun kam Patkul, vom Zaaren gesandt, nach Berlin; er brachte die glänzendsten Erbietungen: ein russisches Heer sei auf dem Marsch nach Polen, werde August II. bald Luft machen; eine bedeutende Zahl Fregatten und Galeeren lasse der Zaar in See gehen, schwedische Schiffe aufzubringen und an den Küsten Schwedens zu landen; wenn sich Preußen mit ihm verbinden wolle, so biete er nicht bloß Subsidien und russische Miethvölker, sondern im polnischen Preußen, in Curland und wo der König sonst wolle, alle mögliche Satisfaction.[1])

Man zögerte nicht, von diesem Antrage der schwedischen Gesandtschaft Nachricht zu geben; man fügte hinzu, daß man ihn „rundweg" abgeschlagen, daß man dem Zaaren einen Separatfrieden mit Schweden empfohlen habe, daß man bereit sei, dessen Vermittelung zu übernehmen. Man hob hervor, daß der dänische Gesandte sich lebhaft für Patkuls Anträge bemüht habe.

Schon seit Wochen war der Kronschatzmeister Prebendau in Berlin, Namens der Republik Polen zu unterhandeln. Auch er bot große Dinge, auch von seinen Anträgen wurde den schwe-

1) Denkschrift von Ilgens Hand (praelectum Regi, praes. Comite de Wartenberg, 24. Mai 1705). Sie ist dann dem schwedischen Gesandten mitgetheilt.

dischen Herren Nachricht gegeben; mochten sie inne werden, daß der Krone Preußen noch andere Wege offen seien, als der Vertrag, wie ihn Schweden forderte.

Es verschlug wenig; weder Rosenhane gab das Geringste von dem nach, was er in der ersten Conferenz aufgestellt hatte, noch war im Hauptquartier Neigung zum Vergleich mit dem Zaaren; Alles hätte Karl XII. eher zugestanden, als was der Zaar forderte, „einen Fuß an der Ostsee zu behalten.“ Die Schweden waren Herren in Polen; wo sich irgend ein Trupp Sachsen oder polnischen Volkes zu setzen suchte, jagten sie ihn aus einander, die Reste flüchteten in die Wälder, um bei nächstem Anlaß wieder hervorzubrechen und wieder zersprengt zu werden.

Während so Polen aus tausend Wunden blutete, Karl XII. seine Armee in rastlosen Kämpfen, die nicht mehr Krieg waren, vergebens erschöpfte, August II. unter dem Schutze des Reichsfriedens in seinen Kurlanden neue Regimenter warb, um sein Glück von Neuem zu versuchen, drang die russische Macht vorsichtig, sicheren Schrittes weit und weiter vor; schon war sie in Liefland, die kleinen schwedischen Posten, die dort standen, vermochten nicht mehr, sie aufzuhalten. Im Juli ließ der Zaar die Düna überschreiten, der Marsch ging nach Mitau hinab; wohl siegten in der Nähe der Stadt 4000 Schweden über 20,000 Russen (26. Juli); aber der Sieger mußte eilen, sein zusammen geschmolzenes Häuflein nach Riga zu retten. Die Russen, fort und fort sich verstärkend, überschwemmten Kurland, schoben sich über Grodno bis an den Narew vor.

Die Dinge im Osten nahten sich ihrer Krisis. Während Karl XII. zur Krönung des Neuerwählten drängte und, sie zu decken, seine Truppen nach Krakau hinauf und gegen die schlesische Grenze zusammenzog, sammelte August II. seine neu geworbenen Regimenter bei Guben, eilte selbst über Danzig und Königsberg nach Grodno. Nicht bloß, daß die dahin berufenen Senatoren, so viele ihrer kamen, Lesczinskis Wahl und Krönung für nichtig erklärten; das russische Heer rückte in der Richtung auf polnisch Preußen vor, polnische Partheigänger brachen in Ermeland ein, die Sachsen bei Guben setzten sich in Bewegung, über die Oder nach Posen zu ziehen. Der Plan war, sich in polnisch Preußen mit den Russen zu vereinigen, „den Schweden, wie sie schon von Liefland abgeschnitten, so auch den Weg nach Pommern und zur preußischen Küste zu verlegen." Sie hatten dort Nichts, als etwa tausend Mann in Elbing.

Die Gefahr für Karl XII. erschien so groß und so dringend, daß er, wenn er nicht völlig verblendet war, ein nochmaliges Entgegenkommen Preußens mit lebhaftem Danke annehmen, endlich einmal auf die Wünsche Preußens eingehen zu müssen schien. Schloßhauptmann von Printzen wurde nach Warschau gesandt, in diesem Sinne mit Karl XII. zu sprechen, ihm noch einmal das Theilungsproject zu empfehlen.[1]) Wenigstens ein Gegenproject gab man ihm mit zurück: für die Anerkennung des Königs Stanislaus versprach man Elbing, Ermeland, Aufhebung des Rechts der Republik auf den Heimfall Preußens, endlich, zur Verbindung zwischen Pommern und Preußen, einen Strich Landes, vier bis fünf Meilen breit, von Lauenburg bis Marienwerder.[2]) So viel lag jetzt Schweden daran, Preußens Hülfe zu gewinnen.

---

1) Instruction für v. Printzen, 11. Aug. 1705, dessen erster Bericht aus Warschau, 8. Sept. In dem Bericht vom 19. Sept. meldet er das schwedische Gegenproject. Die sehr anziehenden Verhandlungen Printzens mit dem französischen Agenten in Danzig übergehe ich.

2) Ilgen in einer Darlegung dieser Verhandlungen (für Marlborough) d. d. 5. Dec. 1705: „il est à remarquer que le Roy de Suède ne prétend pas que S. M. luy procure aucun avantage réciproque et il déclare plutôt que tout l'avantage qu'il veut tirer de cette guerre, sera d'avoir dethroné le Roy Auguste et d'avoir prévenu par là les troubles que luy et tout le voisinage auroit à attendre de ce Prince, s'il demeuroit sur le throne."

Aber bedeutete Schwedens Erbieten auch die Zustimmung der Republik? Den Neuerwählten anerkennen, hieß nicht bloß gegen August II. und seinen Anhang in Polen eintreten, es hieß, die ganze Last des weiteren Kampfes auf sich nehmen, wenn Karl XII. für gut fand, sich auf Rußland zu werfen oder sich ganz zurückzuziehen. „Der Vortheil ist ungewiß und unsicher, die Gefahr unausbleiblich," heißt es in einem Gutachten über diese Frage; ein zweites fordert „das Theilungsproject oder eine stricte Neutralität;" — „eine solche Neutralität," sagt ein drittes, „davor Jeder Consideration haben müßte und welche die Grundlage einer dritten Parthei werden könnte." Auch der Kronprinz war aufgefordert, sein Gutachten zu geben: „wolle man sich mit Schweden einlassen, so müsse Holland und England die Garantie des Tractats übernehmen; man müsse mit dem Haus Hannover Allianz suchen, um den Rücken frei zu haben; man müsse das Geld bereit haben, um die Armee auf eigene Kosten zu erhalten; denn man werde nicht bloß die Subsidien von England und Holland verlieren, sondern den allgemeinen Haß des ganzen Reichs und sämmtlicher Alliirten sich zuziehen."[1])

Man setzte die Unterhandlungen fort, aber ohne auf die schwedischen Anschauungen einzugehen. Karl XII. wurde ungeduldig: je länger das Werk sich verzögere, desto mehr komme dazwischen; er wolle, daß man zu Ende komme, Alles sonst sei „Lapperei."

Allerdings kam Anderes dazwischen. Dem Zaaren und August II. lag Alles daran, Preußen jetzt wenigstens zurückzuhalten. Sie boten, wenn es mit gegen Schweden kämpfen wolle, Elbing, das ganze polnische Preußen und Pommerellen, nur Danzig ausge-

1) Gutachten von F.-M. v. Wartensleben (10. Oct.), von Printzen, vom Graf Wartenberg, vom Kronprinzen (11. Oct.), von Ilgen (12. Oct.), von Chwalkowsky, der ein geborner Pole (14. Oct. 1705).

nommen; wenn er wenigstens neutral bleibe, Elbing und einen Streifen Landes von Lauenburg bis Marienwerder. Vor Allem Patkul hatte darauf gedrängt, sich Preußens, um welchen Preis immer, zu versichern; er kam nach Berlin, er sah, daß das tiefe Mißtrauen gegen August II. Alles hindere; er theilte es vollkommen, er machte kein Hehl daraus, daß die Frivolität und Unfähigkeit des Dresdener Hofes, wie er ihn kenne, unheilbar sei, daß sein Herr, der Zaar, Augusts II. Sache für verloren halte. Nur um so weniger gelang ihm, was er wünschte. „Man hat die Absicht," berichtete er (24. November), „Stanislaus anzuerkennen, 20,000 Mann nach Preußen marschiren zu lassen; der König ist persönlich auf das Heftigste gegen August II. eingenommen."

Allerdings hatte der König im November nicht mehr ganz die Ansicht, die ihm seine Räthe im October fast alle empfohlen hatten; im vertrautesten Kreise wurde ernstlich daran gedacht, das bisherige System aufzugeben. Nicht bloß, weil größerer Gewinn zu machen war, wenn man aufhörte, neutral zu sein, sicherer, wenn man sich dem allezeit siegreichen Feldherrn anschloß; auch wenn man neutral blieb, schien das preußische Land demnächst Kriegsschauplatz werden zu müssen, und dann schien es besser, Parthei nehmend am Gewinn Antheil zu haben, mit anzugreifen, statt das eigne Land doch nicht hinlänglich zu schützen. Man hatte Gründe in Menge, mit dem Kaiser, mit Holland, selbst mit England unzufrieden zu sein; wenn man von den Truppen, die gegen Frankreich im Felde standen, so viele zurückrief, als man dort über die Vertragspflicht gestellt hatte, so konnte man hier im Osten entscheidend eintreten.

Es kam ein Anderes hinzu. Es ist gelegentlich angedeutet, wie sich die Königin zu den politischen Interessen Preußens verhielt. Sie war vor wenigen Monaten (1. Februar) in Hannover nach kurzem Krankenlager gestorben. Es ist nicht nöthig, zu schildern, wie um sie getrauert, wie wenigstens die Trauer um sie gefeiert worden ist. Politisch von Wichtigkeit war, daß mit ihrem Tode die letzten Fäden des Zusammenhangs mit dem hannövrischen Hofe, der von dort her nur zu oft mißbraucht worden war, gelöst schienen. Um so mehr Raum hatte nun Graf Wartenberg; er galt dafür, dem schwedischen Interesse zugewandt zu sein. Mehr noch seine Gemahlin, die seit dem Tode der Königin die erste Dame des Hofes zu spielen für ihr Recht hielt; sie vor Allen betrieb das schwedische Verlöbniß des Kronprinzen, um so eifriger, je mehr sich dessen Neigung der hannövrischen Verbindung, die seine Mutter gewünscht hatte, zuwandte, der mit der Tochter ihres Bruders, des Kurfürsten Georg Ludwig. Schon spielte auch ein geheimer Agent Frankreichs, Graf Bielke,[1]) in diese Intrigue hinein; wie hätte Frankreich nicht eine Combination wünschen sollen, die einen Theil der tapferen preußischen Regimenter vom westlichen Kriegstheater hinwegzog und sofort den Brand im Osten weiter um sich greifen machte. Natürlich half Alles, was von dem Oberkammerherrn Gunst und Förderung wünschte, mit für den Plan; und daß auch Schweden für gute Dienste gute Zahlung gebe, soll damals nicht bloß Graf Wartenberg erfahren haben. Wenn nur die schwedischen Minister — Karl XII. nahm wenig Notiz von jenen Heirathsgeschichten und jener Schwester — nicht immer neue Bedenken gehabt, neue Schwierigkeiten gesucht hätten, um, so zögernd, für die Hand ihrer Prinzessin den höchsten Preis herauszuschlagen. Nur um

1) Wartenberg an Marlborough, 2. Jan. 1706: „Le comte de Bielke, Suédois de nation et qui a un régiment en France." Eosander, der zuerst mit Bielke in Hamburg sprach, schreibt von seinen Aufträgen: „le point principale est la médiation," die Frankreich von Preußen übernommen wünsche. (20. Sept. 1705). Bielke war bis Ende Februar 1706 in Berlin.

so mehr betrieb die Wartenberg diese Sache; sie setzte ihren ganzen Einfluß daran, sie scheute die bedenklichsten Schritte nicht. Umsonst warnten Hamrath, Luben, die Intriguanten des sächsischen Hofes den Grafen vor den Unbesonnenheiten seiner Gemahlin, die seine Stellung untergrabe; sie legten ihm den Gedanken nahe, sich von ihr zu scheiden;[1]) sie beherrschte ihn. Er bemerkte nicht, wie Ilgen, nüchtern, scharfsinnig, unermüdlich, wie immer, mit Patkul, mit Flemming und Prebendau, mit Hannover, überall seine Fäden spann.[2])

Die Schwankungen in Berlin wurden so bedrohlicher Art, daß Marlborough im Interesse der großen Allianz für nöthig hielt, zum zweiten Male nach Berlin zu reisen. Er empfahl dem Könige, im Interesse der Sache, für die er schon so Großes gethan, noch mehr zu leisten, namentlich das Corps in Italien, das besonders in dem mörderischen Gefechte von Cassano furchtbar gelitten hatte, mit frischen Truppen zu ergänzen. Man verbarg ihm nicht, was Schweden, was der Zaar und August II. geboten hätten, um Preußens Beistand zu gewinnen, daß Frankreich die Anerkennung des Königthums, die oranische Succession, Geldern u. s. w. biete, wenn Preußen nur nicht mehr Truppen, als bisher, ins Feld stellen wolle; man habe noch keinen Entschluß

---

1) Anlaß genug bot das Verhältniß der Gräfin zu Lord Raby, dem englischen Gesandten in Berlin und Gegner Marlboroughs, Tory und in Gunst bei der Königin Anna. Coxe Mem. of the Duke of Marlborough, II. p. 9 und 203. Als des Herzogs „größten Feind" bezeichnet den Lord Raby schon Graf Flemming in einem Schreiben vom 28. Juni 1705.

2) Diese Intrigue — ich verfolge sie nicht — enthüllen die Correspondenzen des Dresdner Cabinets Der bekannte Pfingsten schreibt an den Residenten Walters in Berlin, Cracau, 8. Mai 1706: „n'est-il pas possible de faire une aversion au Prince Royal envers la Princesse (von Schweden) . . . n'y a-t-il pas moyen de faire insinuer au Prince, que la Princesse est fort capricieuse, impérieuse, d'une balaine puante, destituée de la faculté retentrice de l'urin, et de semblables inventions, dont un ésprit adroit ne manque jamais; nous tâcherons d'y contrecarrer auprès des Suédois autant qu'il nous sera possible."

gefaßt, sei noch nach keiner Seite hin engagirt; man bitte um der Königin Meinung und Rath.[1])

Vorerst erhielt der Herzog mit seinen Verbindlichkeiten und Verheißungen, was er wünschte (Vertrag vom 3. December); er versprach, daß, wenn irgend wo preußisches Gebiet in Gefahr komme, England es schützen werde; er sagte gut dafür, daß der Kaiser den Verpflichtungen dieses neuen Tractats nachkommen werde. Demnächst sandte er aus London die Antwort der Königin: wie lockend die Anträge Schwedens und des Zaaren seien, die Annahme der einen, wie anderen würde Preußen in schwere Verwickelungen stürzen; die übrigen Reichsfürsten würden aus Eifersucht auf die Vergrößerungen Preußens sofort ihre Truppen zurückrufen, Frankreich damit in die Lage kommen, dem ganzen Europa Gesetze vorzuschreiben; ebenso hätten Vielkes Anträge nur den Zweck, Mißtrauen unter den Alliirten zu erwecken; beim allgemeinen Frieden werde die Königin für die Interessen Preußens, wie für ihre eigenen, sorgen.[2]) Für die Politik der großen Allianz lag Alles daran, die nordischen Wirren und den Krieg mit Frankreich aus einander zu halten, und die Neutralität Preußens im Osten war gleichsam der leere Raum, der Schweden von Frankreich trennen sollte.

Man wartete noch in Berlin auf diese Antwort, während sich bereits im Weichsellande die Dinge entschieden.

---

1) „S. M. prie S. M. A. de luy vouloir conseiller à quoi Elle croit qu'Elle se doit déterminer et qu'Elle veuille bien après un choix fait assister de son crédit et de son pouvoir pour se maintenir dans les avantages, que la conjoncture du temps semble luy destiner" (Concept von Ilgens Hand, 3. Dec. 1705).

2) Marlborough an Graf Wartenberg, St. James, 15. Jan. 1706: „Des Königs Eifer für die Religion und die gute Sache luy feroient facilement comprendre qu'il n'est pas de saison d'entrer à présent en de telles engagements et qu'Elle voudra bien les remettre jusqu'à une paix générale."

Karl XII. stand zwischen den vom Narew anrückenden Massen der Russen und dem über die Oder heranziehenden Sachsenheere; die Schweden waren verloren, wenn deren Verbindung an der Weichsel gelang. Während dieser Bewegung ließ August II. Patkul festnehmen, nach dem Sonnenstein schleppen: „aus Gründen, die darzulegen nicht nöthig, müssen wir das Gerücht verbreiten, als wenn er auf Befehl des Zaaren verhaftet sei."[1]) Der Zaar nahm es hin; es handelte sich für den Augenblick um den größten Erfolg. Bis Mitte Januar hatte Karl XII. ruhig gestanden; dann plötzlich brach er auf, er selbst, in Eilmärschen die Russen zu erreichen, während General Renschild sich auf die Sachsen warf; sie wurden bei Fraustadt in schmählichster Weise geschlagen (13. Februar).

Damit war der Weg nach Sachsen offen. Der Kaiser hätte den Marsch durch Schlesien nicht zu hindern vermocht, die wohlweisen Regensburger Beschlußfassungen noch weniger. Man zitterte in Dresden; der Geheimerath, Fürst Egon von Fürstenberg an seiner Spitze, wandte sich, um Schutz flehend, nach Berlin. Friedrich I. erbot sich (31. März), gegen eine Declaration, daß keinerlei Truppen oder Kriegsmaterial mehr aus den Kurlanden nach Polen geschickt werden sollten, sich bei Schweden zu bemühen, damit die Invasion unterbleibe. Wochen, Monate vergingen, ohne daß August II. die geforderte Erklärung ausstellte.

Während die Heere der Verbündeten in den Niederlanden,

---

1) Geheimsecretär Pfingsten an Wolters, 30. Dec. 1705. Schon vorher gleich nach Ankunft Marschalls von Biberstein Dresden, 3. Dec.: „il est assez constant qu'il (Marschall) a une étroite liaison avec Patkul, en espérance, que celuy-ci pousseroit la cabale formée contre le gouvernement de ce pays jusqu'à détruire le Roy . . . on ne trouvera plus beaucoup de difficulté de ruiner entièrement Patkul dans l'esprit du Zaar. Dieu le veuille, car tandis que nous ne sommes pas delivré de ce brutal, les affaires du Roy n'iront pas bien."

in Italien große Siege erfochten, in Spanien bis Madrid vordrangen und das Glück des Hauses Oestreich hoch und höher stieg, war die wilde Fluth des polnischen Krieges im Begriff, über die deutschen Grenzen hereinzubrechen. Sie waren und blieben unbesetzt, obschon aller Orten bekannt war, daß die schwedische Armee darauf brenne, in die reichen deutschen Quartiere zu kommen: „Alles, was Militär ist, instigirt den König dazu."

Er selbst wünschte sich nichts Anderes, als die verhaßten und verachteten Sachsen völlig niederzutreten. Aber erst mußten die Russen mit einer derben Lection heimgesandt werden. Es folgten jene staunenswürdigen Gewaltmärsche durch die Sümpfe von Minsk und Pinsk, den auf Kiew Flüchtenden auf kürzerem Wege zuvor zu kommen. Freilich ohne den gewünschten Erfolg. In Volhynien rastete das Schwedenheer.

Auch in Berlin sah man voraus, was dem Zuge nach Volhynien folgen werde. Man mußte sich gestehen, daß die Lage der Dinge sehr ernst wurde.

Der König war im äußersten Maaße mißgestimmt. Die lockenden Luftbilder, die sich ihm in der polnisch-moscowitischen, in der schwedischen Allianz gezeigt hatten, zerrannen in Nichts. Aus Rücksicht auf England hatte er Graf Bielke aus Berlin gewiesen; er erfuhr, daß in derselben Zeit ein französischer Emissär im Haag mit dem Rathspensionär und mittelbar mit Marlborough verhandelte.[1]) Er hatte sich gegen Marlborough verpflichtet, noch

1) Wartenberg an Marlborough, 2. Jan. 1706: „vous n'approuvez pas le grand secret que l'on nous a fait en Hollande des négotiations de Helvetius et autres émissaires de la France dont jusqu'à présent on ne nous a communiqué le moindre mot, non obstant que les négotiations et les conférences tenues avec ces messieurs soyent une chose connue partout." Marlborough an Wartenberg, St. James, 8. März 1706: „La Reine est extrêmement sensible de nouvelles marques que le Roy luy donne de son amitié tant en remettant les offres qu'on luy fait de la part de Suède et de la Pologne qu'en faisant insinuer au comte de Bielke de quitter ses estats."

4000 Mann nach Italien zu senden; diese waren bereits in Baiern, aber der Wiener Hof weigerte sich, die von Marlborough zugesagten Gegenleistungen zu übernehmen; alles Drängen, die Drohung, die 4000 Mann umkehren zu lassen, half zu Nichts; „sie werden doch marschiren," hieß es in Wien.[1]) Zugleich forderte man, daß das Lottumsche Corps nach dem Oberrhein gesandt, unter kaiserlichem Befehl gestellt werde; „Preußen müsse endlich sein Reichscontingent stellen." Hatte Holland in Wien zu verstehen gegeben, „daß ein einseitiger Friede erfolgen werde, falls sich der Kaiser nicht mehr als bisher angreife,"[2]) so meinte die östreichische Politik nichts Besseres thun zu können, als die Vasallen im Reich und namentlich Preußen zu pressen und statt Oestreichs für Oestreich kämpfen und siegen zu lassen. „Es ist eine Nothwendigkeit," schreibt Bartholdi aus Wien (27. März), „daß Ew. Majestät entweder mit dem Kaiser bald besser stehen, oder nach anderen Freunden sich umthun."

Nach anderen Freunden. Denn auch mit Holland stand man so gespannt, wie möglich; nicht bloß, daß die Zahlungen immer unregelmäßiger wurden, die Staaten forderten das geldrische Oberquartier, das preußische Truppen erobert hatten und besetzt hielten; sie waren und blieben in Mörs, verlangten eine Etappenstraße durch Lingen; die oranische Successionssache stockte völlig, da sich die Prinzessin Mutter durchaus zu Nichts verstehen wollte, und

---

1) „Ils marcheront pourtant," sagte der kais. Oberhofmeister Fürst v. Salm zu Lord Stepney. Bartholdi, 31. März 1706.

2) Bartholdi, Bericht vom 31. Juni 1706. In dem Schreiben der H. M. vom 9. Jan. 1706, heißt es: „nec dissimulare coram V. M. I. licet, nisi extremi conatus nostri majori cum efficacia adjuvantur, nobis, etiamsi animus non deficiat, tanto oneri vires defecturas." Der Kaiser hatte in Italien nur noch 6000 Mann beim Herzog von Savoyen, 12,000 M. beim Corps des Prinzen Eugen; es sollten 14,000 M. Recruten nachgesandt werden, aber davon gingen 6000 M. Baiern ab, da Baiern in Empörung war, und 2000 Tyroler, da Tyrol sich auf seine Privilegien berief.

die Herren Staaten hüteten sich wohl, sie zu drängen.[1]) Einstweilen verwaltete die dazu bestellte Commission die oranische Masse nach holländischer Art; die reichen Erträge gingen so gut wie ganz darauf, die Kosten der Verwaltung zu decken.[2])

So nach allen Richtungen hin litt das preußische Interesse Schaden und Mißachtung; der König empfand es, seine Umgebung hatte böse Tage. Der Oberkammerherr schien in seiner Gunst zu sinken. Umsonst suchten Graf und Gräfin die schwedischen Herren zu irgend einem Zugeständniß zu bewegen, durch Lord Raby auf sie wirken zu lassen, damit endlich einmal der Vertrag zum Schluß komme. Die Antwort war: „nur wenn sich Preußen entschließe, König Stanislaus gegen jedermann zu manuteniren, könne die Allianz zu Stande kommen;" ja noch mehr, „bis zum 1. Mai müsse S. M. sich entschlossen haben, mit August II. zu brechen und wider ihn in wirkliche Action zu treten." Und damit nichts fehle, die Lage Preußens demüthigend, unerträglich zu machen, eilte von Wien aus Graf Sinzendorf zu Karl XII. mit dem Erbieten des Kaisers, „in nähere Allianz mit Schweden zu treten." Also eine östreichisch-schwedische Allianz in Aussicht, und Preußen ohne irgend einen anderen Rückhalt, als die Vertröstungen Englands.

„Es erfordert die höchste Nothwendigkeit, daß ihr euch unverzüglich zum König von Schweden begebt," so beginnt die Instruction, die an General Graf Schlippenbach nach Preußen ge-

1) Der König sagte zu Herrn van Lintelo: „Vos Hautes Puissants sont bien des petites Puissants à cause qu'il ne peuvent pas obliger la Princesse de Frise de s'accommoder avec le Roy de Prusse." Wolters Bericht 6. März 1706.

2) . . . „et que S. M. y souffre un tort extrême tant à l'égard de l'administration de l'hérédité et de la procedure dans les cours de justice que de la lenteur dont on agi à l'égard de l'accommodement." Lamberty, VI. p. 507.

sandt wurde[1]). Merkwürdig, wie ihm da die Situation zu entwickeln aufgegeben wurde: Für den Augenblick liege zwar August II. ohnmächtig am Boden, aber sichtlich stehe in dem polnischen Wesen niemand heftiger, als der Kaiser den schwedischen Plänen entgegen; sowie er nur freie Hand bekomme – und schon suche Frankreich den Frieden, — werde er alles daran setzen, August II. bei der polnischen Krone zu erhalten; schon sei die Heirath des sächsischen Kurprinzen mit der kaiserlichen Princessin so gut wie geschlossen, beide Häuser so gut wie eins. Preußen werde darum in Wien mit scheelen Augen angesehen und gehaßt, weil man dessen innige Beziehung zu Schweden sehe und fürchte. Es sei Zeit, sich auf die schweren Verwickelungen gefaßt zu halten, die im Anzuge seien; das Haus Oestreich stehe auf wenigen Augen; wenn es verfalle, so werde ein noch größerer Kampf, als um die spanische Succession beginnen, ein Kampf, in dem die evangelischen Mächte, namentlich Schweden und Preußen, zusammenstehen müßten, wenn nicht unabsehbares Unheil entstehen solle. „Und weil wir wüßten, daß Schweden auch mit dem Hause Braunschweig in genauem Einvernehmen stehe, so seien wir auf den Gedanken gekommen, ob nicht zwischen Schweden, uns und Braunschweig eine Tripelallianz aufzurichten sei.“ In Betreff des polnischen Wesens wurde der Vorschlag gemacht, das polnische Preußen und Großpolen mit preußischen Truppen zu belegen, „damit nicht wieder sächsisches Volk eindringen und die dortigen Magnaten fortfahren können, dem König Stanislaus den Gehorsam zu weigern.“

Es war Ilgen, der diesen Ausweg empfohlen hatte; mit der

---

1) Die Instruction ist vom 14. März, sie wird ergänzt durch die Rescripte vom 15. März, 23. März, 10. April, 17. April. Man wählte jetzt, wie früher, Graf Schlippenbach gern zu den Unterhandlungen im schwedischen Hauptquartier, weil der Minister Graf Piper vor Zeiten als Candidat sein Erzieher gewesen war.

Tripelallianz entging man der unfruchtbaren Basis der bisherigen Unterhandlungen; indem sie der Politik Schwedens einen weiteren Gesichtskreis gab, bot sie die Möglichkeit, ihre Erfolge zu mäßigen. Und nebenbei, indem sie auf Hannover berechnet war, nöthigte sie, dort entgegenkommende Schritte zu thun; natürlich vor Allem in Betreff des Verlöbnisses, das in Hannover eben so lebhaft gewünscht wurde, wie es der Kronprinz wünschte.

Erst Ende Mai, tief in Volhynien, erreichte Graf Schlippenbach das schwedische Hauptquartier. Er erhielt keine schriftliche Antwort: diese werde durch die schwedischen Gesandten in Berlin gegeben werden; aber man müsse zweifeln, ob es dem Berliner Hofe mit diesem neuen Vorschlage ein rechter Ernst sei; von der Besetzung Großpolens und Preußens, sowie von Elbing, könne nicht eher die Rede sein, als bis der seit lange erörterte Vertrag geschlossen sei. „Nichts ist gewisser,“ schließt Schlippenbach seinen Bericht, „als daß der König nach Sachsen einbrechen will.“

In der wachsenden Spannung, was Schlippenbach erreichen werde, kam am Berliner Hofe das Gewitter, das so lange gedroht hatte, zum Ausbruch. Graf Wartenberg war dicht an seinem Sturz:[1]) „der König hätte ihn entlassen, wenn ein Mann von Kopf da gewesen wäre, einen Plan nach seinem Sinne zu machen.“ Lord Raby, die schwedischen Herren und unter der Hand die Intriguanten des Dresdener Hofes arbeiteten, ihn zu halten. Es gelang; nicht bloß, weil er geschickt einlenkte und für die hannövrische Verlobung plötzlich von Eifer war.[2])

1) Wolters, 8. Mai: „depuis quelques semaines la cour fait des cabales et forme des factions, il y en a trois dont la principale est celle du Prince royal, ils n'ont pour but que la perte du Comte de Wartenberg et l'on croit pour certain que le comte ne pourra pas parer ce coup.“

2) Wolters, 23. Mai: „c'est très asseuré que le comte de Wartenberg a été sur le précipice, et le Roy avoit deja resolu sa perte . . . pour dire

Im Juni ging der Hof nach Hannover, das Verlöbniß zu feiern; der Gräfin Wartenberg wurde nicht gestattet, mitzureisen. Aber daß des Grafen Gunst wieder in voller Blüthe stand, zeigt eine Urkunde vom 6. August; es ist die Ernennung Wartenbergs zum Erbstatthalter „aller Fürstenthümer, Herrschaften und Güter der oranischen Succession," mit einem Jahrgehalt von 6000 Thalern nebst allen Prärogativen und Emolumenten der Statthalterschaft. So geschickt wandte der Graf des unmuthigen Königs Blick von den wüsten Dingen im Osten nach den lachenden Aussichten im Westen; er veranlaßte ihn, von Hannover weiter nach dem Haag zu reisen; er begleitete ihn. Der König weilte im schönen Holland, während an den heimischen Grenzen ungeheure Dinge vor sich gingen.

Karl XII. brach, nach einigen Wochen Rast in Volhynien, Mitte Juli auf, zog in Eilmärschen über die Weichsel; dann rastete er in Radom, Nachricht erwartend, wohin August II. und dessen um Krakau sich sammelnde Armee sich wende. Als sich ergab, daß sie nach Litthauen in Marsch sei, eilte er weiter gen Westen; am 21. August wurde die schlesische Grenze überschritten. Niemand hinderte den Marsch; aber von nah und fern strömten die Evangelischen Schlesiens herbei, den nordischen König zu begrüßen, ihm den Jammer ihrer Verfolgung zu klagen, seinen Schutz anzurufen; er verhieß ihn. In der zweiten Septemberwoche erreichte er die kursächsische Grenze. Wohl standen da noch gegen 10,000 Mann Sachsen; General Schulenburg, der sie befehligte, eilte, sie nach Thüringen zu führen; sie wurden demnächst an die Seemächte zum Kriege gegen Frankreich verdungen.

Ohne irgend Widerstand zu finden, durchzog Karl XII. Kursachsen, bezog in der Umgegend von Leipzig Quartier.

---

la verité, je ne crois pas qu'il aura jamais le pouvoir qu'il a eu, car c'est à présent Mr. Ilgen qui est en effet le Roy de Prusse."

Karl XII. in Sachsen, 1706 — 1707.

Schon nach dem Feldzuge von 1705 hatte Ludwig XIV. unter der Hand Friedenserbietungen gemacht. Jetzt, um die Zeit, da die Schweden in Sachsen eindrangen, nach den schweren Niederlagen bei Ramilliers, bei Turin, in Spanien, wiederholte er seine Anträge. Er war bereit, auf eine Theilung der spanischen Lande einzugehen.

Die Holländer wünschten nichts sehnlicher, als den Frieden; und Ludwig XIV. bot ihnen Bedingungen, die ihnen in der militärischen Disposition über die spanischen Niederlande die Sicherheit gewährten, die ihnen die Hauptsache war.

Aber wie hätten die leitenden Staatsmänner Englands den Krieg abbrechen sollen, der nicht bloß der englischen Seemacht und Kauffahrtei unermeßlichen Aufschwung brachte, sondern — seit lange zum ersten Male — die englischen Armeen auf dem Continent Sieg auf Sieg erfechten ließ.

Und Joseph I. war nun Kaiser, einer der geistvollsten, thatkräftigsten, selbstständigsten Fürsten, die das Kaiserhaus hervorgebracht hat; wie hätte er nicht die Fortsetzung eines Krieges wünschen sollen, der endlich einmal das stolze Frankreich dahin gebracht hatte, den Frieden suchen zu müssen? wie hätte er jetzt noch dem Feinde die Hälfte der spanischen Monarchie zugestehen sollen, die er seinem Bruder, seinem Hause ganz zu gewinnen mehr denn je hoffen durfte? zumal da die Seemächte und das Reich zum bei Weitem größeren Theile die Last dieses Krieges trugen, der Krieg selbst die kaiserliche Gewalt im Reich in unbeschreiblicher Weise steigerte?

Und auf dem Reichstage, wie in den deutschen Landen insgemein, galt es für reichspatriotisch, jede äußerste Demüthigung

Frankreichs zu fordern, jeden Zuwachs der östreichischen Macht als einen Gewinn für die deutsche Sache zu feiern; die sonst so heißblütige Opposition der correspondirenden Fürsten wurde matt und matter, zumal seit — Allen zur Warnung — über Kurcöln und Kurbaiern in Formen, die wider das Reichsrecht und die Wahlcapitulation waren, die Reichsacht verhängt, die Zersplitterung des Baiernlandes begonnen, gegen die Bauern dort, die „lieber bairisch sterben, denn östreichisch verderben" wollten, als gegen Empörer wider Kaiser und Reich vorgeschritten war.

Von den Gefahren, die den deutschen Grenzen aus jenen polnischen Wirren her drohten, hatte man in Regensburg kaum Notiz genommen; und in Wien nannte man es leeren Vorwand, wenn der preußische König jener Gefahren wegen nicht auch noch den Rest seiner Truppen nach dem Oberrhein schicken wollte.[1]) Unter der Hand fuhr die kaiserliche Politik fort, Augusts II. Unternehmungen zu begünstigen und mit dem Zaaren intime Beziehungen zu unterhalten; sie nährte, so viel irgend möglich, den Kampf in Polen, damit den Aufständischen in Ungarn nicht Hülfe von Karl XII. gesandt werden könne; gelang es, ihn fern zu halten, so hoffte man mit der Verfassung und dem Evangelium in Ungarn — zwei Drittel der Bevölkerung waren noch evangelisch — für immer ein Ende zu machen.

Um so größer war die Bestürzung, als Karl XII. durch Schlesien zog, Kursachsen besetzte. In den schärfsten Ausdrücken tadelte man Preußen, daß es nicht einen größeren Eifer gezeigt

---

1) Der Fürst von Salm an Marlborough, Wien, 28. April 1706: (Murray II. p. 497): „ce roy persistant à nous refuser son contingent d'Empire sous le prétexte frivole . . . que la situation où il se trouve par rapport aux brouilleries de Pologne, l'oblige à pourvoir à sa propre sûreté, bien que dans le fond il n'ait rien à craindre de ses voisins en demeurant tranquille."

habe, diesen Einbruch zu verhüten, daß es nicht einmal Propositionen in Wien gemacht habe.[1]) Man veranlaßte durch Mainz und Kurpfalz in Regensburg einen Reichsbeschluß gegen diese Invasion, der in höchst turbulenten Formen durchgesetzt wurde. Man beeilte sich, den Cardinal von Sachsen-Zeitz an seinen Vetter August II. zu senden, um ihn zu jeder Art Nachgiebigkeit zu bewegen. Man zitterte vor der Möglichkeit, daß Karl XII. sich nach Böhmen werfen könnte; man zweifelte nicht, daß er im Einverständniß mit Frankreich sei.

Im Haag, in London dieselbe Furcht; in Amsterdam zugleich große Aufregung unter den Kaufleuten, „da sie mit vielen Millionen bei den Commerzien in Sachsen und auf der Leipziger Messe interessirt seien;" sie meinten, Preußens Pflicht und Schuldigkeit sei es, die Schweden aus Sachsen zu treiben.[2]) So evangelisch Holland wie England war, die Beziehungen Karls XII. zu den Evangelischen in Ungarn, in Schlesien, in den kurpfälzischen Ländern sahen sie mit großer Unruhe; und Karl XII. hatte gegen die kaiserliche Acht über Kurbaiern und Kurcöln protestirt, er hatte des Kaisers Entscheidung in der Succession des Bisthums Lübeck, die das Haus Gottorp verletzte, verworfen. Er hatte mehr als einen Grund zum Kriege gegen den Kaiser, wenn er

---

1) So Bartholdis Bericht vom 18. Sept. Darauf des Königs Rescript 20. Sept. 1706: er begreife nicht, „warum man sich alldorten so sehr darüber verwundert, daß wir der Sache halber keine Propositionen gemacht, und ob wir nicht mehr Ursache haben, uns darüber zu verwundern, daß der Kaiser uns deshalb keine Propositionen thun läßt."

2) So Grumbkows Bericht aus dem Haag (s. d.), er hat den Herren Regenten geantwortet: „sie hätten gut reden d'autant plus, qu'ils étoient dans la situation de celuy qui disoit procul a Jove procul a fulmine, que nous leur avions l'obligation de la belle restitution, qu'ils nous avoient fait faire l'an 1679 et qui étoit trop obligeant pour vouloir, que le Roy se fit piller son pays, quand ses troupes agissoient icy pour leur conquérir des places."

ihn suchte. Man glaubte seinen Versicherungen nicht, daß er nach Sachsen nur marschirt sei, „um die Quelle zu verstopfen," aus der August II. die Mittel zum Kriege gegen ihn geschöpft habe.[1]) Man setzte alle Hebel in Bewegung, den Alexander des Nordens zu beschwichtigen, ihn zu bewegen, daß er nicht weiter stürme; man fand für August II., den getreuen Alliirten, kein Opfer, keine Demüthigung zu groß, um nur Karls XII. Zorn zu ersättigen.

August II. selbst, wie immer in großen Plänen und kühnen Combinationen schwelgend, hatte, als Karl XII. über die Weichsel nach Westen marschirte, wieder die größten Dinge im Schilde; er rechnete darauf, daß seine Reichslande nicht angegriffen werden könnten, da ja schon im Mai 1704 ein Reichsbeschluß gefaßt war, daß es nicht geschehen dürfe. So ganz verließ er sich auf diesen Freibrief und den Reichsfrieden, daß er nicht einmal nöthig fand, jene Declaration zu vollziehen, die Preußen im März gefordert hatte, um den Vorwand der schwedischen Invasion zu beseitigen, die Declaration, daß nicht weiter Kriegsvolk und Kriegsmaterial aus Sachsen nach Polen gehen sollte. Erst, als die Schweden mit dem Marsch nach Deutschland sichtlich Ernst machten, als sie die sächsische Grenze überschritten, sandte er eine solche Erklärung nach Berlin, und um ganz sicher zu sein, ließ er in Regensburg Dehortatorien gegen Schweden und, wenn diese nicht wirken sollten, die Reichshülfe fordern, „die ein bedrängter und von auswärtiger feindlicher Gewalt überzogener Reichsstand von seinen Mitständen billig zu prätendiren habe." Da die Schweden dennoch weiter marschirten, sandte er nach Berlin dringende Mahnung, auf Grund der Erbverbrüderung

1) Spanheims Bericht, London, 7. Sept. 1706: „der Staatssecretär Harley sei überzeugt, que tout cela se fit par argent et menées de France."

und des Kurvereins, „die höchste Interposition dahin zu verwenden, damit der aus dem Einbruch bevorstehende Totalruin und Inflammation des obersächsischen Kreises und anderer Lande verhütet werde." Natürlich war jetzt nicht mehr zu helfen; die Königin Kurfürstin, die Herzöge des albertinischen Sachsens, ihre Gemahlinnen und Kinder, Alles flüchtete nach den nächsten preußischen Festungen, während sich die schwedische Armee in seinen Kurlanden einlagerte und durch gründliche Requisitionen und Contributionen die Quellen, aus denen bisher der sächsische Krieg in Polen geführt war, möglichst vollständig ausschöpfte. Was half es, daß in Polen die russischen Heere vordrangen, in den Kurlanden verlor August II. hundertmal mehr, als in Polen zu gewinnen war. Ihm blieb kein anderer Ausweg, als den Frieden zu schließen, um jeden Preis, den der Sieger forderte, jenen Altranstädter Frieden, der, nach einem Ausdruck Ilgens, „seines Gleichen nicht hat in der Historie." Die schimpflichen Bedingungen, Auslieferung Patkuls, Freilassung der gefangenen Sobieskis, Verzicht auf die Krone Polen, Anerkennung des Königs Stanislaus, überbot die frivole Unbefangenheit, mit der der Entthronte die Mißachtung des soldatischen Königs hinnahm, um dann seinen Grimm in sultanhafter Rache an denen zu stillen, die auf seinen Befehl den Frieden geschlossen, freilich Männer, die an Patkul, an den Sobieskis, an Freund und Feind vollauf verdient hatten, wie Haremsknechte behandelt zu werden.

Daß auch nach geschlossenem Frieden, auch den Winter hindurch Karl XII. in Sachsen blieb, daß er in seiner verschlossenen Weise Niemand, auch seine Minister nicht, wissen ließ, was er weiter zu thun gedenke, daß er über den Kaiser, über Kurpfalz und die Katholischen im Reiche mit harten Worten sich äußerte, ließ fort und fort das Schlimmste fürchten. Als gar mit dem

Frühling die Franzosen über den Oberrhein gingen, die Stollhofer Linien erstürmten, bis Schwaben und Franken hinein streiften, da sah alle Welt mit Zittern und Zagen auf Karl XII.; wenn er jetzt nach Westen aufbrach, so war es „um das Reich und etliche Kronen" geschehen. Er war Herr der Situation.

Wie verlegen und deprimirend war die Rolle, die Preußen diesen Vorgängen gegenüber spielte.

Der König, sahen wir, war um die Zeit, da Karls XII. Marsch nach Sachsen schon nicht mehr zweifelhaft war, nach Hannover und weiter nach dem Haag gereist, gewiß nicht — so viel mußte er die staatische Politik kennen — in der Meinung, dort im Haag irgend Etwas erreichen zu können, was der drohenden Invasion nach Sachsen hätte vorbeugen, ihre Wirkung mindern können. Graf Wartenberg war mit ihm, nun Erbstatthalter der oranischen Güter; über diese galt es zum Abschluß zu kommen. Der Graf mochte ihn überzeugt haben, daß man den Holländern etwas Erkleckliches nachgeben müsse, um ihre Parteinahme für den Prinzen von Nassau-Friesland zu beseitigen; es wurde zugestanden, daß, wenn in der Theilung einige Stücke an Preußen kämen, die der Staat oder einzelne Provinzen „nach ihrer Convenienz" fänden, diese gegen ein Aequivalent an Geld abgetreten werden sollten. Sofort nahm der Staat die Festungen Breda, Grave, Willemstadt, es nahm Holland Gertruydenburg, es nahm Seeland die Markgrafschaft Vlissingen in Anspruch, und im Uebrigen lehnte die Prinzessin Mutter den ganzen Vergleich ab.

Mit diesem Ergebniß kehrte der König um die Zeit, wo Karl XII. Sachsen occupirte, nach Berlin zurück. Den Schein der Freundschaft mit Schweden hatte man so lange, so eifrig gesucht, daß es bei den Freunden Sachsens dafür galt, Preußen sei insgeheim mit Schweden verständigt.[1]) Man hatte seit Jahren mit Karl XII. unterhandelt, ohne abzuschließen, und man wußte, wie unzufrieden er darüber war; mochte man an Piper, Cedernhjelm Hermelin und wer sonst von seiner Umgebung Einfluß zu haben schien, Geld mit vollen Händen gezahlt haben. Karl XII. war unberechenbar. Herüber und hinüber diplomatisirend und Theilungspläne colportirend, hatte man Schweden zu militärischen Erfolgen kommen lassen, die den wichtigsten Theil des preußischen Staatsgebietes gleichsam in Schwedens Discretion stellten; wie, wenn Karl XII. jetzt auf den Gedanken kam, seine Stellung in Sachsen nicht mehr auf Polen, sondern auf Pommern zu basiren?

Gleich nach des Königs Rückkehr wurde Printzen ins schwedische Hauptquartier gesandt:[2]) „wenn von vielen Leuten geglaubt werde, daß der Einmarsch der Schweden nach Sachsen im Einverständniß mit Frankreich geschehe, so sei der König, sein Herr, vom Gegentheil überzeugt; von Wien, Heidelberg, anderen Orten her werde versucht, denselben gegen Schweden in Harnisch zu bringen, aber er werde jetzt, wie alle Zeit, mit der That zeigen, wie ihm die Freundschaft Sr. Majestät und das gemeinsame evangelische Interesse am Herzen liege; er wünsche nichts mehr, als daß die eingeleiteten Tractate, namentlich die Tripelallianz, zum Abschluß kämen; die Tripelallianz würde große Zwecke zu erfüllen haben, den Schutz der Evangelischen in Ungarn, Schlesien, der Pfalz, Vorkehrungen gegen die Gefahren, die das wahrscheinliche Aussterben des Hauses Oestreich drohe, die Fortführung des Kampfes gegen Frankreich."

---

1) Lord Stepney in Wien sagte zu Bartholdi (Bericht vom 11. Sept. 1706): „agissez envers nous comme amis ou comme ennemis et faites tout ce que vous voulez, mais vous ne me persuaderez pas, que vous ne soyez informé de tout."

2) Instruction für Freiherrn v. Printzen, 8. Sept. 1706.

Im schwedischen Hauptquartier wurde Printzen mit aller Zuvorkommenheit empfangen; aber sein Angebot war doch zu dürftig. „Man ist nicht geneigt," schreibt er, „auf Etwas einzugehen; die ganze Situation ist verändert, man glaubt sich nach solchen Erfolgen in der Lage, Alles allein auszurichten." Man forderte vor Allem, daß Preußen den König Stanislaus anerkenne und ihn mit Schweden gemeinsam „manutenire." Und als Printzen als Gegenleistung die Abtretung des polnischen Preußen forderte, war Graf Piper „ganz erschrocken," bat um Gottes willen, davon abzustehen, der König werde sonst Argwohn schöpfen, und die Verhandlungen sofort abzubrechen befehlen. Nach wochenlangem Verhandeln kehrte Printzen zurück, ohne das Geringste erreicht zu haben.

Er wurde im December zum zweiten Male gesandt; seine Instruction lautete jetzt auf Anerkennung des Neuerwählten; bald folgte ein eigenhändiges Schreiben des Königs: alles Weitere wolle er auf Sr. Majestät von Schweden Generosität ankommen lassen. Printzen zeigte dieses Schreiben dem Grafen Piper; es wirkte wenig. Und schon wurde bemerklich, daß August II. die schwedischen Herren zu gewinnen suchte, ihnen allerlei Pläne gegen Preußen vorschlug, „wie er denn in solchen Inventionen sehr fertil ist." Es verschlug wenig, daß Printzen seiner Seits Andeutungen von bedenklichen Vornahmen des Zaaren, von Augusts II. heimlichem Verkehr mit Moskau gab.[1]) Zum zweiten Male kehrte Printzen ohne Ergebniß zurück.

Der König war äußerst übel gestimmt; es war nicht abzusehen, wohin ihn der eingeschlagene Weg noch führen werde.

1) Friedrich I. an v. Printzen (eigenhändig) 31. Dec.: „es verlangt mich gar sehr, des Königs Antwort auf unsre letzte Proposition zu wissen, absonderlich da die Zeitungen aus Moskau nicht so lauten, wie man schwedischer Seits gemeint, und erhellet daraus, daß man uns wohl einst nöthig haben wird."

Die Gegner derer, die ihm so gerathen, hielten den Moment gekommen, ihr Spiel zu machen. Daß Lord Raby vorantrat, läßt keinen Zweifel darüber, woher die Intrigue stammt. Der edle Lord, der an diesem Hofe mit der Autorität seiner Königin sprechen zu dürfen glaubte, machte den König darauf aufmerksam, daß seine Geschäfte übel geführt würden, daß diejenigen, denen er ihre Führung anvertraut, das preußische Interesse opferten, um dem Herzog von Marlborough zu gefallen.

Seltsamer Rath; war nicht Marlborough nach wie vor der leitende Minister Englands? wohin sollte es führen, wenn man in diesem gefährlichsten Momente sich der einzigen Stütze beraubte, die man noch hatte. Mit Sehnsucht harrte man Marlboroughs, der ins schwedische Hauptquartier zu gehen versprochen hatte.

Karl XII. fuhr fort, sein Heer durch neue Werbungen zu verstärken, neue Regimenter aus Schweden heranzuziehen. Noch wußte Niemand, wohin er sich wenden werde. Endlich kam Marlborough (April). Ob es dessen Einfluß war, der Karl XII. bestimmte, nicht den in Franken harrenden Franzosen die Hand zu bieten? Hatten die schwedischen Minister auch diese Möglichkeit offen gehalten und fürchten lassen, bei der Armee gab es nur den Einen Gedanken, dem Moscowiter den Garaus zu machen.

Marlboroughs Rückreise über Berlin brachte dort die erregten Gemüther zur Ruhe und den Zwiespalt ins Gleiche;[1]) selbst auf die Abberufung Rabys verzichtete der König.

Aber der Mai, der Juni verlief, ohne daß Karl XII. aufbrach. Schon waren die Russen in Lemberg, in Warschau, gegen

1) „To sway the Prussian court," sagt Coxe, II. p. 203; bis jetzt die einzige Nachricht über diese Intrigue. Sie war gegen Ilgen, Printzen, Grumbkow gerichtet.

Stanislaus Anhänger und ihre Besitzungen mit Feuer und Schwert wüthend. Karl XII. rührte sich nicht.

Er hatte noch erst mit dem Kaiser Abrechnung zu halten. Vor Allem forderte er, daß den Evangelischen in Schlesien ihr Recht werde. Man mochte sich in Wien krümmen und winden, so viel man wollte, die Drohung Karls XII., mit seinem Heer in Schlesien Quartier zu nehmen, zwang den Kaiser, seinen schlesischen Unterthanen endlich zu gewähren, was ihnen trotz des westphälischen Friedens und unablässiger Fürsprache der evangelischen Fürsten im Reich seit fünfzig Jahren versagt, in empörendem Druck entrissen worden war. Eine Commission von schwedischen und kaiserlichen Räthen wurde niedergesetzt, die Ausführung des Vertrages zu leiten.

Auch mit Preußen kam es endlich (16. August) zum Schluß. In dem „ewigen Bündniß," wie es genannt wurde, verpflichteten sich beide Könige zu gegenseitiger Garantie, zu Hülfeleistung mit 6000 Mann im Falle feindlichen Angriffes, zu gemeinsamer Fürsorge für die Evangelischen, zur Aufrechterhaltung der Reichsverfassung und des westphälischen Friedens. Schon früher hatte Preußen die Anerkennung des Königs Stanislaus, Schweden die des preußischen Rechts auf Elbing ausgesprochen.[1]) In Betreff der Tripelallianz sollten weitere Verhandlungen gepflogen, es sollten auch andere evangelische Mächte, namentlich England, zum Beitritt aufgefordert werden. Der ursprüngliche Gedanke derselben war damit in den Hintergrund geschoben.

---

1) Die preußische Anerkennung ist vom 2. Feb. 1707. Eine Erklärung Karls XII. vom 4. Feb. lautet: . . . „promittit, cum S. R. M. Bor. territorium Elbingense possideat antiquumque et liquidum jus quoque in ipsam urbem ostendat, se non adversaturum aut impediturum, quo minus istam urbem, quando ratio belli permittat Suedicum educere praesidium, suo milite occu-

Nach Lage der Sache mochte Preußen zufrieden sein können, so viel erreicht zu haben. Aber eben diese Lage, die damit gleichsam ratificirt war, zeigte, was die preußische Politik im Osten verloren hatte.

In den Zeiten des Großen Kurfürsten hatten die Polen gelernt und sich daran gewöhnt, daß Brandenburg auf die Geschicke der Republik maaßgebenden Einfluß habe; er hatte sie zugleich zu verpflichten und fürchten zu lassen, zu gewinnen und zu zügeln verstanden; und jeder Pole von Einsicht begriff, daß die Nation in ihrer politischen Existenz, die Brandenburg allein gegen Karl Gustav gerettet hatte, nur durch Brandenburg erhalten werden könne. Dieser Einfluß war seit der Wahl von 1697 dahin; er war unrettbar dahin, seit man sich in Berlin jenen Theilungsprojecten zugewandt, die dem einzig noch gesunden Moment in dem unglücklichen polnischen Wesen, dem lebendigen Gefühle nationaler Einheit, Hohn sprachen. Nur daß sich auch jetzt noch und jetzt nackter denn je zeigte, wie auf den Tod krank die Republik, wie der Wahnsinn der Libertät unheilbar sei. Zuchtlos, formlos, wie Flugsand aufwirbelnd, gleich unfähig, frei zu sein und zu gehorchen, gleich unfähig, den vaterländischen Boden in ehrbarer Arbeit zu adeln und gegen fremde Gewalt zu vertheidigen, ging diese ritterliche Nation dem Untergange entgegen.

Verhängnißvoller war, daß die Republik, „das Bollwerk Europas gegen die Barbaren des Ostens," durch August II. und seinen Kampf gegen Schweden den Heeren des Moscowiters geöffnet worden war, bald von ihnen weit und breit überschwemmt wurde, daß nur noch die Frage war, ob endlich des Zaaren oder des Schwedenkönigs Vasall, ob der deutsche Kurfürst oder der

pare possit et insidere jusque suum ipsemet in hac causa adversus rempublicam Polonam persequi."

polnische Edelmann Polenkönig heißen werde. Denn der Zaar war weit entfernt, sein Spiel verloren zu geben, als Karl XII. siegend bis Leipzig vordrang; ein meist russisches Heer hatte, als schon August II. seinen Verzicht nach Altranstädt sandte, bei Kalisch ein schwedisches Heer geschlagen; während Karl XII. in Sachsen rastete, war der größte Theil der Republik in des Zaaren Gewalt, und die polnische Libertät getröstete sich seines mächtigen Schutzes.

Schon war Petersburg fest genug, einem Angriffe Trotz bieten zu können; russische Orlogschiffe fuhren auf der Ostsee, bedrohten die schwedische Küste; die „Seekante" von der Newa bis dicht vor Memel war militärisch in des Zaaren Gewalt. Selbst wenn es Karl XII. gelang, Polen von Neuem zu erobern — und es gelang ihm — wenn er sich dann weiter gen Osten wandte, den Zaaren niederzuwerfen, traf er nicht mehr die wüsten Haufen der Schlacht von Narva; das russische Heer war mit jeder Campagne kriegstüchtiger geworden, und je weiter der Krieg sich nach Osten zog, desto mehr näherte sich der Zaar dem Zufluß seiner heimischen Hülfsquellen, entfernte sich Karl von den seinigen in Deutschland und jenseits der See.

Freilich auch der Kaiser, auch die Seemächte hatten Stanislaus als König anerkannt; aber die preußische Anerkennung war der Verzicht auf eine politische Position, die den fehlenden Zusammenhang zwischen den Kurlanden und dem Königslande gleichsam ergänzt hatte. Diese Anerkennung bedeutete, wenn man die Allianz mit Schweden halten wollte, Kampf gegen Rußland, wenn man sie brach, Kampf gegen Schweden; also die Aussicht, die Waffen ergreifen zu müssen entweder für die Suprematie derjenigen Macht, trotz deren und auf deren Kosten Preußen in der baltischen Politik emporgekommen war, oder für diejenige, deren Kühnheit und Energie, deren emporschwellende Macht die baltische Welt mit unermeßlich größeren Gefahren bedrohte, mit der Suprematie der „Barbaren des Ostens."

Die Welt urtheilte: Preußen sei mit dem „ewigen Bündniß" von den alten brandenburgischen Erbmaximen abgewichen, habe sich Dänemarks und des Zaaren Zorn zugezogen, Holland erbittert, den Kaiser in höchstem Maaße irritirt, um Schweden zu gewinnen, das nebst Hannover unter allen Puissanzen dem preußischen Interesse am meisten abhold sei.[1])

Und dafür gab Karl XII. nicht einmal Elbing her: „er müsse den Platz für die militärische Verbindung mit Schweden noch behalten." Von dem segensreichen Werke der Fürsorge für die Evangelischen in Schlesien schloß er Preußen aus und lehnte die dringend empfohlene Erleichterung der Reformirten dort ab: da die Kaiserlichen durchaus nicht darauf eingehen wollen, habe man sich bescheiden müssen. Und als Friedrich I. nach den alten Erbverträgen mit Mecklenburg und auf Grund eines neuen Vertrages mit Herzog Friedrich Wilhelm von Schwerin Titel und Wappen von Mecklenburg annahm, legte Karl XII., als Vormund des jungen Herrn in Strelitz, Protest dagegen ein, schickte die mit diesem Titel versehenen Schreiben nach Berlin zurück. Ja, schon war kein Zweifel, daß Schweden das polnische Preußen dauernd erwerben, das Herzogthum Curland, auf dessen eventuelle Succession Preußen Anspruch hatte, mit Liefland vereinigen wolle; auf wiederholte Anfrage wurde so geantwortet, als hange die Entscheidung von den Umständen ab.[2])

Freilich Karls XII. neuer Feldzug wurde, je weiter nach Osten, desto mühseliger, bald genug hoffnungslos. Schon

1) So ein eingehendes Memoire des kursächsischen Kriegsraths und Residenten in Berlin, Westphal, 13. Jan. 1709, der selbst anderer Ansicht ist.

2) Dies aus einer Denkschrift des Obristl. v. Siltmann, dessen Berichte über diesen ganzen Feldzug und über dessen traurigen Ausgang sehr lehrreich sind.

ehe die russische Grenze erreicht war, zeigte sich „großer Ueberdruß am Kriege bei Offizieren und Gemeinen.“ — „Wollte der Zaar,“ so schreibt der preußische Obrist von Siltmann, der dem Hauptquartiere folgte, 17. August 1708, „jetzt noch einen Frieden eingehen, so würde er viel Bereitwilligkeit finden.“ Aber Karl XII. gewann es nicht über sich, den Frieden anzubieten. Er ging über Smolensk ins Russische; er wandte sich, durch den versprochenen Beistand der Kosacken bestimmt, nach Südosten in die Steppen der Ukraine, im April 1709 erreichte er Pultawa. Im Juli war er dort von den russischen Heeren umzingelt, bis zum letzten Augenblicke zu stolz, einen anderen Ausweg zu wollen, als den schon unmöglichen des Sieges. Endlich bei dem Versuche des Durchbrechens vollkommen geschlagen (21. Juli), ließ er auf Siltmanns Erbieten, ins russische Hauptquartier zu eilen, antworten: „daß Sr. Majestät Intention allemal dahin gehe, den Frieden ohne Vorbewußt und Mediation eines Dritten zu machen.“

Spannungen. 1707—1708.

Der endliche Abmarsch der Schweden aus Sachsen entlastete Deutschland einer großen Gefahr, Preußen der peinlichsten Verlegenheit.

Aber es blieb ein demüthigendes Ergebniß. Es hatte sich gezeigt, daß Norddeutschland schutzlos sei, daß Preußen es nicht mehr zu schützen vermöge. Mochten die tapferen Regimenter, die einst bei Fehrbellin gesiegt und den glorreichen Eismarsch nach Kurland gemacht, jetzt unter Prinz Eugen und Marlborough in Italien, am Rhein, in Flandern neue Lorbeern gewinnen, sie kämpften zum Ruhm Englands, zum Schutz Hollands, zum Vortheil Oestreichs, während Karls XII. Lager bei Leipzig aller Welt zeigte, wer Herr in Norddeutschland sei.

Der Hof zu Berlin blieb so glänzend und voll rauschenden Lebens, wie er gewesen. Aber am Hofe und im Heere gab es Manchen, der sich erinnerte, daß dieser Staat einst mehr bedeutet hatte.

Wer hätte nicht gesehen, wo des Schadens Quell sei. In des ehrlichen Natzmer Aufzeichnungen kommen Andeutungen vor, die zeigen, wie die Armee unter den willkührlichen und partheiischen Eingriffen vom Hofe her litt. Man mochte von Fürst Leopold von Dessau denken, wie man wollte, seine drei Campagnen in Italien hatten ihm und dem preußischen Corps unvergleichlichen Ruhm gebracht; zum Feldzug von 1708 wurde er nicht wieder hingesandt; er lag müßig in Dessau. Er ertrug es nicht, er ging 1709 nach den Niederlanden, wenigstens als Volontair den Krieg mitzumachen. Auch dann, als er für 1709 dort an General Lottums Stelle das Commando erhielt, ruhten seine „Feinde und Verläumder" in des Königs Nähe nicht.[1])

Seit dem Tode der Königin hatten beide Dohna sich vom Hofe zurückgezogen, und wie der jüngere, Christoph, in seinen Denkwürdigkeiten wohl erkennen läßt, mit dem schmerzlichen Gefühl, daß der gütige König, dem beide Brüder einst so nahe gestanden, nicht sehe, wie übel er berathen sei. Vielleicht nur Einen gab es in seiner Umgebung, der seines Vertrauens würdig gewesen wäre; von Marquardt von Printzen sprach Freund und Feind mit gleicher Achtung; seine Lauterkeit, seine Treue und Hingebung war in schweren Proben bewährt; aber eben darum ließen ihn die am Hofe Mächtigen nicht emporkommen; nur in besonders schwierigen Verhandlungen hatte man ihn verwendet und dann nicht Ursache es zu bereuen.

---

1) Leopold von Dessau (wohl an Blaspeil) Berlin, 11. März 1711: „er werde in dem heurigen Feldzug seinen Feinden und Verläumdern gewiß weniger occasion geben, ihn anzugießen, als sonsten" u. s. w.

Wenn man die Acten des Archives aus diesen Jahren durchliest, so fällt es auf, daß die Tausende von Rescripten, Correspondenzen, Instructionen, Vertragsentwürfen, die gewöhnlichen Sachen wie die geheimsten, immer von derselben Hand concipirt sind. Es ist die Rüdigers von Ilgen; sie zeigen eine Umsicht Sachkunde, Feinheit, eine Versatilität des Geistes, die in Erstaunen setzt. Zur Seite der hochgräflichen Excellenzen und repräsentirenden Hofchargen ist Ilgen der Mann der Geschäfte, der unermüdliche Arbeiter; er hat alle Fäden in der Hand; er steht in Mitten aller Intriguen des Hofes, wie der europäischen Diplomatie. Er ist keineswegs ohne Vorwurf; er ist im Dienst reich geworden; aber er versteht es, auf dem stets schwankenden Boden dieses Hofes sicher zu gehn. Er ist zäh, schmiegsam, verschlagen, unerschöpflich an diplomatischen Mitteln; vor Allem, er ist der Interessen dieses Staates wie kein anderer kundig, er lebt und webt in denselben. Und das macht ihn unter allen Umständen unentbehrlich. Er scheint immer nur zu thun, was der König befiehlt oder durch Wartenberg ihm befehlen läßt, aber er hat die geschäftliche Ausführung in der Hand; bald versteht er zu zögern, zu laviren, auszuweichen, bald kreuzt er die drängende Frage mit einem neuen Gedanken, wirft zwischen die Alternativen ein Drittes, schiebt die schon empfindliche Pression, die schon drohende Hand zur Seite. Seine Politik ist nicht groß und stolz, aber evasiv. Virtuos im Diplomatischen, rechnet er zuerst und zuletzt auf die diplomatischen Mittel, nicht selten auf die kleinlichsten und zweideutigsten.

Die Berichte diplomatischer Horcher und Flüsterer lassen keinen Zweifel, daß er schon bei der höfischen Krisis von 1705 den Versuch gemacht hat, den Kronprinzen mit hineinzuziehen. Es gelang ihm damals so wenig, wie bei den Vorgängen im Frühling 1707. Diese endeten damit, daß Graf Wartenberg so gut, wie Ilgen,

Wittgenstein so gut, wie Grumbkow, Lord Raby obenein, in des Königs Gnade blieben. Fester wurde die Haltung des Hofes damit nicht; nur der offene Hader wurde vertagt. Den Kronprinzen hatten weder die Einen, noch die Andern; er stand für sich.

Schon jetzt — er war zwanzig Jahre — in scharf ausgeprägter Eigenart. Er hatte wenig von der anmuthigen und geistvollen Natur der Mutter, noch weniger von der weichen Herzensgüte, der Prachtliebe und dem Beifallsbedürfniß des Vaters. Und weder von dem pedantischen Unterrichte seiner deutschen Lehrmeister, noch von der modischen französischen Bildung, deren Firniß man ihm zu geben so viele Mühe angewandt, war Nennenswerthes an ihm haften geblieben. Was er war, war er durch sich und im Widerspruch mit dem, was ihn umgab, geworden Er war sparsam, derb, heftig, harten Willens, Feind alles Scheins und aller Phrasen; er gefiel sich darin, den überfeinen und süß flüsternden Höflingen mit grober Schroffheit durch die Rede zu fahren, den nur zu gern und zu verlockend entgegenkommenden Reizen der Damen in möglichst beschämender Weise den Rücken zu kehren. Am wohlsten war ihm bei seinem Bataillon, das er, im Kleinen und Kleinsten des Dienstes genau und kundig, mit pünktlicher Sorgfalt übte, inspicirte, verwaltete. Sein ganzes Wesen hatte soldatisches Gepräge; Ordre pariren, nicht räsonniren, seine Pflicht thun — „seine verfluchte Schuldigkeit," wie der Ausdruck lautet — das waren ihm die Grundpfeiler alles Dienstes; und im Dienst, befehlend oder gehorchend, schien ihm Jeder zu sein, der König so gut, wie der Rekrut oder Ackerknecht. So „im Dienst" hat er sich sein Lebelang gefühlt. Als er bei irgend einem Anlaß um Fürsprache gegen eine ungünstige Entscheidung des Königs ersucht wurde, ließ er antworten: „daß ihm nicht zustehe, dagegen Einwendungen zu machen, daß er sich vielmehr Sr. Majestät Willen Befehl und Gesetz sein lasse." Wie wenig dieser Hof voll prunkender, schmarotzender, frondirender Müßiggänger, die offenkundige Mißwirthschaft, Malversation und Patronage in der Verwaltung nach seinem Sinn war, er hätte es nicht seinem „pflichtschuldigen Respect" gegen den Vater und König entsprechend gehalten, da eingreifen zu wollen, außer so weit es dienstlich, auf geschäftsmäßigem Wege geschehen konnte.[1]) Noch weniger hätte er es über sich gewonnen, die Einmischung Fremder zu gestatten oder gar selbst zu veranlassen; es fehlte namentlich von Hannover her nicht an Versuchen der Art; aber bei aller Ehrerbietung vor dem Vater seiner Gemahlin, sie war nun Kronprinzessin von Preußen, nicht mehr hannövrische Prinzessin. Und sie unterordnete sich, wie ihre Pflicht war.[2])

Der feinen Witterung der Günstlinge entging es nicht, daß in dieser gemessenen und sicheren Haltung des jungen Hofes Grund zur Besorgniß sei. Es heißt, Graf Wittgenstein habe den König veranlaßt, zu einer dritten Vermählung zu schreiten; ein erstes Kind des Kronprinzen — der König gab ihm den Titel Prinz von Oranien — war wenige Monate nach der Geburt gestorben; es sei, sagte man dem Könige, keine Hoffnung auf ein zweites, und die Succession in Gefahr. Der König entschloß sich zu einer nochmaligen Vermählung; er wählte die Schwester des Herzogs Friedrich Wilhelm von Schwerin; es war bei diesem Anlaß, daß er, auf Grund des Erbvertrages, Wappen und Titel von Mecklenburg annahm. Durch die junge Königin durfte man hoffen, den kränkelnden Herrn desto sicherer in der Hand zu behalten.[3])

1) So 1706 durch Ilgen, so 1708 durch den Hofmarschall v. Wengsen; beide Male ohne Erfolg.

2) Schon 1706, 8. Juni schreibt Manteufel an Flemming: „la princesse paroit vouloir s'accommoder plus aux manières berlinoises que ne faisoit feu la Reine."

3) Des Grafen Aug. von Wittgenstein Schwiegermutter, die verwittwete Reichsgräfin v. Wittgenstein, wurde Oberhofmeisterin der Königin Sophie Louise.

Die Unterschleife, Bestechungen, Verschleuderungen hatten bessere Tage denn je; die Machinationen der drei Grafen gegen diejenigen, die ihnen nicht sicher oder im Wege waren, führten zu immer neuen Explosionen; die Staatsverwaltung gerieth in immer ärgere Schwankungen.[1])

Dinge, die anderen Höfen nur zu wohl bekannt waren, von ihnen nur zu geschickt ausgebeutet wurden.

Freilich die Herren Staaten hatten es müssen geschehen lassen, daß der Kaiser die Grafschaften Mörs und Lingen aus der oranischen Erbschaft Preußen zusprach, daß im Oberquartier Geldern preußische Truppen, die es dem Feinde entrissen, als Besatzung blieben. Aber sie ließen ihre Garnison in der Festung Mörs; diese, die geldrischen Venloo, Roermund, Geldern, sowie Bonn und Rheinberg seien ihnen nöthig als Barriere gegen Deutschland. Dann starb die letzte Herrin des Fürstenthums Neuschatel (1707); in Kraft der Cessionsacte Wilhelms III. (23. October 1694) war Friedrich I. der unzweifelhafte Inhaber des oranischen Erbrechtes auf dasselbe, und das ständische Tribunal, vor dem die zahlreichen Prätendenten, namentlich mehrere französische Familien, ihren Prozeß führten, entschied für Preußen.[2]) „Mit schwerem Gemüthszwang, aus purer Noth der Conjuncturen" schwiegen die Herren Staaten dazu, wie zu Lingen und Mörs, und hielten um

1) Eins unter vielen Beispielen ist die Verhaftung des Wirkl. Geh.-Raths und maitre des requêtes v. Hamrath (Oct. 1708), wie es hieß: „parce qu'il s'étoit embarqué dans une trâme contre la personne et les interests du Grand-Chambellain, son patron et bienfaiteur. (Westphals Bericht vom 12. Oct. 1707, Dresd. Arch.) Die schnöde Art, wie Graf Wittgenstein durch persönliche Einwirkung dazu gethan, daß die Juristen-Facultät in Rostock oder in ihrem Namen der berüchtigte Schöpfer ein Rathsgutachten verfaßte (der König vollzog es 16. Nov. 1708), hat Moser im Patriot. Arch., IX., p. 405 nach Verdienst gebrandmarkt.

2) S. über diese Verhandlungen Herm. Schulze „Die staatsrechtliche Stellung des Fürstenthums Neuenburg," 1857, besonders Beilage XIX. Sentence d'investiture.

so straffer über den ungleich größeren Rest der oranischen Erbschaft. Und wenn dann aus Berlin ernste Mahnungen kamen, Zahlung der längst fälligen Rückstände gefordert, mit Rückberufung der Truppen gedroht wurde, rief man emphatisch die alte vertrauliche Freundschaft an, mahnte an die gemeinsame Sache und die Gefahr des Evangeliums und beruhigte das besorgte Publikum mit der Versicherung: es sei unmöglich, daß Preußen zurücktrete, weil sonst die Universalmonarchie Frankreichs da sei und damit die Herrlichkeit des preußischen Königthums wie eine Seifenblase zerplatzen werde.[1])

In anderer Weise, schärfer und verletzender verfuhr die kaiserliche Politik.

Sie fühlte sich ihren höchsten Zielen nahe. Konnte ihr in ihrem Weltberufe eine größere Huldigung gebracht werden, als daß die beiden größten protestantischen Mächte, England und Holland, alle ihre Kraft daran setzten, östreichische Interessen durchzukämpfen? Hatte doch jüngst noch von Neuem das englische Parlament ausgesprochen: es gebe keinen sicheren und ehrenvollen Frieden, wenn nicht die spanische Monarchie an das Haus Oestreich komme. Mochte immerhin zum Kaiserthume durch einen formellen Act der Wahl berufen werden, es schien sich von selbst zu verstehen, daß es bei dem Erzhause bleiben müsse bis ans Ende der Tage. Für den Fall, daß der Mannsstamm desselben aussterben sollte, war die Nachfolge der Tochterlinien schon 1703 durch ein Statut angeordnet worden, das vom Kaiser Leopold dem Geheimenrath vorgelegt und von den Geheimenräthen beschworen worden war.[2]) Des Reiches schien man auf alle Fälle

1) Lamberty VI. p. 511: „Il y avait des gens indiscrets, qui . . . ; par là, disoient-ils, la Royauté de Prusse seroit en danger de s'évanouir comme ces venteuses et ephemères ampulles, que les enfants" u. s. w.

2) Daß dies am 12. Sept. 1703 geschehen, entnehme ich einem Geheim-

gewiß. Von den Kurfürsten waren zwei, Baiern und Cöln, geächtet, das Gebiet des seit Ferdinands II. Zeit zu mächtig gewordenen bairischen zerschlagen, zum größten Theil in Oestreich incorporirt; das bairische Erzamt und die Oberpfalz war an Kurpfalz zurückgegeben, den treusten Partisanen der östreichischen Politik, der fortfuhr, die Evangelischen in seinem Lande zu mißhandeln, wie sie in den östreichischen Landen mißhandelt wurden. Kurfürst in Mainz war ein Schönborn, in Trier demnächst der Bruder des Herzogs von Lothringen. Und Hannover hatte noch immer nicht seine Stelle im Kurcollegium gewonnen, aber seine Bedeutung im Fürstencollegium verloren. Blieben nur noch die beiden königlichen Kurfürsten, „Theaterkönige,“ wie man sie in Wien nannte; und der von Polen war seit der schwedischen Invasion an Mitteln, Ansehen, Ehre bankerutt.

Seit der junge Kaiser Joseph das Regiment führte, mit den größeren Erfolgen in Spanien, Italien und den Niederlanden, wurde das Verfahren des Kaiserhofes gegen Preußen mit jedem Jahre rücksichtsloser; und die Verworrenheit des Reichsrechtes, die fränkische Succession, die limburgische Exspectanz, die Differenzen über Nordhausen, Quedlinburg u. s. w. gaben Gelegenheit, in Fülle den Berliner Hof fühlen zu lassen, was ihm die Gnade oder Ungnade des Kaisers bedeute. „Preußen,“ sagte der Reichsvicekanzler in Anlaß des tecklenburgischen Streites, „trachtet danach, das Band zwischen Haupt und Gliedern im Reiche allmählig aufzulösen, indem es Sachen vornimmt, um die der Kaiser zu begrüßen ist,“ als habe der Kaiser ein Aufsichtsrecht über derartige Verträge zu üben. Es wurden von Preußen immer größere Leistungen „von Reichswegen“ gefordert; es wurde verfahren, als

protocoll d. d. Wien, 19. April 1713 über die Wiederholung derselben Beeidigung. Es ist der erste Schritt zur pragmatischen Sanction.

sei ohne Weiteres die preußische Armee zu des Kaisers Verfügung. Immer von Neuem wurde der Vorwurf erhoben, daß Preußen nicht den Reichsschlüssen nachlebe; man ging so weit, mit der Wiederaufhebung der königlichen Würde zu drohen.[1]) Aber die tractatmäßige Brodlieferung für die 8000 Preußen in Italien leistete man nicht, die tractatmäßige Zahlung von 100,000 Thalern jährlich blieb man Jahr für Jahr schuldig, entschuldigte sich gelegentlich „mit der jetzigen Unvermögentheit," oder sandte einen kaiserlichen Kommissar nach Berlin, um ein armseliges Pauschquantum für die bisherigen und künftigen Summen zu bieten. Wenn ja einmal die Nachgiebigkeit des Berliner Hofes ein Ende zu nehmen drohte, so verstand man mit einer Wendung, die dem persönlichen Empfinden des Königs schmeichelte, zu begütigen.[2])

Da erfuhr man in Wien — in der Zeit, als Karl XII. in Sachsen lag — Dinge, die man nicht mehr für möglich gehalten hatte.

Es ist der Ilgensche Plan einer Tripelallianz zwischen Preußen, Schweden, Hannover erwähnt worden. In einem zweiten Entwurf vom September 1706 ließ man sich preußischer Seits näher aus; man bezeichnete als einen der Zwecke der Verbindung, dahin zu wirken, „daß bei der Wahl der künftigen römischen Könige und Kaiser den lutherischen und reformirten Reichsständen ihre Religion nicht im Wege stehe, zum Kaiserthume zu gelangen."[3]) Die Anregung hatte weder bei Schweden, noch in Hannover den

1) Königl. Rsc. an Bartholdi in Wien, 1. Mai 1706 in Anlaß des von Graf Sinzendorf gebrauchten Ausdruckes: „Wiederaufhebung dessen, was wir vom Kaiser erlangt haben, welches auf unsre königliche Dignität gemeint scheint."

2) Bartholdis Bericht vom 1. Aug. 1706: „Fürst Salm raisonnirte gestern davon, daß obschon E. Maj. mit dem Kaiser übel zufrieden, Sie es doch mit solcher Mauler blicken ließen, daß die Empfindlichkeit durch eine recht königliche Großmüthigkeit begleitet würde."

3) Preußischer Entwurf der Tripelallianz Art. XIII. Am 17. Sept. 1706 ist darüber mit dem haanövrischen Geh. Rath Ilten Conferenz gehalten worden.

gewünschten Erfolg; Karls XII. starrer Sinn war auf andere Dinge als die Reichskrone gewandt, und Kurbraunschweig antwortete: man finde diesen Artikel in allen seinen Begriffen von der Natur, daß man sich unmöglich entschließen könne, ein Bündniß drauf zu schließen.

Bald verbreitete sich in der diplomatischen Welt ein Schreiben, angeblich aus Berlin, voll überraschender Aufklärungen:[1]) der unbegreifliche Abschluß des Altranstädter Friedens habe einen sehr einfachen Zusammenhang; sei August II., um die polnische Krone zu erhalten katholisch geworden, so habe er sie jetzt aufgegeben, um fortan desto eifriger für den Protestantismus thätig zu sein; der Plan sei, künftig die Kaiserkrone zwischen Katholischen und Evangelischen wechseln zu lassen; die drei protestantischen Kurfürsten, Sachsen, Brandenburg und Hannover, mit ihren jüngeren Linien, seien im Stande, 150,000 Mann aufzustellen und aus eigenen Mitteln zu halten, genug, um ein solches Project durchzusetzen.

In Wien hatte man, Dank der Treue Hannovers, genauere Kunde. In des Kaisers Gegenwart wurde davon gesprochen, daß Preußen sein Absehen auf die Kaiserkrone gerichtet habe.[2]) Wie gern hätte man auch an Preußen ein Exempel statuirt; aber

---

1) Lettre écrite de Berlin, 7. Jan. 1707 sur les motifs de la Paix de Pologne. In dem königl. Rfc. an Bartholdi 2. April 1707 heißt es: „es verdient gedachter Brief nicht, daß man die geringste Reflexion darauf nehme; es ist solcher ein Extract eines in Holland gedruckten sogenannten Lardons und weiß jedermann, was dergleichen Charteken vor Grund zu haben pflegen . . . von derselben Gattung ist auch die andere Zeitung von unserer mit dem Kurfürsten von Baiern habenden Correspondenz.“ Diese Correspondenz mit Baiern bestätigen Marlboroughs Briefe an Graf Wartenberg vom 11. und 23. Oct. 1706 (Murray III. p. 167, 187), sie ging durch Graf Bergeyck und den bairischen Hofrath v. Heydenfeld. Jenen holländischen Druck habe ich nicht gesehen.

2) Bartholdi, 2. Jul. 1707: „die Stimmung des Wiener Hofes bezeichnet des Grafen Wratislaw Aeußerung, qu'il falloit tâcher de donner des autres occupations au Roy de Suède.“ Nur daß Karl XII. nicht Lust hatte, sich gegen Preußen zu wenden.

Karl XII. stand noch in Sachsen, man hatte für Schlesien zu fürchten, man erlitt Niederlagen von den Aufständischen in Ungarn. Und weiter noch: in Folge der Einnahme Neapels kam man mit dem Papst in Conflict, man hatte nicht Truppen genug zur Hand, um dort rasch zum Schluß zu kommen, wenn man nicht einige Regimenter von dem preußischen Corps in Savoyen mit heranziehen konnte; man mußte froh sein, daß General Georg von Arnim, der Commandirende, aus Berlin die Erlaubniß dazu erhielt. Damals geschah es, daß preußische Truppen bei Ferrara die päpstlichen in die Flucht trieben, daß evangelischer Feldgottesdienst auf römischen Gebiet gehalten wurde, während in Wien an den Thüren der Reichskanzlei kaiserliche Anschläge zu lesen waren, des Inhaltes: daß des Papstes Autorität in weltlichen Dingen null und nichtig sei, daß der Papst in anderen als geistlichen Dingen keine Macht habe, mit geistlichen Strafen zu verfahren, daß der Kaiser die in päpstlichen Bullen über ihn verhängte Excommunication feierlich und förmlich cassire.[1]) Erst der mit Karl XII. zu Gunsten der Evangelischen in Schlesien geschlossene Vertrag, dann dieser Schritt gegen den Papst — es schien eine neue Aera der östreichischen Politik zu beginnen. Sobald der Papst zum Frieden gezwungen, Karl XII. nach Polen zurückgekehrt war, weiter und weiter nach Osten zog, war sie wieder, wie sie immer gewesen.

Auch gegen Preußen; schon hieß es in offiziellen Besprechungen, man habe nur dahin zu sehen, daß der König von Preußen, der eine so große Macht mitten in Deutschland habe, nicht mehr Kraft bekomme.[2]) Gerade jetzt bot sich eine bequeme Handhabe.

1) Auf des Papstes Declaration, Romae, 16. Jun. 1708: „etsi te non pudet, ecclesiam et Deum ipsum oppugnare et ab avita pietate austriaca declinare,“ erfolgt die kaiserliche Declaration vom 26. Juni 1708, des Papstes „declarationem esse inanem irritam et nullam.“

2) So Bartholdi, 26. Juni 1709, er fügt hinzu: „Man bringt nicht nur

Daß Kurfürst Georg Ludwig sich bereit finden ließ (Herbst 1707), den Befehl über die kaiserliche und Reichsarmee am Oberrhein zu übernehmen und selbst einige Bataillone dazu mitzubringen, gab zunächst den Anlaß, die Anerkennung seiner Kurwürde auf dem Reichstage, seinen Eintritt ins Kurcollegium, zugleich die Admission Böhmens durchzusetzen. Den Befehl hatte er nur übernommen gegen die Zusicherung, daß ihm die Mittel zu energischer Kriegsführung gewährt würden. Decretirt wurde in Regensburg genug, aber zunächst kamen weder die 300,000 Thaler „zur Reichsoperationskasse" ein, noch von der Reichsarmee auch nur die Hälfte ins Feld. Für den nächsten Feldzug (1708) wurde eine Million Thaler bewilligt, die noch weniger einkam, und statt der beschlossenen 50,000 Mann waren endlich kaum 30,000 im Felde.

Wenn der hochherzige Reichsfeldmarschall Nichts leistete, so war es natürlich nur Preußens Schuld: „es stelle ja nicht einmal sein Contingent." Daß der König außer den 5000 Mann, die er den Seemächten überlassen, außer den 8000 Mann in Italien, ganz auf eigene Kosten 12,000 Mann stellte, die nach dem zwischen den Alliirten verabredeten Operationsplan in Brabant standen, daß dieß Corps jüngst wieder, an dem glänzenden Tage von Oudenarde, Großes zur Entscheidung beigetragen, ward für Nichts gerechnet: „Preußen dürfe ohne des Kaisers Vorbewußt und Einwilligung sein Contingent außer dem Reiche nicht agiren lassen." Aber Niemand nahm Anstoß daran, daß Schweden die ganze Kriegszeit daher kein Contingent für Pommern, Bremen und Verden gestellt hatte, daß Hannover die größere Hälfte seiner Armee (16 Bataillone, 32 Escadrons) im Sold der Seemächte hatte, daß Kur-

---

bei den Conferenzen, sondern auch im Reichshofrath, da doch nach den Rechten schlechterdings und ohne Jalousie verfahren werden sollte, viel Zeit mit solchen raisonnements zu."

sachsen nicht sein Contingent stellte, aber die Trümmer seines Heeres dem Kaiser in Miethe gab, daß der Kaiser selbst, der sich in dem Associationsvertrage mit den vorderen Kreisen verpflichtet hatte, zur Sicherung des Oberrheins 24,000 Mann zu stellen, selten mehr als 7000 Mann dazu erübrigen konnte,[1] daß trotz desselben Vertrages Kurpfalz seine Bataillone für Subsidien in Brabant dienen ließ, Kurtrier gar keine Truppen stellte.

Kurfürst Georg Ludwig hatte den Ehrgeiz, große Dinge zu leisten; sein Eifer hatte den Beifall des Wiener Hofes, der vorderen Kreise, der rheinischen Kurfürsten; sie unterstützten in Regensburg die immer höheren Forderungen, die er stellte, die immer strengeren Beschlüsse, die er vorschlug; daß dieselben in erster Reihe gegen Preußen gerichtet waren, brachte ihnen um so größeren Beifall:[2] „es sei leider dahin gekommen, daß einige Mitglieder des Reiches dem theuren Vaterlande Nichts prästirten, als was ihnen selbst beliebe und gefalle; es müßten nothdringlich andere Mittel gefunden werden, sie zu ihrer Schuldigkeit zu zwingen.“ Es wurde eine Reichscommission vorgeschlagen (15. Mai 1709), vor der Jeder in drei Monaten nachzuweisen habe, daß er seine Beiträge zur Reichsoperationskasse gezahlt, sein Contingent zur Reichsarmee gestellt habe; werde befunden, daß Jemand seine Schuldigkeit nicht geleistet, so solle er das Dreifache als Strafe zahlen und dem Reiche dessen Execution vorbehalten bleiben; es solle

---

1) Nach den Tabellen d. d. Bruchsal, 15. Feb. 1708 waren bei der Armee kaiserliche Truppen vier Reg. Inf. mit 4826 M. (sie sollten zählen 7560 M.) und fünf Reg. Cav. mit 2708 Mann und 2242 Pferden (sie sollten 5000 Pf. stark sein).

2) Besonders lehrreich ist für diese Sache des Königs Instruction für den Kronprinzen, der bei der Armee in Brabant war, d. d. 5. Juni 1709 (bei F. Förster I. p. 136): „Man will ohne Zweifel durch das Votum mir zu Leibe und gedenkt dadurch ein Mittel gefunden zu haben, um die mecklenburgischen und andern Successionsrechte, die dem Hause Braunschweig ein so großer Stachel im Auge sind, mir aus den Händen zu ringen.“

keinerlei Dispens oder Ausnahme gelten, namentlich nicht der Vorwand, „daß man außer Reichs Dieses oder Jenes leiste oder geleistet habe, maaßen das dem Reich nichts angehe und die in der Kriegsmaterie gefaßten Reichsschlüsse damit nicht erfüllt würden."

Die Herren von der geistlichen Bank stimmten zu; mehrere weltliche erklärten, ohne Instruction zu sein; Magdeburg gab ein Votum ab, das die scheinheiligen „media cogendi" in ihr rechtes Licht stellte: wie man den König von Preußen könne zwingen wollen, seine Truppen an den Oberrhein zu senden, während Andere trotz des Associationsvertrages die ihrigen von dort abberufen? diesen mache man keine Vorwürfe, noch inquirire man, wo sie ihre Truppen hätten; man frage nicht, wie der Kaiser im Altranstädter Frieden dazu gekommen, ohne Vorwissen der Reichsstände der Krone Schweden ihr Contingent zu erlassen; „wenn es aber Sr. Majestät von Preußen gilt, so will allemal gleich eine Inquisition angestellt werden, vor welcher Dero Contingent durch die Musterung gehen soll; man möge sich vorsehen, Maaßregeln zu beschließen, die gegen die Reichsgrundgesetze seien und das Reich leicht in die äußerste Zerrüttung setzen könnten."

Mahnungen, die doch einigen Eindruck machten; unter dem Vorwande hochherziger Rettung des Reiches gelegentlich Execution, schließlich vielleicht die Acht über Preußen zu verhängen, war nun doch nicht so leicht und ungefährlich, wie man sich gedacht haben mochte. Kurfürst Georg Ludwig legte sein Reichscommando nieder, zog mit seinem Contingent heim und benutzte irgend einen evangelischen Vorwand, das reiche und für Hannover so wohl gelegene Hildesheim in Besitz zu nehmen.[1])

---

1) Königl. Rsc. an Bartholdi vom 9. Aug. 1709: „man habe Nachricht von der Occupation Hildesheims und daß der kurbraunschweigische Geh. Rath v. Leibniz nach Wien gesandt sei, die Sache da durchzutreiben und besonders bei der regierenden Kaiserin zu unterbauen" (der Tochter des Herzogs Johann Friedrich von Hannover, des Convertiten).

So die Lage der Dinge 1709. Preußen stand im Reiche fast isolirt, unter der scharfen Ungunst des Kaiserhofes, der nicht minder scharfen Rivalität Hannovers; „Hannover läßt nicht nach, uns heimlich und öffentlich das gebrannte Herzeleid anzuthun.“ In den östlichen Verhältnissen hatte Preußen an der „ewigen Allianz“ mit Schweden nichts weniger als einen Halt; „sie ist so wenig natürlich, daß der König Mühe hat, seine Affection für den Zaaren den Augen der Welt zu verbergen.“ Und in der westlichen Politik war von den Genossen der großen Allianz eben so schroff, wie der Kaiser, Holland gegen die preußischen Interessen; nur die Krone England schien noch den Werth der preußischen Allianz zu würdigen.

Mit dem Feldzuge von 1709 hoffte Marlborough endlich den entscheidenden Stoß gegen Frankreich zu führen; seinem dringenden Wunsche gemäß, auf des Kronprinzen Befürwortung, wurde ein „Augmentationscorps“ von 6200 Mann, dessen Kosten England übernahm, fertig gemacht; der Kronprinz selbst führte es zum Mai nach Gent.[1])

Allerdings war Frankreich tief erschöpft; die schweren Niederlagen des Jahres 1708 hatten Ludwigs XIV. Stolz gebeugt; er verzweifelte daran, mit den Siegern von Oudenarde es noch einmal aufnehmen zu können. Er suchte den Frieden, bevor die neue Campagne begonnen; er ließ in Kopenhagen dem preußischen Gesandten Eröffnungen machen, deren Zweck war, Preußen zur Uebernahme der Mediation zu bewegen; aber, wozu er sich bereit erklärte, erschien nicht genügend.[2]) Er wandte sich im tiefsten

1) Nach Grumbkows Schreiben an Marlborough, 9. März 1709 (Coxe II. p. 621). Schöning im Leben Natzmers hat diesen Brief mit einigen Sätzen erweitert, die den Schein erwecken, als habe der Kronprinz dies „Augmentationscorps“ auf Entreprise ins Feld gestellt.

2) Diese Verhandlungen zwischen Graf Cnyphausen und Poussin muß ich mich begnügen nur anzudeuten.

Geheimniß an Holland, das, sichtlich das Uebergewicht Englands schwer empfindend, einem Separatfrieden zugänglich schien, wenn großer Gewinn geboten wurde; die Herren von Holland entwarfen Artikel, besprachen sie mit den französischen Agenten; vor Allem die oranischen Güter in Frankreich und das Oberquartier Geldern forderten sie.[1]) Die energische Einsprache Marlboroughs und des Prinzen Eugen hinderte den Abschluß. Auf eine zweite, dringendere Erbietung Ludwigs XIV., und um sich Holland nicht aus der Hand gehen zu lassen, verstanden auch sie sich dazu, Präliminarien zu entwerfen (28. Mai). Sie forderten, weil sie die Fortsetzung des Krieges wollten, Maaßloses; für Holland bedangen sie, was dort am lebhaftesten gewünscht wurde, das Besatzungsrecht in einer Reihe von Festungen in den spanischen Niederlanden als Barriere gegen Frankreich, und unter diesen Festungen Geldern, obenein das ganze Oberquartier zu vollem und souveränem Besitz; Preußen betreffend, begnügten sie sich, von Frankreich die Anerkennung der Königswürde und die des Besitzes von Neufchatel zu fordern; beim Friedenscongreß könne Preußen, wenn es weitere Forderungen habe, sie vorbringen.[2])

Ludwig XIV. wollte lieber noch einen Krieg, als solchen Frieden. Aber am Berliner Hofe mochte man sehen, wie auch England den preußischen Accessionsvertrag von 1702 zu halten gemeint sei.[3])

---

1) Des Königs Instruction für den Kronprinzen, 5. Juni 1709: . . . „und vernehme ich, daß die Gen. St. das Fürstenthum Orange und die Güter in der Franche Comté für sich selbst begehren wollten, unter dem Vorwand daß sie Executoren des Testaments wären . . . das Aergste aber ist, daß sie das ganze Oberquartier Geldern . . . sich zugelegt . . . D. L. wird leicht ermessen, wie sehr mich dieß indigne Verfahren mortificiren müsse."

2) Lamberty, p. 284, er fügt hinzu: „il y a à remarquer, qu'il n'y eut que les ministres de l'Empereur, de la Grande Bretagne et des Estats qui signèrent les préliminaires."

3) Accessionstractat, Art. III.: „daß der Friede anders nicht als gesamter Hand in communicatis consiliis gemacht und Ih. Maj. von Preußen

Die Wendung der Dinge. 1710.

Zwei große Schlachten bezeichnen das Jahr 1709. Bei Pultawa erlag Karl XII. dem Zaaren, bei Malplaquet Ludwigs XIV. Heer, das letzte, wie er selbst gesagt, das er ins Feld stellen könne.

Karls XII. Unglück war vorauszusehen, seit er den weichenden Russen weit und weiter nach Osten folgte. Wie mochte er glauben, daß die Travendaler Verträge Dänemark, die Altranstädter Kursachsen fesseln würden, wenn der Schrecken seiner Nähe aufhörte. August II. begann zu miniren, der Adel in Polen war, wie immer, zu Neuerungen bereit; am dänischen Hofe hatte der russische Gesandte vorgearbeitet; von einer Fastnachtsreise nach Venedig zurückkehrend, kam der Dänenkönig nach Dresden; man war bald verständigt.

Schon im April hatte August II. Flemming nach Berlin gesandt, zu sehen, ob wohl Preußen geneigt sei, zu helfen, daß er sich wieder in Besitz der polnischen Krone setze. Der König empfing ihn äußerst freundlich, schien nicht abgeneigt: aber Ilgen werde dawider sein, mit dem möge er die Sache besprechen.[1])

Ilgen war, wie immer, auf seiner Hut; er fragte, wie Kursachsen zum Kaiser, zu den Seemächten, zum Zaaren stehe: „Gewinnen Sie den Kaiser, wir wollen England über uns nehmen.“ Also eine Vorbedingung weit aussehender Art.

---

bei der Handlung als pars principaliter compaciscens admittirt werden soll.“ Schmettau überreicht die XI. Artikel der preußischen Forderungen, deren erste lautet: „qu'il ne se traite plus rien par rapport à la paix sans qu'un des ministres de S. M. Pruss. y entrevienne comme tel.“ Lamberty V. p. 277.

1) Flemmings Bericht an August II., Drossen 22. April: „dasselbe rieth der Oberkammerherr, der nichts mehr wünscht als das innigste Einvernehmen;“ worauf er, Flemming, ihm erwiedert hätte: „dazu wäre besonders gut, solche Personen zu entfernen, die nichts als brouilleries stifteten“ und nannte deren; Wartenberg nannte noch andere: nur möge man Ilgen beruhigen, daß J. M. von Polen nicht Rancune gegen ihn habe.

Aber beim Könige hatte der Gedanke gezündet; er ließ Flemming, der schon im Reisekleide war, zu sich kommen, zeigte ihm ein Project, das er eigenhändig entworfen, sandte ihm auch Graf Wartenberg in sein Quartier nach, Alles, was er ihm gesagt, noch einmal zu bestätigen.

Das Project enthielt Aufstellung von 50,000 Mann Preußen, Theilung der Beute: Liefland für Stanislaus, das preußische Polen nebst Ermeland und die Protection über Kurland für Preußen, Polen, „was um Warschau liegt," nebst Litthauen für August II., Schonen für Dänemark, Verden für Hannover, Petersburg für den Zaaren.

Friedrich I. war voll Eifer und Ungeduld; er brauchte den Ausdruck „jetzt oder nie."[1])

Was hätte den beiden Königen in Dresden erwünschter sein können? Aber, sagten sie, der Zweck sei nicht, Schweden ganz und gar über den Haufen zu werfen, sondern nur, es in die gebührenden Schranken zurückzuführen; die deutschen Provinzen Schwedens wolle man unbehelligt lassen, um die gegen Frankreich alliirten Mächte aus dem Spiel zu halten; man versprach, ohne Preußen Nichts vorzunehmen.[2])

In den ersten Julitagen kamen sie nach Potsdam. Es gab Feste vollauf, Lustfahrten von einem Schlosse zum anderen, Allegorien und Embleme über die glorreiche Verbindung der „drei Friedriche," während ihre Minister, Ilgen, Flemming, Reventlau, verhandelten. Verhandelnd kamen sie weit und weiter aus einander. „Unsere Intention," hieß es sächsischer Seits, „geht auf völlige Wiedererlangung der polnischen Krone, ohne einiges de-

1) In einer kaum leserlichen Notiz von Ilgens Hand heißt es: „unser König hat sich vereint mit König August und Schwüre dazu gethan."

2) Marschall von Biberstein, Dresden 21. Juni: „les points que m'ont été communiqués à Dresde.

membrement oder partage." Und Dänemark begnügte sich mit Schonen, aber die deutschen Provinzen Schwedens müßten unter dem Frieden des Reiches bleiben. Damit blieb für Preußen Nichts; trotzdem wollte man von Preußen ein völlig allgemeines Bündniß, offensiv gegen Schweden, defensiv gegen jede andere Macht, gegenseitige Garantie. Aber diese Garantie für Preußen auch auf die oranische, fränkische, mecklenburgische Succession auszudehnen, fand man bedenklich. Wenn Preußen zur Bedingung machte,[1]) daß die dänische Flotte in See gehe, um schwedische Truppensendungen nach Pommern unmöglich zu machen, so hieß es: die dänische Flotte sei nicht fertig, mit seinen 50,000 Mann habe Preußen Nichts zu fürchten. Darauf Ilgen zum Schluß: Preußen kann nicht brechen, referirt sich auf sein früher vorgelegtes Project, will sich angelegen sein lassen, mit dem Kaiser und den übrigen Alliirten Kursachsen gegen einen schwedischen Einfall zu decken.[2])

Die beiden Könige waren sehr betreten; Ilgen schien ihnen ihr Spiel verderben zu wollen. Sie selbst übernahmen es, mit seinem Herrn zu sprechen; sie erhielten dessen feste Zusage, mit ihnen zu gehen.[3])

Also auf dieser Basis mußte Ilgen weiter unterhandeln. Er verstand es, Auswege zu finden.[4]) Noch waren die 50,000 Mann

1) „Unser Project vom 25. Juni" Ilgens Hand.

2) „Unsre Erklärung vom 4. Juli an den Grafen v. Flemming, gegeben per me" (Ilgens Hand).

3) In des Kriegsraths Christian Müller „Tabellen" (Dresd. Arch.) heißt es Art 66. „Die Könige von Polen und Dänemark kommen zum Könige nach Caput und wird dort im Lusthause ein höchst heilsames Concert gegen Schweden verabredet, so aber gleich am andern Morgen von Ilgen hintertrieben ist."

4) Promemoria (Ilgen fügt bei donné le 5 Jul. 1709 par le Roy Auguste à S. M. notre maitre à Potsdam) da heißt es Art. 3: „que S. M. Pruss. nous ayant animé Elle même par une „aut nunc aut nunquam" et en disant de prendre le temps juste nous sommes tout surpris de voir biaiser à l'heure qu'il est de commencer le jeu avec nous."

Preußen, auf die gerechnet wurde, nicht zur Stelle, und man wollte ja Schweden nicht über den Haufen werfen; in Noth, wie es war, gab es vielleicht gerechten Forderungen Gehör; wenigstens konnte Preußen durch den Vertrag von 1707 gebunden erst brechen wollen, wenn Schweden sie verwarf; endlich wie gedachte man sich zum Zaaren zu stellen, der in Liefland, Litthauen, nach Polen hinein factisch Herr war? Solchen und ähnlichen Bedenken gab der König Gehör:[1]) „man muß mir Zeit lassen, mich in Verfassung zu setzen, man muß vorerst die Punkte concertiren, die man Schweden vorschlagen will; ich bin Willens, mit dem Zaaren mich näher zu setzen; ich will hindern, daß mehr schwedische Truppen nach Polen gezogen werden."

Die zwei Könige gaben die Hoffnung auf, Preußen mit sich zu reißen; sie begnügten sich mit einer Art Neutralität Preußens.[2])

Schon kamen Siegesnachrichten aus Brabant; die Alliirten hatten die Linien des Feindes mit raschen Märschen umgangen, sich nach Tournay geworfen; am 28. Juli hatte die Stadt, am 31. die Citadelle capitulirt; dann ging es auf Mons. Der Feind eilte zuvorzukommen; bei Malplaquet, 11. September, wurde er vollständig geschlagen. Jeder Bericht, die Schreiben Marlboroughs

---

1) „Puncta, worüber mit den beiden Königen zu sprechen" (von Ilgens Hand mit der Bemerkung: „diese Punkte sind von S. M. eigenhändig aufgesetzt und bei der Konferenz am 10. Juli producirt worden." Des F.-M. von Wartensleben Gutachten, das gegen das ganze Project spricht, ist vom 13. Juli.

2) „Foedus Berolinense vom 15. Jul. 1709 mit Dänemark und König August von Polen contra Suecum." Der Zeit wie dem Inhalt nach bisher fehlerhaft angeführt. Der Eingang: „da J. M. von Dänemark und J. M. von Polen vielleicht mit Ehestem in ein Offensivbündniß mit dem Zaaren gegen Schweden und des Stanislaus Parthei sich einlassen werden und von J. Pr. M. begehrt haben, gegen sie keine Parthei zu nehmen noch dem Feinde Durchzug zu gestatten." Art. 2. Wenn Preußen darüber feindlich überzogen werde, verspreche Dänemark und Polen Hülfe und beim Frieden Satisfaction. Art. 4. 6. Gegenseitige Garantie aller Besitzungen und Gerechtsame namentlich auch aller jura succedendi u. s. w.

und Eugens sprachen mit größtem Ruhme von den preußischen Generalen und Truppen, von der Entschlossenheit und Energie des Kronprinzen.

Mitte August hatte man in Berlin die ersten Nachrichten von dem, was in der Ukraine geschehen war. So unglaublich sie schienen, die Concentrirung der schwedischen Truppen in Polen unter General Crassow ließ nicht zweifeln, daß Großes geschehen sei. Dann, am 6. September, traf von Obrist von Siltmann, der auf der Rückreise bis Warschau gekommen war, ein Schreiben ein, das die furchtbare Katastrophe von Pultawa bestätigte. Er bemerkte zugleich: er bringe ein Schreiben vom Zaaren, „nebst mündlichen angelegentlichen Commissionen für Se. Majestät und Dero Haus bei jetzigen favorablen Conjuncturen."

Schon stand ein russisches Heer bei Lublin. Der Zaar selbst eilte nach Polen; eine große Zahl polnischer Senatoren, in Thorn versammelt (2. October), begrüßte ihn als den „Retter der polnischen Freiheit und Hersteller des rechtmäßigen Königs;" ihr König August II. war bereits in ihrer Mitte, während ihr König Stanislaus im Begriff stand, mit Crassow — die Pest wüthete in dessen Heer — entweder nach Sachsen durchzubrechen, oder sich nach Pommern zu retten.

Für Preußen eine Situation, in der eben so viele Gefahren und Verlegenheiten, wie lockende Aussichten und Aufforderungen zu kühnem Entschluß lagen.

Zwei Momente fielen sofort schwer ins Gewicht, die schon ausgesprochene Neigung des Königs für den Zaaren und seine wachsende Gereiztheit gegen die Herren Staaten.

Aus dem Haag war ihm gemeldet, daß Holland sicher sei, bei dem, wie man meinte, ganz nahen Frieden die oranische Succession für Nassau-Friesland durchzusetzen und die Festung Geldern „als Barriere gegen Preußen" zu erhalten. Was blieb ihm dann für alle seine Opfer? Wenigstens einen Ersatz konnte er im Osten gewinnen, durch den Zaaren gewinnen, der militärisch Herr in Polen war. Er hoffte auf Englands Zustimmung zählen zu dürfen; er glaube, ließ er an Marlborough sagen, jetzt die Zeit gekommen, das polnische Preußen zu erwerben; bei dem erdrückenden Zuwachs des Hauses Oestreich sei es nothwendig, im Reiche ein Gegengewicht zu schaffen, wenn nicht die evangelische Welt Schaden leiden solle; er bitte um seine Meinung. Des Herzogs Antwort war voll der schönsten Versicherungen,[1]) aber man müsse die nordischen Dinge schlafen lassen, bis Friede mit Frankreich sei.

Warten, bis Friede mit Frankreich sei, hieß die Gunst des Moments versäumen. Schon nahte Crassow mit noch 15,000 Mann den Grenzen; er und Stanislaus ließen in Berlin um Durchzug bitten. Man gab die besten Versicherungen, nur die Gefahr der Contagion mache Bedenken. Um keinen Preis den Durchzug, sagten die Dänen; sie fürchteten, daß Crassow sich sofort auf Holstein werfen werde. Und August II. forderte, als gäbe ihm der Vertrag vom 15. Juli ein Recht darauf, preußische Hülfe: er werde mit Subsidien statt der Truppen zufrieden sein, Preußen könne sich dafür schwedisch Pommern nehmen.[2]) Weder Däne-

---

1) „Que les vues de la Reine et les interests de l'Angleterre étoient de ne pas élever l'Empereur à un point que le parti protestant ne luy put tenir tête dans l'Empire, et que comme il regardoit V. M. comme chef de ce parti la Reine verroit avec plaisir tous les accroissements, qui pourroient arriver à la puissance de V. M." Aber erst müsse la grande querelle hier zu Ende sein, „qu'alors l'on ne s'opposeroit pas qu'on jouât quelque tour à la Suède." Grumbkows Bericht, Haag, 16. Sept. 1709.

2) Königl. Rsc. an Marschall in Dresden d. d. Wollup, 4. Oct. 1709: „ainsi j'acheterois la Pomeranie Suédoise, et le Roy profiteroit seul; je ne sais, comme cela peut seulement venir à la pensée du Roy." Er soll sagen, „que je veux plustôt me mettre sur cette affaire avec la Suède que de faire un si honteux traité; vous n'avez plus à entendre des semblables discours."

mark, noch August II. war gerüstet, und die Moscowiter folgten zwar dem Crassowschen Corps, aber sie folgten nur.

Dem Zaaren, so schien es, mußte Alles daran liegen, mit diesem letzten Rest schwedischer Macht diesseits des Meeres ein Ende zu machen; er mußte, so schien es, Großes darum geben, einen Genossen zu finden, mit dem er es konnte. Man war in Berlin bereit, mit ihm zu gehen, wenn er den alten preußischen Plan der polnischen Theilung annahm.[1]) Die Mittel dazu hatte man, wenn man die Truppen aus Brabant zurückrief; und Frankreich machte die größten Erbietungen, wenn es geschähe.[2]) „Soll ich helfen, den Holländern Land zu erwerben, da sie mir nicht helfen?" so schrieb Friedrich I. dem Kronprinzen; er habe sich entschlossen, seine Truppen zurückzurufen; es sei nicht nöthig, daß er es geheim halte; „haben die Holländer Präliminarien mit Frankreich gemacht, so will ich meine Avantage selbst bei Frankreich suchen, wie sie vorher gethan."[3])

So des Königs eigenste Gedanken: eine halbe Initiative, eine halbe Demonstration; große Projecte, ohne daß ihre Ausführung eingeleitet, hastige Schritte, ohne daß der Wechsel der Politik vermittelt war; und dies Alles auf Eventualitäten gestellt, die so oder so fallen konnten.

Der Zaar hatte eine Zusammenkunft mit dem Könige gewünscht. In denselben Tagen, da „die Pestarmee," ohne die Erlaubniß von Berlin zu erwarten, bei Kallies die Grenze über-

1) Der Entwurf dazu wird s. d. 4. Oct. dem russischen Gesandten von der Lieth mitgetheilt.

2) Das ist der Inhalt des neuen Projectes, das Knyphausen und Poussin in Kopenhagen 12. Sept. unterzeichneten und Ludwig XIV. 30. Dec. im Wesentlichen genehmigte.

3) Der König an den Kronprinzen eigenhändig d. d. Wollup, 10. Oct.: „ich bin persuadirt, daß Dein L. und alle Alliirten sich verwundern werden, daß ich meine Truppen revocire" u. s. w.

schritt, um nach Stettin zu marschiren,[1]) reiste der König nach Stargard, dann, die Straße, die Crocows Marsch verpestet hatte, zu meiden, durch die Neumark nach Marienwerder. Tags darauf (26. October) empfing er den Zaaren. Beiderseits überbot man sich mit Verbindlichkeiten; „keine zehn Worte ohne Umarmungen." Der Zaar schenkte seinem königlichen Wirth den Degen von Pultawa.

Aber von dem Theilungsproject sagte er: es sei nicht practicabel. Zu Stande kam vorerst nichts, als daß auch der Zaar dem Vertrage vom 15. Juli beitrat, der leer genug war. Doch versprach er, Elbing nebst Gebiet „von den Schweden zu säubern" und an Preußen zu geben, der König dagegen, den Schweden den Weg durch Pommern nach Polen zu hindern.[2])

Man kehrte ziemlich abgekühlt nach Berlin zurück. So stolz, so in dem Gefühl, Herr der Situation zu sein, hatte man den Zaaren keineswegs zu finden gedacht; er hatte gesprochen, als wenn er dem Könige zu verzeihen habe, daß Crassow entkommen. Noch hochmüthiger war das Benehmen seiner Minister gewesen, namentlich des Kanzlers, mit dem Wartenberg zu unterhandeln gehabt; und es war ein geringer Trost, daß die polnischen und sächsischen Herren in Thorn noch übler, „wie Sclaven" behandelt worden waren.[3])

Also dieses Luftschloß war zerronnen; was nun? Schon hatte auch der Däne sein Kriegsmanifest erlassen; er begann sich dem Hofe von Hannover zu nähern; es war zu besorgen, daß

---

1) Ein Brief aus Kallies, 20. Oct. sagt: „am Mittwoch (16.) sind die Schweden von hiesiger Grenze gezogen und Donnerstag Nacht haben die Moscowiter die Quartiere bezogen und halten übel Haus; Gott helfe aus der Noth."

2) Separatartikel (zum foedus Berolinense) d. d. Marienwerder, 22. Oct./2. Nov. 1709.

3) Flemming an Manteufel, Thorn, 12. Nov.: „Ms. les Moscovites ont été fort insolents . . . je leur disoit encore il y a quelques jours, qu'il ne doivent plus s'imaginer que nous voulussions être leurs esclaves ou faire la figure que Stanislaus avoit fait auprès du Roi de Suède; cela fit un bon effet."

Hannover sich beeilen werde, in die Genossenschaft einzutreten, die Preußen abgelehnt hatte. Und auf die Seemächte, auf den Wiener Hof hatte die gedrohte Abberufung der Truppen einen äußerst üblen Eindruck gemacht,[1]) einen Eindruck, den selbst die schonenden Aeußerungen Marlboroughs nur zu deutlich erkennen ließen.[2])

Mit dem Schwanken und der Verlegenheit wuchsen nach der Art dieses Hofes die heimlichen Thätigkeiten, zu denen Lord Raby, Lintelo, der schwedische, der dänische Gesandte fleißig die Hand boten. Graf Wartenberg bestimmte den König, nach dem Fehlgriff in Marienwerder in Leipzig mit August II. zusammenzukommen; der Fürst von Anhalt zerrte nach der Gegenseite hinüber, bat Prinz Eugen, über Berlin zu reisen, „um uns von dem Rande des Abgrundes zu reißen, in den wir sonst stürzen." Und während der höchst gewandte Marschall von Biberstein am Dresdener Hofe einen neuen Plan zur polnischen Theilung betrieb, that Grumbkow das Seine, die Verständigung mit Frankreich scheitern zu machen, die dessen Bedingung war.[3])

Der Kronprinz, der so eben aus Brabant zurückgekehrt war, noch unter den Eindrücken der Tage von Tournay, Malplaquet und Mons, war nichts weniger als einverstanden mit dieser Glücksspielspolitik, welche die großen Ansprüche, die man mit dem Kampfe

---

1) Prinz Eugen an den R.-P. Heinsius, Wien, 19. Jan. 1710 (Arneth II. p. 473): „ce qui est très sure, c'est que le Roy de Prusse a une conduite très extraordinaire et que s'il avoit autant de fermeté que d'ambition, il pourroit causer de grands embarras dans ces conjonctures."

2) So in mehreren Briefen u. a. an Lord Raby 29. Nov. 1709, daß die Königin „takes it very unkindly that Prince should impute to Her any failings or disrespect, the States may have shown him, and that He should be the sacrifice of his resentment towards them as indeed it must happen, should we obliged by the recalling of his troops to a precipitate peace."

3) Zusammenkunft Grumbkows mit einem (ungenanten) französischen Agenten, der Ludwigs Vollmacht zum Abschluß mit Preußen vorzeigte. Grumbkows Bericht darüber (ohne Datum) ist vom Dec. 1709.

gegen Frankreich gewonnen, ja die positiven Rechte, die man dort im Westen besaß, Preis geben wollte, um sich im Osten von den Moscowitern mit Fußtritten behandeln und von dem frivolsten aller Höfe zum Gecken machen zu lassen. In der Sitzung des Geheimenrathes, in der die Mittel für die Erhaltung der heimberufenen Truppen erwogen wurden, kam man zu dem Schlusse, daß es schwer, ja unmöglich sein werde, daheim für ihren Unterhalt Rath zu schaffen.

Wie immer die große politische Frage sich wenden mochte, von dem Augenblicke an, wo Crassow in Vorpommern und das moscowitische Heer an der neumärkischen Grenze stand, war die nächste practische Aufgabe, dazwischen zu treten, damit der polnische Krieg nicht auf deutschem Boden fortgesetzt werde. Es war das nicht bloß ein preußisches und deutsches Interesse; eben so nah betheiligt waren die Seemächte und das Haus Oestreich, einem Zusammenstoß vorzubeugen, der sofort die norddeutschen und dänischen Hülfsvölker in Flandern, Italien, vom Oberrhein heim zu eilen gezwungen hätte.

Es ist Ilgens Verdienst, den Gedanken angeregt zu haben, der das Interesse Deutschlands und der großen Allianz zusammenfaßte. Bereits im November mußte Schmettau im Haag beantragen, daß die schwedischen Reichslande für neutral erklärt, aus ihnen nach Polen Truppen zu senden den Schweden versagt werden sollte. Von allen Seiten wurde der Vorschlag mit Eifer ergriffen; auch von dem russischen Gesandten, denn des Zaaren Plan war vorerst auf Liefland und Esthland gerichtet; auch von Dänemark, das nur dann nach Schonen gehen konnte, wenn es von der Eider her nichts zu fürchten hatte; auch von Schweden, das damit seine Vertheidigung auf Liefland und Schonen concentriren konnte. Am 20. März wurde die Neutralitätsacte im Haag unterzeichnet; oder vielmehr vom Kaiser, von England und Holland vollzogen, wurde sie von ihnen „einigen ihrer Verbündeten“ vorgelegt, als liege es diesen drei Großmächten ob, das im allgemeinen Interesse Nothwendige zu bestimmen und ihren getreuen Verbündeten zur Nachachtung vorzulegen. Bezeichnend genug, als die Gesandten der drei Mächte in den Saal traten, in dem die der übrigen Verbündeten versammelt waren, und durch den Greffier die Acte vorlesen und zur Accession auffordern ließen, erinnerte Schmettau, bevor er unterzeichnete, daran, daß seines Königs Majestät sich für diese Neutralität der schwedischen Reichslande unter den hohen Alliirten am ersten durch das von ihm übergebene Memorial erklärt habe, und „werde seinem Könige lieb sein, von dem Abschluß dieses heilsamen Werkes zu hören.“ Auf das dringende Anrathen des russischen und polnischen Gesandten unterließ er weitere Schritte gegen das allerdings neue Verfahren der drei Großmächte.[1]) Nicht minder bezeichnend ist, daß dieser Schritt zur Sicherung des Reichsfriedens nicht von Reichswegen, sondern durch einen europäischen Act geschah, dem beizutreten später allerdings auch der Reichstag aufgefordert worden ist.

Man sieht, wie diese Neutralität für den Gang der nordischen Dinge und das Verhältniß Preußens zu ihnen maaßgebend werden mußte. Aber Friedrich I. trennte sich nicht so leicht von dem „großen Dessein.“ Vom Zaaren zurückgewiesen, hatte er sich mit demselben an August II. gewandt; eben darum hatte er mit ihm jene Zusammenkunft in Leipzig. Auch andere Dinge wurden dort besprochen: ob die Zerreißung Baierns durch den Kaiser gerechtfertigt, ob der Plan des polnischen Senates zu „einer per-

1) Schmettau, 1. April 1710: „weil durch die Unterzeichnung die Gefahr cessire, so werde besser sein, von der mir anbefohlenen Vorstellung und Ansuchung zu abstrahiren und das meritum beim Kaiser, England und den Staaten zu behalten, daß in dieser Acte die Neutralität von Seiten des Zaaren, Hollands und Dänemarks aus Consideration und Confidenz vor hochgedachten puissancen concedirt worden sei.“

petuirlichen Armatur" zu dulden sei; die Hauptsache für Friedrich I. war der Plan der polnischen Theilung. Die Antwort des Polenkönigs lautete „in aller Höflichkeit," das sei eine Sache, „auf die wenigstens bei jetzigen Conjuncturen nicht einmal zu denken sei." [1])

Mißvergnügt kehrte der König nach Berlin zurück. Gleich darauf kam die Nachricht, daß die Moscowiter Elbing genommen, daß sie dort furchtbar gehaust hatten, daß sofort eine große Zahl Bürger, die Hälfte der Handwerker in der Stadt, nach Rußland abgeführt sei, daß das Kirchengebet für den Zaaren als Landesherrn gehalten werde. Noch größere Sorge machte die immer weiter greifende Besetzung polnischer Plätze durch moscowitische Truppen, machte des Zaaren Zusicherung an polnische Magnaten, er werde ihnen ihre Freiheit auch gegen ihren König garantiren, machte die „perpetuirliche Armatur," die ganz Polen mit Enthusiasmus erfüllte. Wenn Polen ein eigenes Heer von 60,000 Mann, wie die Absicht war, aufstellte und, wie man fürchten mußte, Hand in Hand mit den Russen agiren ließ, so hatte August II. so gut, wie Stanislaus das Spiel verloren.

Marschall war August II. nach Warschau gefolgt; er erhielt den Auftrag, auf's Neue von dem „großen Dessein" zu sprechen: es sei der einzige Weg, wie August II. die Souveränetät und Erblichkeit der polnischen Krone retten könne. Auch August II. und seine Räthe sahen das reißend schnelle Umsichgreifen des Zaaren mit Unruhe, die sie fortfahren mußten mit dem Scheine innigsten Einverständnisses zu bergen. Vortrefflich, wenn Preußen so begierig war, in die Nesseln zu greifen. Man ließ zurück=

---

1) So die eingehende Nachricht über die in Leipzig von beiden Königen unterzeichnete Punctation und das von den Ministern gehaltene Protocoll, welche ein Königl. Rsc. 21. Jan. 1710 an Marschall von Biberstein zur Instruction giebt. Die Zusammenkunft in Leipzig war in der zweiten Woche des Januar 1710.

melden: da der Polenkönig, ohne sich zu exponiren, von der Sache nicht sprechen könne, vielmehr Vorschläge vom Zaaren erwarten müsse, so möge Preußen die Sache einleiten, einen Theilungsplan entwerfen.

Es geschah sofort, in sonderbarer Form. Der Entwurf[1]) war gefaßt, als wenn Rußland bereits zu verfügen habe: „Seine Zaarische Majestät findet gut und nothwendig, daß man Polen neue Grenzen gebe und daß dieses Königreich in drei Theile getheilt werde; der eine für Se. Zaarische Majestät, der andere für den König von Preußen, der dritte für den König von Polen; jeder wird seinen Theil in voller Souveränetät besitzen." So der Anfang; dann wird bestimmt, daß der Zaar sich aller festen Plätze in Polen bemächtigen wird, um sie dann den Partnern, jedem nach seinem Theile, zu überweisen. Der Zaar wird den Angesehensten unter den polnischen Großen erklären, daß man „für die Ruhe und das wahre Interesse der polnischen Nation, deren Regierung bisher ihr selbst und den Nachbarn so verderblich gewesen," nothwendig erachtet habe, diesem Königreiche eine andere Gestalt zu geben, daß außer dem schwedischen Liefland ein großer Bereich auf der Seite Litthauens an Rußland, das polnische Preußen, Samogitien und die Succession in Curland an Preußen fallen,[2])

1) Das Project ist undatirt; es ist in Chiffern mit einem Königl. Rescript vom 8. März 1710 an Marschall übersandt: „ein Plan und ebauche des bekannten grossen Desseins, welches, daß es allhier von unsern Ministern aufgestellt und entworfen werden möge, Graf Flemming von Euch begehrt hat." Der Text des Projectes ist ziemlich genau bei F. Förster II. 115 abgedruckt (Art. 1 statt feroit zu schreiben seroit. Art. V. Ende, statt de causer le reste zu schreiben laisser. Art. VI. hat à ceux qui sont gens de l'église, die mir vorliegende Dechiffrirung à ceux qui sont autres gens de l'église also wird gestanden haben à ceux qui sont evêques ou autres gens de l'église.

2) In der an Marschall gesandten Chiffre (Art. 5) war nur das polnische Preußen genannt. Er schreibt Warschau 29. März: „er habe noch Samogitien, die Expectanz auf Curland, ingleichen einige Oerter in Großpolen an der Warte und einige Palatinate in Litthauen, auch die Aufhebung des Nexus feudalis für Lauenburg und Bütow gefordert.

der Rest dem Könige von Polen unter dem Titel eines Erbkönigs verbleiben wird. Die drei Mächte werden sich gegenseitig diese Convention garantiren und zu deren Aufrechterhaltung in Polen und den angrenzenden Provinzen ein Heer von 60,000 Mann bereit halten. Da unter allen Mächten nur der Kaiser und Holland wirksame Einsprache erheben könnten, so wird man die Holländer durch die und die Handelsvortheile begütigen und die Barriere gegen Frankreich, die sie fordern, garantiren, dem Kaiser die Rechte auf das Zipser Comitat abtreten und dem Hause Oestreich die spanische Succession in vollstem Umfange gewährleisten.

Konnte man im Ernst glauben, daß der Zaar auf diesen Köder anbeißen werde? Als Graf Kaiserlingk in Moskau den russischen Ministern — der Zaar war in Petersburg, die Flotte in See zu bringen — von dem großen Dessein sprach, wiederholten sie die Antwort von Marienwerder; und ähnlich sprach von der Lieth in Berlin. Der einzige Weg zum Erfolg wäre gewesen, wenn eine preußische Armee jenseits der Weichsel versammelt worden wäre. Noch in der Mitte März schien der König wenigstens die Truppen aus Italien heranziehen zu wollen. Eben darum kam Prinz Eugen auf seiner Reise nach den Niederlanden durch Berlin; er wurde auf das Glänzendste empfangen. Er sollte um jeden Preis bewirken, daß das Corps in Italien noch ein Jahr blieb; er that, als wenn der Kaiser es sei, der sich zu beschweren habe, den man begütigen müsse; namentlich über das Benehmen Schmettaus im Haag hatte er ein ganzes Register von Klagen;[1]) mit einigen vagen Versprechungen gelang es ihm, den Zweck seiner Sendung zu erreichen.

1) „Schmettaus ungegründete Prätensionen seien allein Schuld, daß Graf Sinzendorf mehreren Conferenzen im Haag nicht beigewohnt." Die Erklärung giebt Lamberty VI. p. 10: „L'on eut plus de peine à détourner les préten-

Also die preußischen Corps machten die nächste Campagne in Italien und Brabant mit. Und dennoch wurde an dem „großen Dessein" weiter gesponnen. Marschall erhielt den Auftrag, sich von Warschau nach Petersburg zu begeben, um mit seiner kecken Gewandtheit dem ehrlichen Kaiserlingk nachzuhelfen.

Bevor er die Reise dahin antrat, hatte sich die Lage der Dinge außerordentlich verwandelt.

Anfang März hatten die Dänen in Schonen eine vollständige Niederlage erlitten; sie eilten, ihre Flotte in See zu bringen. auch diese erlitt mehr als einen Unfall. Jene nordische Neutralität war von der Regentschaft in Stockholm angenommen worden; aus Bender kam statt der ersehnten Bestätigung im Juni ein Aufruf gegen die „friedbrüchigen" Dänen und Sachsen, eine Aufforderung an die Garanten des Travendaler und Altranstädter Friedens, zu thun, was sie schuldig seien.

Wie, wenn nun die schwedischen Truppen in Pommern, in Bremen und Verden sofort losbrachen? Nichts hätte Ludwig XIV., der schon auf das Aeußerste gebracht war, besser Luft gemacht, Man erfuhr, daß General Crassow in Pommern stark werbe, daß die Besatzung in Wismar verstärkt werde; im gottorpischen Holstein, in den neuen Zerwürfnissen Hamburgs waren Feuerstoffe genug, den Brand weiter zu tragen.

Die Neutralität hier zu retten, gab es nur ein Mittel, freilich nicht eben neutraler Natur. Von den drei großen Mächten wurde beschlossen und von den anderen Genossen der Neutralität zugestimmt, daß ein gemischtes Corps aufgestellt werden sollte,

sions du Ministre de Prusse pour assister aux conférences qu'on alloit tenir; comme on éluda ses demandes avec force, il dit qu'il feroit protestations contre tout ce qu'on feroit qui ne fût pas de la convenance de sa cour."

die Neutralität Norddeutschlands, Schleswigs und Jütlands sicher zu stellen.[1])

Für den Zaaren das Erwünschteste. Seine über ganz Polen zerstreuten Besatzungen waren nun vor einem schwedischen Einbruch von Pommern her sicher, und weder Augusts II. Einfluß in Polen machte ihm Sorge, noch die „perpetuirliche Armatur," die nicht über die Phrasen hinauskam. So konnte er sich mit aller Macht auf die wenigen Punkte werfen, die noch in Liefland, Esthland, Karelien von den Schweden gehalten wurden. Im Juni wurde Viborg, im Juli Riga, dann auch Reval, Abo, Oesel genommen. Zugleich wurde die Vermählung des jungen Herzogs von Curland mit der Tochter des Zaaren eingeleitet; die Stände von Liefland, voll freudiger Hoffnung, daß nun die Zeit der Libertät gekommen sei, machten Pläne, „Livoniam Magnam nach der englischen Parlamentsform unter dem Herzog von Curland als deren Haupt und Erbfürsten zu restauriren."[2]) Die russischen Agenten dort nährten diese Bewegung: „unter dem Schutze des Zaaren werde die liefländische Freiheit für immer sicher sein."

Schon im Juni hatte von der Lieth dem Berliner Hofe zu eröffnen: wenn Marschall nichts weiter im Auftrag habe, als das bekannte Project, so sei die Reise nicht nöthig, da Se. Zaarische Majestät ein für allemal resolvirt sei, sich in dergleichen weitläuftige Sachen nicht einzulassen und nichts zu unternehmen, was seinen Verbündeten „Ombrage" geben könne. Und zu Kaiserlingk sagte der Zaar: wenn die Partage je gemacht werden sollte, müßte ein ganz anderes Project entworfen werden; auch wäre die

---

1) Der Vertrag wurde im Haag, 4. Aug. 1710, unterzeichnet. Zum corps de mainteun sollte der Kaiser 2000 Reuter, England und Holland 8400 M. F., Preußen 500 R. und 2100 M. F., ebenso viel Kurmainz, Kurbraunschweig, je 700 M. F. Münster, Wolfenbüttel, Meklenburg, Cassel stellen.

2) Bericht von Marschall aus der Nähe von Narwa, 11. Aug. 1710.

erste Bedingung, daß Preußen in die offensive Allianz gegen Schweden mit einträte und zur wirklichen Ruptur in Pommern schritte.[1])

Mit steigender Unruhe sah man in Berlin „die vasten und großen Desseins" des Zaaren sich entwickeln. Hand in Hand mit August II. und den Polen hätte man ihnen begegnen können; aber die Polen, „nach ihrem angeborenen Genie nur von Eigennutz, stetem Neid und Argwohn bestimmt," waren für jede politische Berechnung unbrauchbar, und August II. spann, wie sichere Mittheilungen ergaben, eben jetzt Intriguen unglaublichster Art. Er war im Begriff, sich von den Rebellen in Ungarn zum König wählen zu lassen, die polnische Krone zu Stanislaus Gunsten aufzugeben, mit Karl XII. in Bender, der auf eine türkische Kriegserklärung gegen Rußland hoffen durfte, gemeinsame Sache zu machen.[2]) Ein neuer, furchtbarerer Krieg schien entbrennen, er schien den ganzen Osten Europas in Flammen setzen zu sollen.

„Es finden sich Einige, die dafür halten wollen, daß es besser gewesen wäre, wenn wir dem Zaaren nichts von dem großen Dessein hätten sagen lassen, und daß die Sache dadurch verdorben wäre," so sagt ein Schreiben des Königs vom 28. Juni. Als Marschall in Petersburg ankam, war bereits eine andere Instruction in seinen Händen: „ist des Zaaren Absicht, sich der ganzen Seekante von Narwa bis Riga, sowie alles dessen, was Polen jen-

---

1) Westphalens Bericht, Berlin 28. Juni 1710 (Dresd. Arch.). Kaiserlingk Bericht aus Petersburg 4/14. Juli 1710.

2) Kaiserlingk meldet, Petersburg 10/21. Jul. 1710, Schaffiroffs Aeußerungen: „man kenne Augusts II. unruhiges und ambitiöses Gemüth genug und habe genaue Information, daß der König von Polen sowohl früher, als er auf die Krone renunciren müssen, wie auch jetzt eine Parthei in Ungarn zu erwerben gesucht und es dahin gerichtet bei favorabler Gelegenheit König von Ungarn zu werden, ja wenn auch der Kaiser mit Tode abgehe, zur kaiserlichen Krone zu gelangen und sich zum größten Monarchen in Europa zu machen."

seit des Dniepr besitzt, zu bemächtigen, so sieht Jeder, daß es ihm unmöglich sein würde, wenn nicht wir und der König von Polen damit einverstanden sind und auch unseren Gewinn dabei finden, wie das Theilungsproject vorgeschlagen; will der Zaar das nicht annehmen, so können wir uns auch nicht zur Garantirung der Seekante und des Landes jenseit des Dniepr engagiren." Es folgt ein neuer Vorschlag: „wenn der Zaar uns zu Elbing und einem Strich Landes zwischen Pommern und der Weichsel verhelfen und für Beides die Cession der Republik verschaffen will, so können wir uns wohl verbinden, den Zaaren gewähren zu lassen und in Polen keine Parthei wider seine Desseins zu machen."

Mit jedem Erfolge wurde die Sprache des Zaaren stolzer, die Forderungen seiner Minister maaßloser: von der Räumung Elbings könne nicht die Rede sein, so lange der Krieg währe, und Rußland sei nicht in der Lage, Gebiete, die der Republik Polen gehörten, wegzuschenken; Preußen habe, seit Karl XII. die Neutralität verworfen, nach dem Vertrage von Marienwerder dafür aufzukommen, daß die Schweden nicht von Pommern aus durchbrächen; nur wenn Preußen sich zur Offensive gegen Schweden entschließe, könne man über Weiteres verhandeln.

Es half eben nicht weiter, daß Marschall jene Verpflichtung bestritt: das preußische Pommern sei ganz offen gegen das schwedische; nicht 20, nicht 30,000 Mann würden hinreichen, den Durchbruch zu hindern; schon daraus ergebe sich, daß der König eine so schwere Verpflichtung nicht habe übernehmen können gegen keine andere Gegenleistung, als die der Rückgabe der Stadt Elbing, auf die er ein anerkanntes Recht habe. Aber er legte ein neues Project vor: der König wolle, wenn ihm sogleich Elbing übergeben werde, mit Schweden brechen, wenn es den Durchbruch versuche.[1]) Es wurde darüber her und hin verhandelt, ohne daß man zum Schluß kam.

Noch im November erfolgte die Kriegserklärung der Pforte gegen Rußland; ihre Heere sammelten sich, nun unter Karls XII. Führung, die Scharte des letzten Krieges gegen die Christen auszuwetzen. Nach Karls XII. Weisung wurde in Schweden, in Finnland, in Pommern mit dem größten Eifer gerüstet, die Flotte verstärkt; schon bisher war ihr weder die dänische, noch gar die russische gewachsen gewesen, das baltische Meer stand ihr nach allen Richtungen offen. Zugleich erfolgte (30. Nov.) Karls XII. Protest gegen jenes Haager Concert, „das unter dem Schein der Neutralität eine Armee zu Gunsten seiner Feinde aufzustellen bestimmt sei."

Man mußte den gewaltigsten Ansturz, „eine neue Revolution" in Osteuropa erwarten. Wie, wenn sich Karl XII. mit dem Türkenheer den Pruth aufwärts marschirend mit der von Pommern her vordringenden schwedischen Armee in Polen die Hand reichte? Schon verbreiteten sich des Königs Stanislaus Aufrufe in Polen und zündeten; die in Ungarn endlich niedergeworfenen Aufständischen suchten in Masse Zuflucht in Polen, bereit, dort helfend der verlornen Sache ihrer Heimath neuen Aufschwung zu schaffen. Nicht minder furchtbar, wenn der Zaar siegte; dann ergoß sich die russische Macht unwiderstehlich nach Westen, dann geschah, was schon ausgesprochen war: daß die russische Macht in Deutschland bald so bekannt sein werde, wie vordem die schwedische.[2])

Und zwischen diesem furchtbaren Zusammenstoß, recht eigentlich zwischen Hammer und Amboß lag Preußen, in Karls XII. Augen

1) Königl. Rsc. vom 24. Oct. 1710.

2) So ein Memoire von Cederhjelm, das Kaiserlingk d. d. Moscau 3/14. Mai 1711 einsendet. Er fügt hinzu: „ein Vornehmer in des Zaaren Dienst habe gesagt, daß man den König von Preußen aus Preußen delogiren müsse."

schuldig wegen jenes Haager Concerts, dem Zaaren im Wege, wenn er nach Westen wollte, ohne die geringste Aussicht auf irgend einen Beistand, wenn die wilde Kriegsflamme über seine Grenzen hereinbrach. Graf Metternich, der von Regensburg nach Wien gesandt wurde,[1]) wo möglich ein besseres Verhältniß zwischen Preußen und dem Kaiser herzustellen und gemeinsame Maaßregeln in dem nordischen Wesen vorzuschlagen, wurde mit Kälte und Mißtrauen empfangen und auf das Neutralitätscorps verwiesen. Von diesem war bisher nichts zu sehen; umsonst mahnte Friedrich I. dessen Aufstellung zu beschleunigen, umsonst erbot er sich in Wien, das Doppelte seines Anschlages zu stellen, wenn ihm oder dem Kronprinzen das Commando überwiesen werde, es zu führen „im Namen und unter der Autorität Kais. Maj." Weder der Kaiser, noch die Seemächte wollten jetzt irgend einen Theil ihrer Streitkräfte aus dem Kampfe gegen Frankreich abziehen, denn nur noch eines Stoßes schien es zu bedürfen; sie hofften ihn geführt, Ludwig XIV. zum Frieden gezwungen zu haben, bevor das Wetter im Osten sich entlud. Um keinen Preis hätten sie jetzt die 30,000 Mann Preußen, die jenseits der Alpen und in den spanischen Niederlanden mit ihnen und für sie im Felde standen, entlassen.

Allerdings war Frankreich auf das Aeußerste gebracht; umsonst war der französische Minister Torcy selbst unter fremdem Namen nach Gertruydenburg gekommen, mit den umfassendsten Erbietungen, wenigstens die Herren Staaten zu gewinnen; sie hatten ihn nach langem Verhandeln wieder heim ziehen lassen.

---

1) Instruction für Graf Metternich zu seiner Sendung nach Wien, 31. Oct. 1710: er soll erklären, „daß wir alle ersinnliche Begierden hätten, die alte vertrauliche Allianz fortzusetzen und auf unsre Nachkommen zu vererben." Hofrath Friedrich Heinrich von Bartholdi (der Bruder des Präsidenten vom O.-A.-Gericht Christ. Friedrich v. Bartholdi) war Resident in Wien.

Schon war auch die dritte der Festungsreihen, die Frankreich deckten, daran, durchbrochen zu werden; in Piemont rüstete man sich zum Vormarsch auf Lyon, in der Franche Comté begann Aufruhr; der einst so gewaltige König erbot sich zu immer größeren Zugeständnissen, den Frieden zu erkaufen, und die drei Mächte forderten deren immer neue: schon auch die Rückgabe aller Festungen am Rhein von Basel bis Philippsburg, namentlich die Rückgabe Straßburgs, schon auch, daß Ludwig XIV. für seinen Enkel auf jeden Fußbreit Landes aus der spanischen Erbschaft Verzicht leiste, schon auch, daß er selbst mithelfe, ihn zu entthronen, mithelfe nicht bloß mit Subsidien — denn dazu erklärte er sich, hoffnungslos, wie er war, bereit — sondern mit seinen eigenen Truppen.

Aber wenn er auch dazu gezwungen, wenn Frankreich vollständig und für immer gedemüthigt wurde, war damit das Ziel erreicht, um deßwillen der ungeheure Krieg geführt wurde? war die Staaten- und Gewissensfreiheit, war das Gleichgewicht der Mächte begründet, wenn man im Osten und Norden den chaotischen Kampf zwischen der schwedischen und zaarischen Suprematie weiter rasen ließ, während im Westen England und Oestreich sich zu erdrückender Uebermacht erhoben, — England, seiner schon fühlbaren oceanischen Ueberlegenheit mit dem Besitze von Gibraltar und Minorca die Beherrschung des Mittelmeeres hinzufügend — das Haus Oestreich, nicht mehr durch Frankreich balancirt, um das eroberte Ungarn und die fast arbiträre Gewalt in Deutschland mächtiger, als selbst zu Karls V. Zeit, gleichsam die einzige Continentalmacht, neben ihr nur der Sultan oder der Moscowiter, je nachdem Karl XII. siegte oder besiegt wurde. Wie sollten die kleineren Staaten in Italien und Deutschland bestehen, wenn die Wucht der östreichischen Uebermacht auf ihnen lastete? wie das Evangelium in deutschen Landen, wenn sie die zähe Intoleranz, die sie in den eigenen Landen zu üben nicht müde wurde, in dem Machtbereich ihres Einflusses fortsetzte?

Da begann sich mit dem Herbst 1710 im Westen das Kriegsglück zu wenden. Der bourbonische König von Spanien, von dem entflammten Nationalgefühle der Castilianer getragen, wies die schimpflichen Präliminarien zurück, die sein Großvater angenommen hatte; vom Herzog von Vendôme geführt, drängte das spanische Heer den König Erzherzog und die Verbündeten über den Tajo zurück, zwang sie in der Schlacht von Villa viciosa zu weiterem Rückzug nach der Küste. Nur Katalonien blieb dem Oestreicher.

In Paris athmete man auf. Die Verbündeten mußten inne werden, daß der Gegner, dem sie schon den Fuß auf den Nacken gesetzt, sich wieder aufzurichten beginne.

Sie selbst hatten, namentlich in dem letzten Feldzuge, ihre Siege theuer erkauft: „unsere Armeen haben mehr als 30,000 Mann Abgang; weder die Kaiserlichen in Spanien, noch die Engländer sind im Stande, ihre Truppen zu ergänzen."

Bedeutender als Alles war, was in den inneren Verhältnissen Englands geschah. Mit wachsendem Widerwillen hatte die Königin Anna, durch und durch stuartisch, wie sie war, das whigistische Ministerium ertragen; höfische Cabalen arbeiteten an dessen Sturz; lange vergeblich; endlich, im Sommer 1710, erlag es, torystische Männer ersetzten es; das Parlament wurde aufgelöst, die neuen Wahlen ergaben eine „königstreue" Majorität. Freilich erklärten sich die neuen Minister mit großem Eifer für die Fortsetzung des Krieges, ersuchten Marlborough, das Commando weiter zu führen. Aber hatten sie nicht doppelt zu fürchten, wenn er neue Siege gewann? und war nicht dieses große Kriegsbündniß, das Frankreich so weit herunter gebracht, wie an ihn persönlich geknüpft, so seine Stütze? Ihn, den Mächtigsten der

Whigs, unschädlich zu machen, mußten die Torys den Frieden wollen, sich von den Verbündeten ab und zu Frankreich kehren.

So die große Wendung der Dinge, mit der das Jahr 1710 schloß: im Osten der nahe Angriff der Türken und Schweden auf Rußland und dessen Verbündete, im Westen der Sieg der bourbonischen Macht in Spanien, und mit dem Wechsel in England die bald sichtbare Lockerung der Allianz.

Wartenbergs Fall. 1710—1711.

In eben diesen Tagen höchster Spannung in den europäischen Verhältnissen erfolgte am Berliner Hofe ein Wechsel bedeutsamster Art.

Daß er eintrat, war nicht die Wirkung jener großen Verhältnisse. Es war das Ergebniß der inneren Mißregierung, das Werk des Kronprinzen.

Nur der König sah nicht, oder wollte nicht sehen, wie der Druck, der auf dem Lande lastete, mit jedem Jahre ärger wurde, wie Handel und Wandel rückwärts ging, das platte Land verarmte, selbst in Berlin der Neubau der Häuser stockte. Sein Oberkammerherr sorgte dafür, daß keine Klage bis zu ihm drang,[1]) der Obermarschall, daß der Hof immer prächtiger,[2]) das Leben am Hofe immer reicher an Zerstreuungen wurde, Beide, daß ihnen, ihren Freunden und Creaturen aus der Verwaltung der Domänen und Regalien so viel Gewinn wie irgend möglich in den Händen

1) Königliches Rescript vom 17. März 1710 wider das muthwillige Supplicircn; König, Berlin III. p 217.

2) Zur Charakteristik: in dem an Festivitäten überreichen Krönungsjahr hatte die Rechnung des Hofconditors 5144 Rthl. betragen, im Jahr 1708 betrug sie 17,054 Rthl.

blieb.[1]) Mit der Aussaugung des Landes wuchs die Corruption der Beamteten, mit der rastlosen Steigerung des Bedarfs, der für den Hofhalt gefordert wurde, die Ausdehnung der fiscalischen Competenz und die Willkür Derer, die sie in Ausübung zu bringen hatten. Die Amtskammern in den Provinzen, denen nur die Justiz über ihre Amtseingesessenen zustand, machten geltend, auch da Recht zu sprechen, wo Fiscus gegen Communen und Private zu procediren hatte; und schon war es in Uebung, daß, wenn der Kammerconsulent solchen Proceß durchzuführen keine Hoffnung sah, das rechtliche Verfahren abgebrochen und im commissarischen Wege entschieden wurde. Und welcher Besitz, welches Recht war vor den gierigen Händen der fiscalischen Behörden sicher? Mehr als einmal geschah es, daß sie einen Rechtsanspruch auf Theile einer Feldflur erhoben, und dann wenn Nachmessung angeordnet wurde, die Kammer „die rheinische Ruthe zu 12 Fuß statt der üblichen Feldruthe zu 16 Fuß" in Anwendung bringen ließ; oder es wurden von den hallischen Salzkothen noch 21 für die Domäne reclamirt, sofort in Besitz genommen, mit allem Aergsten gedroht, wenn man sich unterstehe zu queruliren, endlich der gesammten Pfännerschaft das weitere Sieden verboten, acht Monate lang, bis sie mürbe war; oder auch es wurde der der Stadt Königsberg zur Abführung ihrer Schulden bewilligte Antheil an der städtischen Trankſteuer, im Betrage von 24,000 Thalern jährlich, einfach eingezogen und der Hofstaatskasse überwiesen.

Die schweren Heimsuchungen, welche Pest und Mißernten

---

1) So nahm Wittgenstein, der die Direction des Salzwesens unmittelbar unter sich hatte, von jedem verkauften Scheffel 6 pf., während der frühere Director v. Fuchs nur 1¹/₃ pf. erhalten hatte. „Es fehlt der Nachweis, daß ihm ein solches von Ew. Maj. zugestanden worden," sagt der Commissionsbericht vom 23. Dec. 1710. Die weiteren Notizen sind den Proceßacten gegen Graf Wittgenstein entnommen; ich muß mich an dieser Stelle begnügen, nur Andeutungen zu geben.

seit 1709 über Königsberg und die ganze Provinz brachten[1]) und denen nur aus den Mitteln des Staates hätte begegnet werden können, zeigten zuerst in einem erschütternden Beispiele, daß dieses gütigen Königs Regierung ohne Fürsorge für seine armen Unterthanen, ohne Mittel und Erbarmen sei. Und für die Ausfälle, die dort bei dem allgemeinen Unglück auch die königlichen Aemter und Einkünfte erlitten, mußten die übrigen Provinzen nur um so mehr steuern.

Gleichzeitig trat ein zweiter Fall ein, der in den heillosen Zustand eines ganzen Verwaltungszweiges ein grelles Licht warf. Die Stadt Crossen brannte August 1708 so gut wie ganz ab. Graf Wittgenstein hatte seit einigen Jahren eine Feuercasse eingerichtet, in der jedes Haus in den Städten und auf dem platten Lande versichert werden mußte; „durch die dabei gebrauchten harten Proceduren, Pönalverordnungen, Triplizirung und Quadruplizirung der Geldstrafen hatte er zwar den Werth der Häuser heruntergebracht, den Credit erschüttert, Einheimische und Fremde von häuslicher Niederlassung abgeschreckt," aber der königlichen Kasse daraus jährlich an 10,000 Thaler Einnahme übermacht, — ein Geringes von dem, sagte man, was sonst dabei erübrigt wurde. Nun bat die Stadt Crossen um den Ersatz ihres Brandschadens; der König bewilligte ihr sofort außer Bauholz, Bausteinen, Servisbefreiung auf zehn Jahre u. s. w. aus der Feuerkasse 70,000 Thaler; aber die Zahlung erfolgte nicht, die Kasse war leer, die wiederholt Bittenden wies Wittgenstein in harter Weise ab. Selbst in den Hofkreisen war man empört über diese Behandlung unglücklicher Unterthanen.

Der Kronprinz hielt es für seine Pflicht, nun einzutreten;

---

1) Ueber diese Pestjahre (Hagen) Beiträge zur Kunde Preußens IV. p. 27 ff. Von den in Preußen Gestorbenen 195,000 kamen auf Litthauen ⁴/₅. Die Gesammtbevölkerung Preußens war vor der Pest auf 700,000 Seelen geschätzt.

es geschah in gemessenster und loyalster Weise. Er veranlaßte den Vater zu einem Rescript an sämmtliche Regierungen,[1]) in dem sie aufgefordert wurden, sich über den wachsenden Nothstand des Landes zu äußern und Mittel zur Abhülfe vorzuschlagen. In der ersten Septemberwoche liefen die Gutachten ein; wenigstens einige Collegien hatten sich durch die Drohungen und Weisungen von Berlin her nicht beirren lassen. Den Eindruck, den ihre Berichte sichtlich auf den König gemacht, zu verwischen, reichte Graf Wittgenstein (24. September) ein Memorial ein, in dem er darlegte, wie es seiner unablässigen Sorgfalt gelungen sei, die Einkünfte der Krone um jährlich 500,000 Thaler zu erhöhen und in den Jahren seiner Amtsführung 1,500,000 Thaler über den Etat zur Verfügung zu stellen; gleich als wenn die Summen, die er herbeigebracht, die Art, wie er sie herbeigebracht, rechtfertigen könnten. Aber es schien angemessen, dem Obermarschall in seinen eigenen Angaben nachzugehen; es wurde eine Commission bestellt, „mit Beiseitesetzung aller Affecten, Passion, unzeitiger Furcht und anderer Absichten" zu untersuchen, ob es mit den 500,000 und den 1,500,000 Thalern seine Richtigkeit habe, und zu dem Ende bei den Amtskammern und den sonstigen Behörden die nöthigen Nachforschungen anzustellen.[2]) Die Ver-

---

1) Das Rescript ist im Concept, das mir vorlag, undatirt, gehört aber wohl dem Juli oder August 1710 an. Die obige Darstellung, die von der aus Pöllnitz und der Brochüre „Fall und Ungnade zweier Staatsminister" herstammenden, gewöhnlichen in wesentlichen Puncten abweicht, beruht auf den Wittgensteinschen Untersuchungsacten. Nur die Art der Anregung durch den Kronprinzen liegt da nicht unmittelbar vor, ist aber aus einem Moment in der Untersuchung zu schließen. Welche Rolle der Gen. Adjudant des Königs Paul Anton v. Kamecke und dessen Vetter, der Wirkl. Geh. Rath und Präsident der Hofkammer, Ernst Bogislav von Kamecke bei dieser Sache gespielt, ergeben die Acten nicht. Daß sie zum Kronprinzen hielten, erhellt aus dem späteren Gang der Dinge.

2) Königl. Rsc. vom 12. Nov. Zur Commission bestellt werden der Gen.-Kriegscommissarius Geh. Rath v. Blaspeil, der Geh. Justizrath v. Platen,

heimlichungen und Beschönigungen, die in den meisten der eingehenden Antworten zu Tage lagen, erschwerten nicht bloß die Untersuchung, sondern zeigten die moralischen Schäden der bisherigen Verwaltung verbreiteter und gefährlicher, als man möglich geglaubt hatte. Der wackere Geh. Kammerrath Creutz, Auditeur bei des Kronprinzen Regiment, der den Bericht verfaßte, sagt: „die Acten und Briefschaften, die wir aus der Hofkammer gefordert, sind theils gar nicht, theils erst nach langem Suchen aufzufinden gewesen, viele sind unvollständig, viele verstümmelt; Berichte, die längst zu den Acten gegeben sein sollten, sind erst jetzt nachträglich angefertigt; die Rechnungen der Hofstaatskasse, die von Küche, Keller, Conditorei sind theils seit Jahren nicht abgenommen und justificirt, theils gar noch nicht angefertigt; andere sind abhanden gekommen, namentlich die den Hofstaat betreffenden nach des Hofcassirers Aussage so distrahirt, daß man sie nicht zusammenfinden kann; es giebt keine Inventarien über die vorhandenen Vorräthe; es fehlen für etliche hundert Ausgabeposten der Hofstaatscasse die königlichen Ordres, obschon Posten von 40, bis 50,000 Thaler darunter sind." Es wird nachgewiesen, daß Graf Wittgenstein, weit entfernt, des Königs Einnahmen, wie er angegeben, durch die Erbpacht, den Salzimpost, die Feuercasse u. s. w. erhöht zu haben, der Krone und dem Lande unermeßlichen Schaden gebracht, daß er durch die Amtskammern und Amtmänner in den Provinzen in Processen, in willkürlichen Exactionen und Geldstrafen die Gerechtigkeit ganz ungescheut verletzt, daß er zur Bedeckung seiner Proceduren des Königs Unterschrift unverantwortlich gebraucht habe.

Noch während die Commission arbeitete, fielen schwer treffende

---

Joh. v. Alvensleben (wohl der p. 280 erwähnte früher braunschweigische) und der Geh. Hofkammerrath v. Creutz.

Schläge; Luben, der nach Cleve geschickt war, auch dort die Vererbpachtung einzuleiten, wurde cassirt. Es wurde der Vertrauten der Königin, Frau von Grävenitz, der Hof untersagt,[1]) und als die Königin erklärte, sie werde ihr eine Wohnung in der Stadt besorgen, erhielt der Schloßhauptmann von Printzen Befehl, die Dame aus der Stadt und über die mecklenburgische Grenze zu führen.

Der Bericht der Commission (23. Dezember) war der Art' daß über die hinlängliche Begründung eines gerichtlichen Verfahrens kein Zweifel sein konnte. Am 29. Dezember wurde der Reichsgraf arretirt und bei hellem Tage durch die Straßen nach Spandau abgeführt.[2]) Auf sein Haus und Habe wurde Beschlag gelegt, ein Rüstwagen mit Gold- und Silbergeräth, den er kurz vorher nach der Grafschaft Wittgenstein abgesandt, auf dem Wege aufgegriffen; die Untersuchung ergab des Weiteren heillose Dinge in Menge.[3]) Die Reichsgrafen von der Wetterau, zu deren Verein der Edle gehörte, beschwerten sich am Berliner Hofe, daß man ein so standeswidriges Verfahren wider denselben eingeschlagen; ihnen wurde erwidert: wenn er in des Königs Dienst getreten, sei er als ein Diener des Königs zu behandeln. Trotzdem ließ sich der König bestimmen, demselben „auf sein inständiges Bitten, und indem er seinen Fehler erkannt und eine gewisse Summe Geldes angeboten," die Wahl zu lassen, ob gegen ihn ferner nach der Strenge des Rechts verfahren werden, oder der König ihm Gnade für Recht widerfahren lassen solle. Der Graf verzich-

---

1) Diese Dame findet sich nicht in den Verzeichnissen des Hofstaates der Königin, sie gehörte nicht zum officiellen Personal.

2) „Sous un houzza épouvantable de la populace," schreibt Westphal nach Dresden, 30. Dec.

3) Erstes Verhör, 8. Jan. 1711. In der Commission sind Ilgen, Geh.-Rath Pulian vom Criminal-Collegium, Geh. Rath Fuchs von der Hofkammer und dem Kammergericht, Hoffiscal Boswinkel.

tete auf den Weg Rechtens, unterzeichnete den Revers, nichts von dem, was er in Sr. Majestät Dienst erfahren, zu dessen Schaden zu verwenden (4. Mai), zahlte 70,000 Thaler und zog sich auf die Güter seiner Familie zurück, das doppelt und dreifach größere Vermögen, das er längst über Seite gebracht hatte, in Ehren zu genießen.

Jener Commissionsbericht vom 23. Dezember war unmittelbar an den König abgegeben worden. Erst aus des Königs Munde erfuhr Wartenberg, daß Wittgenstein entlassen sei und soeben arretirt werde; dann wurde ihm durch Ilgen mitgetheilt, daß er hinfort nicht mehr zu contrasigniren, noch sich in die Geschäfte zu mischen habe, außer als Oberstallmeister und Erbpostmeister. Der Graf übergab an Ilgen die Siegel; er wandte sich, auf des Königs Anhänglichkeit rechnend, an den Kronprinzen mit der Bitte, sich für seine völlige Verabschiedung zu verwenden. In der That wurde der König von diesem Abschiedsgesuche tief ergriffen, und Mylord Raby war im höchsten Eifer, zu rühren, zu begütigen, zu vermitteln. Aber der feste Ernst des Kronprinzen stand an des Vaters Seite. Am Abend des 30. December räumte der Graf sein Quartier im Schlosse; er zog in die Post, die ja sein Erblehn sei. Ihm wurde bedeutet, daß er sich aus der Stadt auf sein Gut Woltersdorf zu begeben und dort die Ausfertigung seines Abschiedes zu erwarten habe, den ihm der König, wie Geheimerath von Kamecke hinzufügte, „mit Pension und in allen Gnaden" ertheilen werde. Die Frau Gräfin bat und forderte, vor ihrer Abreise sich dem Könige zu Füßen werfen und für die genossene Gnade danken zu dürfen; „als es ihr abgeschlagen worden, ist sie wie sinnlos gewesen und hat sich bis zu ihrer Abreise nicht trösten wollen."

Noch einmal versuchte Lord Raby seinen Einfluß; er ließ auch den Namen seiner Königin mit einfließen; er bat den König, wenigstens zu gestatten, daß Wartenberg ihn ohne Zeugen sprechen dürfe. Er erreichte es; „es ist noch möglich," heißt es in einem Briefe vom 5. Januar, „daß der Oberkammerherr seine Sache gegen Alle gewinnt." Am folgenden Tage früh Morgens kam Wartenberg in die Stadt, stieg vor dem Schlosse ab, ging durch die ihm wohlbekannten Gänge ins Cabinet des Königs. Nach fast einer Stunde kam er zurück; der König hatte sich mit schwerem Herzen, unter Thränen von ihm getrennt, hatte ihm eine Pension von 23,000 Thaler ausgesetzt, ihm noch einen höchst kostbaren Ring geschenkt, aber er hatte ihn verabschiedet, mit der Weisung, fortan in Frankfurt a. M. auf seinen dort gelegenen Gütern zu leben.[1])

Einmal hinweg, suchten Graf und Gräfin ohne weitere Sentimentalität noch so viel Geld als möglich herauszuschlagen. Er sei bestürzt, schrieb der Graf am 17. März aus Frankfurt, daß er auch seine Erbchargen, das Postmeisteramt und die Statthalterschaft der oranischen Lande, verloren haben solle; durch Geheimerath Kamecke sei ihm, wie er beschwören könne, mitgetheilt worden, daß der König ihm jährlich 24,000 Thaler Pension und die Beibehaltung aller seiner Chargen bestimmt habe, „wie er denn dafür als er dem Könige mit weinenden Augen und traurigem Herzen zum letzten Male die Hand geküßt, in aller Submission seinen Dank ausgesprochen." Auch wünschte er das im Posthause befindliche Silberservice und sonstige Werthsachen nachgeschickt zu erhalten. Er hatte schon vorher sein Gut Woltersdorf dem Könige zum Geschenk angeboten, gleichsam um dessen Großmuth heraus-

1) Der Paß für den Grafen und seine Familie ist vom 6. Jan. Von demselben Tage ist (von Ilgens Hand) die Mittheilung an den Geh. Rath von Kamecke, daß der rc. Wartenberg „bei seiner nach Frankfurt a./M. genommenen Retraite" 23,000 Rthl. halb aus der Post, halb aus der Salzcasse erhalten solle.

zufordern; ihm wurde zur Antwort: in Betreff der Erbchargen bleibe es bei der getroffenen Entscheidung; das Silberservice im Posthause sei nicht ihm und seiner Familie geschenkt, sondern gehöre zur Ausstattung des königlichen Dienstgebäudes; das Amt Woltersdorf anlangend, hieß es: „wir begehren solches von Euch nicht, sondern wollen es auf Abschlag der Abschoßgelder, welche ihr für euer aus unserem Lande gebrachtes Vermögen zahlen müßtet, annehmen;" im Uebrigen seien bei der wittgensteinschen Untersuchung viele Sachen zum Vorschein gekommen, wegen deren man ihn, wenn man es genau nehmen wollte, noch zur Verantwortung ziehen könnte.

Der Graf starb wenige Wochen später (4. Juli).[1]) Nur um so eifriger und zudringlicher wurde die Wittwe. Zunächst bat sie um die Erlaubniß, die Leiche, wie ihr Hochseliger gewünscht, nach dem Erbbegräbniß in Berlin schaffen zu dürfen; dann, als dies zugestanden war, ließ sie, um „die schweren Kosten" für Geleit zu ersparen, „die Leiche in ein Faß emballiren, um sie so zu versenden," und war, wie sie schreibt, sehr bestürzt, daß der König das ungnädig aufgenommen und verboten habe; die Leiche wurde dann in anständiger Weise abgesandt und „in der Stille ins Gewölbe gebracht."[2]) Dann folgte zum Behuf des Abschosses die Taxation des Vermögens durch Frankfurter Taxatoren, Juweliere u. s. w. Die Juwelen wurden zu 100,598 Thalern geschätzt; an silbernen Geräthen und Meublen wurde nach Metallwerth für

1) Die Angabe bei König, Berlin III. 226, daß Graf Dohna, zur Kaiserwahl nach Frankfurt gesandt, Wartenberg Namens des Königs aufgefordert habe, ohne seine Gemahlin nach Berlin zurückzukehren, der Graf aber nicht darauf eingegangen sei, ist falsch. Dohna kam erst im Sept. nach Frankfurt.

2) Gewiß nicht in feierlichem Trauerzuge, „dem der König von einem Fenster seines Schlosses mit Rührung zuschaute," wie Pöllnitz erzählt. Am 28. Sept. 1712 meldet v. Hachten, daß die Leiche hergebracht und bis auf ferneren Kgl. Befehl im Hopfengarten niedergesetzt sei.

18,896 Thlr. angegeben, das gesammte ausgeführte Vermögen auf 380,819 Thaler berechnet, natürlich das jetzt ausgeführte. Für den Abschoß zu 25,381 Thalern bot die Gräfin außer Woltersdorf, das zu 18,000 Thalern geschätzt wurde, zurückgebliebenes Porzellan, Meublewerk, Rüstzeug u. s. w.

Die weiteren sehr bewegten Schicksale der Gräfin, ihre Rolle auf dem Utrechter Friedenscongresse, in Paris, ihre Processe mit Söhnen und Schwiegersöhnen, ihr allmähliges Verkommen im Haag übergehe ich.[1])

Der Sturz der beiden Reichsgrafen — der dritte im Bunde, der Feldmarschall Wartensleben, kam mit der Angst einiger Tage davon[2]) — zerriß in jäher Weise die hergebrachte Art des Hofes, die gewohnten Beziehungen und Zusammenhänge. Viele zitterten, daß auch sie ihr Schicksal fasse, Viele priesen Wartenberg glücklich, daß er sich so habe zurückziehen können; Andere tadelten, daß man ihn und seine rachsüchtige Gemahlin, die in die geheimsten Interessen des Königs eingeweiht seien, aus der Hand gelassen habe; Wenige rechneten darauf, daß die reichliche Pension ihnen Grund genug sein werde, zu schweigen. Von den Gesandtschaften war die russische am meisten befriedigt; hatte doch wenige Monate vorher die Gräfin sich gegen die Gemahlin des russischen Ambassadeurs eine Scene erlaubt, die mit der anbefohlenen Ab-

1) Officielles darüber ergiebt die Eingabe ihres Schwiegersohnes des Kammerpräsidenten v. Schlieben an den König d. d. Berlin, 26. April 1726 und Graf Cnyphausens Berichte aus Paris, besonders 29. März 1716, wo die galanten Verhältnisse der Gräfin mit dem jungen Baron Minkwitz, mit Graf Oginski, mit dem Chevalier Beringan und ihre dabei erlittenen Verluste an Geld, Diamanten u. s. w. berichtet werden.

1) Westphal schreibt 30. Dec.: „j'apprehens fort qu'il n'arrive aussi au Feldmarchall, ce dont je serois bien affligé, je sais que 254 ne luy veut pas du bien et à présent il est omnipotent au cabinet.“ (254 kann wohl nur Ilgen sein.)

bitte nicht vergessen war:[1]) Am unangenehmsten verstand sich Lord Raby zu machen; er erlaubte sich, sein Bedauern über die Entlassnng „seines Freundes“ dem Könige selbst auszusprechen. Er verrechnete sich, wenn er auch jetzt noch mit Beifall oder Mißfallen Eindruck zu machen hoffte; man wurde nur um so kühler gegen ihn;[2]) man ließ General von Grumbkow, der auf seine Veranlassung aus Lord Marlboroughs Hauptquartier abberufen und nahe daran war, nach Spandau geschickt zu werden, nach den Niederlanden zurückgehen. Auch die auswärtigen Verhältnisse schienen in eine andere Bahn kommen zu sollen; sie blieben in Ilgens kundiger Hand.

Unermeßlich war die Aufgabe, die verwilderte und bodenlos gewordene Hof- und Staatsverwaltung auch nur leidlich wieder in Gang zu bringen.

Das Erste war, daß der Hofmarschall von Erlach und der Schloßhauptmann von Printzen den Auftrag erhielten, den Stand der Hofrentei zu untersuchen und die maaßlosen Ausgaben für Küche, Keller u. s. w. zu reduciren; von Printzen erhielt die Geschäfte des Oberkämmerers, Geheimerath von Kamecke die des Obermarschalls. Zugleich wurde eine Commission ernannt „zur Untersuchung des üblen Zustandes, in den die Provinzen unter der Direction der Grafen Wartenberg und Wittgenstein gekommen.“ Auf Anlaß ihres Berichtes[3]) wurde in jeder Pro-

---

1) Das Nähere bei Dohna Mem. p. 307. Der sächsische Resident meldet die Geschichte ungefähr ebenso am 22. Juli 1710.

2) Er schreibt, demnächst als Lord Strafford englischer Bevollmächtigter beim Congreß in Utrecht, an den König (Haag 25. Oct. 1711) für dessen Gnade dankend, même quand quelques uns ont taché de L'aliéner et la négligence, avec laquelle on m'a traité les dernières semaines de mon séjour à Votre cour, n'a servi qu'à me confirmer que Votre coeur étoit toujours de même à mon égard en dépit des mauvaises insinuations sans raison contre moi.“

3) Unter den acht Gründen heißt der letzte: „daß man der Regierungen in den Provinzen und vieler Particuliers dawider gethane Remonstrationen abge-

vinz eine Commission niedergesetzt, nachzuforschen, wie dem eingerissenen Uebel zu wehren. Es war ein nur zu reiches Bild des trostlosen Zustandes überall, das man so erhielt. Es wurde der verhaßte Salzimpost aufgehoben, es wurde die Feuercasse vollständig reformirt, es wurde die schon eingeleitete Vererbpachtung der clevischen Domänen sistirt, die Herstellung der Zeitpacht auf zwölf Jahre auch für die anderen Provinzen eingeleitet u. s. w. Der argen Zuchtlosigkeit und Unehrbarkeit, die sich von dem nur zu argen Beispiel der bisherigen Hofkreise über Stadt und Land verbreitet hatte, entgegenzutreten, wurden die alten, strengen Zuchtordnungen neu eingeschärft, eine allgemeine Kirchenvisitation angeordnet, die Stille des Sonntags durch Lustbarkeiten, Gelage, Umhertreiben auf Straßen und Promenaden zu stören bei strenger Strafe untersagt, die Schauspielergesellschaft entlassen, die 4000 Thaler, die sie jährlich kostete, der neuen Parochialkirche überwiesen, der Kleidervorrath den Armen gegeben u. s. w.

Es war die herbe und ernste Art des Kronprinzen, die sich fühlbar machte. Der König folgte ihm, war ihm dankbar, erhöhte ihm sein Einkommen um 8000 Rthl. Wenigstens die schreiendsten Mißstände wurden beseitigt, wenigstens der Schein der Ehrbarkeit hergestellt. Aber tiefer, bis auf den Grund zu dringen machte die Natur des Königs, die Rücksicht auf ihn unmöglich. Schon die traurige Stille in Schloß und Stadt, das verstörte Wesen in den sonst so heiteren Hofkreisen, das Fehlen der gewohnten Umgebungen und Unterhaltungen drückten den gütigen Herren; es fehlte nicht an Personen, die sein Mißempfinden erkannten und nährten, die ihn gegen die Freunde des Kronprinzen

wiesen und, was einmal eingeführt, ob es gleich irrig und ruinös, despotiquement zur Exekution gebracht und darunter des Königs Namen und Macht mißbraucht." (Aus Westphals Bericht vom 15. Feb. 1711.)

einzunehmen verstanden, ja von ihm selbst dies und das sagten, was ihn stutzen machte, ärgerte, reizte, bis dann dessen Leidenschaft große Leute für seine Grenadiercompagnie zu werben, — auch wohl zu pressen hieß es — der bösen Stimmung ein Stichwort bot.[1])

Es gelang noch dem drohenden Ausbruch zuvorzukommen. Aber die Grenze zwischen Vater und Sohn war gezogen; die Grenze, welche die Zeit, die bevorstand, und die, welche im Abscheiden war, von einander schied.

Die Kaiserwahl Karls VI.

Es wäre unbillig, wenn man den Grafen Wartenberg für den Gang, den die preußische Politik seit dem Anfang des nordischen und des Erbfolgekrieges verfolgt hatte, verantwortlich machen wollte.

Motive zum Theil sehr äußerlicher Art hatten damals die Entschließungen des Königs bestimmt. Daß Preußen fortfahren müsse, sich von den nordischen Wirren fern zu halten und alle Kräfte auf den Krieg gegen Frankreich zu wenden, war allmählig zur „Staatsraison," zum politischen System geworden, und nach kleinen Anläufen, andere Wege zu gewinnen, nach vergeblichen Theilungsvorschlägen bei Schweden, Sachsen, dem Zaaren, noch vergeblicheren Mißstimmungen und Notenwechseln mit Wien und dem Haag, kehrte man immer wieder zu dem ausgefahrenen Geleise des bewährten Systems zurück, als genüge es, ein System zu haben und consequent zu sein.

---

1) Dohnas Mem. p. 334: „de meilleurs esprits, que je pourrois bien nommer (leider nennt er sie nicht) avoient donc de très malignes interprétations à certains démarches du Prince et surtout à la levée de ses grands-grenadiers. Le roy faisoit la mine à son fils et ce prince, qui aimoit tendrement son père, en étoit si sensiblement affligé, qu'il en perdoit le boire et le manger au point qu'il maigrissoit à vue d'oeil" u. s. w.

So wiederholten sich die Jahre daher bis zur Langenweile dieselbe Zirkelbewegung, dieselben Fehlgänge.

Wir sahen, als das Crassowsche Corps sich nach Pommern zurückzog, wurde im Haag jene nordische Neutralität proclamirt, mit der die große Allianz die gefährdeten Nachbarlande hinreichend gedeckt meinte, während Karl XII. sie einfach verwarf. Und als sich Crassow in Pommern verstärkte, als Karl XII. an der Spitze der Türkenmacht gegen den Zaaren und Polen loszubrechen drohte, wurde von der großen Allianz die Aufstellung eines Neutralitätscorps beschlossen, das die Schweden hindern sollte, aus ihren deutschen Provinzen vorzubrechen. Wenigstens beschlossen wurde es.

Preußens Lage war bedenklich, wenn es sich nicht darauf verlassen konnte, durch das Neutralitätscorps den Schutz seiner Lande zu erhalten, den es mit seinen mehr als 30,000 Mann, die in Italien und in den Niederlanden kämpften, sich selber hätte geben können.

Auch Dänemark und August II. von Polen waren in der großen Allianz; aber auch im nordischen Bunde und in vollem Kampfe gegen Schweden; auch sie forderten schleunige Aufstellung des Neutralitätscorps, aber nicht zur Abwehr: man müsse der aus Pommern drohenden Gefahr zuvorkommen, Crassow entwaffnen.

Die Seemächte, denen Alles daran lag, daß die dänischen und sächsischen Regimenter, die sie in Sold hatten, und die anderen norddeutschen Auxiliarvölker nicht heimgerufen würden, stimmten zu, daß man den eigensinnigen Schwedenkönig seiner deutschen Lande beraube, wenn damit der Sache dort ein rasches Ende gemacht werden könne.[1])

1) Bonnet, London 2/13. Feb. 1711. St. Johns Aeußerung: „si ce Prince (August II.) vient à faire la conquête de la Pomeranie Suédoise, la Reine n'est pas aussi en état de luy faire à présent la guerre pour l'obliger à la restituer."

August II. gedachte Pommern zu gewinnen; der Däne gab es gern auf, seinen Versuch auf Schonen zu wiederholen, um dafür Bremen und Verden zu nehmen und nebenbei den Gottorper Herzog abzuthun. Hannover war bisher gut schwedisch gewesen, hatte Hand in Hand mit Schweden Mecklenburg, Gottorp, Hamburg gedeckt; es war noch mit Schwedens Gutheißung, daß es das Bisthum Hildesheim militärisch besetzte, ein Schritt, der überall, namentlich in Berlin, das größte Aufsehen machte. Dieses wichtigen Gebietes Herr, begann Georg Ludwig mit den Seemächten zu verhandeln: ob es nicht doch besser sei, daß Bremen und Verden an Hannover komme; und mit den Dänen: daß Hannover bereit sei, um diesen Preis in den nordischen Bund zu treten.

Noch weniger, als die Seemächte hatte der Kaiserliche Hof dagegen einzuwenden; wurde doch durch die Verstärkung Sachsens mit Pommern, Hannovers mit Bremen und Verden, Preußen noch eine Stufe tiefer hinabgedrückt. Und dann, die Gemahlin des Kaisers war eine hannövrische Prinzessin, eifrig gegen Preußen; mit ihr die Schönborn, Salm, Wratislaw;[1]) der alte Anton Ulrich von Wolfenbüttel hatte seine Enkelin an des Kaisers Bruder, Karl von Spanien vermählt und war zur Gesellschaft mit katholisch geworden; endlich August II., wie immer die Maske nach den nächsten Anlässen wechselnd, warb eifrigst um des Kaisers Tochter für seinen Kronprinzen, dessen Conversion in aller Stille vorbereitet wurde oder, wie Andere meinten, schon fertig war. Man schien in Wien geneigt, das Commando des Neutralitätscorps,

1) Der Präsident Bartholdi meldet nach einer Unterredung mit dem Reichshofrath von Danckelmann (Sohn des ehemaligen Oberpräsidenten) Berlin 23. Mai 1711: „Danckelmann sage, die Kaiserin sei dem Könige zuwider und stelle er nicht in Abrede, daß sie und ihr Anhang dem Könige in seinen Angelegenheiten nicht wenig geschadet.“

das heißt, die Autorisation zum Angriff auf Pommern diesem Polenkönige zu übertragen trotz Preußens Widerspruch; die Seemächte schienen zufrieden damit, wenn ihnen dafür erlassen würde, ihre Contingente zu stellen.

Die getreuen Alliirten mochten glauben, daß der Hof zu Berlin bei der Schwäche einer noch unfertigen Umgestaltung sich dies und anderes werde gefallen lassen müssen. Die Veränderungen, die dem Sturze Wartenbergs folgten, hatten die Wirkung, daß Preußen endlich einmal aus einem anderen Tone sprach.

Dem sicheren Blicke Ilgens entging es nicht, daß Holland die Adresse sein müsse. Dort war Preußen am rücksichtslosesten behandelt, es war in seinem offenkundigen Rechte fort und fort gekränkt worden. Die oranische Erbschaft, hieß es, habe mit dem großen Kriege nichts zu thun und müsse dem eingeleiteten Rechtswege überlassen bleiben; und einstweilen politisirten die holländischen Gerichte mit diesem Rechtswege in der Art, daß sie bereits den Nassauer von Friesland „Prinz von Oranien" titulirten.[1]) Man fuhr in dieser Art fort, obschon seit dem Sturze der Whigs in England die Staatsmänner im Haag voll Sorge in die Zukunft sahen, voll doppelter Sorge, seit Lord Raby als Gesandter nach dem Haag kam. Die öffentliche Meinung in Holland getröstete sich, daß Marlborough noch das Commando habe und das Haus Hannover bald den englischen Thron haben werde; man pries die Großthaten des jungen „Prinzen von Oranien" und die Trefflichkeit der Truppen des Landgrafen von Cassel, dessen Tochter ihm jüngst vermählt war; man fuhr fort, die Hunderttausende nicht

1) Hymmens Eingabe an die H. M. 17. Jan. 1711: „qu'il étoit surprenant que la première province de la republique avoit osé donner au Prince de Nassau le titre de Prince d'Orange." Die H. M. antworteten, das hätte der Hof von Geldern gethan, und sie hätten nicht zu verantworten, was die souveränen Gerichte thäten. Lamberty VI, p. 487.

zu zahlen, die man Preußen schuldete, in Mörs die holländische Besatzung zu lassen und beim Fortgang der Eroberung der spanischen Niederlande die oranischen Güter, die dort lagen, unter den Verwaltungsrath der Masse zu stellen, der sich sehr wohl bei dem Geschäft stand.[1])

Da freilich war es denn sehr ungelegen, daß den Herren Staaten eine preußische Note zukam, des Inhalts: der König werde keinen Mann mehr marschiren lassen, ja die in englisch-staatischen Dienst gegebenen Regimenter abrufen, wenn man nicht 1) Hannover veranlasse, Hildesheim zu räumen, 2) die fälligen Summen zahle, 3) in der oranischen Sache den Fürsten von Nassau zum Vergleich nöthige, wie ihn der König so oft angeboten.[2])

Die Herren im Haag waren zuerst verwundert, versuchten die beliebten Weitläuftigkeiten: die Zahlungen seien Sache jeder einzelnen Provinz, Hildesheim liege gänzlich außer ihrem Bereich, in der oranischen Sache könnten sie den Gang des Rechts nicht stören. Eine zweite Erklärung Preußens zeigte ihnen, daß sie einlenken müßten, wenn die große Allianz nicht um 30,000 Mann schwächer in die nächste Campagne gehen sollte. Nun fand sich wenigstens für eine Abschlagszahlung Geld; nun empfahl man in Hannover dringend, nachzugeben, und es wirkte; in der oranischen Sache versprach der Rathspensionär, „sein Aeußerstes zu thun, um den Vergleich zu fördern: er erwarte nur die Ankunft der fürstlichen Bevollmächtigten; es sei der lebhafte Wunsch der Her-

---

1) Auf eine Beschwerde darüber antwortet Karl von Spanien: „Holland disponire über die spanischen Niederlande als über sein Eigenthum und binde ihm dergestalt die Hände, daß er kaum Macht habe das geringste beneficium zu vergeben." Bericht Bartholdis aus Barcellona, 1. Aug. 1711.

2) Grumbkow, der im März aus Berlin zur Armee zurückkehrte, überreicht mit v. Hymmen diese Erklärung im Haag, 30. März 1711. Schmettau, der bisherige Gesandte im Haag, war im Februar gestorben.

ren Staaten, bei den jetzigen Conjuncturen mit Preußen in noch innigere Beziehung zu treten." Die Resolution der Hochmögenden (21. April) lautete so zuvorkommend, wie möglich.

Der König ließ antworten, er werde selbst nach dem Haag kommen, den Vergleich zu schließen.[1]) Er ließ seine Truppen marschiren. Es war die Gefahr in der Nähe nicht mehr so drängend; daß der Zaar mit ganzer Macht sich gegen die Türken wandte, weit hinweg, nach dem Pruth marschirte, kühlte vorerst den Kriegseifer der Dänen ab und ließ August II. mehr nach Volhynien, als nach Pommern sehen.

Da verbreitete sich die Nachricht, Kaiser Joseph liege an den Pocken krank; nach wenigen Tagen, er sei am 17. April gestorben.

Ein Ereigniß von außerordentlicher Bedeutung. Nicht bloß war nun das Reich ohne Haupt, das Reichsregiment in den Händen der Reichsvicare Kurpfalz und August II. von Polen, der Zustand im Reiche — denn sie brauchten ihr Amt in bisher unerhörter Weise — bald voll Verwirrung und Gewalt. Vor Allem die große Frage der spanischen Succession hatte plötzlich eine andere Gestalt.

Josephs einziger Erbe war sein Bruder, der König von Spanien. Sollten sich die spanischen, die östreichischen Kronen und Lande, und das Kaiserthum in einer Hand vereinigen? In denselben Tagen war der Dauphin von Frankreich gestorben, dessen zweiter Sohn Philipp von Spanien war; mochte der alternde Ludwig XIV. noch den Enkel in Spanien zu leiten scheinen, nach seinem Tode waren die beiden Kronen bei Brüdern sehr ungleicher Art. Sollte

1) Er reiste 20. Mai ab, nach langen Weiterungen mit seinem Schwager von Hannover, der ihm die Reise durch das Hannövrische verweigerte: „Le Roy persiste dans la ferme résolution de vouloir passer par le pays de l'Electeur." Hannover gab endlich nach.

man weiter kämpfen, um dem Hause Oestreich eine Macht zu schaffen, wie sie Europa noch nicht gesehen?[1])

In Wien war natürlich die Meinung, daß es geschehen müsse: „auch nicht ein Dorf könne der König von Spanien aufgeben.“ Der einzige Gedanke war, ihn, sobald irgend möglich, zum Kaiser gewählt zu sehen, damit der Aechter von Baiern nicht Zeit behalte, mit einem französischen Heere einzubrechen und die bairischen Lande wieder von Oestreich loszureißen. Man zählte die Kurstimmen, auf die man rechnen könne; man fürchtete die Unzuverlässigkeit Kursachsens, den Anspruch der Geächteten, Baiern und Cöln, mitzuwählen, am meisten den Ehrgeiz Preußens; man glaubte die Beweise in Händen zu haben,[2]) daß in Berlin die Wahl des Kronprinzen betrieben werde, daß er zu dem Ende katholisch werden würde.

Die Todesnachricht war am 22. April in Berlin. Bereits am folgenden Tage gingen Schreiben nach Wien: der König sei der Ansicht, daß die höchste Dignität der Christenheit keinem Andern, als dem allein noch übrigen Prinzen des Hauses Oestreich zu Theil werden könne. Graf Metternich wurde angewiesen, sich sofort in diesem Sinne gegen die Kaiserin Mutter und die übrigen Mitglieder der Regentschaft zu äußern. Hofrath von Bartholdi erhielt den Auftrag, sich sofort nach Barcellona zu begeben, um der Katholischen Majestät dieselben Eröffnungen zu machen, eine

1) Für die Situation ist besonders lehrreich die (von bairischer Seite ausgegangene) Schrift: „discours sur ce que s'est passé dans l'Empire au sujet de la succession d'Espagne, l'Allemagne menacée d'estre bientôt reduite en monarchie absolue, si elle ne profite de la conjoncture présente pour asseurer sa liberté.“ 1711.

2) Man hatte die Briefe eines Freiherrn v. Reichenbach aufgefangen, worin der Beweis dafür stehn sollte. So äußerte sich Fürst Lambert, Bischof von Passau, in Regensburg gegen Metternich nach dessen Berichte, 20. Nov. 1710.

Verständigung über die bisherigen Differenzen und eine nähere Allianz zwischen Oesterreich und Preußen anzutragen.

In Wien hatte man Alles eher erwartet; daß sich Preußen so und von allen Fürsten zuerst so erklärte, schien wie ein Mirakel. Die Kaiserin Regentin — Karl war ihr Liebling — sagte: „sie und ihr Sohn würden dem Könige und seinem Hause diese genereuse Bezeugung nie vergessen." Die Minister, die Herren und Damen am Hofe wetteiferten, ihre Freude und ihren Dank zu äußern; „die Freude des Hofes hat sich sogleich in die ganze Stadt ausgebreitet, so daß Ew. Majestät in allen Häusern gepriesen und benedeyt wird, nicht anders, als wenn Ew. Majestät allein den König Karl zum Kaiser machte."

In neunzehn Artikeln formulirte Preußen die Forderungen, die es bei dieser Gelegenheit erledigt zu sehen wünschte; darunter keine, die nicht im Recht begründet, nicht schon früher gestellt gewesen wäre, keine, die dem Hause Oestreich ein Opfer kostete, mit einer Ausnahme: man erinnerte an die vier schlesischen Fürstenthümer; der König begehre, daß seine desfalls habenden Prätensionen, und auf was für eine unbillige Art er darum gebracht werden wollen, auf eine raisonnable Weise erörtert werde.[1])

Nicht der ganze Gedanke des Berliner Hofes war in jenen neunzehn Artikeln enthalten. An demselben 23. April gingen Weisungen an Bonnet in London und Hymmen im Haag, vertraulich mit den dortigen Ministern über die Bedenken zu sprechen, die sich gegen die Verbindung der ganzen spanischen Monarchie mit Oestreich und dem Kaiserthume erhöben; ob man nicht viel-

1) „Actum in conferentia, welche der Geh. Staatsrath Graf Metternich, der Hof- und Legationsrath v. Bartholdi und der Agent Mörlin den 6. Mai 1711 zu Wien gehalten." Den aus Berlin ihnen zugesandten 19 Artikeln fügen sie ihre Bemerkungen bei, um weitere Weisungen aus Berlin zu erbitten.

mehr die Gedanken abermals auf eine Theilung zu richten, und wie man etwa zu theilen habe.

In London, wie im Haag war man äußerst bereit, die Wahl Karls zu fördern;[1]) aber die Theilung, sagten die Engländer, sei eine Sache, die man äußerst delicat behandeln müsse, weil sonst zu fürchten, daß das Haus Oestreich, dem vor Allem an Italien liege, sich mit Frankreich verständigen werde; und der Rathspensionär: man müsse die Haut nicht theilen, bevor man den Bären habe; schon setze Frankreich Alles in Bewegung, um den beiden geächteten Kurfürsten ihr Wahlrecht zu sichern, als wenn sie sonst nicht legitim sein würde; daher sei es besser, jene Saite gar nicht zu berühren, sondern den Krieg mit aller Macht fortzusetzen.

Also das Toryministerium fürchtete, daß der Wiener Hof ihm den Vorsprung in den geheimen Verhandlungen mit Frankreich abgewinnen könne; und Holland, dem dieser Vorsprung von den Engländern bereits abgewonnen war, hatte allen Grund, sich desto mehr des Wiener Hofes zu versichern. Allerdings hatte in Wien gleich nach Josephs Tode der holländische so gut, wie der englische Gesandte von der Theilung der spanischen Monarchie gesprochen, und selbst Graf Wratislav hatte ein Gutachten in gleichem Sinne verfaßt: Spanien und Indien für den Herzog von Savoyen, das Uebrige für Oestreich.[2]) Aber die wachsende Zuversicht in Barcellona und in Wien, daß man Alles behalten könne, hatte diese ersten Ansichten verstummen lassen.

---

1) Schon am 27. April erlassen die Gen.-Staaten ein Schreiben an die Kurfürsten zur Empfehlung möglichst schneller Wahl . . . „den vyand alle hope te benemen van uyt dit onverwagte toeval eenige avantagie te willen trecken." Aehnlich der Königin Anna Schreiben 18/29. April 1711.

2) „Plan der mesuren, welche bei itzigen Conjuncturen von England und Holland zu nehmen wären, Wien, 17. April 1711" (von Hamel Bruyninx nach Besprechung mit Lord Peterborough). Das Memoire von Wratislaw, das auch nach

Nicht die kühle Abweisung in London und im Haag wird Ilgen beunruhigt haben. Er hatte nicht zu fürchten, daß die große Frage ohne den Willen Preußens abgemacht werden könne; denn der entscheidende Punkt lag in der Kaiserwahl. Aber er war nicht sicher, daß nicht die Ungeduld, rasche Erfolge zu gewinnen, die Furcht, isolirt zu bleiben, der Wunsch, den künftigen Kaiser sich zu verpflichten, Preußen aus der höchst günstigen Lage brächte, warten zu können. Denn der Gedanke der Theilung war in dem Maaße richtig, daß die Seemächte durchaus auf ihn zurückkommen mußten, die Stimme Preußens in der Wahl in dem Maaße die wichtigste, daß das Haus Oestreich sie durchaus und mit jedem Zugeständniß gewinnen mußte.

Es gelang nicht, den König in dieser Richtung festzuhalten. Er war der Hoffnung, daß mit König Karl die Sinzendorf, Starhemberg, Liechtenstein, „die zu aller Zeit gut preußisch gewesen," ans Ruder kommen würden.[1]) Er kam der östreichischen Politik einen zweiten Schritt entgegen, bevor sie den ersten erwiedert hatte.

Schon auf der Reise nach dem Haag (23. Mai) beauftragte er Metternich, der Kaiserin Regentin zu sagen: es werde manches Bedenken laut über die Verbindung der kaiserlichen Würde mit der spanischen Monarchie, aber er werde denen nicht beitreten, die sich dagegen erhöben, vielmehr die Vereinigung auf alle Weise manuteniren helfen und sich darüber gern in gewisse Verabredungen mit Sr. Katholischen Majestät einlassen.[2]) In dem-

---

dem Haag gelangt war, suchte man dann möglichst aus der Welt zu schaffen. Hymmens Bericht aus dem Haag, 5. Mai.

1) Aus des Präsidenten Christ. Fried. v. Bartholdi Bericht über seine Conferenz mit dem Reichshofrath v. Danckelmann (Carl Friedrich, Sohn des Oberpräsidenten) Berlin, 23. Mai 1711. Der Hofrath Friedrich Heinrich v. Bartholdi, der seit den Kronverhandlungen das Terrain in Wien genau kannte, hatte schon am 25. April ein Gutachten in ähnlichem Sinn dem Könige überreicht. Außer ihm scheinen die Dohna und Dönhof, die nach Wartenbergs Fall wieder an den Hof kamen, gegen Ilgen und seine Richtung thätig gewesen zu sein.

selben Sinne ließ er zu einem Reichshofrath, der nach Berlin gesandt war, sprechen: ihm würde eine persönliche Zusammenkunft mit dem Könige von Spanien, wenn er ins Reich komme, sehr erwünscht sein, um in möglichst inniges Verständniß mit ihm zu treten, wie ja seit lange zwischen beiden Häusern, Oestreich und Brandenburg, Bündnisse beständen, denen nichts als die Form und der Name einer ewigen Allianz gegen die Franzosen und Türken fehle.

Schon hatte Kurbaiern unter der Hand Anknüpfungen in Berlin gesucht. Jetzt meldete sich bei Metternich in Wien ein Agent, Graf de la Verne, mit den umfassendsten Erbietungen: wenn Preußen das Kaiserthum an sich bringen wolle, seien Baiern und Cöln bereit, ihm die Stimme zu geben, und ein französisches Heer werde diese Wahl unterstützen; und wenn Preußen sich nur entschlösse, diesen Krieg aufzugeben, der ihm nichts bringe, sollten ihm alle oranischen Güter, die in Frankreich lägen, überwiesen, einige Millionen dazu gezahlt werden.[1]) Ein anderer Emissär fand sich in Wesel, auf des Königs Durchreise nach dem Haag, ein, ein dritter mit ähnlichen Erbietungen erwartete in Berlin des Königs Rückkehr.[2]) Der König ließ sofort auch da-

1) Diese Verhandlungen mit Mr. de la Verne, Chambelan et Grand Veneur de S. A. S. de Montbelliard in Wien am 7. und 8. Juli gehalten meldet Metternich dem Könige am 11. Juli. Bereits ein Artikel der Hanauer Zeitung vom 11. Juli aus dem Lager bei Roermonde meldet, daß die beiden geächteten Kurfürsten sich gesprochen und beschlossen hätten, dem Kronprinzen von Preußen ihre Stimme zu geben. Und aus London wird ein englisches Zeitungsblatt eingesandt, in dem ein Schreiben aus Paris vom 11. Aug. meldet: jene französischen Anträge seien vom Könige zurückgewiesen worden. Die Nachrichten, die Lamberty Mem. VI. p. 676 giebt und die so oft nacherzählt worden, sind voller Verkehrtheiten. Weder der Agent Mörlin hat mit dieser Sache zu thun gehabt, noch ist die Meldung davon am 26. Juni im Haag an den König gekommen, u. s. w.

2) Es ist Mr. Labarre, der am 16. Juni in Wesel erschien (nach des sächsischen Residenten Bericht, der im Gefolge des Königs war) und in Berlin erwar-

von in Wien und Barcellona Mittheilung machen: er habe Alles durchaus abgewiesen und werde Alles anwenden, die Wahl, so viel möglich, zu beschleunigen; aber es sei endlich Zeit, daß man auch ihm gerecht werde; er wolle hoffen, daß man ihn für die vielen und reellen Dienste, die er dem Hause Oestreich leiste, nicht mit einem Compliment zu belohnen gedenke.

Denn allerdings hatte man in Wien sein Verhalten fort und fort gepriesen, aber in Betreff jener neunzehn Artikel bedauert, sich nicht erklären zu können, sondern die Entscheidung Sr. Katholischen Majestät überlassen zu müssen. Und wieder Karl von Spanien hatte sich nicht minder dankbar ausgesprochen, mehr als einmal versichert, der König könne jede Satisfaction erwarten; nur habe er keinen Minister, der der Sache kundig sei; aber wenn er ins Reich komme, werde er sich sofort Vortrag halten lassen. Jetzt endlich, als Bartholdi von den fast unglaublichen Avantagen, die Frankreich biete, Mittheilung machte und von Neuem drängte, erhielt er wenigstens eine „Interimsresolution," die auf jeden jener neunzehn Artikel eine mehr oder weniger allgemeine und unverbindliche Zusicherung enthielt.[1])

Ungefähr den gleichen Verlauf hatten die Verhandlungen mit Holland. Wie lebhaft hatten die Staaten im April sich um Preußen bemüht, wie energisch den Prinzen von Nassau zu dem Vergleiche, den der König wünschte, gedrängt.[2]) Aber der Prinz

---

tete den König M. Grosey, der früher als Agent der Sapiehas mit Ilgen unterhandelt hat, empfohlen von dem französischen Residenten in Danzig, Baron v. Besenval, d. d. 1. Juli.

1) d. d. Barcellona, 4. Sept. 1711. So die Antwort auf Art. 18: „wenn J. M. von Preußen auf die schlesischen Fürstenthümer einige Prätension zu haben vermeinen wollten, so könnten die Motive, worauf sie sich gründeten, eingebracht werden, dem vorgegangen J. Kais. M. ihre Erklärung nach Befund der Sachen ertheilen würden."

2) Hymmen an Ilgen, Haag, 26. Mai: „c'est une chose terrible que le Prince de Nassau demeure toujours opiniâtre sur la possession de Dieren

blieb hartnäckig, namentlich Schloß Dieren und das Fürstenthum Orange mit den dazu gehörenden Gütern in der Freigrafschaft wollte er durchaus nicht aufgeben; umsonst ersuchten ihn die Hochmögenden und der König, selbst nach dem Haag zu kommen: er könne sich nicht von der Armee entfernen. Er sandte Bevollmächtigte; diese bestritten, daß der König irgend ein Recht auf oranische Güter habe. Es schien daran, daß die ganze Verhandlung scheitere, daß dann die preußischen Truppen nach Hause gingen. Und eben jetzt war die Armee der Alliirten im Vorgehen; es waren jene glänzenden Bewegungen, welche in vier Wochen den Feind aus seinen Linien, dem non plus ultra für Marlborough, wie sie Marschall Villars nannte, hinaus manövrirten.[1]) Den Bemühungen des kaiserlichen und englischen Gesandten gelang es, den König zu begütigen: er erklärte sich bereit, persönlich mit dem Prinzen zu verhandeln; er hoffe sich dann leicht mit ihm zu verständigen, er werde ihm Erbietungen machen, die er annehmen könne.[2]) Der Prinz entschloß sich zu kommen; auf der Ueberfahrt bei Moerdyck ertrank er (14. Juli). Die junge Wittwe, oder ihre Rathgeber, namentlich ihr Vater, der Landgraf von Cassel, hielten es für angemessen, weitere Vergleichshandlung für unmöglich zu erklären, so lange die beiden Kinder des Prinzen in unmündigem Alter seien. Und die Herren Staaten, als Curatoren der Masse, waren zufrieden, daß dieselbe unter so günstigem Vorwand des Weiteren unter ihrer Verwaltung bleibe;

. . . au moins puis-je assurer que l'état et principalement le Conseiller Pensionnaire l'y presse fortement."

1) An diesem letzten und militärisch anziehendsten Feldzug Marlboroughs nahmen von preußischen Truppen Theil 39 Schwadronen (4600 M.) und 19 Batt. (13,700 M.) unter Fürst Leopold von Dessau.

2) Der Plan des Königs war, namentlich ihm die Statthalterschaft auch der fünf anderen Provinzen zu verschaffen, und er war in der Lage, dies Zugeständniß von denselben zu fordern.

um doch ihren guten Willen zu zeigen, schlugen sie einen Provisionalvergleich vor, nach dem einige der Güter, namentlich die Schlösser Dieren und Loo den beiden Ansprechern zum Nießbrauch überlassen sein sollten, bis dereinst jene Unmündigen zu ihren Jahren gekommen seien. Der König genehmigte dieses vorläufige Abkommen (vom 28. Juli) und trat den Besitz an, erneute sein Bündniß mit den Staaten auf weitere fünf Jahre. Die Prinzessin Mutter zögerte, machte Schwierigkeiten, versagte endlich ihre Zustimmung.

Und inzwischen hatten die Dinge im Osten sich in einer Weise entschieden, die sofort in verhängnißvoller Weise auf Deutschland zurückwirkte.

Der Zaar war bis an den Pruth vorgedrungen; dort war ihm eine überlegene Türkenmacht entgegengetreten, hatte ihn eng und enger eingeschlossen. Er schien verloren; es schien die Drohung, die Karl XII. in Wien und Regensburg aussprechen lassen, „er werde demnächst die östreichischen und andere deutsche Länder an der Spitze eines Türkenheeres überziehen,“ nur zu bald wahr werden zu können.[1]) Da fand der Zaar in der Habgier des Großveziers und in dessen Eifersucht gegen den Schwedenkönig den Weg zur Rettung; er schloß jenen Frieden vom 23. Juli, in dem er mit geringen Opfern und großen Versprechungen den Rückmarsch erkaufte.

---

1) „Wie man denn,“ schreibt Metternich aus Wien 9. Mai, „diese hochmüthigen declarationes von Schweden als Vorboten einer großen Zerrüttung im Reich ansieht. Schweden würde prätendiren, daß keine Wahl vorgenommen würde, ehe die ohne Consens des fürstlichen Collegii gegen Baiern und Cöln erklärte Acht für ungültig erklärt werde, es würde bei vielen Fürsten Beifall finden, von Religionsbeschwerden sprechen . . . bis es hernach, wenn es die Division unter den Ständen angerichtet und zumal, wenn Frankreich von der anderen Seite in die viscera Imperii eindringen könnte, consilia ex successu nehmen und Gott weiß was für Propositionen das Kaiserthum betreffend machen würde.“

Schon war die dänische Armee in Holstein, ein polnisch-sächsisches Heer an der neumärkischen Grenze versammelt, ein russisches Corps von Elbing her in Anmarsch gegen Crassow. August II. drängte zum Losschlagen, so lange kein Kaiser gewählt sei und ihm als Reichsvicar die Führung des Neutralitätscorps zustehe. Jetzt auf die Nachricht vom Türkenfrieden begannen die nordischen Alliirten ihre Invasion ins Reichsgebiet.

Auch der Moscowiter mit einem Manifest: „es geschehe zur Sicherung Deutschlands gegen die von Pommern her drohende Schwedenmacht," mit der beigefügten Drohung: „wenn das Reich die gute Absicht verkenne und das Neutralitätscorps sich nicht versammle, oder gar mit Hand anzulegen sich weigere, so würden die drei nordischen Alliirten nur noch ihr eigenes Interesse berücksichtigen."

Es war das erste Mal, daß Rußland, wie der spätere Ausdruck gelautet hat, „die schützende Hand über Deutschland zu halten" in Anspruch nahm; gegen Deutschland ein erster Schritt auf derselben Bahn, die den Zaaren in der Republik Polen bereits erschreckend weit gebracht hatte; ein erster Schritt an der Seite zweier Könige, die zugleich Reichsfürsten waren. Während die deutschen Heere in Italien und den Niederlanden ruhmvoll kämpften, dem Hause Oestreich die spanische Monarchie zu erwerben, waren die deutschen Ost- und Nordseelande den Moscowitern, Dänen und Polen Preis gegeben.

Der Einbruch erfolgte, während Friedrich I. in Holland war; der Kronprinz, der einstweilen die Geschäfte führte, hatte dringend auf die Gefahr aufmerksam gemacht, die bevorstehe: Protest gegen den Durchmarsch würde zu nichts helfen; so lange die Armee gegen Frankreich verwendet werde, sei man lediglich der Discretion der nordischen Alliirten anheim gegeben; er habe nur zwei Reuterregimenter und die Schwadronen der Gensd'armen;

es bedürfe durchaus einer zulänglicheren Verfassung, nicht um Krieg anzufangen, sondern um die Fremden in Respect zu halten und sich der zu befürchtenden Zunöthigung zu erwehren. Er erwähnte der Aeußerung des Zaaren: daß diejenigen, welche immer auf ihre Neutralität gedrungen, ihn um Zeit und Geld gebracht, und daß er sich seines Schadens an ihnen zu erholen wissen werde.[1])

Der Kronprinz wußte nicht, daß sein Vater im Haag sich auf die Erbietungen des sächsischen Gesandten in Verhandlungen über ein Allianzproject eingelassen habe, genau in denselben Tagen, wo Graf Flemming, der Commandirende der sächsisch-russischen Armee, nach Berlin kam (25. Juli), den „friedlichen Durchmarsch“ durch die Marken zu fordern. Freilich mit den schönsten Zusicherungen: „es solle Seitens der Alliirten nicht der geringste Schaden geschehen, Alles bezahlt werden; gebe Gott ihnen Glück und sei der Tisch gedeckt, so wolle man auch den König von Preußen gern mitessen lassen.“ Aber zu warten, bis Weisung aus dem Haag eingetroffen sei, weigerte er sich: er habe nur bis zum nächsten Morgen Zeit. Vergebens war die Einrede, daß die Schweden ihnen zuvorkommen und die Brücke bei Schwedt occupiren, ja den Gegnern weiter entgegenziehen, den Krieg auf preußisches Gebiet verlegen würden, daß die Alliirten keinerlei Garantieen geben könnten, es nicht dazu kommen zu lassen. Schon waren Flemmings Truppen in die Neumark eingerückt; den Protest des Kronprinzen nahm er hin als einen formellen Act, wie er in solchen Fällen üblich sei.[2]) Den Conflict bei Schwedt zu

1) Schreiben des Kronprinzen vom 14., 25., 28. Juli.

2) Der Kronprinz schreibt 28. Juli auf jene Aeußerung Flemmings: „sein König kann es mir nicht verdenken, daß ich wider den Marsch nochmals protestiren lassen werde und daß ich, da solcher nicht abzuwenden, die in gleichem Falle üblichen Präcautionen adhibire.“ (Ein General als Geißel, ein Convoy preußischer Truppen, Marschcommissare u. s. w.)

vermeiden, ließ er bei Goritz oberhalb Küstrins über die Oder gehen; am 15. August rasteten diese fremden Völker, 12,000 Russen, 6000 Polen, 6000 Sachsen, alles Cavallerie, drei Meilen von Berlin und zogen dann langsam in der Richtung von Strelitz weiter, sich dort mit den Dänen zu conjungiren und dann auf Stralsund und Wismar loszugehen.

Die Verhandlung im Haag hatte nur vorerst dazu dienen sollen, den König hinzuhalten. Auch er empfand, was es dem preußischen Namen bedeute, daß dieses Pommern, einst des Großen Kurfürsten glorreiche Eroberung, nun den Russen, Polen und Dänen zur Beute werden sollte. Aber wenn er in Regensburg fordern ließ, daß von Reichswegen den schwer gefährdeten beiden sächsischen Kreisen geholfen werde, so erklärten die Schwaben und Franken, Preußen thue ja auch nichts, den Oberrhein gegen Frankreich zu schützen; wenn er im Haag und in London an den vertragsmäßigen Schutz mahnen ließ, so war die Antwort Achselzucken oder die Vertröstung, daß ja Dänemark und August II. Genossen der großen Allianz seien;[1]) wenn er in Wien und Barcellona auf den Abschluß des näheren Bündnisses, auf gemeinsame Maaßregeln in den nordischen Dingen drang, so verwies man auf die Neutralitätsarmee, „die den Nothleidenden zu Hülfe kommen müsse," nur daß sie noch nicht vorhanden war; man empfahl die schleunige Wahl, dann werde der neue Kaiser sofort den Vertrag schließen.

Von Seiten der nordischen Alliirten geschah Alles, die Wahl zu verzögern; natürlich, denn um so länger hatte der Polenkönig

1) Bonnet meldet aus London schon 27. Juli, der Staatssecretair St. John habe ihm geantwortet: „à l'égard de cette affaire du Nord il faut que Vous sachiez que S. M. la Reine depuis le commencement de ces troubles en a toujours confié le maniément entier à Mss. les Estats Généraux se conformant aux résolutions qui se prennent de temps en temps à la Haye!"

das Reichsvicariat; und wenn es gelang, gegen die Schweden im Reiche einen entscheidenden Schlag zu führen, ehe gewählt war, so hätte er kein Bedenken gehabt, als Reichsvicar über ihre Reichslande zu verfügen; ja vielleicht ließ sich die Wahl — denn auch damit trug er sich — auf ihn lenken, wenn ein großer Erfolg im Norden ihn empfahl und die Trennung Spaniens vom Kaiserthume als unvermeidlich erkannt wurde. Von Seiten der Seemächte wurde eben so lebhaft gearbeitet, die Wahl zu beschleunigen; von England, weil erst nach geschehener Wahl des spanischen Königs die Königin Anna und ihre Torys den Verabredungen, welche sie hinter dem Rücken ihrer Bundesgenossen mit Frankreich getroffen, mit einigem Scheine politischer Rechtfertigung Folge geben konnten; von den Staaten, weil sie diesem Bundesgenossen gegenüber den anderen Bundesgenossen desto mächtiger zu machen, desto mehr zu verpflichten wünschen mußten.

Endlich am 12. October erfolgte die Wahl, um die, so sagte Kaiser Karl VI. und seine Minister, Niemand mehr Verdienst habe, als der König von Preußen. Aber als derselbe von Neuem an die Gefahr des nordischen Wesens und die versprochene Allianz mahnen, darauf hinweisen ließ, daß doch unmöglich dem Zaaren, der Krone Polen und dem Dänenkönige überlassen werden könne, gegen die schwedischen Reichslande einzuschreiten, daß der Kaiser und Preußen dazu die nächste Pflicht hätten, lautete die Antwort: „das sei eine delicate Materie; der Kaiser, welcher zunächst in dieser Sache als Richter aufzutreten habe, könne sich jetzt darin nicht bloßgeben; gewiß werde England nicht geschehen lassen, daß die Krone Schweden noch mehr verliere und der Zaar, auf dessen anschwellende Macht Aller Augen gerichtet seien, allzu groß werde.“ [1]) Als dann die nordischen Alliirten „in Pommern

[1]) So Metternichs Bericht vom 31. Oct. Bartholdis Bericht vom 24. Nov. In der Zwischenzeit wurde einmal darüber verhandelt, ob nicht Preußen schwe-

so schlechte Progresse machten," wochenlang vergebens vor Stralsund, vor Wismar lagen, endlich sich begnügen mußten, beide Festungen für die Winterszeit zu cerniren, da hieß es in Wien, „man könne es noch etwas mit ansehen, und die Sache reifen lassen."

Es waren Fragen anderer Art, die jetzt den kaiserlichen Hof vollauf beschäftigten; das stolze Gebäude seiner Erfolge war in den Fundamenten gefährdet.

Die im Frühjahr von England gepflogenen Verhandlungen mit Frankreich schienen ohne Ergebniß geblieben zu sein. Marlborough hatte mit glänzendem Erfolge gekämpft, Prinz Eugen die Franzosen am Oberrhein im Zügel gehalten. Aber seit dem August beobachteten die fremden Gesandtschaften in London, daß von Neuem zwischen England und Frankreich verhandelt wurde. Die Minister läugneten es nicht; doch versicherten sie, daß sie durchaus nichts ohne ihre Alliirten schließen würden; es handle sich nur um die Ermöglichung eines ehrenvollen Friedens, den ja Alle wünschten; Lord Raby sei bereits im Begriff, nach dem Haag zurückzukehren,[1]) und werde von dort aus den Verbündeten die weiteren Mittheilungen machen. Am 21. October landete Raby, nun Graf Strafford, im Haag. Er theilte zuerst dem Rathspensionär, dann den verbündeten Höfen die sieben Artikel mit, welche die Zugeständnisse umfaßten, die Ludwig XIV. für sich und seinen Enkel in Spanien zu machen bereit sei. Die Grundlage des Projectes war die Theilung der spanischen Mo-

---

dlsch-Pommern erhalten und dafür das Herzogthum Crossen an den Kaiser abtreten könne

1) „lieu que le dit secrétaire d'état avoit designé comme le centre des affaires." Bonnet, 5/16. Oct. nach einer Unterredung mit St. John (Lord Bolingbroke); und 12/23. Oct. sagt St. John zu ihm: die verabredeten Artikel „ne doivent pas être considérés comme des préliminaires, mais comme une introduction ou un fondement à un congrès."

narchie; wenn somit ein Theil derselben dem bourbonischen Hause überlassen blieb, so verpflichtete sich der König zu Anordnungen, welche die Vereinigung der Kronen Frankreich und Spanien für immer ausschließen sollten, zur Anerkennung der Königin von England und der für England jetzt festgestellten Succession, zur Herstellung einer Barriere für die vereinigten Niederlande, ebenso „einer sicheren und angemessenen Barriere für das Haus Oestreich und das Reich," endlich, daß der Handel nach Spanien und den spanischen Colonien für England, Holland und die anderen Verbündeten möglichst unbehindert sein solle.

„Also in London hat Frankreich das Gehör gefunden, das ihm mit so viel Festigkeit und Hochherzigkeit in Preußen, in Portugal, in Savoyen, von den Staaten versagt worden ist, selbst von den Staaten, die immer darauf taxirt worden sind, am meisten nach den Süßigkeiten des Friedens zu verlangen und für verlockende Anträge zugänglich zu sein." „Also England bietet dem endlich gedemüthigten Frankreich die rettende Hand, giebt seine und seiner Verbündeten Waffenerfolge Preis, um mit dem besiegten Gegner gemeinsam Europa den Frieden zu dictiren." So die Meinung in Holland. Niemand zweifelte, daß die englischen Minister noch ganz andere Dinge vereinbart hätten, als diese dürftigen Artikel, daß die englisch-französische Allianz fertig sei.[1])

Noch viel heftiger war die Stimmung am kaiserlichen Hofe. Der Kaiser selbst erklärte, „er werde einen solchen Congreß in Ewigkeit nicht beschicken;" er forderte die deutschen Kurfürsten auf, so viel an ihnen sei, sich auf einen solchen Frieden nicht einzulassen, vielleicht daß dann England auf andere Gedanken

1) Ein Bericht aus dem Haag, 6. Nov. 1711: „Bien loin que le public revient de la consternation où l'on est depuis la publication des préliminaires, l'on voit régner de tout coté un sombre silence qui marque un profond douleur."

komme; „widrigenfalls ist bei uns unverbrüchlich beschlossen, es auf Alles, was daraus erfolgen mag, ankommen zu lassen und unser äußerstes Vermögen zu gemeinem Besten sammt unserer eigenen Person ferner daran zu setzen.“[1]) Dem preußischen Könige ließ er sagen: „Kais. Maj. setze in ihn, an dem immer das Haus Oestreich einen treuen, wahren Freund und aufrichtigen Bundesgenossen gehabt habe, das aufrichtige Vertrauen, er werde bei dieser unvermutheten, Kais. Maj. so nah ans Herz dringenden Begebenheit, worin sie sich kaum zu erhalten wüßten, zur Hand sein und wie vor so nach treu zu Ihr halten.“[2]) Und nun, als gälte es, den Bruch zwischen England und dem Kaiser vollständig zu machen, wurde der kaiserliche Gesandte, Graf Gallas, dessen allerdings sehr anzügliche Berichte über die Königin und ihren Hof man aufgefangen und zu dechiffriren verstanden hatte, ohne Weiteres vom Hofe gewiesen. Man that in Wien, als wenn damit Kaiser und Reich auf unerhörte Weise beleidigt sei; man schloß im Haag aus diesem „rüden Schritte,“ daß das englische Ministerium entschlossen sei, Alles zu wagen; der Rathspensionär fand mit seiner Meinung: „man müsse sich nicht mit England überwerfen, sondern die Kette festhalten,“ vorerst wenig Anklang.

Am Berliner Hofe hatte der sich wieder regenden Partheiung schon die Frage der Wahl neue Schärfe gegeben; die doppelte Alternative, die jetzt zur Entscheidung kam, konnte nicht anders, als die Gegensätze steigern und verbittern.

Es schien nichts näher zu liegen, als daß man den Frieden im Westen wünschen müsse, um endlich freie Hand für die nordischen Wirren zu bekommen, die bereits einen für Preußen nicht

1) Kaiserliches Schreiben an Preußen, Pfalz u. s. w. d. d. Mailand, 7. Nov. 1711.

2) Bartholdis Bericht, Mailand, 8. Nov. 1711.

bloß demüthigenden, sondern im höchsten Maaße bedrohlichen Charakter angenommen hatten. Hatte Oestreich, hatten die Staaten es um Preußen verdient, daß man, ihre Politik durchzusetzen, den größten Theil der preußischen Armee weiter kämpfen ließ für Subsidien, die sie nicht zahlten, und gegen Naturalverpflegungen, bei denen die Truppen zu Grunde gingen?[1]) Oder war es im Interesse Preußens, den Kaiser, „den Chef der Alliirten,"[2]) wie man in Wien sagte, mit dem vollen Besitz der spanischen Monarchie und ihrer weiten durchaus katholischen Gebiete für Deutschland und die evangelische Welt desto furchtbarer zu machen? Mochte man über den Wechsel der englischen Politik denken, wie man wollte, England durfte sich rühmen, bisher am meisten für den Krieg gethan zu haben; und die Präliminarien zeigten, daß es dessen Lasten nicht länger zu tragen entschlossen sei. Hatte bisher die vereinte Anstrengung der großen Allianz Frankreich nicht niederzuwerfen vermocht, so war es Thorheit, mit so viel minderen Kräften den Kampf fortsetzen zu wollen, zumal da Frankreich sich zu Präliminarien verstanden hatte, die Alles umfaßten, was man im Interesse Deutschlands und Europas, im Interesse des Gleichgewichts wünschen konnte.

Aber war nicht Preußen durch die große Allianz und namentlich gegen Oestreich gebunden? hatte es nicht die kaiserliche Anerkennung des Königthums unter der Bedingung erhalten, die östreichische Succession in Spanien erkämpfen zu helfen? Nicht bloß, daß man, trotz Oestreichs und Hollands auf die Friedenshand-

1) Hymmens Eingabe an die Hochmögenden 20. Oct. 1712: „le misérable état dans loquel il (das Corps der 5000 M.) se trouve . . . que le dit corps ne soit plus si maltraité qu'auparavant" u. s. w.

2) Lord Strafford an den König, Haag 4 Dec. 1711: „les Ministres d'Autriche deviennent très inquiets . . . ils appellent leur maître le Chef des Alliés; il faut avouer qu'il est le chef en promesse; mais s'il l'est en exécution, tous les autres en sont juges."

lung eingehend, die Rechte, die man nur mit ihrem guten Willen zur Geltung bringen konnte, gefährdete; denn ohne des Kaisers Willen hatte Preußen aus der oranischen Erbschaft nicht einmal Lingen und Mörs sicher, und noch weniger Hoffnung, gegen den Widerspruch Hollands Geldern zu erhalten; noch viel bedenklichere Folgen hatte man von der Mißstimmung des kaiserlichen Hofes in den zahlreichen und für Preußen so wichtigen Streitfragen zu fürchten, die innerhalb des Reichsrechtes lagen: Nordhausen, Quedlinburg, die fränkische, limburgische, tecklenburgische Succession, der mecklenburgische Titel, vieles Andere. Und in England selbst war das neue Ministerium, das den Frieden wollte und der protestantischen Succession, der englischen Freiheit, der anglicanischen Kirche Gefahr zu drohen schien, auf das Heftigste angefeindet; die hannövrische Staatsschrift gegen die Präliminarien, die in vielen Auflagen die größte Verbreitung fand, demnächst der Besuch des Prinzen Eugen in London schien auch in den Massen das Gefühl der Gefährdung stärker, als die Begierde nach dem Frieden zu machen; diese Minister konnten heute oder morgen erliegen, und dann waren die Whigs, es war Lord Marlborough wieder am Ruder, der der Krone Preußen, wenn sie sich auf die Politik seiner Todtfeinde eingelassen, mit Verachtung den Rücken gekehrt hätte. Warum sollte Preußen das System verlassen, das sich bisher bewährt hatte? warum die großen und begründeten Aussichten im Westen aufgeben und dafür sich in das Labyrinth der nordischen Wirren verliefen, wo es, wie jetzt die Sachen standen, nur noch die Wahl hatte, sich entweder, wie Polen und Dänemark, dem launischen Protectorat des Moscowiters zu unterordnen, oder sich für die eigensinnige und undankbare Politik des Schwedenkönigs in die Schanze zu schlagen.

So schroff standen die Ansichten gegen einander, während zugleich von auswärts die stärksten Einwirkungen auf den König selbst versucht wurden, namentlich von Graf Strafford, der unermüdlich war, vor denen zu warnen, „die Sr. Maj. ferner noch an die whigistische und östreichische Politik zu ketten gedächten.“[1])

Kränkelnd, verstimmt, mißtrauischer denn je, folgte der König halb der einen, halb der anderen Ansicht, nicht ohne zwischendurch unter der Hand Verständnisse zu suchen und Maaßregeln zu veranlassen, die außer dem einen, wie anderen Wege lagen.

Gleich auf die Mittheilung jener englischen Präliminarien wurden die Residenten im Haag und in London angewiesen, sich jeder Aeußerung gegen dieselben zu enthalten; es wurde auf die heftigen Aufrufe des kaiserlichen Hofes ablehnend geantwortet; es wurden die Forderungen, die Preußen in dem Frieden zu stellen habe, eingesandt: Anerkennung der Königswürde durch Frankreich, so wie des Besitzes von Neufchatel, Herstellung Oranges und der oranischen Güter in der Freigrafschaft, Besitz der Stadt Geldern und ihres Quartiers.[2]). Es war in der Consequenz dieser Richtung, wenn eine weitere Weisung lautete (19. December): „wir sind der gänzlichen Meinung, daß, wenn man nicht die ganze spanische Monarchie für das Haus Oestreich behaupten kann, alsdann eine desto stärkere Barriere für das Reich gefordert werden muß;“ es wurde der Elsaß, der Sundgau, Metz,

1) So in dem Schreiben d. d. Haag, 16. Dec. 1711: „il n'étoit pas besoin de me recommander les interests de V. M. ni ceux qui ont l'honneur d'être employés par Elle; au moins que ce ne soit ceux qui sont connus pour abuser de la confiance de V. M. et pour sacrifier Ses interests aux leurs propres et en oubliant leur devoir envers leur Roy se comportant d'une manière à dégoûter les véritables serviteurs de V. M. aussi bien ceux qui ont l'honneur d'être employés dans des postes distingués par la Reine.“ In zahlreichen Schreiben bis in den Februar 1713 kommt er auf diese seine Gegner zurück, unter denen er — er nennt sie nicht — mit dem bittersten Haß Grumbkow verfolgt.

2) Mémoire des articles que l'on désire de la part du Roy de Prusse d'être inserés en substance dans les préliminaires et ensuite dans le traité de paix avec la France, 23. Dec. 1711.

Toul und Verdun, ja die Freigrafschaft ausdrücklich genannt. Es wurde ein Theil der Armee, neun Bataillone, abberufen und nach den Marken gezogen.[1])

Aber zugleich ließ Friedrich I. in Wien Erbietungen machen, die gerade jetzt dort überraschen mußten: ob der Kaiser nicht die günstigen Conjuncturen benutzen wolle, die Schweden ganz vom Boden des Reiches zu vertreiben; wenn sich der Kaiser mit Preußen dazu verbinden wolle, werde es nicht schwer sein, die Zustimmung der Seemächte dazu zu erhalten, daß das schwedische Pommern an Preußen komme, das dafür Crossen an Oestreich überlassen könne.[2])

Dem zur Seite gingen Verhandlungen mit Dänemark und August II., die Fortsetzung jener im Juli im Haag angeknüpften. Den nordischen Alliirten, die ohne hinlängliches Fußvolk, ohne Belagerungsgeschütz, ohne Fürsorge für Lebensmittel in Pommern eingerückt waren, indem sie das Nöthige von Preußen zu erhalten hofften, erbot sich der König, das Unternehmen unter der Hand zu „favorisiren," Geschütz, Munition u. s. w. zu liefern, auch wohl einige Bataillone in die sächsischen Festungen zu legen, damit die dortigen Garnisonen disponibel würden; er forderte dagegen, daß ihm jetzt sofort Elbing überlassen, später gleichsam als Zahlung für die gemachten Lieferungen Stettin, das Land bis zur Peene, das ganze Pommern abgetreten werde; was er da zu viel erhalten, wolle er durch Abtretungen an Sachsen ausgleichen; er bot Crossen, Mansfeld, seine Gerechtsame über Quedlinburg und Nordhausen; „den öffentlichen Krieg" gegen Schweden zu er-

1) In Wien großer Schrecken darüber: „es werde ein schlimmes Beispiel für andre sein, noch sei für Preußen die Gefahr nicht so groß und der Kaiser habe in Böhmen, Ungarn Truppen genug, die im Fall der Noth schleunigst nach Brandenburg kommen könnten." Bericht des Agenten Mörlin, 21. Nov. 1711.

2) Königl. Rsc. an Bartholdi in Mailand, d. d. 28. Nov. 1711. Die ersten Erbietungen in dieser Sache sind aus dem Anfang Oct.

klären, sei ihm „nach der Justiz und Gottes Wort“ nicht möglich. Die Forderung der Alliirten, ihnen einige Regimenter Fußvolk in Sold zu geben, lehnte er ab: nur gegen eine Macht, der er den Krieg erklärt habe, könne er seine Truppen so verwenden.[1])

Während sich diese Verhandlungen ohne Ergebniß hinzogen, wurde mit dem schwedischen Gouverneur in Stade, Graf Wellingk, freundliche Correspondenz gepflogen; es wurden ihm, als die Landung frischer schwedischer Truppen den Alliirten vor Stralsund die Hoffnung auf nahen Erfolg benahm, von Berlin aus in verbindlichster Weise Anträge gemacht: „augenblicklich habe die schwedische Sache in Deutschland eine viel bessere Gestalt gewonnen; aber auch die Alliirten zögen Verstärkungen heran, schon hätten 7000 Russen die Oder passirt, andere folgten; wenn er sich autorisirt erachte zu unterhandeln, so hoffe man die Alliirten, oder doch den einen und anderen, zum Frieden bestimmen zu können.“[2])

Nicht minder wurde ein Versuch gemacht, von England außer der Zusage wegen des geldrischen Oberquartiers noch Anderes zu erreichen: „mit der Succession des pfalz-neuburgischen Hauses stehe es bedenklich; wenn es erlösche, falle Kurpfalz an die pfälzischen Seitenlinien, auf Jülich und Berg aber habe Preußen das nächste

---

1) Darauf Sachsen (6. Nov.): man habe Exempel genug, daß gar wohl Truppen an andere Puissancen überlassen werden könnten, ohne daß derjenige, der sie überlasse, an dem Kriege, worin sie gebraucht würden, Theil zu nehmen brauche; sollte die Regel, wie man preußischer Seits dafür zu halten scheine, feststehen, daß niemand einem kriegenden Theil, ohne zugleich mit pars belligerens zu werden, Hülfe könne wiederfahren lassen, so u. s. w. Man sieht Sachsen vertritt die arge Praxis des „Menschenhandels,“ die Preußen verwirft. Den Mittelpunkt dieser Verhandlungen, die H. v. Marschall im Aug. eingeleitet, bildet ein Vertragsentwurf von Ilgens Hand und die Berathung darüber: actum 22. Sept. 1711 von Printzens Hand (praes. Feldmarschall v. Wartensleben, Ilgen, E. B. v. Kamecke, Marschall et me).

2) Schreiben des Königs an Wellingk 19. Dec. 1711 und dessen Antworten vom 24. und 31. Dec.: er habe zu einem Partikularfrieden, namentlich mit Dänemark, Vollmacht, übrigens werde sein König im Frühjahr mit einer „nombreusen Armee kommen.“

Anrecht; ob England wohl geneigt sei, die Garantie dieses Rechtes zu übernehmen.“[1])

Und endlich, die von Frankreich auf Anlaß der Kaiserwahl gesuchten Anknüpfungen wurden auch nach derselben in der Stille weiter gesponnen; und Frankreich kargte nicht mit lockenden Aussichten auf Geldern, Elbing, Orange, wenn Preußen dem Beispiel Englands folge; wogegen Preußen die Vorfrage stellte, ob Frankreich die Hand bieten wolle, die Schweden vom deutschen Boden zu entfernen.[2])

Fäden genug und nach allen Seiten hin, die das preußische Cabinet angesponnen; Thüren genug, die ihm, so schien es, sich gern öffneten, wenn es eintreten wollte. Daß es sich zu den Torys in England wenden wolle, schien die Sendung Marschalls von Biberstein nach England anzudeuten,[3]) der in besonderer Gunst beim König, mit Lord Strafford und Bolingbroke in vertrautem Verhältniß war. Er erhielt den Auftrag, auf der Hinreise im Haag Lord Strafford im tiefsten Vertrauen mitzutheilen, daß auch in Betreff Frankreichs des Königs Verhalten dem der Königin entspreche.

Freilich Lord Strafford antwortete sehr anders, als man erwartet hatte. Er warnte vor dieser Heimlichkeit mit Frankreich, die, wenn das Geringste davon bekannt werde, nur dazu dienen

---

1) Darüber der Bericht Marschalls v. Biberstein d. d. Haag, 18. December 1711.

2) Seit dem Sept. 1711 verhandelte Knyphausen mit Laverne, der zuerst in Hamburg, dann am Hofe Friedrich Wilhelms von Schwerin sich aufhielt. Sein erster Antrag beginnt: „on propose à S. M. Pr. d'entrer en alliance avec la France pour se mettre en état à une paix générale dont Elle se peut rendre l'arbitre d'avoir soin de ses propres interests par les moyens suivants“ . . .

3) Königl. Rsc. an Marschall, 12. Dec. 1711: „denn es auf selbige Krone in diesen Friedenshandlungen besonders ankommen und dieselbe dabei mehr vor einen Mediator, als vor einen tractirenden Theil sich geriren wird.“

könnte, das gegenseitige Vertrauen der Alliirten zu stören, ja dem Könige die Garantien zu entziehen, die ihm die Allianz gebe; von Jülich und Berg spreche man besser nicht, da Holland solche Vergrößerung Preußens gewiß nicht zugeben werde; Preußens Anspruch auf Geldern werde man gern unterstützen, aber die oranische Succession sei eine Rechtsfrage.

Eben dieser Anspruch auf Geldern nährte die üble Stimmung Hollands gegen Preußen. Und wenn die Kaiserlichen dem drohenden Congresse gegenüber sich desto mehr Hollands zu versichern wünschen mußten, so hatten sie in der geldrischen Frage Gelegenheit, die Staaten sich zu verpflichten. Es kam noch ein Anderes hinzu; in dem Barrierevertrag von 1709 hatte England den Holländern Geldern zugesagt, Holland den Engländern die protestantische Succession garantirt; dem Toryministerium, so glaubte man allgemein und mit Recht, lag daran, in diesen Vertrag „Breche zu legen," um auf die stuartsche Succession zurückkommen zu können; indem Preußen Geldern zu fordern fortfuhr, leistete es dem torystischen, dem stuartschen Interesse in England Vorschub; es erbitterte Holland, verfeindete sich Hannover, erschien zugleich als Verräther an der deutschen und evangelischen Sache, verlor den letzten Rest der politischen Positionen, die der Große Kurfürst seinem Staate erworben hatte.

Wie war in dieser großen Allianz Alles verschoben und verworren; jeder gegen jeden gespannt und voll Mißtrauen; unberechenbar, was daraus werden solle. Selbst das englische Ministerium wurde unsicher, ob es den Congreß zu Stande bringen werde, zumal da es im eigenen Lande mit einem Widerstande zu ringen hatte, der täglich wuchs; selbst mit der Versicherung, nur mit den getreuen Bundesgenossen gemeinsam Frieden schließen, die Verhandlungen führen zu wollen, vermochte es nicht mehr, sie zu beruhigen; selbst unter den von Frankreich zum Congreß bestimmten Orten zu wählen und die Pässe dahin zu ertheilen, konnte Holland nicht bestimmt werden. Holland und die Kaiserlichen forderten vor Allem größere Rüstungen für den nächsten Feldzug; in Regensburg erhitzte man sich mit neuen Reichsgutachten über „Kriegsverfassung, Geldbeitrag, auch Executirung der Säumigen," als wäre der Kampf in Norddeutschland nichts, und daß Oestreich die ganze spanische Monarchie nebst dem Elsaß, der Freigrafschaft u. s. w. erhalte, Alles. Die kleineren Genossen der Allianz, Lothringen, Savoyen, Portugal u. s. w., kamen nicht minder mit ihren Mahnungen, Rathschlägen, Forderungen. Daß Frankreich da und dort an die Thür klopfte, selbst die Engländer gegen Holland, beide gegen den Kaiserhof argwöhnisch und eifersüchtig zu machen verstand, vollendete die Verwirrung. Die große Allianz war in voller Auflösung; niemand übersah mehr seine eigene Lage.

Am wenigsten der Hof zu Berlin; so wenig, daß der Gesandschaft im Haag (19. Dec.) die Weisung gesandt wurde: sie solle dem Prinzen Eugen und den kaiserlichen Gesandten vor Allem empfehlen, mit England in gutem Verständniß zu bleiben und lieber Einiges zu dissimuliren, insbesondere aber verhüten, daß nicht England und Holland allein mit Frankreich über den Frieden tractirten, das Haus Oestreich und das Reich aber im Stich ließen.

Oder vielmehr, diese Weisung traf den entscheidenden Punkt. Nur nicht sogleich, aber allmählig, und zum Schluß in ärgster Weise sollte sich bestätigen, daß man von der Politik der Herren Staaten nichts weniger als zu niedrig gedacht hatte. Zu einem ersten Schritt ließen sie sich von England durch die Drohung zwingen, der Congreß werde sonst ohne sie, mit Vielen oder Wenigen, in England eröffnet werden; sie wählten Utrecht zum Congreßort, stellten die Pässe dafür aus.

Mitte Januar fanden sich die französischen Bevollmächtigten in Utrecht ein. Sie nahmen ohne Weiteres die königlichen Vollmachten an, mit denen als preußische Bevollmächtigte Graf O. M. Dönhof und Graf Metternich erschienen; und König Friedrich I. sprach seine lebhafte Freude darüber aus, daß ihn der französische Hof als König anerkannt habe.[1])

Das letzte Jahr Friedrichs I.

Officiell und vor den Augen der Welt erschienen die Alliirten so treu und fest vereint, wie nur je, vereint gemeinsam zu kämpfen und zu unterhandeln.

England erneute durch einen ausdrücklichen Vertrag mit Holland (22. Dec.) die große Allianz. Die Königin forderte in der Thronrede, mit der sie das Parlament für 1712 eröffnete, die nöthigen Bewilligungen für den Krieg des nächsten Jahres; sie empfahl „sehr inständig" möglichste Beschleunigung, „damit wir den Feind überzeugen, daß, wenn wir nicht einen guten Frieden erhalten können, wir Willens und gerüstet sind, den Krieg energisch fortzusetzen." Und auf eine Adresse des Oberhauses: „der Friede sei nur dann ehrenvoll und sicher, wenn Spanien und Indien nicht an das Haus der Bourbonen falle," ließen die Minister die Königin antworten: „sie würde bedauern, wenn Jemand glauben könne, sie werde nicht die äußersten Anstrengungen machen, zu hindern, daß Spanien und Indien nicht an das Haus der Bourbonen komme." Die Flotte, wie das Landheer Englands wurde so vollständig wie nur je in Bereitschaft gestellt; mit

1) Des sächsischen Gesandten Baron v. Manteufel Bericht vom 9. Feb. 1712: „le Roy dit hier au soir avec beaucoup de joie à la tabagie, que le Roy de France l'avoit reconnu pour Roy."

gleichem Eifer rüstete Holland, der Kaiser; unter Marlborough und Eugen schien wieder in den Niederlanden der Hauptstoß geführt werden zu sollen, wenn Frankreich nicht vorzog, den Frieden vorher zu schließen.

Unendliche Vorfragen, der Protest der Kaiserlichen gegen die Präliminarien, heimliche Verhandlungen der Holländer mit England, der Kaiserlichen mit Frankreich, geschickt benutzte Zwischenfälle verlangsamten bald die Arbeiten des Congresses.

Und für die Hoffnungen auf den Feldzug war es ein erster harter Schlag, daß Marlborough abberufen wurde, um wegen Bestechung und Unterschleif unter Anklage gestellt zu werden. Der Besuch des Prinzen Eugen in London so wenig, wie die äußerst eifrigen Bemühungen des hannövrischen Hofes vermochten die whigistische Parthei in London wieder emporzubringen. Der Herzog von Ormond erhielt das erledigte Commando.

Es folgte ein Gegenschlag sonderbarer Art. Der Herzog von Schwerin reiste im April zur Badecur nach Aachen, in seinem Gefolge Graf Laverne; gleich nachdem sie über die Elbe gekommen, erschien (21. April) ein mecklenburgischer Edelmann, der Schwiegersohn des hannövrischen Ministers Bernstorff, mit einem Commando hannövrischer Reiter, nahm den Grafen an des Herzogs Seite „auf kaiserliche Specialordre" gefangen, führte ihn nebst seinen Dienern und seinen Effecten nach Hannover. Dort wurde der Gefangene in mehreren Verhören vernommen, namentlich darüber, wo die Cassette mit seinen Papieren geblieben sei; er gab an, daß er sie größerer Sicherheit halber dem Jägermeister des Herzogs übergeben habe. Noch im Mai wurde der Inculpat auf kaiserlichen Befehl nach Oestreich abgeführt; „er werde dort torquirt und kurzer Prozeß mit ihm gemacht werden," äußerte der kaiserliche Resident in Hamburg, Graf Schönborn, der Landcomthur, wie man ihn nannte, der das größte Verdienst um diesen wichtigen Fang hatte. Seit Monaten hatte er Laverne, der sich häufig und ganz offenkundig in Hamburg aufhielt, beobachtet und Journal über alle Personen, die bei ihm aus- und eingingen, halten lassen; namentlich Cnyphausen, dann die schwedischen Herren, Graf Wellingk und Baron Friesendorf, auch der englische Resident Wichs war unter diesen. Man muthmaßte, daß die mecklenburgische Ritterschaft in ihrer verbitterten Opposition gegen den Herzog, an deren Spitze Bernstorff stand, die Hand im Spiele gehabt habe; daß es ihr darum zu thun gewesen sei, ihren Herzog und den preußischen König zugleich zu compromittiren, von deren Verbindung sie ihre Libertät bedroht sahen; wie denn gesagt wurde, daß Beide im Einverständniß mit Schweden preußische Truppen nach Rostock und Güstrow legen würden unter dem Vorwand, eine neue Invasion der nordischen Alliirten zu hindern.[1]) Demnächst wurde handschriftlich an vielen Höfen ein Aufsatz: „Aussagen des sogenannten Grafen Laverne," verbreitet, unzweifelhaft von Hannover aus,[2]) in dem die heillosen Umtriebe Preußens, dessen reichsverrätherische Verbindung sowohl mit Frankreich, als mit Schweden der diplomatischen Welt denuncirt, das nicht genug zu preisende Verdienst des Kurfürsten von Hannover und seiner Minister dargelegt wurde. Wo möglich

---

1) Der preußische Resident Burchard in Hamburg 26. April 1712: „Der mecklenburgische Adel, die Bernstorff, Plessen, Werpup, aus Furcht vor preußischem Einmarsch, da schon Truppen bei Lenzen zusammengezogen sind, haben ihrem Herzog diesen Streich gespielt, und dürfte der Herzog fortan schlechten Appuy in Wien finden."

2) „Déposition du nommé comte de la Verne," ein im Wesentlichen richtiger Auszug davon in Theat. Eur. XIX. p. 257. Nach dem Königl. Rsc. an Alvensleben, 9. Aug. 1712, „hat der hier anwesende hannövrische Resident Heusch hautement declarirt, daß genannte Schrift von seinem Hofe nicht herkomme und daß sie viel Unwahrheiten enthalte, die mit den Laverneschen Aussagen gänzlich differirten." Doch hatten an vielen Höfen die hannövrischen Agenten die Schrift ausgegeben und verbreitet.

noch größerer Lärm wurde von Wien aus gemacht; man forderte die Festnehmung französischer Comödianten, Perruquiers, Tanzmeister da und dort, die mit dem Spion in Verbindung gestanden haben sollten; man ließ den Herzog von Schwerin wissen, daß man nur aus Rücksicht auf den König von Preußen ihn schone; man sprach zu Bartholdi in Wien, als wenn der König nichts Besseres thun könne, als durch einen eclatanten Act gegen diejenigen Minister, die schuldig seien — natürlich Ilgen und Marschall in erster Reihe — die beleidigte reichspatriotische Meinung zu versöhnen.

Allerdings hatte der König durch Knyphausen und den Herzog von Mecklenburg mit Laverne verhandeln, dann diese Verhandlungen abbrechen lassen[1]) und den Herzog ersucht, Laverne in seinem Gefolge mit nach Aachen zu nehmen, damit er von da nach Frankreich zurückkehren könne; seine Cassette war nach Berlin geschickt worden. Es wurde ein Schreiben des Königs nach Wien gesandt, in dem die wirkliche Sachlage ungefähr richtig dargelegt war.[2]) „Und mag sich auch der kaiserliche Hof Mühe geben und der hannövrische debitiren, was er will," heißt es in einem Schreiben an Bartholdi, „so steht doch dieses fest, daß man nimmermehr ein Mehreres, als was in unserem Schreiben an Kais. Maj. enthalten ist, von dieser ganzen Sache wird documen-

1) Knyphausen an Laverne, Hamburg, 8. April 1712: „S. M. le Roy de Prusse ne trouve pas que Vos propositions répondent aux espérances que Vous avez donnés dans Vos lettres écrites à M. d'Ilgen" (im Concept durchstrichen und dafür gesetzt à Berlin).

2) Aus diesem dann veröffentlichten Schreiben theilt Theat. Eur. l. c. Einiges mit. Der sächsische Gesandte Manteufel berichtet Berlin, 21. Mai, daß ihm Ilgen die Lavernischen Papiere gezeigt habe, da heiße es, „que le Roy de Prusse souhaitoit sçavoir si la France vouloit s'allier avec luy et les alliés du Nord pour déloger la Suède" (das Gegentheil steht in der Deposition). Manteufel fügt hinzu: „cette réponse seroit fort drôle, il semble qu'il seroit beaucoup mieux de s'addresser à nous."

tiren können." Man beharrte dabei, daß man sich in diese Verhandlungen nur eingelassen habe, um zu erforschen, wie weit es zwischen Frankreich und England bereits gekommen sei.

Also nicht darauf berief man sich, daß der souveräne König von Preußen nicht bloß innerhalb des Reiches stehe, daß er als unmittelbar kriegführende Macht eben so gut, wie der Kaiser, die Staaten, England, Savoyen gethan, mit Frankreich zu verhandeln ein Recht habe. Die Rechtfertigung, die der König nach Wien zu senden für gut fand, enthielt ein Zugeständniß sehr bedenklicher Art. Und der wachsende Lärm über die Laverneschen Enthüllungen zeigte, daß der Wiener Hof seinen Vortheil wohl verstand. Nur um so dringender empfahl Marschall, der die ersten Besprechungen mit Laverne in Schwerin gehabt hatte, mit dem englischen Ministerium zu gehen, d. h. Preußen nicht als bloßen Reichsstand, sondern nach seinen europäischen Beziehungen handeln zu lassen. Und Lord Strafford wiederholte in seinen vertraulichen Briefen an den König die Warnung vor denen, „die sein huldreiches Vertrauen mißbrauchten" und für Marlborough und die Whigs zu arbeiten fortführen, bald mit der weiteren Bemerkung, „daß jedes Wort, das er S. M. schreibe, an Graf Sinzendorf und Prinz Eugen berichtet und zu S. M. Nachtheil verwendet werde." Es war vor Allen General von Grumbkow, den er meinte.[1])

---

1) Strafford an den König, Haag, 13. Dec. 1712: . . . „si devoué à Votre service non obstant toutes les provocations qui me sont données pas quelques uns que V. M. veut honorer de Ses bonnes graces après-même que j'ai montré à V. M. sous leur propre main qu'ils ont osé abuser de sa faveur en Luy imposant des choses à leur propre avoué entièrement fausses et contre l'interest de V. M." Und deutlicher Bolingbroke an Strafford, 3. Feb. 1713 (Lettres II. p. 224): „as to Mr. Grumbkow whom I know extremely well, though I never saw him, it is of very little moment, what measures he pursues; but I dare say, he wants nothing but the opportunity to returne to those which he has been accustomed to so long." Grumbkow war Marschalls Schwager.

In derselben Zeit — Juni und Juli — wo der Laverneſche Lärm die deutſchen Publiciſten und Patrioten aufregte und mehr als einem Hofe Gelegenheit gab, geſittet Pfui zu ſagen, geſchahen in dem Feldlager der Alliirten Dinge ſeltſamer Art, Dinge, die erklären, warum jener Lärm gemacht wurde.

Nach Allem, was geſchehen war, konnte man in Wien nicht zweifeln, daß für die militäriſche Action auf England nicht mehr viel zu rechnen ſei. Und die Herren Staaten waren im Begriff, mit England zu gehen; nur eine neue Forderung, die die Engländer dem ſchon entworfenen Vertrage noch zufügten, hinderte für den Augenblick den Abſchluß.[1]) Um ſo mehr glaubte Prinz Eugen die Offenſive beſchleunigen zu müſſen, um den Herzog von Ormond, bevor ihn poſitive Befehle banden, ſo zu engagiren, daß die militäriſche Ehre ihm nicht geſtattete, den Degen in die Scheide zu ſtecken. Die Armee der Alliirten, dem gegenüberſtehenden Marſchall Villars bedeutend überlegen, ging über die Schelde, ſich zwiſchen Villars' Stellung und die franzöſiſchen Feſtungen Quesnoy, Valenciennes und Landrecis zu ſchieben. Um den 20. Juni wurden die Laufgräben gegen Quesnoy eröffnet. Villars ließ es geſchehen; er rechnete darauf, daß Ormond nicht mehr ſchlagen werde; er wußte, daß ſein König den Engländern auch die letzte Forderung, über die noch Differenzen waren, die Abtretung von Dünkirchen, bewilligen werde.

Schon ſeit dem Anfang der Bewegungen hatte Ormond gezögert, eine Schlacht zu vermeiden gerathen, poſitiv erklärt, daß er nur noch defenſiv verfahren werde. Dann kam die Anſprache der Königin an das Parlament (vom 17. Juni) nach Utrecht und ins Hauptquartier, in der die Bedingungen mitgetheilt waren, „unter denen der allgemeine Friede geſchloſſen werden könne.“

1) So Metternich, 7. Juni, nach Geſtändniſſen die ihm H. van Walderen gemacht.

Unmittelbar darauf erhielt Ormond die Meldung, daß Waffenstillstand zwischen Frankreich und England sei, und den Befehl, sowohl die national-englischen, wie die in englischem Solde stehenden Truppen nach Dünkirchen zu führen.

Es standen hier im Felde 16 Bataillone und 16 Escadrons englische Nationaltruppen. Unter den 70 Bataillonen und 143 Escadrons, die theils in englischem, theils in holländischem und englischem Solde zugleich standen, waren 16 Bataillone und 36 Escadrons Preußen unter Fürst Leopold von Anhalt.[1]) Als Ormond ihn aufforderte (28. Juni), im Fall die Engländer abrückten, den im englischen Solde stehenden Theil seiner Truppen mit abmarschiren zu lassen, antwortete der Fürst: „er habe keine andere Ordre, als mit den unter seinem Befehle stehenden königlichen Truppen zu operiren und sie für die gemeinsame Sache zu verwenden." Aehnlich die Commandirenden der übrigen Auxiliar- und Soldtruppen.

Ormond stutzte, berichtete schleunigst nach Utrecht. Indeß capitulirte Quesnoy (4. Juli). Prinz Eugen hoffte noch einen zweiten Schlag führen zu können; es galt Landrecis, der Pforte ins Innere Frankreichs, während schon seine bis Ham und Rheims streifenden Partheien Schrecken verbreiteten.

Die englischen Minister waren auf solche Weigerung der Soldtruppen nicht gefaßt gewesen; sie sprachen von „Ungehorsam und Meuterei;" sie ließen an die Höfe, die es anging, melden, man werde die Subsidien nicht mehr zahlen, man werde auch die

---

1) Genauer: 16. Bat. Inf. (10,580 M.), 20 Escd. Dragoner (3640 M.), 16. Escd. Reuter (1792 M.) Von diesen 16,012 M. sind 5000 M. das 1702 in holländisch-englischen Sold gegebene Corps, 6200 M. des Augmentationscorps von 1709 in bloß englischem Sold, endlich der Rest des „alten Lottumschen Corps," von dem 1711 neun Bat. zurückgerufen worden, also noch 6000 M., für die England und Holland gemeinschaftlich nur Brod und das sogenannte Agio zahlen.

Rückstände einbehalten. Sie ließen in Berlin bemerklich machen, wie Preußen in der Ansprache der Königin vom 17. Juni ausgezeichnet, wie es in dem Friedensprojecte begünstigt sei.[1])

Wie war man in Berlin in Verlegenheit. Auf die Bitte Anhalts um Verhaltungsbefehle (8. Juni) hatte der König antworten lassen: der Fürst habe nach der früheren Instruction zu verfahren. Den englischen Ministern war auf eine erste Anfrage geantwortet worden (14. Juni): wenn man wolle, daß Preußen in einer so delicaten Sache Folge thun und sich die Blame und den Haß des Kaisers, des ganzen Reiches und der Staaten auf den Hals ziehen solle, so müsse man es nicht, wie bisher, mit bloßen Complimenten bewenden lassen. Von Neuem am 21. Juni schrieb der König an Anhalt: er werde, wie immer die Sache laufe, bei seiner redlichen Intention für die gemeine Sache beharren, so wenig es ihm in Wien gedankt werde; aber ehe er sich isolire, müsse er wissen, was der Kaiser und Holland zu thun gedächten, wenn man nicht mit England gemeinsam den Frieden wolle; „sollen wir uns ganz dem Kaiser und Holland attachiren, so muß man aufhören, sich so kaltsinnig und conträr gegen uns zu zeigen, wie bisher; man muß uns Propositionen machen." Allerdings theilte Anhalt diese Forderung an Prinz Eugen mit; und der Prinz bezeugte sein Erstaunen, „daß die kaiserlichen Minister so wenig contento gäben," fertigte sofort einen Courier ab (29. Juni). Aber die Ereignisse im Felde warteten nicht auf dessen Rückkunft, und da Anhalt auf erneute dringende Anfrage die Antwort (vom 28. Juni) erhielt, daß man „nichts

---

1) Der betreffende Artikel lautet: „les prétentions du Roy de Prusse sont d'une nature que j'espère, qu'elles n'auront aucune difficulté de la part de France, et je ferai tout mon possible de procurer à un si bon allié tout ce dont je suis capable."

Positives verfügen könne, da alles noch im Unklaren sei," so blieb ihm nichts übrig, als nach eigenem Ermessen zu handeln.

Nach dem Fall von Quesnoy eilte Lord Strafford zur Armee, der höchst ärgerlichen Verzögerung des Abmarsches, welche das glücklich erreichte Einvernehmen mit Frankreich in äußerste Gefahr brachte, ein Ende zu machen. Als er nun von den Truppen, die in der Königin Sold und Dienst seien, sofort Parition forderte, als er Anhalt verantwortlich dafür machte, wenn seine eigenwillige Conduite große Vortheile, die für Preußen im Werke seien, scheitern mache, erklärte der Prinz: „er habe Ordre, so lange bei dem Herzog von Ormond zu bleiben, als derselbe den Kriegsschauplatz nicht verlasse; wenn dies geschehe, so habe er ihm nicht zu folgen, sondern, da das preußische Corps nicht getrennt werden könne, sich unter des Prinzen Eugen Befehl zu stellen."[1])

Es wurde mehrere Tage vergebens unterhandelt. Am 16. brachen sämmtliche Truppen auf, Prinz Eugen in der Richtung auf den Feind, Ormond vom Feinde hinweg nach Dünkirchen; die tapferen englischen Regimenter waren außer sich vor Wuth, rebellirten zum Theil, viele Offiziere zerbrachen ihren Degen. Von den Soldtruppen folgten dem traurigen Zuge nur ein gottorpsches und ein lüttichsches Bataillon; alle anderen gingen mit Prinz Eugen.

Anhalt wurde zur Einschließung von Landrecis beordert; die übrigen Truppen nahmen Stellung gegen Villars, die Holländer unter van Keppel (Lord Albemarle) bei Denain. Aber den Herren im Haag war, seit England Waffenstillstand hatte, der Muth klein

1) Anhalt übergab (10. Juni) an Ormond ein Memoire: „raisons pour lesquelles S. M. le Roy de Prusse a declaré de ne pouvoir pas faire marcher ses troupes avec le général Anglois, quand celuy-ci se sépareroit des autres." Es ist ihm nicht von Berlin zugesandt.

geworden, noch kleiner, als sie und der Kaiser die Zahlungen übernehmen sollten, die England nicht mehr leistete. Die staatischen Commissare erhoben Einsprache gegen das Vorrücken bis Landrecis, das ihnen waghalsig erschien; und als Villars auf Denain marschirte, die Holländer, die dort standen, anzugreifen, waren sie, obschon sie Prinz Eugen zur Unterstützung in Anmarsch, ja schon auf eine Stunde nahe wußten, nach den ersten Kanonenschüssen im Weichen; umsonst that van Keppel sein Aeußerstes; er fiel, sie flohen in voller Auflösung (24. Juli).

Der Tag von Denain, obschon an sich von untergeordneter Bedeutung, wurde durch den Schrecken, den er in Holland verbreitete, und durch die Energie, mit der Marschall Villars ihn benutzte, zu einem entscheidenden Ereigniß. Die holländischen Commissare nöthigten Eugen, die Preußen von Landrecis zurückzurufen, um dem gefürchteten Einbruch in Flandern zuvorzukommen. In wenigen Wochen waren die Festungen, die man in den zwei letzten Jahren dem Feinde entrissen hatte, verloren. Noch einmal, im September, versuchte Eugen eine Bewegung gegen den Feind; er hoffte ihn zu einer Schlacht zu zwingen; es gelang ihm nicht, die holländischen Commissare und Generale für seinen kühnen Plan zu gewinnen; „nicht dem Tage von Denain," schreibt er 3. October, „ist der üble Verlauf dieses Feldzugs beizumessen, sondern dem Geist der Unentschlossenheit und der Furcht, der in der Republik herrscht und sich unter ihre Commissare und Generale verbreitet hat."

Schon waren sie in der Stimmung, sich arge Dinge bieten zu lassen. Als die Nachricht von Denain nach Utrecht kam, hatten die Bedienten der französischen Gesandtschaft die der holländischen auf offener Straße verhöhnt; und als Genugthuung dafür geweigert wurde, erlaubten sich die Leute des Herrn van Rechteren, sie sich selber zu nehmen. Es folgten französischer Seits die heftigsten Beschwerden, förmliche Drohungen; die ganze versammelte Diplomatie partheite sich; Alles stockte; die einen fürchteten, die anderen hofften, daß das Friedenswerk an diesem Scandal scheitern werde. Die Herren von Holland versuchten dies und das, entschlossen sich endlich, ihren hochverdienten Bevollmächtigten Preis zu geben und in einem öffentlichen Acte förmlich Abbitte zu leisten.

Im April, im Mai war die Lage der Dinge der Art gewesen, daß die Engländer Alles in der Hand zu haben, gleichsam die Schiedsrichter zwischen ihren Allirten und Frankreich zu sein schienen;[1]) was sie mit dem Rückmarsch nach Dünkirchen an Reputation einbüßten, trat gegen die holländische Niederlage bei Denain in den Hintergrund. Die Waffenruhe auf vier Monate, die sie am 1. August verkündeten „für jeden, der den Frieden aufrichtig wolle," gab ihnen mit der Frist, die er bestimmte, das Mittel, namentlich auf Holland einen Druck zu üben. Aber je eifriger sie ihn übten, und je mehr er wirkte, desto mehr entlastet fühlte sich der französische Hof; er begann an den schon gemachten Zugeständnissen zu kargen. Freilich stellte Ludwig XIV. die Erklärung aus, „daß Philipp von Anjou und seine Descendenz nie in Frankreich succediren, daß das Haus Orleans dafür eintreten solle;" in allen anderen Fragen wurde mehr und mehr die „Convenienz" Frankreichs hervorgekehrt. Vom Elsaß, von Straßburg, von einer anderen Grenze gegen das Reich, als der des Ryswicker Friedens sollte nicht mehr die Rede sein dürfen; die Wiedereinsetzung der beiden geächteten Kurfürsten schien den französischen

1) Graf Metternich berichtet 3. Juni 1712, ein Diplomat habe zu ihm gesagt: „la Reine vous a donné les points préliminairs, Elle vous a donné le congrès, Elle vous a donné la méthode de traiter, Elle vient de Vous donner l'armistice, Elle vous donnera la paix et Elle vous donnera un terme dans lequel Vous devrez l'accepter."

Herren unerläßlich, zugleich für Kurbaiern Sardinien und die Königskrone, für Savoyen, um es für immer von Oestreich zu trennen, die Krone Siciliens. Nicht minder drückten sie gegen Holland; eine der Festungen, die sie wiedergewonnen, abzutreten, wiesen sie von der Hand; auch von denen, die noch in den Händen der Alliirten waren, forderten sie einige der wichtigsten, so Tournay.

Auch die Kaiserlichen, auch die Holländer hatten im April und Mai Versuche gemacht, sich unter der Hand, je für sich, mit Frankreich zu arrangiren, Verhandlungen, die sie namentlich auch vor Preußen geheim hielten, da unter andern Geldern darin eine Rolle spielte. Dann, als die Engländer nach Dünkirchen abmarschirten, wurden sie sehr herzlich: „Preußen werde gewiß nicht die gute Sache verlassen, für die es so Großes gethan.“ Zugleich wurde von Wien aus jener Laverne'sche Lärm in Gang gebracht; man streichelte mit der einen Hand und hob die andere zum Schlage.

Den Holländern ließ der König erwiedern: „er werde der gemeinen Sache treu bleiben, aber sie möchten nun endlich auch Ernst machen, ihm in der oranischen Sache Genüge zu thun;“ den Kaiserlichen:[1]) „mit keiner Macht in der Welt würde er lieber, als mit dem Kaiser auf das Allerengste verbunden sein, und er habe namentlich seit dem Tode des Kaisers Joseph entgegenkommende Schritte genug gethan; aber man habe nicht die geringste Rücksicht darauf genommen, ja ihn verächtlich gehalten, ihm einen Tort über den anderen angethan, den albernsten Anklagen Glauben geschenkt und ihn dann ungehört verdammt; dennoch wolle er unbeweglich beim Kaiser und dem Hause Oestreich

1) Königl. Rsc. an Fürst Leopold von Dessau, 11. Juni 1712, der diese Erklärung an den kaiserlichen Gesandten in Utrecht, Graf Sinzendorf, machen soll.

halten, wenn man ihm und seinem Hause nur endlich einmal einige Blicke kaiserlichen Wohlwollens zuwenden wolle." Daß der König sich zugleich erbot, seine Truppen bei der Armee zu lassen, ja von den bisher von England gezahlten jährlich etwa 600,000 Rthlr. ein Viertel zu übernehmen, wenn der Kaiser ein zweites Viertel, Holland die andere Hälfte übernehme, wurde mit großem Dank angenommen; den weiteren Forderungen und Wünschen Preußens versprach man demnächst in aller Weise gerecht zu werden.

Dann nach der Niederlage von Denain, mit den rasch wachsenden Verlusten nach derselben, wurden die Holländer immer kleinlauter, die Kaiserlichen immer kriegerischer. Wie hätte man in Wien den Gedanken ertragen können, nicht bloß Spanien, das dem Kaiser „ans Herz gewachsen war," sondern auch Sicilien, Sardinien und das schöne Baiernland, das nun schon Jahre lang östreichisch war, aufzugeben. Je weniger man im Stande war, mit eignen Mitteln das, was man durchaus haben und behalten wollte, zu erkämpfen, desto mehr reichspatriotischer Lärm wurde gemacht, in Regensburg der Antrag auf ein Heer von 120,000 Mann, auf Römermonate im Betrage von 7 Millionen gestellt. Und wenigstens an tapferen Beschlüssen ließ es die Majorität nicht fehlen, wenn auch die größeren, namentlich die norddeutschen, dagegen votirten, wenn auch Preußen warnte, „Dinge zu beschließen, die unausführbar seien, von der Mehrheit der Kleineren beschließen zu lassen, was die Größeren leisten sollten und weder im Stande, noch Willens sein würden, zu leisten." Solches bedenkliche Dreinreden wurde dann in Wien höchst übel vermerkt; wenn Preußen so wenig guten Willen habe zu leisten, was man von ihm erwarte und fordere, so könne von den Gewährungen, die man ihm jüngst in Aussicht gestellt habe, auch nicht weiter die Rede sein.

Die Holländer ihrerseits zitterten für ihre Barriere in Flandern. Von der, die sie an Maas und Rhein wünschten, hatten sie Huy, Lüttich, Mastricht; aber für Venloo, Geldern und das geldrische Oberquartier hatte Preußen die Zusage Englands, für Mörs einen Spruch des Reichs-Kammergerichtes; hier in Mörs war das platte Land von preußischen Truppen besetzt, welche die holländische Garnison in der Festung Mörs, wie man in Holland sagte, förmlich bloquirt hielten; dort lagen, wenigstens in der Festung Geldern, nur preußische Truppen. Wie hätte man daran denken können, diese zu delogiren. Noch größere Gefahr drohte den Holländern, wenn England und Portugal jetzt ohne sie mit Frankreich und Spanien abschlossen: der Verlust des Sclavenhandels nach Amerika, des ganzen höchst gewinnreichen westindischen Handels, der Vorzug der englischen Kauffarthei in den französischen, spanischen und italienischen Häfen.

Und nun erschien die französische Erklärung vom 26. September: „der König wünsche mit England, Portugal, Savoyen auf die mit der Krone England vereinbarten Artikel abzuschließen; da Holland den Aufforderungen Englands nicht gefolgt, dem Waffenstillstand nicht beigetreten sei, somit die jetzt völlig veränderte Lage der Dinge sich selbst zuzuschreiben habe, so sei es billig, daß Frankreich die Kosten dieses jetzigen Feldzuges von der Republik ersetzt erhalte.“ Also zu den Verlusten dieses Feldzuges, zu den Demüthigungen nach so vielen glorreichen Campagnen, zu allen rückständigen Zahlungen, für die schon nicht mehr Rath zu schaffen war, noch die Aussicht, Millionen Kriegskosten an den Feind zahlen zu müssen, dessen Uebermacht mit jedem Tage zu wachsen schien.

Möglich, daß man auch jetzt noch im Verein mit dem Kaiser und den deutschen Fürsten dem tief erschöpften Frankreich den Sieg hätte entreißen können. Prinz Eugen hatte die Führung; und er hielt es für möglich. Aber dann hätten diese Republikaner, die selbst nicht mehr die Muskete zu führen gewohnt waren, sondern ihre patriotische Pflicht in Geld abmachten, sich härter besteuern müssen, als ihnen räthlich schien. Sie zogen vor, ihre Verbündeten glauben zu machen, daß sie Gut und Blut daran setzen wollten, und in der Stille sich noch ein wenig mehr zu demüthigen. Sie gaben dem Lord Strafford, als er im October nach England reiste, insgeheim die Erklärung mit: die Staaten seien Willens, den Frieden mit abzuschließen.[1])

In der Zuversicht, ihn zu erhalten, fuhren sie fort, ihre deutschen Bundesgenossen auf Zahlung warten zu lassen, mit dem Brod für deren Truppen, mit der Fourage für die Pferde zu kargen. An Preußen schuldeten sie Hunderttausende; sie zahlten jetzt im Sommer 90,000 Fl. auf Abschlag und glaubten damit entschuldigt zu sein, wenn sie sich außer Stand erklärten, die auf sie fallenden 300,000 Rthlr. für das aus englischem Dienst übernommene preußische Corps zu zahlen.

Die Truppen darbten, die Officiere erklärten nicht länger bei den Truppen bleiben zu können, für deren Disciplin sie nicht mehr verantwortlich zu sein vermöchten. Auf die höchst dringende Forderung Preußens, Zahlung an diese Truppen zu leisten, auf die Ordre an die Truppen, jeden weiteren Dienst zu versagen, wenn nicht gezahlt und der nöthige Bedarf geliefert werde, erklärten die Herren Staaten: „sie hörten mit Mißvergnügen von dieser Weisung, die der gemeinen Sache zum Schaden gereichen und ein verderbliches Beispiel geben werde; aber zu zahlen seien sie außer Stande."

Aber ebenso wenig fiel ihnen ein, in der oranischen Succession, in Betreff von Mörs, von Geldern ihren guten Willen zu zeigen. Immer wieder hieß es: den armen Waisen des Prinzen

1) Lord Strafford an Prior in Paris, 4. Oct. 1712: „si nous souhaitions que les grenouilles signassent avec nous, la chose seroit facile; il n'y auroit qu'à leur laisser Tournay et même l'on ne pourroit le leur refuser, si nous signions ensemble, mais j'espère que Vous couperez court là-dessus."

von Nassau darf nichts vergeben werden. Daß der Kaiser über das Reichslehn Mörs zu Gunsten Preußens verfügt, das Reichskammergericht in mehreren Mandaten für Preußen entschieden und den Einwohnern von Mörs die Huldigung befohlen hatte, kümmerte sie nicht: sie verstärkten ihre Besatzung in der Stadt; sie erklärten, sie würden dieselbe nicht zurückziehen, da den Staaten das Recht der Garnison in Mörs seit mehr als hundert Jahren von den Prinzen von Oranien zugestanden sei. Natürlich, daß Rath und Bürgerschaft dieser deutschen Stadt mit Vergnügen die Huldigung verweigerten und auf die „preußischen Diebe" schimpften, zufrieden, unter dem Schutze der holländischen Besatzung ihre „Freiheit" genießen zu können; und der staatische Commandant schürte und hetzte auf das Beste, um so mehr des Beifalls der Herren Regenten im Haag gewiß. Umsonst machte Preußen im Haag immer neue Vorstellungen und Erbietungen; die Herren Regenten bedauerten, daß der Geschäftsgang die Sache nicht so rasch, wie gewünscht werde, zu beendigen gestatte; ein neues Mandat des Reichskammergerichtes vom 11. August, das der Stadt die Huldigung bei 1000 Mark löthigen Goldes befahl, überließen sie den Anwälten der nassauischen Erbschaft mit den reichsüblichen Advocatenkünsten zu pariren; auf Strafford's Rückkehr harrend, legten sie die letzten Schreiben Preußens zu den Acten.

Das Interesse Preußens, zumal bei der ernsten Wendung der Dinge in Pommern, von der gleich zu sprechen sein wird, war, daß Friede mit Frankreich, ein möglichst allgemeiner, geschlossen würde. Je heftiger von Wien aus das Reich zur Fortsetzung des Krieges getrieben, je zweideutiger von Holland ein Separatabkommen gesucht wurde, desto mehr näherten sich die preußischen Gesandten in Utrecht den englischen. Natürlich, daß diese schon aus Rancune gegen Holland ihnen entgegenkamen; sie gaben auch wegen Orange gute Aussichten, nachdem sich Preußen bereit erklärt, dafür ein Aequivalent an der geldrischen Grenze anzunehmen; sie schlugen das Land van Kessel vor an der linken Seite der Maas, Geldern gegenüber. Sie, so gut wie die französischen, fanden das Verfahren der Holländer in Mörs höchst verwerflich; es schien ihnen nur in der Ordnung, wenn Preußen diesem Unwesen endlich ein Ende mache; die Herren Staaten würden es hinnehmen, meinten die Engländer; und die Franzosen: auch der Austausch Oranges gegen ein Aequivalent werde sich dann leichter machen.

Bereits im September war in Berlin, vom Kronprinzen angeregt, ein Project, „Mörs durch Surprise zu nehmen," entworfen; es ist von Ilgens Hand aufgezeichnet. Mit Widerstreben genehmigte es der König, mit der ausdrücklichen Bedingung, daß es ohne viel Blutvergießen ausgeführt werde. Er übertrug, wie der Kronprinz und Ilgen empfohlen, dem Fürsten von Anhalt die Ausführung.[1])

Zum 10. October wurden Rath und Bürgerschaft von Mörs auf das Rathhaus beschieden, die Huldigung zu leisten. General von Horn, der sie entgegenzunehmen in die Stadt kam, fand die übelste Aufnahme: Hohn und Geschrei auf den Gassen, vom Rath nur wenige, die Folge zu leisten bereit waren, wachsender Tumult, Läuten der Sturmglocke, während die holländischen Offiziere dem General mit hochmüthiger Courtoisie ihren Schutz anboten. Unverrichteter Sache verließ General Horn die Stadt.

---

1) Sehr lehrreich ist Anhalts Schreiben an Ilgen im Lager bei Belian (bei Mons) 19. Oct.: er bittet eine Ordre zu erhalten, in der Mörs ausdrücklich genannt werde, „und zwar solches zu meiner über kurz oder lang etwa nöthigen Sicherheit; es haben S. Königl. Hoh. (der Kronprinz) mir an die Hand und zu verstehen gegeben, daß ich mit einer dergleichen Ordre mich verwahren lassen möchte." An den König schreibt Anhalt d. d. Mons, 11. Sept. seinen lebhaften Dank für den Auftrag, „weil es die erste Affaire ist, die E. M. alleiniges hohes Interesse angeht, da das sonst von E. M. bei itziger Campagne mir anvertraute Commando mehrentheils mit in der andern hohen Alliirten Absichten eingelaufen ist."

Eine nochmalige ernste Zuschrift an die Generalstaaten blieb ohne Wirkung.[1]) Nun endlich wurde Ernst gemacht. Bisher hatten wenige preußische Truppen in den Dörfern vor der Stadt gelegen; bis zum 7. November hatte der Fürst von Anhalt einige tausend Mann dort zusammengezogen; die Nacht drauf war zum Ueberfall bestimmt; aus den Grenadiercompagnien waren die guten Schwimmer auserlesen, sie schwammen durch den Festungsgraben, besetzten den Wall, öffneten ein Thor. Alles war gethan, ehe die Holländer ins Gewehr kamen; nach wenigen Flintenschüssen war die Stadt und das Castell in der Gewalt der Preußen. Die staatischen Truppen fügten sich in das Geschehene, zufrieden, daß ihnen gestattet wurde, auch in der Stadt zu bleiben.[2])

Bei der Nachricht davon war man im Haag höchst verlegen. Die friesischen Deputirten forderten, daß Mörs um jeden Preis wiedergewonnen werde; in einer Conferenz der nassauischen Parthei wurde mit allgemeinem Beifall gesagt: wenn der Staat diese Violenz hinnehme, so sei es mit seiner Autorität zu Ende. Selbst der Rathspensionär Heinsius sah nur einen Ausweg: glücklicher Weise seien die staatischen Truppen noch in der Stadt; die preußischen, nachdem sie ihren Auftrag erfüllt und die Huldigung erzwungen, könnten und müßten die Stadt verlassen; der König von Preußen sei diese Rücksicht dem treuen Verbündeten schuldig.

Man war in Berlin keineswegs dieser Ansicht. Es gelang, den König zu einem zweiten Schritte zu bestimmen; er gab Be-

---

1) v. Hymmens Memorial an die Gen. Staaten 10. Oct. fordert die Abberufung der Garnison: „S. M. ne peuvent pas croire que V. V. H. H. P. P. voudront toujours faire continuer la prostitution d'un Roy et bon allié en protégeant des réfractaires contre la justice d'une manière jusqu'icy inouie."

2) Ausführlich vom holländischen Standpunkt erzählt diese Dinge Lamberty VII. p. 565. Die Actenstücke, die er mittheilt, berichtigen einiger Maaßen seine schiefe Darstellung. Den Bericht des holländischen Commandanten Bryones giebt u. a. Raufft, Leben des Fürsten Leopold von Dessau, 1750 p. 69.

fehl, die holländische Besatzung aus Mörs zu entfernen, ohne viel Lärm, ohne Blutvergießen. General von Natzmer wurde damit beauftragt. Es geschah in der Nacht vom 31. December. Er ließ in aller Stille acht Escadrons in die Stadt rücken, durch kleine Commandos jeden einzelnen der holländischen Offiziere, alle zu gleicher Zeit, im Quartier zu bleiben veranlassen, die Posten und Wachen aufheben, erst sie, dann die Gemeinen in kleinen Trupps, endlich die Offiziere aus der Stadt hinausführen, hinter ihnen die Thore schließen.[1])

Mochten die Herren im Haag äußerst betreten sein, mochten sie in offiziellen Erklärungen mit der edlen Entrüstung bewährter Rechtschaffenheit und Bundestreue der Welt verkündigen, in wie tückischer Weise, während der noch schwebenden Verhandlungen, von einem Monarchen, dem sie so viel Vertrauen und Hingebung erwiesen, Gewalt an ihnen geübt sei, — sie verschmähten es, wegen einer so geringfügigen Sache Schritte zu thun, welche, sagten sie, nur das Blutvergießen mehren würden.

Oder vielmehr, die staatischen Diplomaten beschleunigten nur um so mehr die seit Straffords Rückkunft wieder aufgenommene Verhandlung, der sie die kluge Wendung gegeben, von Neuem die englische Succession und die staatische Barriere in Einen Tractat zusammenzufassen; sie gewannen in einem geheimen Artikel sogar die Zusage, „daß die Königin die Intention der Staaten auf das geldrische Oberquartier durch ihre guten Dienste unterstützen werde." Sie hatten mit diesem Tractat obenein den Ge-

1) Gen. v. Natzmer d. d. Kempen, 6. Dec. remonstrirt gegen den ihm gewordenen Auftrag, die holländischen Officiere in Mörs zu Gaste zu laden, dann festzunehmen und die Garnison hinauszuschaffen. Er sendet (Kempen, 19. Dec.) dem Könige eine „disposition pour faire sortir la garnison hollandaise de Mours," eben die, welche dann ausgeführt wird. Wie die Ausführung geschehen, lehrt der Bericht von Gen. Kinsky, den er mit der Ausführung beauftragt hat, Mörs, 31. Dec. 1712.

winn, Hannover verpflichtet zu haben, den Rivalen Preußens, und England den Gewinn, daß sich zugleich Holland und Hannover von Oestreich abwandte.

Die preußischen Hoffnungen kamen in ernste Gefahr zu scheitern; man bot Strafford 20,000 Thaler, wenn er den Theil Gelderns, den Preußen schon hatte, 50,000 Thaler, wenn er das Aequivalent, Land van Kessel und Krickenberg, noch mehr, wenn er auch Venloo für Preußen gewinne.[1]) „Es ist die höchste Zeit," schrieb Lord Strafford dem Könige, „daß Ew. M. sich unbedingt erklären, den Frieden zugleich mit England zeichnen, Ihre Interessen in die Hand der Königin legen zu wollen." Er veranlaßte Marschall, nach Berlin zu eilen; daß es ohne Befehl des Königs geschehe, wolle er vertreten. Marschall hatte dort mitzutheilen, daß die Staaten dem Lord 100,000 Thaler geboten hätten, wenn er ihnen das Oberquartier schaffe; daß die Kaiserlichen, seit sie sähen, daß Geldern nicht an Holland kommen dürfte, der Meinung seien, das Land gehöre ihrem Herrn, und daß sie 20,000 Pistolen geboten hätten, wenn es dabei sein Verbleiben habe.

Friedrich I. entschloß sich, der Königin zu schreiben, „daß er mit ihr den Frieden unterzeichnen werde" (8. Januar). Marschall ging in größter Eile — in fünf Tagen und fünf Nächten — nach Utrecht zurück; die Nachricht von des Königs Entschluß entzückte Strafford: „der Brief wird uns gegen den Kaiser und die Holländer dienen, dem Könige ein volles Genüge zu schaffen." Am 30. Jan. unterzeichnete er mit Holland jenen Barrierevertrag; er meldete es dem Könige im tiefsten Vertrauen: die Herrn Staaten hätten zugleich erklärt, daß sie sich ganz dem Belieben der Königin an-

1) Die drei preußischen Bevollmächtigten an den König 15. Dec.: „Die erste Summe will Graf Strafford in Händen haben, wenn er die Stadt Geldern und den innehabenden District Ew. M. verschaffen soll; wegen der 50,000 R. will er außer aller Unsicherheit gesetzt sein, ehe er sich engagirt, das Aequivalent zu Stande zu bringen."

vertrauten und morgen, wenn es sein müßte, mit ihr den Frieden zeichnen würden; aber der König sei ihnen glücklicher Weise mit seiner Erklärung zuvorgekommen; auch die Unterhandlungen zwischen den Kaiserlichen und Frankreich hätten guten Fortgang, die Räumung Cataloniens, der Waffenstillstand für Italien, die Neutralität Italiens sei von den Kaiserlichen so gut wie zugestanden, sie drängten sehr auf den Abschluß.

Es blieben noch Einzelnheiten vollauf zu erledigen; die Kunst der englischen Diplomaten bestand darin, den Einen nicht wissen, aber merken zu lassen, was mit dem Andern geschlossen sei, jeden etwas hoffen und Alles fürchten zu lassen und so die Einen durch die Anderen zu treiben; nur daß die Franzosen, je ärger das Mißtrauen, die Ungewißheit, das Ueberbieten wurde, desto mehr Chicane bei jeder einzelnen Forderung machten.

Am 10. Februar war Conferenz zwischen den französischen, englischen und preußischen Bevollmächtigten. Die Punkte des Friedens mit Preußen wurden erörtert; es blieb endlich nur noch die Frage über Venloo und die Aemter Kessel und Krickenberg; das Reden her und hin schloß einer der französischen Herren mit dem Wort: man gebe es hin, es ist ja nur eine Stadt mit zwei Aemtern.[1])

Bevor die Genehmigung aus Paris kam, arbeiteten die Kaiserlichen, die Staatischen — denn das Gerücht vom preußischen Schluß war rasch verbreitet — noch zuvorzukommen. Graf Sinzendorf erklärte: er sei jeden Augenblick bereit, zu zeichnen, wenn ihm nur die Bedingungen des ganzen Friedens mitgetheilt würden.[2]) Die Staaten hatten der Königin einen

---

1) Marschall d'Huxelles: „allons, Messieurs, il faut le faire, il ne s'agit que d'une ville et de deux baillages."

2) Marschall an den König, 24. Feb. Strafford sage ihm, „que Sinzendorf étoit venu à luy pour déclarer qu'il signeroit la paix s'il vouloit seulement

vertrauensvollen Brief geschrieben, des Inhalts: daß sie sich ganz ihrer Discretion anvertrauten.[1]) Aber zugleich wurde dafür gesorgt, auszusprengen, daß Holland und der Kaiser entschlossen seien, den Krieg fortzusetzen. Einer der Regenten von Holland äußerte sich: wenn der Krieg seinen Fortgang hätte, wisse man nicht, wessen man sich von Preußen zu versehen habe; daß der König in Geldern behalte, was er in Besitz genommen, könne man allenfalls hingehen lassen; daß er das ganze Oberquartier erhalte, werde weder Holland, noch der Kaiser dulden.

Die ganze Entscheidung warf sich auf diese Frage; als ob für den Kaiser, wie für die Staaten die Existenz daran hänge, daß Preußen nicht ein Stückchen Land an der Maas erhalte.

Am 25. Februar wurde erst mit den staatischen, dann mit den kaiserlichen Ministern Conferenz gehalten, ihnen mitzutheilen, welche Bedingungen Frankreich für Preußen zugestanden. Die Holländer waren außer sich: das Oberquartier gehöre ihnen, im westphälischen Frieden sei es ihnen für ein dem Kaiser zu leistendes Aequivalent zugestanden; darüber würden sie sich mit den Kaiserlichen leicht verständigen. Die Kaiserlichen sprachen sich noch heftiger aus: das Haus Oestreich würde es lieber auf das Aeußerste ankommen lassen, es wäre besser, daß der Kaiser mit 100,000 Mann zu Grunde gehe, „und was der heftigen Expressionen mehr gewesen."

Die preußischen Herren verwiesen sie an die französischen

luy dire précisement les conditions, auxquelles la Reine feroit faire la paix de tous les cotés, ce que le Comte de Strafford luy a refusé." In dem Briefe an Ilgen fügt Marschall hinzu . . . „luy a refusé sachant bien que sans cela l'Empereur feroit la paix."

1) Am 28. Feb. schreibt Strafford an den König: „nous attendons tous les jours une réponse de la Reine à une lettre des Etats Gen. la plus humble et la plus obligeante du monde, dans laquelle ils laissent tout leur interest à la discrétion de S. M., la priant d'en déterminer."

Minister, Marschall ging selbst zu diesen, sie von der Lage der Dinge in Kenntniß zu setzen; sie antworteten: es sei ihnen sehr angenehm, daß die Bombe endlich geplatzt sei, und sie seien bereit, den Angriff zu empfangen, den die Kaiserlichen und die Holländer auf sie machen würden.

Also das Drohen hatte nichts gefruchtet. Nach zwei Tagen kam Graf Sinzendorf zu Strafford, bat ihn, in dieser Sache die Vermittelung zu übernehmen: man sei bereit, den Preußen noch mehr von Geldern zu überlassen, wenn sie das Land vom Kaiser zu Lehen nehmen wollten; man werde den Frieden zeichnen, selbst auf die Bedingungen, welche die Rede der Königin vom 17. Juni ausgesprochen. In der That wurden die Verträge wegen Räumung von Catalonien, wegen des Waffenstillstandes und der Neutralität für Italien unterzeichnet.[1])

Und die Holländer resignirten sich auf das, was ihnen die Königin antworten werde. Nur daß Luxemburg dem Kurfürsten von Baiern bleiben sollte, bis er die Krone Sardinien und sein Kurfürstenthum erhalten habe, schien ihnen hart.[2])

So der Verlauf der preußischen Verhandlungen in Utrecht bis zum Ende Februar. Man hatte allerdings ein paar Quadratmeilen geldrisches Land zu gewinnen, aus der oranischen Erbschaft Mörs und Lingen zu retten, auch Neufchatel zu behalten Aussicht. Aber „drei und mehr mal so viel“ von oranischen Gütern, als man an Frankreich für ein schmales Aequivalent überlassen

---

1) Strafford an den König, 28. Feb.: „ainsi voilà qui est fait de Strassbourg etc. dont on a fait tant de bruit. Il m'a dit de plus que si je voulois prendre sur moi de spécifier les conditions entre l'Empereur et la France, il l'accepteroit et il peut faire là-dessus la paix en huit jours de tems.“

2) Strafford an den König, 28. Feb.: „ainsi V. M. voit que la paix des Hollandois est bien proche et ne sçaura manquer et que celle de l'Empereur n'est pas fort éloignée, celle de Portugal laissée par leur Roy entièrement à la disposition de la Reine, celle de Savoye est comme faite; et j'espère que celle de V. M. ne sera pas la dernière, ni la moins advantageuse.“

mußte, lag im Bereich der sieben Provinzen, fast ebenso viel in den spanischen Niederlanden; nach den Vorgängen von Mörs und den schlimmeren bei den letzten Verhandlungen konnte man sicher sein, daß weder Holland, noch der Kaiser das geringste davon an Preußen werde kommen lassen. Und sicherer noch konnte man darauf rechnen, daß von jener ganzen Reihe von Forderungen, die man in Reichssachen hatte, so begründet sie sein mochten, der Wiener Hof noch weniger als bisher gewähren werde.

Und um diese Resultate zu erzielen, hatte Preußen im Osten eine Politik verfolgt, mit der man da schon mehr verloren hatte, als man im Westen zu gewinnen hoffen konnte, eine Politik, deren Folgen täglich demüthigender und gefährlicher wurden.

Seit dem Sommer 1711 war der wüste nordische Krieg zum zweiten Mal über die deutschen Grenzen hereingebrochen; in den Küstenlanden von der Oder bis zur Elbe kämpften die Heere des Zaaren, des Polenkönigs, des dänischen Königs gegen die sinkende Schwedenmacht. Stettin, Stralsund und Wismar hatten sich gehalten, aber die Truppen der nordischen Alliirten überwinterten im schwedischen Pommern, für den Feldzug im Frühling Verstärkungen heranziehend. Der Plan, den die Alliirten für die nächste Campagne verabredeten, war, daß sich die Dänen auf Stade und das Fürstenthum Bremen werfen, August's II. und des Zaaren Heere sich zuerst Stralsunds bemächtigen, dann sich gegen Stettin und Wismar, die ohne den Rückhalt von Stralsund her sich nicht lange halten konnten, wenden sollten.

Ein erster Versuch der Dänen über die Elbe zu gehen (März) mißlang; sie machten sich fertig, ihn zu wiederholen, sobald die Feindseligkeiten in Pommern eröffnet würden. Ende Mai hatte Prinz Menschikoff 40,000 Russen, Generalfeldmarschall Graf Flemming 20,000 Mann Polen und Sachsen zur Stelle; nur Belagerungsgeschütz fehlte ihnen.

Der Berliner Hof hatte Versuche genug gemacht, irgendwie zwischen den Kriegführenden Stellung zu gewinnen[1]); aber weder die Schweden hatten ihm Stettin anvertrauen, noch die Russen Elbing aufgeben wollen. Graf Wellingk hatte sich an Kaiser und Reich gewandt, der Mecklenburger, die Hansestädte des Reiches Schutz gefordert. In Wien hatte man an andere Dinge zu denken; in Regensburg wurden Abmahnungen an den Zaaren und seine Bundesgenossen beschlossen, und nach dem mißglückten Versuch der Dänen auf das Bremische erhielten Wolfenbüttel und Preußen ein Commissorium, „auf alle diensame Weise vorzubauen, daß die Kriegsflamme im niedersächsischen Kreise nicht weiter um sich greife.“[2])

Jene polnisch-russischen Verstärkungen waren durch die Marken an Berlin vorüber nach Mecklenburg gezogen, mit mehr oder weniger Unordnung und Plünderung; man hatte es hinnehmen müssen. Vom Kaiser glaubte man zu wissen, daß er daran sei, mit dem Zaaren in Allianz zu treten, und daß Hannover beson-

1) Die Situation erläutert ein Königl. Rsc. an Marschall, Cöln a./S. 2. April 1712: „auch befindet sich Graf Flemming schon seit einigen Tagen hier, man hat aber mit demselben annoch zu keinem Schluß kommen können; indeß ist es nun gewiß und hat uns der Zaar selbst notificirt, daß er entschlossen sei, dieses Jahr in eigener Person eine Campagne in Pommern zu thun ... und begehrt von uns allen möglichen faveur und Beförderung zur baldigen Conquestirung sämmtlicher vorpommerscher Lande ... es ist gewiß, daß es dem Zaar eine kurze Arbeit sein wird ... und daß, wenn solches geschieht, wir nicht allein dadurch in unsern preußischen und hiesigen Landen gleichsam der Discretion von dem Zaar untergeben, sondern auch andere europäische Puissancen und namentlich England und der Staat nicht geringe Ungelegenheiten mit davon zu empfinden haben werden.“

2) Kgl. Rsc. an Bartholdt, 25. Juni. Schreiben des Herzogs von Wolfenbüttel, 18. Juni und in Anlaß dessen Auftrag an Geh. Rath v. Alvensleben in Magdeburg, 5. Juli. Es bleibt bei der Vorfrage.

ders thätig für dieselbe sei. Immer schwerer zogen sich die Wetter um die brandenburgischen Lande zusammen.

In denselben Tagen, wo man in Berlin die ersten Nachrichten von der drohenden Trennung der alliirten Armee in Brabant hatte, waren Graf Wellingk und Fürst Menschikoff zugleich in Berlin, jener in einem nahen Landhause verborgen, dieser mit nur zu verletzender Anmaßung auftretend. Er forderte, obschon es Sonntag und der König in der Kirche war, sofort Audienz; mit Mühe bestimmte ihn Ilgen, bis zum Nachmittag zu bleiben; die Einladung zur Tafel lehnte er ab: er habe selbst genug zu essen. Dann ward er zum Könige beschieden: der Zaar sein Herr bitte um so und so viel Geschütze; als der König unbestimmt antwortete und andeutete, daß er eine andere Proposition erwartet habe, empfahl sich der Prinz: er werde in Garz Sr. Majestät Antwort erwarten.[1]) Man sandte ihm ein verbindliches Schreiben nach, das die Zusage an Elbing knüpfte.

Eingehender waren die Conferenzen mit Wellingk. Er hatte endlich aus Bender Vollmacht zum Unterhandeln erhalten[2]); er wußte, daß Feldmarschall Steenbock die äußersten Anstrengungen mache, in Schweden noch einmal ein Heer zusammenzubringen, daß aber noch Wochen vergehen würden, bevor es herüberkäme; ihm lag daran, jedes entscheidende Zusammentreffen bis dahin zu

---

1) So des sächsischen Gesandten Manteufel Bericht, Berlin, 21. Juni: „il s'en prend à Ilgen et a dit publiquement, que cette cour ne feroit rien tant qu'Ilgen seroit à la tête des affaires.“ In einem Königl. Rsc. an Bartholdi in Wien d. d. 16. Juli wird gesagt: „daß Fürst Menschikoff hier kein Gehör gefunden haben will, begreifen wir nicht, maaßen auf alle Punkte seines Memorials so, wie er selbst verlangt, resolvirt worden ist.“ Ich habe diese Antwort in den Acten, die mir vorgelegt wurden, vergebens gesucht. Ihr ungefährer Inhalt ergiebt sich aus anderen Rescripten.

2) Karls XII. Vollmacht ist datirt ad urbem Benderam am 8. März 1712. Wellingk sendet damit Freiherrn v. Friesendorf nach Berlin, 11. Juni; er selbst trifft am 19. ein.

meiden, namentlich Deckung für die schwedischen Weserlande zu erhalten. Für Preußen, sagte Ilgen, sei der Moment gekommen, wo es den Frieden im Norden fordern müsse; es sei bereit, sich mit Schweden insgeheim über Friedensbedingungen zu verständigen, und hoffe für diese dann den einen oder andern der Gegner Schwedens zu gewinnen; gemeinsam werde man dann die übrigen zwingen können, dieselben anzunehmen; Preußen werde zu dem Zweck 25,000 Mann ins Feld stellen und dieselben, wenn es nöthig, noch beträchtlich vermehren. Nachdem Wellingk sich gern bereit erklärt hatte, auf diese Basis einzugehen, entwickelte Ilgen seine weiteren Vorschläge; der Mittelpunkt derselben war: die polnische Frage zu beseitigen, ohne dem König von Schweden Zumuthungen zu stellen, die seiner Ehre zu nahe träten;[1]) man müsse König Stanislaus bestimmen, freiwillig der Ruhe des Nordens und dem Heil seines unglücklichen Vaterlandes ein großes Opfer zu bringen; dann werde August II. demselben gern seine Güter und den Aufenthalt in Polen gestatten, die Republik ihm gern nach August's Tod die Nachfolge zusichern; Preußen, Schweden und August II. würden die Bedingungen dieses Friedens verkünden, die Rückgabe der jetzt occupirten schwedischen Provinzen fordern, ein Heer von 60,000 Mann aufstellen, um ihrer Forderung Nachdruck zu geben; man werde die Königin von England ersuchen, diesem Concert beizutreten.[2])

Ein Verfahren, dem nicht unähnlich, mit welchem England den Frieden im Westen zu erzwingen unternahm. Nur ohne die kühne

---

1) Aus dem Memoire von Wellingk (von Ilgens Hand) 22. Juni: „on ne doit pas demander ny dans cette occasion, ny dans aucune autre à S. M. le Roy de Suéde, quoique ce soit qui puisse faire tort à sa gloire ou luy fait faire des pas directement opposés à ce qu'il a fait jusqu'ici en favour du Roy Stanislaus."

2) „Pensées libres sur les affaires du Nord, delivrées à Mr. le comte de Wellingk." Schönhausen, 23. Juni 1712, von Ilgens Hand.

Frivolität der englischen Politik, ohne die geniale Mischung von Trug, List und Gewalt, mit welcher diese Torys zugleich nach Außen der Größe Englands neue Bahnen zu erschließen und im Innern den Unsegen der „glorreichen Revolution" auszukehren gedachten. An den analogen preußischen Entwürfen haftete derselbe Typus der Unschlüssigkeit, Künstlichkeit und Doppelheit, der immer die Hand Friedrichs I. erkennbar macht.

Wellingk war zufrieden, vorerst die Zusicherung der „Sauvegarden für Bremen" erhalten zu haben, und versprach, demnächst sich über das Project zu äußern. Zwei preußische, vier wolfenbüttelsche Compagnien wurden Namens des niedersächsischen Kreises zwischen Stade und Hamburg gelegt. Trotzdem setzten die Dänen, 10,000 Mann stark, über die Elbe (20. Juli), gingen unbekümmert an jenen Compagnien vorüber, zogen sich auf Stade zusammen, begannen die Festung zu belagern. Zugleich rückten kurbraunschweigische Truppen an der Weser vor, besetzten Ottersberg und Verden, „zur Abwendung der zu fürchtenden Krankheit und zur Sicherung gegen die im Bremischen wachsende Kriegsflamme." Niemand zweifelte, daß Hannover und Dänemark ihren Handel geschlossen.

In der That hatte Hannover sich mit Graf Wellingk — oder auch mit ihm — verständigt. Der Graf hatte „kraft habender Vollmacht" die beiden Fürstenthümer in Hannovers Schutz gestellt. Denn wenn auch demnächst aus Schweden Hülfe für Stralsund und damit für Wismar und Stettin zu erwarten war, nach Bremen und Verden konnte nichts mehr durch; es schien die letzte Hülfe, sie bis auf Weiteres getreuen Händen anzuvertrauen.

Schon bedrängte Menschikoff Stralsund heftiger. Von Neuem brachte Ilgen jenes Project bei Wellingk in Anregung; er fügte ein Weiteres hinzu: um keinen Preis dürfe man Stettin in russische Hände fallen, den Zaaren so den Fuß auf Preußens Kehle setzen lassen; er schlug vor, Stettin an Preußen zur Verwahrung zu übergeben.[1]) Er machte denselben Vorschlag mit entgegengesetzter Motivirung dem Gesandten Augusts II.: der Zaar werde bei seiner oft bezeugten Freundschaft für Preußen gern einverstanden sein.[2])

Auch den sächsischen Herren war nicht gar wohl an der Seite der Russen, deren Anmaaßung mit jedem Tage unerträglicher wurde; aber jene Freundschaft des Zaaren mit Preußen fürchteten sie mehr, als sie sie wünschten; am wenigsten mochten sie Stettin in preußischen Händen sehen. Und Graf Wellingk wünschte allerdings preußische Hülfe, aber nicht für solchen Preis: „auch er glaube, daß Preußen Stettin nicht dürfe in die Gewalt des Zaaren fallen lassen; wenn der König zwei oder drei Bataillone in die Stadt werfe, so werde sich der Platz halten können."

Aber schon war Stade hart bedrängt, die Odermündungen in Feindes Hand, für Stralsund Gefahr, der Zaar selbst traf in Greifswald ein. Man mußte eilen, wenn man den Entscheidungen noch zuvorkommen wollte.

Bereits im Juli hatte man von Berlin aus einen vertrauten Mann an König Stanislaus nach Schweden gesandt; der König hatte sich sofort in hochherziger Weise zur Abdankung bereit erklärt, dann, nachdem er mit den schwedischen Staatsmännern gesprochen, einige Bedingungen hinzugefügt, deren Zweck war, August II. und wo möglich auch Dänemark von Rußland abzuziehen, Bedingungen, die man bei August II. ohne Mühe durch-

---

1) „qu'on la mette entre les mains du Roy de Prusse, pour la garder en forme de dépôt."

2) Das Mem. an Manteufel beginnt: „pour épargner à S. M. Cz. les rais, les peines et le risque d'un siége fort pénible comme seroit celuy de Stettin, comme aussi pour éviter la ruine d'une si belle ville et la perte de sang chrétien."

zusetzen hoffen konnte.[1]) Sofort nach Eingang dieser Nachrichten wurde der Obrist Eosander nach Bender an Karl XII. abgefertigt, ihm das Project vorzulegen und ihn, wenn irgend möglich, zur sofortigen Rückkehr zu bewegen, um dasselbe in Ausführung zu bringen.[2])

Am 7. September, nach einem schweren Bombardement, ergab sich Stade den Dänen. Aber Stralsund hielt sich noch; mit Ungeduld wartete der Zaar auf die dänische Flotte, die ihm schweres Geschütz bringen sollte. Dem preußischen General, der zu ihm gesandt war, machte er große Erbietungen, wenn der König ihm Belagerungsgeschütz liefern, noch größere, wenn er in eine engere Allianz mit ihm treten wolle; als Preis der Allianz bot er Stettin; der König möge an die Bürgerschaft nur die Aufforderung schicken, sich an Preußen zu ergeben. Und auf die Frage, gegen wen diese Allianz gemeint sein solle, antwortete er: „gegen Polen." Als der General mit einer halben Antwort aus Berlin zurückkam (13. September), in der namentlich Elbing wieder vorangestellt wurde, war der Zaar auch dazu bereit; nur müsse der König auch etwas thun, damit er den Polen sagen könne, wofür er Elbing aufgebe. Wie preußischer Seits gewünscht war, ließ er eine „Declaration der nordischen Alliirten" aufsetzen, welche, so hoffte er, Preußen zum Beitritt bestimmen werde; der Hauptpunkt darin war: wenn Stettin sich auf gütliche Aufforderung des Königs ergiebt, dann soll er die Stadt behalten, nur mit

1) Instruction für den Bürgermeister Arnold aus Lissa, d. d. 8. Juli 1712. Arnolds Schlußbericht über seine Sendung ist d. d. Berlin, 6. Sept. 1712. Stanislaus wünschte etwa Kurland als Entschädigung zu erhalten; „auch wurde der drei Herzogthümer Liegnitz, Brieg und Wohlau gedacht, und er, Stanislaus, könne dem König August II. verschiedene Mittel an die Hand geben, wie selbige vom Kaiser zu bekommen."

2) Instruction für den Brigadier Eosander d. d. 16. Aug. 1712. Es sind derselben die obenerwähnten pensées libres beigelegt.

der Pflicht, sie niemals ohne Consens der Alliirten an Schweden zurückzugeben; wenn aber die Stadt über kurz oder lang durch Waffengewalt gewonnen wird, soll Preußen sie erhalten, aber mit der Verpflichtung, die Schweden auf keine Weise nach Polen oder Sachsen durchbrechen zu lassen.[1]) Als endlich die Punkte der Declaration festgestellt waren und die Vollziehung des Vertrages erfolgen sollte, war die Lage der Dinge völlig verändert.

Die ersehnte dänische Flotte war am 16. September herangekommen; man beschleunigte die Ausschiffung, um den entscheidenden Schlag gegen Stralsund zu führen. Aber am 24. landete Feldmarschall Steenbock mit 9000 Mann Infanterie und zwei Regimentern Cavallerie in Rügen, einige Tage später folgte eine zweite Landung; Steenbock hatte nun mit der Besatzung von Stralsund 14,000 Reuter, 20,000 Mann Fußvolk. Man wagte nicht, seinen Angriff zu erwarten; man zog sich von Stralsund zurück, die polnisch-sächsischen Truppen besetzten die Linie der Recknitz und Peene, die russischen gingen der Oder zu, Stettin enger einzuschließen. Der Zaar selbst reiste über Berlin nach Karlsbad.

Für ihn war die Hauptsache, daß die schwedische Macht so viel wie möglich hier in den deutschen Landen beschäftigt wurde; desto ungestörter konnte sein Heer in Finnland vordringen.

Man wußte in Berlin, wie unzufrieden der Dänenkönig über den Rückmarsch von Stralsund war, wie August II. peinlich seine Abhängigkeit vom Zaaren empfand, wie beide gern ihren Frieden

---

1) Instruction zur ersten Sendung des Gen. v. Hackeborn, 13. Aug. 1712, zu seiner zweiten Sendung 3. Sept. Es wird dann an der Declaration vom 12. Sept. her und hin verändert, am 24. Sept. st. v. unterzeichnete sie der Zaar; es ist schließlich darin aufgenommen, daß, wenn Preußen den Durchbruch geschehen lasse, Stettin an Sachsen abgetreten werden solle.

mit Schweden gemacht hätten. Man hoffte auf die Erfolge Cosanders in Bender und harrte mit Sehnsucht auf seinen Bericht.

Es bot sich noch ein zweites Mittel, den Entschluß hinauszuschieben. Die mächtige Rüstung, mit der Steenbock auftrat, mehr noch, daß er zugleich den Durchbruch nach Polen und das Vordringen nach Mecklenburg und der Elbe fürchten ließ, endlich das erneute Gerücht, daß Karl XII. aus Bender aufgebrochen sei, machte nicht bloß die nordischen Alliirten bedenklich; es war bekannt, daß Frankreich an Schweden bedeutende Subsidien auszahlen lassen, daß unter den Truppen in Stettin ein Bataillon Franzosen von 500 Mann war. Die nordischen Alliirten schienen wie mit einem Schlage in die Defensive geworfen und in sehr ernster Gefahr.

In diesen kritischen Tagen kam Graf Schönborn, der Landcomthur, nach Berlin, ein kaiserliches „Project wegen der nordischen Wirren" zu überreichen. Es ging dahin, daß zunächst Preußen und Wolfenbüttel „eine gute und ernstliche Ermahnung sowohl an Schweden, als an die nordischen Alliirten" richten sollten, ihre Truppen vom Boden des Reiches zurückzuziehen,[1]) daß, um der Ermahnung Nachdruck zu geben, beide Höfe mit Kurbraunschweig, Hessen-Cassel und Münster sich zusammenthun und ein Corps von 20,000 Mann aufstellen sollten, zu dem auch Kſ. Maj. einiges Volk stellen wolle; „wenn es aber zu einem

1) Oder, wie die reichspatriotischen Formalien des kaiſ. Schreibens vom 22. Nov. lauten: „die gute und ernstliche Ermahnung, ihre Völker vom Boden des Reichs abzuführen und sich gegen die mit ihm ohnverwickelten neutralen Reichsstände aller feindseligen Forder- und Thathandlungen nach des Vaterlandes Grundsätzen zu enthalten, allenfalls auch, da die Güte nicht verfangen wollte, die reichsconstitutionsmäßigen Warnungen und Mittel dagegen zeitlich zu betrachten, zu verfassen und vorzukehren, ehe das Uebel, dem bei so fortschleichenden Umständen ohne augenscheinliche Gefahr und Verantwortung länger nicht zugesehen werden kann, ärger und ohnheilsamlich werde, auch sich weiter ganz ausbreite."

schwedischen Einbruch nach Polen kommen sollte, wünsche Kais. Maj. sich mit Preußen insbesondere zu verständigen." Seltsam, daß der kaiserliche Hof nicht einmal die Rücksicht gehabt hatte, einen anderen Unterhändler zu wählen, als diesen, der in der Laverneschen Sache so thätig gewesen war; noch seltsamer, daß er ohne Weiteres Gehör fand. Der König gab gern seine Zustimmung, „wenn es nur nicht auf ein gar zu großes Hazard für uns hinausläuft;" er sandte Alvensleben nach Braunschweig, wohin Schönborn die Conferenz berief, deren Leitung er selbst übernehmen sollte. Die Weisung für Alvensleben lautete, im vertraulichsten Einverständniß mit Schönborn zu verfahren, „weil wir uns einmal vorgesetzt haben, in dieser Sache die Consilia des kaiserlichen Hofes, die wir sehr cordat und vernünftig finden, nach allem Vermögen zu secundiren und uns davon im Geringsten nicht zu trennen."

Auf die dringenden Bitten des Herzogs von Mecklenburg, — denn der Rückmarsch des mecklenburgischen Regiments, das als Reichscontingent am Oberrhein stand, war von Seiten des Kaisers durchaus nicht gestattet worden — hatte man von Berlin aus einige Compagnien als Sauvegarden nach Güstrow und Rostock gelegt; „um das Einschleppen der Pest zu verhüten," hatte man dem Zaaren gesagt. In den ersten Novembertagen begann Steenbock seine Bewegungen, drängte die Dänen aus den Pässen der Recknitz, nahm Damgarten, bald darauf Rostock, gewann die Verbindung mit der Festung Wismar. Graf Flemming seinerseits bemächtigte sich durch einen Handstreich der Stadt Güstrow; dann bot er dem schwedischen General einen Waffenstillstand; sie kamen persönlich zusammen; bis zum 15. December sollte Waffenruhe sein. Man dachte ernstlich an einen Frieden auf Grund jenes preußischen Projectes; König Stanislaus verließ das schwedische Hauptquartier, um schleunigst durch Polen nach Bender zu gehen und Karls XII. Zustimmung zur Abdication zu erwirken.

Aber der Zaar war höchst unzufrieden mit dieser Pause, er kam schleunigst aus Karlsbad zurück; und der Dänenkönig, ohne den der Waffenstillstand geschlossen war, ließ seine Truppen nach Mecklenburg aufbrechen. Vergebens bemühte sich Steenbock um Verlängerung des Waffenstillstands.[1]) Schon waren die dänischen Fußvölker über die Trave, das polnisch-sächsische Corps rückte in der Richtung auf Schwerin ihnen entgegen; in wenigen Tagen konnten sie, vereint fast doppelt so stark, als die Schweden, den entscheidenden Schlag führen.

Graf Steenbock eilte, sich zwischen beide zu werfen; nur erst die sächsische Reiterei hatten die Dänen erreicht, als er bei Gadebusch ihnen gegenüberstand; sofort griff er an, siegte vollständig (20. December). Er verfolgte die Fliehenden nach Holstein hinein; er brannte Altona nieder „aus militärischen Gründen," wie er erklärte.[2]) Aber der Zaar drängte, ihm mit ganzer Macht zu folgen; im Januar gingen die Russen und Sachsen über die Eider. Steenbock zog sich nach Eiderstädt zurück; die gottorpische Regierung, dem Namen nach neutral, öffnete ihm unter der Hand die Festung Tönningen.

Der Krieg, der schon in grauenhafter Weise die deutschen Küstenlande von der Oder bis zur Weser verwüstet hatte, schien nun erst recht sich entflammen zu sollen. England konnte die

1) Königl. Rsc. an Alvensleben, 13. Dec.: „ihr habt dem Grafen Schönborn im Vertrauen zu sagen, daß Steenbock uns auch jetzo wegen Procurirung eines weiteren Armistitii sehr pressiren ließe." Es war der schwedische General Taube deshalb nach Berlin gesandt.

2) So seine Erklärung, Pinneberg, 10. Jan.: „c'est avec regret que je me suis vu contraint de faire détruire la ville d'Altona, la raison de guerre et une nécessité indispensable l'ont emporté sur mon penchant de ne pas imiter les ennemis" u. s. w.

Schweden nicht sinken lassen, Frankreich unterstützte sie offenkundig; beide in Utrecht Preußens Rückhalt, während hier im Osten die Gegner Schwedens rings um die preußischen Lande her im neuen Vordringen waren. Wie schief, wie isolirt war Preußens Stellung; mochte man sich des geglückten Handstreichs gegen Mörs erfreuen, jene Sauvegarden im Bremischen hatten Dänemark erbittert, die in Rostock hatte Schweden, die in Güstrow Sachsen ausgewiesen; preußische Truppen hatten ohne Kampf abziehen müssen. Schlimmer als Alles war, daß die russische Macht hier in Pommern und Mecklenburg, wie schon in Polen, in Elbing und Danzig, den Herren zu spielen begann: „wir sind gleichsam der Discretion des Zaaren untergeben.“[1])

Man hatte alle Hoffnung auf Eosanders Sendung gesetzt; sein erster Bericht war am 17. November eingetroffen, jeder folgende brachte schlimmere Nachricht: „der König ist nicht zu bewegen; ich habe ihm so zu Herzen gesprochen, daß es einen Stein hätte erweichen müssen, aber ohne alle Wirkung; er erörtert mit mir meine Argumente; aber seit er die Landung Steenbocks auf Rügen erfahren, ist meine letzte Hoffnung dahin; sein Herz ist zu sehr versteint, er hat nicht die Macht, sich selbst zu überwinden.“ Dann der Bericht vom 4. December: „wenn Steenbock in Pommern Erfolg hat, wird der König im Januar mit 20,000 Tartaren nach Polen ziehen, dort sich mit ihm vereinigen.“ Und von König Stanislaus lief Bericht ein: daß er auf der Grenze Siebenbürgens vergebens auf die Erlaubniß warte, nach Bender zu kommen.

Das Friedensproject, auf das Friedrich I. seine Hoffnung gestellt, war völlig gescheitert. Trübe genug lag die Zukunft vor ihm.

1) So schon im Königl. Rsc. an Marschall, 2. April 1712.

Er kränkelte seit Monaten. Traurige Vorgänge in seiner nächsten Nähe erschütterten seine sieche Kraft.

Er hatte in seiner dritten Ehe, der mit Sophie Luise von Mecklenburg, wenig Freude gehabt. Die junge Königin blieb ohne Kinder; harten Sinnes, anspruchsvoll und unbefriedigt, von schroff lutherischer Unduldsamkeit, verbitterte sie sich mehr und mehr gegen ihre Lage und ihre Umgebung, bis endlich jetzt ihre körperliche und geistige Gereiztheit in wilden Paroxysmen zum Ausbruch kam. Bald lachte und sang sie mit geschlossenen Augen stundenlang; dann wieder weinte sie, wie im tiefsten Jammer, dann wieder putzte sie sich mit andern und andern Kleidern, redete tausend alberne Dinge.[1]) Eines Tages (2. Februar) schlich sie sich aus ihren Zimmern, eilte zum König, klagte, daß ihre Damen und Diener sie mißhandelten, bat, ihr einen andern Hofstaat zu geben, sie zu ihrem Bruder nach Grabow zu senden. Der König entschloß sich dazu, besuchte sie noch am Abend vor der Abreise (7. Februar); andern Tages war sie zu elend, um reisen zu können; dann, als sie es konnte, weigerte sie sich durchaus; es bedurfte des Zwanges, sie hinwegzuführen.[2])

Schon am 8. Februar fühlte sich der König ernstlich krank; mit den täglich schlimmeren Nachrichten vom Schloß wuchs die

---

1) Manteufel berichtet 27. Jan. 1713: „la reine est tellement incommodée des vapeurs, qu'on croit sérieusement qu'elle en perdra le sens commun, si elles continuent; elle se grave jusqu'au sang, s'arrache les cheveux et fait mille autres extravagances;" und solche Anfälle wiederholten sich wohl zwanzig mal des Tages. Die Königin war erst 28 Jahr alt.

2) Am 4. Feb. schreibt Manteufel: „le Roy, fort épouvanté par cette visite inopinée resolut . . . de la faire garder depuis pour qu'elle ne s'échappe de nouveau." Und am 8. Feb.: „le roy dit on, la fut voir hier et fut si touché du triste état . . . qu'il tomba luy même fort malade;" gegen Abend sei es ihm etwas besser gegangen, doch habe er nicht in die tabagie kommen können. Die ausführlichere, aber auch ausgeschmücktere Erzählung bei Pöllnitz übergehe ich.

Theilnahme, die Aufregung am Hofe und in der Stadt, die Verwirrung in den Kreisen, die wohl wußten, was sie zu erwarten hatten, wenn „der gütige Herr" die Augen schloß. Am Tiefsten, von wahrem Schmerz bewegt, war der Kronprinz; mancher, der ihn sonst nur hart und rücksichtlos gekannt, sah erstaunt ihn, wenn er aus dem Krankenzimmer kam, in heftige Thränen ausbrechen.[1]) Dann kam ein Tag, der alles Beste hoffen ließ; als der König an das Fenster trat, begrüßte ihn das Freudengeschrei der Menge, die sich vor dem Schlosse gesammelt hatte; der Jubel verbreitete sich durch die Stadt; in den Hofkreisen wurden Genesungsfeste gefeiert. Der folgende Tag brachte noch bessere Nachricht; der Kronprinz fuhr nach Coepenick hinaus.

Aber mit dem späten Abend stellten sich wieder Beklemmungen, krampfhafte Anfälle ein. Schleunigst wurde dem Kronprinzen Nachricht gesandt. Als er ankam, fand er den Vater in den letzten Agonien. Um Mittag den 25. Februar erfolgte der Tod.

Die königliche Leiche wurde in die Kapelle des Schlosses gebracht, dort am folgenden Tage ein Trauergottesdienst gehalten; die neue Königin saß an der Stelle, die ihr nun gebührte, die Prinzen, die Hofchargen, die Minister, jeder an

---

1) Mantenfel, der täglich auf das Schloß ging, berichtet 19. Feb.: „Le prince royal sortant de la chambre du Roy le jour, qu'il étoit si malade et ayant les larmes aux yeux, fut rencontré dans la gallerie par 55. 25, qui luy crut devoir faire un compliment et pour le consoler il luy dit entre autres avec beaucoup d'éloquence que ce seroit en effet un grand malheur, si S. M. venoit à mourir, mais qu'après tout il falloit se soumettre à la volonté de Dieu et luy rendre grâce de ne l'avoir ôté de ce monde que lorsque M. le Prince Royal étoit en état de réparer cette perte. L'autre l'ayant écouté jusqu'au bout en sanglottant luy répondit en essuyant ses larmes par ces termes obligeants: Was hast du H. dich darum zu bekümmern, et puis luy tourna le dos."

seinem Platz, Friedrich Wilhelm I. hinter Allen, in der letzten Ecke des Gemaches.

Nach dem Gottesdienst rückten die Garden und Grenadiere an der Stechbahn auf, dem neuen Könige den Eid zu leisten.

Dann empfing er die Geheimenräthe: „er fordere keinen neuen Eid von ihnen, er erwarte, daß sie ihm ebenso treu dienen würden, wie sie seinem Vater gedient; aber Eins wolle er ihnen sagen: sie hätten sich gewöhnt, fortwährend gegen einander zu cabalisiren; das habe jetzt ein Ende; wer wieder dergleichen Cabalen anfange, den werde er dafür anfassen, daß er sich wundern solle.“ Er befahl, daß bis auf Weiteres mit Ilgen gemeinschaftlich General Graf Christoph Dohna und der Obermarschall von Printzen die „publiken und Staatsaffairen“ führen, daß jeder der anderen Minister die Geschäfte seines Ressorts fortsetzen, daß der Geheime Kammerrath von Creutz den Vortrag im Cabinet haben solle; er fügte hinzu, daß seine Absicht sei, trotz des hoffentlich baldigen Friedensschlusses in Utrecht seine Armee nicht zu vermindern, vielmehr aus jedem der im Feld stehenden Bataillone ein Regiment zu machen. Er kündigte ihnen an, daß er nach Wusterhausen gehe und dort acht Tage bleiben werde, daß ihm Niemand dorthin zu folgen habe.[1] Er vollzog die von den drei Staatsministern auf seine Weisung entworfene Instruction für die einstweilige Geschäftsführung, der er mehrere eigenhändige Bemerkungen beigefügt hatte; ihr Inhalt ist, daß die sämmtlichen Minister eben Alles nur für die unmittelbare Entscheidung des Königs vorzubereiten, daß die Drei alle einkommenden Schreiben zu eröffnen und an ihre „Departements“ zu vertheilen, in drin-

1) Nach den sehr eingehenden, fast täglichen Berichten des Grafen Manteufel an August II. und Graf Flemming.

genden Fällen auf ihre Verantwortung zu verfügen haben. Das alles rasch, schroff, ohne Umschweif.

Dann ging er nach Wusterhausen. Nur Creutz und einige Adjutanten begleiteten ihn.

Mit ängstlicher Spannung harrte man, was weiter geschehen werde; Jedermann empfand, daß ein großer Wechsel der Dinge bevorstehe.

Berlin, Druck von Gebr. Unger (C. Unger), Königl. Hofbuchdrucker.

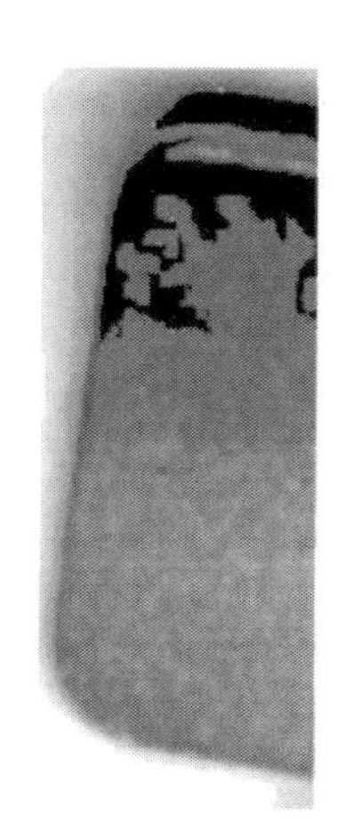

FSC
www.fsc.org
MIX
Papier aus verantwortungsvollen Quellen
Paper from responsible sources
FSC® C141904

Druck:
Customized Business Services GmbH
im Auftrag der KNV-Gruppe
Ferdinand-Jühlke-Str. 7
99095 Erfurt